10836463

LES PATRIOTES

**

Max Gallo

LES PATRIOTES

Suite romanesque

**

Le Prix du sang

Dans l'honneur et par la victoire

ÉDITIONS FRANCE LOISIRS

Édition du Club France Loisirs,
avec l'autorisation de la librairie Arthème Fayard

Éditions France Loisirs
123, boulevard de Grenelle, Paris
www.franceloisirs.com

Le Code de la propriété intellectuelle n'autorisant, aux termes des paragraphes 2 et 3 de l'article L. 122-5, d'une part, que les « copies ou reproductions strictement réservées à l'usage privé du copiste et non destinées à une utilisation collective » et, d'autre part, sous réserve du nom de l'auteur et de la source, que les « analyses et les courtes citations justifiées par le caractère critique, polémique, pédagogique, scientifique ou d'information », toute représentation ou reproduction intégrale ou partielle, faite sans le consentement de l'auteur ou de ses ayants droit ou ayants cause, est illicite (article L. 122-4). Cette représentation ou reproduction, par quelque procédé que ce soit, constituerait donc une contrefaçon sanctionnée par les articles L. 335-2 et suivants du Code de la propriété intellectuelle.

© Librairie Arthème Fayard, 2000.
© Éditions France Loisirs, 2001, pour la présente édition.
ISBN : 2-7441-4729-X

LE PRIX DU SANG

Au lendemain de la Libération, la France posera à chacun de ses fils la question : « Qu'as-tu fait pour moi, dans le temps de la honte et de la misère ? »

Henri Frenay,
La nuit finira.

« Et des millions de Français se préparent dans l'ombre à la besogne que l'aube leur imposera.

Car ces cœurs qui haïssaient la guerre battaient pour la liberté au rythme même des saisons et des marées, du jour et de la nuit... »

Robert Desnos.

PREMIÈRE PARTIE

— 1 —

Ce matin du mercredi 7 octobre 1942, alors que le mistral qui avait soufflé toute la nuit venait de tomber d'un seul coup, comme si on avait enfin refermé une fenêtre, en quelques minutes l'atmosphère était devenue pesante, presque moite. Bertrand Renaud de Thorenc avait vu des hommes casqués, gendarmes ou gardes mobiles, qui, le mousqueton à l'épaule, barraient le boulevard du quai de la Ligne qui longe les remparts d'Avignon et borde le Rhône.

Il avait continué à pédaler, mais si lentement qu'à plusieurs reprises il avait failli perdre l'équilibre.

Il s'était accroché aux ridelles d'une camionnette qui roulait au pas et s'arrêtait souvent, comme les charrettes, les camions, les cyclistes, les voitures, tous ralentis par le barrage policier.

Il s'était penché. Certains gendarmes contrôlaient les véhicules un à un et semblaient procéder à un examen minutieux des papiers. D'autres, en revanche, les laissaient passer sans même jeter un coup d'œil aux documents qu'on leur tendait, puis, tout à coup, sans motif apparent, eux aussi devenaient tatillons.

Thorenc s'était redressé, tenant le haut du guidon d'une main, bras tendu.

Il avait contemplé le fleuve. L'eau brunâtre charriait des branches d'arbres et tourbillonnait autour des piles du pont Saint-Bénézet, tronqué ainsi qu'un moignon incapable d'empoigner l'autre rive. Et alors que la camionnette redémarrait, l'entraînant, Thorenc pensa qu'il risquait d'en être ainsi de sa vie, tranchée net. Son sort dépendait de ces hommes en uniforme noir dont l'acier des casques et des armes, le cuir des ceinturons et des cartouchières luisaient dans le soleil matinal.

Il lui parut avoir déjà pressenti que son destin pouvait se briser en cette matinée du 7 octobre 1942.

Il avait quitté le mas Barneron dès le lever du jour.

Les rues du village de Murs étaient envahies par un troupeau de moutons qui descendaient du plateau par la draille qu'il avait souvent empruntée pour se rendre jusqu'à la chapelle.

Là-haut, il était seul. Il n'entendait plus le bavardage de Léontine Barneron. Il ne répondait plus aux questions de Daniel Monnier qui s'impatientait parce que Londres ignorait les demandes de parachutage d'armes et d'argent et n'accusait pas réception des messages que le radio réitérait trois fois par jour.

Il n'avait plus à calmer Jacques Bouvy qui passait une partie de la journée à nettoyer ses deux revolvers ainsi que la mitraillette Sten, et s'indignait qu'aucun mouvement de Résistance ne songeât à lancer un coup de main contre Vichy. Au mois d'août, les Anglais et les Canadiens, épaulés par les hommes des Forces françaises libres, avaient réussi à prendre pied à Dieppe, simplement pour évaluer les défenses allemandes. Est-ce qu'on ne pouvait pas agir de même à Vichy, se lancer à l'assaut de l'hôtel Thermal, siège de ce que les vichystes osaient appeler le ministère de la Guerre ? Et pourquoi pas de l'hôtel du Parc où Pétain somnolait ? ou encore de l'hôtel Albert-Ier ? On avait des chances d'abattre le général Xavier de Peyrière, le Maréchal, Laval, l'amiral Darlan, voire le ministre de l'Intérieur Pucheu, et Cocherel, le directeur de la Surveillance du territoire ! Ça valait bien qu'on sacrifie sa vie, non ?

— Qu'en pensez-vous, Thorenc ? interrogeait Jacques Bouvy.

Bertrand préférait s'éloigner, ne pas avouer qu'il avait lui-même songé à une action solitaire et suicidaire : tuer Xavier de Peyrière, Pucheu ou Cocherel, l'un de ces hommes qui avaient ouvert la zone non occupée aux agents de la Gestapo et de l'Abwehr.

À présent, les nazis sillonnaient les routes à la recherche des postes émetteurs de la Résistance. Et Monnier avait été contraint de réduire la durée de ses émissions pour ne pas être repéré.

Bouvy avait remarqué des voitures suspectes, stationnant sur des chemins de campagne, dans les environs de Carpentras et de Gordes, non loin de l'abbaye de Sénanque.

— *Ils* nous cherchent, avait-il dit.

C'étaient Bousquet, le secrétaire général de la police, Laval et Peyrière qui leur en avaient donné les moyens.

Thorenc s'était borné à conclure :

— D'ici quelques semaines, il n'y aura plus de zone libre.

C'étaient quelques mots de trop qui avaient suffi à Bouvy et Monnier pour s'emporter et se mettre à questionner avec anxiété. Était-ce là une hypothèse, une rumeur ou bien une information ? Si Londres ne répondait pas aux messages et ne parachutait pas d'armes, n'était-ce pas parce qu'une vaste opération militaire se préparait ? Un débarquement en Afrique du Nord ?

Thorenc s'était tu.

Il ne savait rien de précis, mais n'oubliait pas les propos que Thomas Irving et John Davies lui avaient tenus sur les bords du lac de Genève. L'agent de l'Intelligence Service et celui de l'Office of Strategic Service, l'OSS, n'avaient pas même essayé de dissimuler la stratégie de l'Angleterre et des États-Unis : occuper la rive sud de la Méditerranée, placer à la tête des troupes françaises d'Afrique du Nord le général Giraud, se débarrasser ainsi de De Gaulle en créant à Alger une sorte de gouvernement vichyssois sous contrôle américain — et si Pétain et Darlan voulaient se joindre à Giraud, pourquoi pas ? On les honorerait à l'instar de héros, et tant pis pour les otages qu'ils avaient laissé fusiller ! Oubliée, la collaboration avec l'Allemagne, et vive la collaboration avec les États-Unis !

Chaque fois qu'il songeait à cette éventualité, Thorenc éprouvait un sentiment de révolte et d'impuissance.

Il était là, dans ce mas Barneron, avec Jacques Bouvy et Daniel Monnier. Ils disposaient à eux trois d'une mitraillette, de quatre revolvers et d'un émetteur radio. Ils devaient attendre...

Et, pendant ce temps-là, les agents allemands munis de cartes d'identité françaises, de voitures immatriculées à Marseille ou en Avignon, préparaient l'entrée en zone non occupée des divisions allemandes qui avaient été regroupées dans la région de Dijon. Ils dressaient les listes des résistants à coffrer, et les policiers des Brigades spéciales du commissaire Antoine Dossi, ceux qui avaient arrêté, humilié, battu Thorenc, leur communiquaient leurs fichiers, puis les accompagnaient lors des arrestations.

Et, pendant ce temps-là, on avait fusillé en moins d'un mois plus de mille personnes au mont Valérien, à Nantes, à Bordeaux. Sans compter tous les suppliciés dont on ignorait le martyre. Karl Oberg, le chef des polices allemandes, annonçait : si les « criminels », les « terroristes » coupables d'actes hostiles à l'armée allemande ne se présentent pas aux autorités d'occupation, « tous les proches parents masculins en ligne ascendante et descendante ainsi que les beaux-frères et cousins à partir de dix-huit ans seront fusillés. Toutes les femmes du même degré de parenté seront condamnées aux travaux forcés. Tous les enfants, jusqu'à dix-sept ans révolus, des hommes et des femmes frappés par ces mesures seront remis à une maison d'éducation surveillée ».

Oberg était l'interlocuteur habituel de Bousquet, Cocherel, Pucheu et du général Xavier de Peyrière. Ils établissaient ensemble des plans d'action. Ils dînaient ensemble.

Et, pendant ce temps-là, les enfants juifs raflés par la police française en zone libre étaient conduits en zone occupée, convoyés par des hommes casqués en uniforme noir, mousqueton à l'épaule, pareils à ceux qui barraient la chaussée entre les remparts d'Avignon et le Rhône.

Ces mêmes hommes qui allaient décider de sa vie.

Thorenc avait d'abord roulé contre le mistral, puis avait été poussé par lui en direction de Carpentras et d'Avignon.

Avant de partir, il avait révélé à Bouvy et Monnier qu'il avait rendez-vous, en face du palais des Papes, avec Pierre Villars, peut-être aussi avec Jean Moulin. S'il ne revenait pas le lendemain au mas Barneron, il fallait qu'eux-mêmes en déguerpissent, car cela signifierait qu'il avait été arrêté, et nul ne pouvait être sûr de résister à la torture ; d'autant que les hommes du commissaire Dossi étaient aussi sadiques que les Allemands.

Tout en pédalant, Thorenc avait pensé que dans trois mois jour pour jour, le 7 janvier 1943, il aurait trente-neuf ans et aurait donc probablement dépassé le mitan de sa vie. Puis, traversant le vignoble, courbé sur son guidon, il s'était demandé s'il parviendrait même jusque-là.

Parfois, profitant d'une descente, il s'était redressé pour reprendre souffle, regarder le soleil se lever derrière le Ventoux, oublier un instant, dans le vent de la vitesse et la beauté rose de l'horizon où se découpaient les dentelles de Montmirail comme des chevaliers en armures gris fer montant la garde, l'inquiétude qui le tenaillait.

Puis il baissait la tête, se courbait et recommençait à pédaler à vive allure, car il savait que Pierre Villars et Jean Moulin ne l'attendraient pas plus de cinq minutes au-delà de l'heure convenue.

Et il se reprenait à songer à ces trois mois, jour pour jour, qui le séparaient de ses trente-neuf ans. Il se disait que, même s'il survivait, il ne pourrait guère envisager de vivre avec Claire Rethel, âgée d'à peine vingt et un ans. Mais peut-être était-elle morte, défiant les policiers, leur déclarant qu'elle se nommait en fait Myriam Goldberg et qu'elle voulait subir le sort des Juifs ?

Dans la seule lettre qu'elle lui avait adressée, elle avait écrit :

Quand mon visage me vaudrait la mort
Je ne peux vivre sous le masque
Puisque ceux qui me ressemblent
Sont jetés dans la souffrance...

Mais, s'ils l'avaient tuée, lui-même tuerait Cocherel, Pucheu, Xavier de Peyrière ou Dossi, n'importe lequel de ceux qui collaboraient avec la barbarie.

De sa main gauche, il avait palpé la sacoche placée sur son porte-bagages et dans laquelle il avait glissé un revolver après l'avoir enveloppé dans une écharpe.

Pour l'heure, accroché à la ridelle de la camionnette, il pouvait, en se retournant, voir cette sacoche retenue par des sangles. Et, devant lui, à environ deux cents mètres, il apercevait les casques et le canon des mousquetons des hommes en uniforme noir.

La camionnette s'était arrêtée à nouveau, le chauffeur avait sorti la tête et s'était penché hors de la portière.

C'était un homme d'une cinquantaine d'années au visage maigre, un béret délavé enfoncé jusqu'aux sourcils. Les rides qui striaient sa peau brune y dessinaient comme de fines cicatrices plus claires. Il avait regardé Thorenc, puis, montrant d'un hochement de tête le barrage, il avait lâché d'une voix rauque :

— Ils feraient mieux de contrôler les Allemands ! Il y en a déjà partout. Ils tournent dans la campagne comme des chiens courants. Bientôt ils nous occuperont, comme en haut. Vous croyez que ceux-là — il avait désigné les gendarmes — vont les empêcher d'entrer ? Ils leur indiqueront plutôt la route et feront la circulation pour leurs tanks ! Et ils continueront de nous emmerder, c'est moins dangereux, et on les décorera de la Croix de fer !

Peut-être mû par la tentation de lever le poing, il avait esquissé un geste vite interrompu, puis avait repris :

— Ils n'ont qu'à partir travailler en Allemagne ! C'est eux

qui devraient faire la relève et remplacer nos prisonniers. Pas nos jeunes !

Thorenc n'avait pas répondu, et l'homme avait rentré la tête dans la cabine de son véhicule.

Bertrand avait regardé de nouveau le pont brisé. Non, il ne fallait pas que sa vie s'arrête là.

Il était descendu lentement de bicyclette, avait décroché les sangles retenant sa sacoche, puis s'était approché de l'arrière de la camionnette.

Des cageots entassés entre les ridelles montait une odeur douceâtre de fruits trop mûrs, de figues et de raisins écrasés.

Il avait glissé la sacoche sous les cageots sans même un regard à la ronde, comme s'il accomplissait un acte dénué d'importance, puis il avait repris son vélo, et, d'un coup de pédale, s'était élancé jusqu'à la cabine.

Le paysan l'avait dévisagé, les avant-bras appuyés au volant.

— Mettez aussi la bicyclette, avait-il murmuré. Et montez.

Quand la camionnette avait redémarré, Thorenc s'était laissé glisser le long de la ridelle, puis, profitant d'un nouvel arrêt, il avait calé son vélo entre les cageots.

Dans la cabine, le paysan ne lui avait plus adressé la parole et ne l'avait même pas regardé.

Le barrage franchi, il s'était mis à siffloter sans que son passager pût même reconnaître de quel air il s'agissait au juste, peut-être un chant de guerre ou quelque hymne révolutionnaire.

Thorenc avait aperçu, garées le long des remparts à la hauteur du barrage, deux voitures noires, et une poignée d'hommes parmi lesquels il lui avait semblé reconnaître des policiers des Brigades spéciales du commissaire Antoine Dossi.

Le paysan avait tourné à gauche et était entré dans le vieil Avignon. Il s'était arrêté sur une placette au sol jonché de feuilles mortes.

— Si vous voulez quelques fruits, avait-il dit, prenez-les avec le reste.

Il avait cligné de l'œil et souri, montrant des dents ébréchées, jaunies par le tabac.

— Je m'appelle Garel, Victor ; je suis de Sainte-Cécile-les-Vignes. On me connaît, là-bas.

En descendant, Thorenc s'était contenté de lever la main : l'émotion lui étreignait trop la gorge pour qu'il pût prononcer une parole.

— 2 —

À chaque fois que Thorenc aperçoit un tombereau de raisin noir et voit osciller au sommet les grappes dont certaines glissent et s'écrasent sur la chaussée, il pédale plus vite pour le dépasser, éviter de déraper sur cette traînée gluante où se mêlent le crottin des bêtes de trait et la pulpe verdâtre des grains.

Il double la file des vendangeurs qui parfois le saluent d'un geste las, mais l'odeur entêtante du raisin foulé le poursuit.

Il se souvient alors des cageots de fruits trop mûrs

entassés dans la camionnette. Il ralentit et se redresse, mains posées en haut du guidon ; il aspire l'air doux de la nuit qui s'avance, drapant d'une cape noire les dentelles de Montmirail qui paraissent s'éloigner.

Comme pour ne jamais l'oublier, il répète le nom de cet homme : Victor Garel, Victor Garel, Victor Garel... Il se penche à nouveau et pédale, le pied cambré, poussant de toutes ses forces. Il lui semble qu'il a vécu aujourd'hui l'un des moments les plus intenses de sa vie, quand un inconnu prend le visage du Destin.

Il raconte l'épisode à Pierre Villars qu'il retrouve à cette terrasse de café en face de l'entrée du palais des Papes.

Dans un accès d'impatience, Villars l'interrompt et murmure, tout en lançant des regards à la ronde comme s'il craignait qu'on ne l'entendît :

— Vous avez eu de la chance, et cela fait déjà plusieurs fois. Vous êtes irresponsable de transporter une arme avec vous ! Vous n'êtes pas seul, Thorenc, vous faites partie d'un groupe. Si on vous arrête en possession de ce revolver, c'est pire qu'une preuve : un aveu. On vous fera parler. On fera parler vos faux papiers. On remontera toute la filière jusqu'à l'imprimeur. C'est peut-être une connerie du même ordre qui a fait découvrir le laboratoire de mon frère, permis l'arrestation de plusieurs personnes, et le démantèlement du réseau que Philippe avait mis en place en gare de Perrache, donc compromis nos possibilités de sabotage au moment où les Allemands s'apprêtent à envahir la zone Sud.

— Est-ce si sûr ? demande Thorenc.

— Qu'est-ce que vous voulez que je vous dise ? répond Villars. Ils veulent occuper toute la France et contrôler la côte méditerranéenne, parce qu'ils savent parfaitement, comme nous, que les Anglo-Américains préparent quelque chose en Afrique du Nord.

Il pose la main sur la sacoche que Bertrand a placée sur ses genoux.

— Quelle est votre intention, Thorenc ? Conduire en anarchiste votre guerre privée ?

Villars approche son visage de celui du journaliste et martèle :

— La Résistance, ce n'est pas la somme d'actes individuels que chaque Français peut accomplir au gré de sa fantaisie, de ses intérêts ou de ses pulsions. Si vous en avez cette idée-là, coupez tous les ponts avec nous, brûlez tous vos papiers, les vrais et les faux, et tuez le premier soldat allemand venu — en vous faisant tuer par la même occasion, bien sûr !

Il pointe le doigt vers Thorenc.

— Mettez-vous dans la tête que vous faites partie de l'Armée secrète, celle que Max, moi et beaucoup d'autres tentons de mettre sur pied. Et nous espérons y parvenir si des comportements comme le vôtre ne nous précipitent pas trop vite dans les caves de la Gestapo. Écoutez-moi...

Il baisse la voix pour expliquer qu'il est arrivé tôt, ce matin, en Avignon. Il a tout de suite repéré les camions de gendarmes, compris qu'il allait y avoir une opération de contrôle aux différentes portes de la ville.

— Ce sont les Brigades spéciales de Dossi qui dirigent l'opération, renforcées par des hommes de la rue Lauriston, de la bande à Lafont. On nous a assuré que Bardet est passé en zone Sud avec les agents allemands qui ont reçu l'autorisation d'y opérer.

Il ferme les yeux, appuie sa nuque contre la façade, allonge les jambes. Il ressemble à un convalescent qui a laissé pousser sa barbe durant sa maladie et qui réchauffe au soleil son corps encore endolori.

— Je n'ai pas pu vous prévenir, mais j'ai pu avertir à temps Max.

Moulin attend dans une maison de la place Crillon, en face de l'hôtel d'Europe.

— Certains policiers de Marseille et de Lyon sont descendus là.

Il se lève.

— Je marche devant, dit-il.

Il s'éloigne de quelques pas, puis se retourne :

— Ne laissez pas tomber votre sacoche en plein devant l'hôtel, hein ?

Il ne sourit pas.

Il faut passer devant l'hôtel d'Europe. Thorenc aperçoit des hommes qui bavardent dans l'entrée. Une voiture est garée au beau milieu de la petite place. Un homme se tient appuyé au toit du véhicule.

Thorenc a l'impression qu'on le suit des yeux. Il pousse son vélo de la main gauche et tient sa sacoche sous l'aisselle droite. Il se défendra.

Il avance dans la courte ruelle où s'est engagé Pierre Villars. Personne ne le suit. Il découvre, fermant la rue, un petit immeuble au fronton décoré par une tête de femme solaire dont les rayons parcourent la façade entière, se brisant contre deux colonnes au haut desquelles des géants soutiennent une terrasse. La porte est entrouverte. Thorenc devine la silhouette de Villars qui lui fait signe d'entrer.

C'est la pénombre, puis, brusquement, derrière une porte, un jardin et, douceâtre, cette odeur de figues...

Max se lève. Il porte un costume gris croisé, une pochette blanche. Tirés en arrière, ses cheveux sont soigneusement peignés.

Il tend la main à Thorenc. Tout dans son attitude, son apparence révèle un souci du détail, le goût de la perfection, ainsi qu'une attention toujours en éveil.

Il interroge Thorenc sur ses rencontres en Suisse avec le banquier Stacki, les diplomates Thomas Irving et John Davies. Il sourit.

— Diplomates..., commente-t-il. Si l'Intelligence Service et l'OSS sont des sections du Foreign Office et du Département d'État, alors oui, ces deux-là sont des diplomates !

Il s'assied, fait signe à Thorenc de prendre place en face de lui. Il ne veut pas un compte rendu détaillé, Thorenc l'a déjà fait à Pierre Villars et celui-ci en a rapporté les éléments essentiels.

— Je veux votre sentiment, ou plutôt votre impression, dit-il.

— D'abord, soutien au général Giraud en vue d'une action prochaine en Afrique du Nord, répond Thorenc. Giraud prendra le commandement des troupes françaises.

Moulin écoute, soulignant chaque affirmation d'un hochement de tête.

— Espoir de voir Vichy favoriser l'action des Alliés, s'y rallier même, poursuit Thorenc. Et défiance, voire hostilité et presque mépris envers de Gaulle.

Bertrand observe Max qui frappe nerveusement le sol de la semelle de sa chaussure, puis il contemple le figuier dont les branches basses sont si surchargées de fruits qu'elles touchent terre. Il aperçoit les taches noires des figues tombées, qui ont éclaté.

— Ils ne comprennent pas, reprend Max, qu'il ne peut y avoir en France que des antigaullistes ou des gaullistes, même si, parmi ces derniers, on peut trouver toutes les nuances de la palette politique.

Il se tourne vers Pierre Villars, l'interroge sur le sens de la signature du Parti communiste au bas d'un appel contre le recensement des travailleurs français en vue de leur départ en Allemagne :

— Pas un homme pour l'Allemagne, parfait ! s'exclame Moulin. Mais pourquoi le Parti communiste est-il le seul parti à signer aux côtés des mouvements de Résistance : Franc-Tireur, Combat, Libération ? Les autres partis vont nous accabler de protestations et de réclamations.

Il sourit d'un air las et soupire :

— Communistes, socialistes, radicaux, modérés, il n'est pas un de ces partis qui ne veuille prendre date pour l'après-Libération. Et Dieu seul sait quand elle interviendra !

Puis il se détend, cesse de battre du pied.

— À mon avis, Thorenc, pas avant 1944. Il nous faudra bien deux années pour venir à bout de l'Allemagne. Et je ne sais pas dans quel état nous serons. Encore vivants ?

Il regarde longuement le journaliste, comme s'il percevait que celui-ci n'est pas allé au bout de ses remarques.

— Irving et Davies, reprend alors Thorenc, vont soutenir tous ceux qui s'opposeront au projet d'unification de la Résistance sous votre autorité. Ils vont proposer de financer les mouvements de telle manière qu'ils ne dépendent plus de vous, autrement dit qu'ils échappent à de Gaulle. Voilà le but. Il semble qu'ils soient entendus par certains, Irving prétend...

Bertrand hésite.

— Quoi ? l'exhorte Max.

— Que l'un des chefs de mouvement vous présente comme « un petit fonctionnaire appointé » — je cite...

Pierre Villars se dresse et s'exclame :

— Mais c'est indigne !

Moulin baisse la tête, le visage fermé.

— Rien n'est simple, dit-il. Les hommes sont ce qu'ils sont, et la politique est partout. Mais les gens comme Irving, Davies et les autres oublient que la guerre n'a pas encore atteint son paroxysme.

Max se lève, va vers le figuier, cueille un fruit, l'ouvre, considère longuement la pulpe rouge.

— Nous regretterons peut-être cet automne 1942 ; il nous paraîtra si tranquille quand viendront les temps vraiment difficiles, et croyez-moi...

Il se rassied, mord dans la figue, en jette au loin la peau noire.

— ... ils viendront ! Les nazis, quand ils contrôleront tout le pays, tenteront de nous étrangler avant les combats décisifs de la Libération. Ils ont les moyens de le faire.

Il hoche la tête, lance un coup d'œil à Thorenc, puis, se tournant vers Pierre Villars :

— Votre père, explique-t-il, le commandant Villars, m'assure que le ministère de l'Intérieur de Vichy, le secrétariat général de la Police et la Surveillance du territoire, donc le trio Pucheu-Bousquet-Cocherel, ne savent comment exploiter les milliers de lettres de dénonciation qu'ils reçoivent.

Il sort un feuillet de sa poche.

— Les illusions ne se sont pas dissipées. Savez-vous ce que dit le cardinal Gerlier ? « La Providence a donné à la France un chef autour duquel nous sommes fiers de nous grouper. » Malgré les otages fusillés par centaines — cent seize, ces derniers jours, au mont Valérien —, les compromissions avec les Allemands, les lâchetés quotidiennes, le Maréchal continue d'être, aux yeux de nos prélats, un saint homme, et il fait pleurer dans les chaumières ! Évidemment, le Service du travail obligatoire en Allemagne va multiplier le nombre des réfractaires. Ici et là, des jeunes gens ont déjà constitué de petits groupes, des maquis, comme on dit, mais ils sont sans armes, ils crèvent de faim, et, cet hiver, ils crèveront de froid. Si nous ne réussissons pas à mettre sur pied l'Armée secrète ainsi qu'un conseil national regroupant toute la Résistance — et, plus largement, tous ceux qui sont opposés aux Allemands, du Parti communiste à l'extrême droite —, nous souffrirons, et la France ne reprendra pas sa place parmi les grandes puissances. Voilà ce que pense le « petit fonctionnaire appointé » !

Il se lève, invite Thorenc à le rejoindre. Il le prend par l'épaule et marche tout en lui exposant la teneur du message que le radio Daniel Monnier doit faire parvenir à Londres depuis le mas Barneron.

La tête penchée, les sourcils froncés, Thorenc s'efforce d'enfoncer chaque mot dans sa mémoire. Moulin ne croit pas à l'action antiallemande de l'armée de l'armistice. Si les *Panzerdivisionen* pénètrent en zone Sud, le général Xavier de Peyrière, le maréchal Pétain, et naturellement Laval et Darlan empêcheront toute résistance, et les armes accumulées depuis 1940 seront saisies par les Allemands qui connaissent déjà l'emplacement des dépôts.

— Les agents de la Gestapo et de l'Abwehr sont en zone Sud pour cela aussi.

— On laisse faire, alors ? murmure Thorenc. On ne se bat pas ?

— S'organiser, se rassembler, c'est déjà se battre, réplique Moulin. Quand nous aurons constitué l'Armée secrète, nous pourrons agir différemment.

Il prend le bras de Thorenc, le serre.

— Vous ne faites pas partie d'un corps franc, Thorenc, mais de l'état-major !

Il sourit.

— C'est très exposé, l'état-major d'un mouvement clandestin. C'est lui qui se trouve en première ligne. Si je vous entends bien, vous auriez envie de vous replier à l'arrière et d'utiliser le plastic et la mitraillette ? Je vous comprends : c'est moins dangereux que d'aller de l'un à l'autre, comme vous le faites, et d'avoir les polices allemande et française sur le dos ! Mais moi, j'ai besoin de vous.

Moulin a quitté le jardin. Pierre Villars invite Thorenc à s'asseoir.

— Certains barrages ne sont pas encore levés, dit-il.

Il montre la sacoche que le journaliste a appuyée contre le pied de sa chaise.

— Laissez-la ici, ordonne Villars.

D'un mouvement de tête, Thorenc refuse.

— Vous voulez quoi ? Vous faire prendre, mettre tout le monde en péril ? Je n'ai pas averti Max de votre attitude.

— Faites donc, grogne Bertrand.

Depuis le matin, il se sent plus déterminé encore, comme si l'aide que lui a apportée, sans qu'il pût la prévoir, l'inconnu au volant de sa camionnette, l'avait persuadé que ce ne sont pas la raison, la logique, le calcul qui sont déterminants, mais l'instinct, la chance, l'intuition, peut-être même la foi.

Pierre Villars a placé ses doigts joints devant son visage. Il semble hésiter, lorgnant de temps à autre du côté de la maison comme s'il était tenté d'aller prévenir Moulin de l'attitude de Thorenc.

Puis il pose ses paumes à plat sur ses genoux, et, d'une voix placide :

— Vous ne m'avez pas expliqué... Vous ne voulez pas être pris vivant ? Vous voulez vous défendre ?

Il fouille dans sa poche, en sort une petite boîte que Thorenc reconnaît bien. Il sort la sienne.

— Je ne sais pas si nous aurons le temps de croquer notre pilule, fait Villars en souriant, mais c'est moins encombrant à porter et plus facile à dissimuler qu'une arme !

Il penche un peu la tête comme s'il voulait saisir un aspect encore inconnu de la physionomie de Thorenc.

— À moins que..., reprend-il.

Il s'interrompt.

— Qui voulez-vous tuer ? lance-t-il dans un souffle.

— Me défendre, répond Thorenc. D'abord me défendre.

— Et après ? interroge Villars.

Bertrand se lève. Le soleil a décliné. Le figuier est déjà entièrement dans l'ombre, et, privé de lumière, ses branches encore plus basses, plus lourdes, il semble s'être assoupi, affaissé.

— J'ai vu mon frère, dit Villars en s'approchant de Thorenc. Philippe a une bonne planque à Clermont-Ferrand. Il a renoué tous les contacts avec les gens de son groupe, et si les Allemands occupent la zone Sud, ce qui est probable, il pourra organiser des sabotages sur l'ensemble du réseau ferroviaire.

Thorenc a croisé les bras. Il attend. Il pressent que Pierre Villars va lui parler de Claire Rethel. En serrant ses bras, ses poings, en les comprimant sous ses aisselles, il se prépare à la douleur. Il est si tendu qu'il a l'impression qu'on lui tire les épaules en arrière.

— Les gens de son groupe... ? répète Thorenc.

— Ils ont arrêté Claire Rethel, lâche d'une voix sèche

Pierre Villars comme s'il voulait ne laisser percer aucune émotion.

Il s'écarte de Thorenc, hoche la tête.

— Je vous l'ai déjà dit il y a longtemps, à Paris, souvenez-vous, Thorenc ! Votre faiblesse, ce sont les liens personnels que vous nouez. Vous aimez les femmes, bon ! Mais, ainsi, vous multipliez les risques. D'abord parce que vous abandonnez toute prudence.

D'un geste de la main, il empêche Bertrand de riposter.

— Je vous ai vu agir avec ma sœur. Geneviève est une téméraire. Mais vous l'avez suivie, aidée. Et cette femme, Lydia Trajani, dont les liens avec la Gestapo — pire : avec les assassins de la rue Lauriston — sont avérés, vous n'avez pas vraiment rompu avec elle... Maintenant, c'est Claire Rethel ! Je ne comprends pas. Philippe me dit que c'est une femme remarquable, solide. Il estime que l'identité qu'il lui a fournie résistera à toute enquête. Si elle ne craque pas, ils seront contraints de ne la condamner qu'à une peine légère. Elle est tombée dans la souricière en gare de Perrache. Mais faites-lui confiance, elle s'est sûrement inventé une bonne raison...

Il ajoute, la bouche un peu tordue :

— Peut-être a-t-elle prétendu qu'elle était la maîtresse de Philippe ? Ça ne vous choque pas ? Vous n'êtes pas jaloux, par-dessus le marché ! Si vous mêlez passion et action clandestine, vous devenez très dangereux pour nous tous, Thorenc !

Bertrand ne souhaite pas répondre. Pierre Villars cherche à l'atteindre. Il ne faut penser qu'au sort de Claire, imaginer ce qu'elle deviendra si les Allemands occupent la zone Sud.

— Et si la Gestapo... ? murmure-t-il.

Pierre Villars ferme les yeux comme si la fatigue tout à coup l'écrasait.

— Quand ils arriveront jusqu'ici, ils auront beaucoup à faire, indique Villars en soupirant. Ils ne s'occuperont des prisonniers de petit calibre qu'après nous avoir tous arrêtés et liquidés. Ce qui laisse une assez grande marge de temps, n'est-ce pas ?

Thorenc ramasse sa sacoche.

— On n'a jamais assez de temps, réplique-t-il. Je veux la sortir de là.

— Avec ça ? demande Villars en désignant la sacoche. Vous comptez prendre d'assaut la prison Saint-Paul ?

Thorenc s'éloigne sans répondre, prend le vélo qu'il a rangé dans le hall d'entrée. Villars le rejoint.

— Je n'aime pas votre état d'esprit, poursuit-il. Vous êtes décidément un *maverick*, comme disent les Anglais. Il n'existe pas de bonne traduction : ce sont ces chevaux sauvages qui courent en dehors de la horde, qu'on ne peut dresser, et qui, à la fin, se jettent du haut d'une falaise et se brisent les jambes.

— Elle est donc à Saint-Paul..., marmonne Thorenc.

La ruelle est déserte. Il attache sa sacoche au porte-bagages. Il va devoir traverser la place Crillon. Déjà, dans la pénombre, il aperçoit de nouveau la voiture.

— Dans cette opération, les Brigades spéciales ont collaboré avec les inspecteurs de la Surveillance du territoire, précise Villars.

Il retient Thorenc :

— Les hommes de votre ami Cocherel..., ajoute-t-il d'un ton méprisant.

Thorenc se dégage brutalement. Cette allusion l'indigne. Villars n'ignore pourtant pas qu'il a été conduit devant Cocherel entre deux policiers. Et que l'entretien n'avait d'autre but que de semer le trouble parmi les mouvements de Résistance. Mais qu'importe à Pierre Villars ! Ce qu'il veut, c'est marquer un point. Telle est la règle du jeu dans les états-majors.

Thorenc pense à cet inconnu qui l'a aidé ce matin, sans calcul, en prenant des risques majeurs.

Il s'élance, debout sur les pédales.

Comme il préfère la spontanéité des gens d'en bas à l'habileté, aux stratégies, aux arrière-pensées de ceux d'en haut !

Il roule maintenant à vive allure. Il fait encore jour. Mais l'obscurité progresse. Il arrivera au mas Barneron tard dans la nuit.

Il franchit l'une des portes de la ville, celle dite du Rocher. Il longe les remparts. Les boulevards sont vides. Il jette un regard au pont Saint-Bénézet. Il se penche en avant et veut rouler plus vite encore, comme s'il prenait son élan pour, d'un bond, franchir le fleuve.

— 3 —

Thorenc marche entre les grands platanes qui bordent une allée plus noire que la nuit, pareille à une jetée s'avançant dans l'étendue blanchâtre du vignoble. La lune pleine semble imposer le silence à la campagne et il n'entend que le froissement des feuilles mortes qu'il piétine et lacère.

Il va vers l'un des arbres, heurte un amoncellement de

feuilles repoussées par le vent en bordure de l'allée. Il s'appuie au tronc du platane, contemple les vignes figées dans la clarté nocturne, que surplombent à l'horizon les dentelles de Montmirail, ces chevaliers à la silhouette imprécise chevauchant sous la lune.

Il entend un pas, un souffle. Il se retourne. Il aperçoit d'abord ce point rouge qui, par à-coups, devient plus vif, et il sent, mêlé à l'odeur du raisin, l'âcre parfum du tabac.

Victor Garel s'arrête près de lui.

— Comment vous m'avez trouvé ? demande-t-il.

— Je ne sais pas, répond Thorenc.

Il pourrait expliquer qu'il arrive de Bollène, qu'il a vu le panneau annonçant Sainte-Cécile-les-Vignes. Il a ralenti. Devant lui, la route allait droite et grise entre les vignes. Puis il a aperçu au milieu du vignoble cette bastide pareille à un navire, et l'allée de grands platanes lancée jusqu'à la route.

Sur l'aire, il a distingué les touffes des palmiers et les deux gros figuiers. Il a pensé à l'odeur de fruits écrasés qui montait des cageots entassés dans la camionnette. Il a regardé dans le rétroviseur afin de s'assurer qu'il n'était suivi par aucune voiture, et il a tourné d'un brusque coup de volant, s'engageant ainsi dans l'allée, roulant vite à nouveau malgré les cahots, sûr de ne pas s'être trompé. Il a découvert une remise, à droite de l'aire, et y a garé la voiture, rassuré par le fait qu'on ne pouvait la repérer de la route. De hauts massifs de lauriers cachaient cette partie des dépendances de la bastide.

Une femme est sortie de la maison. Elle est restée quelques minutes sur le seuil, s'essuyant les mains à son tablier noir, puis elle s'est avancée vers Thorenc.

Elle avait une cinquantaine d'années, les cheveux gris tirés en arrière, rassemblés sur la nuque en un gros chignon. Ses traits étaient réguliers, sa peau lisse. Thorenc s'est dit qu'elle était modeste et fière comme sa maison, comme Garel.

Il a déclaré :

— Je cherche Victor Garel, j'ai besoin de son aide.

Elle a murmuré sans qu'il en soit aucunement surpris :

— C'est ici, vous êtes chez les Garel. Je suis sa femme.

Thorenc l'a regardée intensément comme pour vérifier qu'il ne rêvait pas, qu'il vivait une fois de plus un moment exceptionnel, un de ces moments qui se succédaient depuis le matin du mercredi 7 octobre 1942, quand il avait aperçu ce barrage d'hommes en uniforme noir entre les remparts d'Avignon et le Rhône.

Il a été parcouru d'un frisson, comme s'il prenait soudain conscience du temps qu'il perdait, fasciné par sa propre histoire, à contempler cette femme qui pouvait en incarner le plus récent épisode.

Il s'est précipité, a ouvert la portière arrière et tendu les mains, espérant que Claire Rethel, allongée sur la banquette, allait les voir, les saisir. Mais elle n'a pas bougé. Et, en découvrant de nouveau son visage tuméfié, ses yeux comme deux taches violacées, Thorenc a repensé à Joseph Minaudi qu'après chaque interrogatoire les inspecteurs des Brigades spéciales rejetaient au fond de sa cellule. C'étaient les mêmes qui avaient dû rouer de coups Claire Rethel.

Bertrand s'est penché, a glissé sa main sous la taille de la jeune femme, puis l'a soulevée, serrant ce corps contre le sien, le tirant hors de la voiture.

La tête de Claire ballotte de droite et de gauche ; d'une

main glissée sous sa nuque, il la soutient, puis la maintient contre son épaule.

Ce corps, s'il n'avait été si chaud, aurait pu être celui d'une morte.

Thorenc a tourné les yeux vers l'épouse de Garel, puis, les baissant soudain, il a remarqué les rayures sanglantes qui balafraient le dos du chemisier bleu de Claire. On avait dû la fouetter.

Il s'est avancé vers la maison, puis s'est arrêté avant d'entrer. Madame Garel, restée près de la voiture, s'est alors précipitée.

Les mains jointes comme pour une prière, elle a dit, les yeux agrandis :

— Mon Dieu, c'est pas humain de faire ça !

— Cette fille..., commence Garel.

Bras tendu, il a appuyé sa main à l'arbre contre lequel Thorenc est adossé. Leurs visages sont ainsi assez proches, mais ils ne distinguent guère leurs traits. Ce qui reste de feuilles attachées aux branches des platanes suffit à arrêter l'éclat de la lune.

— Cette pauvre fille..., reprend Garel.

Le bout rouge de sa cigarette devient plus vif. Il ajoute :

— Si on les tient un jour, ceux-là...

Thorenc tourne la tête. Il voudrait dire qu'il a déjà tué deux de ces hommes-là. Il voudrait voir le visage de Garel à l'instant où il lui ferait cet aveu. Il voudrait que Garel le prenne par les épaules, le réconforte, lui dise qu'il aurait agi de la même façon.

Mais il renonce à se confier. Il murmure :

— Elle est juive. Mais ses papiers sont au nom de Claire Rethel. Appelez-la Claire. Elle était en prison à Lyon. On a pu la faire sortir. Voilà. Il faut la cacher, la soigner : vous avez vu son état. Je viendrai la rechercher dès qu'elle ira mieux et dès que je le pourrai.

— Le temps qu'il faudra, acquiesce Garel.

Il fait quelques pas dans l'allée, puis s'en revient vers Thorenc.

— Qui aurait cru qu'un jour on vivrait ça, ici, en France ?

Puis il se met à parler vite tout en entraînant Bertrand vers la maison :

— Il faut partir dans la nuit, avant que les vendangeurs et les voisins ne se lèvent avec l'aube. On n'a pas que des amis ! Il se trouve toujours quelqu'un qui veut vous voir mort parce que vous avez cent pieds de vigne de plus que lui ! Celui-là, il parlera aux gendarmes. Eux, je ne les crains pas, ils m'avertiront. Mais on peut aussi écrire plus haut. Il y a les Allemands qui rôdent déjà. J'en ai vu, à Sainte-Cécile. Ils ont des voitures comme la vôtre. Ça se remarque ! Il vaut mieux qu'on ne la voie pas ici.

Sur l'aire, Thorenc hésite. Il voudrait, avant de repartir, caresser les cheveux, le visage de Claire, la prendre contre lui, la bercer. Mais Garel le bouscule, ouvre la portière.

— Cette voiture, à votre place, je m'en débarrasserais vite fait ! dit-il.

Il pose la main sur l'épaule du journaliste :

— Un jour, après, mais seulement quand tout sera fini, vous me raconterez...

Bertrand n'allume que les veilleuses. Il s'engage dans l'allée, baisse la vitre. Il est sûr que Garel le regarde s'éloigner. Il salue d'un geste de la main.

Et devine, malgré la nuit, que Garel lui répond.

— 4 —

Thorenc traverse vite ce grand lac à quoi ressemble la campagne immobile au milieu de la nuit.

Il a laissé la glace de la portière baissée. L'air lui fouette le visage ; le bruit d'arrachement qu'il fait en s'engouffrant dans la voiture lui envahit le crâne, engourdit en lui toutes pensées, ne laisse subsister que le souvenir de cette succession de hasards, de chances, de défis : depuis deux jours, les dés lancés, repris, lancés de nouveau ; sitôt une partie gagnée, la certitude qu'il faut en jouer une autre...

Il accélère.

Il roule en tenant le volant du bout des doigts. Il se sent un virtuose invulnérable. De temps à autre, de la dernière phalange de l'index, il appuie sur le petit levier situé à gauche du volant, et un jet de lumière jaillit, les phares éclairent un instant la route. Puis il redresse du bout de l'ongle la tige du levier et c'est à nouveau la nuit blanchâtre, la chaussée grise se faufilant entre les buissons, les cyprès, bientôt les parois rocheuses qui surplombent la route de Murs.

Il ralentit.

Il reconnaît le tournant, les éboulis.

C'était donc il y a moins de deux jours...

Il rentrait à vélo d'Avignon. Il voulait atteindre au plus vite le mas Barneron pour que, dès la nuit tombée, Monnier transmette à Londres le message de Jean Moulin. Dès les premiers lacets, il s'était dressé sur les pédales, appuyant de toutes ses forces, faisant pencher la bicyclette à droite, à gauche, à droite, à gauche, son cœur paraissant lui envahir toute la poitrine, la gorge, jusqu'aux yeux même !

Mais il avait poursuivi son effort. Tout à coup, il y avait eu ce grincement de freins, ce crissement de pneus, ces bruits de moteur qui se chevauchaient, accélérant à plein régime : deux voitures au moins qui dévalaient la route du col et dont les phares balayaient le haut des falaises, puis disparaissaient, surgissaient à nouveau, mais plus bas, pour se rapprocher des lacets que Thorenc continuait à gravir.

Brusquement, sans réfléchir, il avait sauté à bas du vélo et l'avait traîné derrière les rochers bordant la route, au-delà d'un petit évasement qui permettait aux véhicules de se croiser.

Il s'était allongé, reprenant son souffle, cherchant fébrilement dans sa sacoche son revolver, sûr que les voitures venaient du mas Barneron.

Les hommes de la Gestapo et de l'Abwehr qui opéraient en zone Sud avaient dû repérer les émissions de Daniel Monnier et, aidés par les inspecteurs des Brigades spéciales, monter une opération.

La première voiture était déjà là, le faisceau de ses phares frôlant les rochers, suivie aussitôt de la seconde, si bien que dans le cône lumineux Thorenc avait pu apercevoir, sur la banquette arrière du premier véhicule, trois silhouettes parmi lesquelles il avait cru reconnaître le profil de Daniel Monnier.

Puis la rumeur des moteurs avait été engloutie peu à peu par la nuit.

Thorenc s'était relevé comme s'il venait de faire une chute et qu'il avait eu du mal à recouvrer son équilibre.

Il avait continué de monter vers le mas Barneron, mais, à présent, en poussant son vélo, incapable d'imaginer ce qu'il devait faire. Machinalement, il avait contourné le village, pris l'une des drailles conduisant à la chapelle et à la crête. De là, il avait vu, derrière l'église, une voiture garée assez loin du mas Barneron.

Ils avaient dû laisser deux ou trois hommes pour surveiller les lieux, arrêter ceux qui s'y rendraient.

Thorenc avait vérifié son chargeur.

C'était comme dans la forêt de Vermanges au printemps 1940, un de ces instants où on ne réfléchit plus qu'avec la peau, les yeux, les doigts, et où les pensées ne naissent que de l'acte à accomplir.

Il s'était glissé jusqu'au mas Barneron. Il avait grimpé sur le toit, marché sur les tuiles, puis, était entré par une des lucarnes donnant dans les greniers.

Il avait découvert deux hommes assis dans la grande cuisine, et, attablé entre eux, Jacques Bouvy, les jambes liées aux pieds de sa chaise.

L'appât.

L'un des deux hommes somnolait. L'autre fumait et parfois ricanait en lançant une injure à Bouvy.

Depuis le palier, Thorenc avait abattu cet homme d'une balle en pleine tête, puis il avait blessé l'autre au ventre.

Il était resté allongé quelques minutes sur les tommettes, puis Bouvy avait crié qu'ils n'étaient que deux.

Thorenc était descendu ; à chaque marche, les plaintes de l'homme blessé devenaient plus fortes. C'était comme un gargouillement interrompu par de petits cris aigus.

Bouvy avait commencé à défaire ses liens, puis, au moment où Thorenc pénétrait dans la salle, il s'était penché, avait fouillé l'homme blessé, pris son arme, et Bertrand l'avait vu, avec une sorte d'effroi, placer le canon sur la poitrine de l'homme.

Thorenc avait ouvert la bouche, mais la détonation assourdie l'avait fait bondir en arrière.

— Ils comptaient me tuer demain, avait précisé Bouvy.

Il avait demandé au journaliste de le suivre jusque dans la cour. Le dos voûté, il avait marché à pas lents jusqu'au puits. Il s'était penché au-dessus de la margelle.

— Elles sont là, avait-il dit en se tournant vers Thorenc. Ils ont jeté Gisèle vivante, pour essayer de faire parler Léontine. Mais elle s'est précipitée sur eux et ils l'ont abattue. Après quoi, ils ont basculé le corps dans le puits.

Thorenc ne s'était pas approché.

Bouvy marchait en rond autour du puits tout en racontant.

Ils étaient arrivés à bord de trois voitures : une dizaine d'hommes, pour la plupart des Français en provenance de Marseille, mais il y avait aussi deux Allemands.

— C'est vous qu'ils cherchaient, avait indiqué Bouvy en s'arrêtant pile devant Bertrand. Ce ne sont pas les émissions de radio qui nous ont fait repérer. Ils savaient que vous vous planquiez là. Ils venaient pour vous. Quelqu'un a parlé, Thorenc !

Il avait avancé son visage jusqu'à toucher celui du journaliste.

— Claire, cette jeune femme qui servait de courrier... elle a passé une nuit au mas.

Bouvy parlait si près de lui que Thorenc sentait son haleine sur ses lèvres.

— Elle vous a écrit, vous vous souvenez ? Quelle imprudence : une folie ! Qu'est-ce qu'elle imaginait ? Qu'elle jouait *Roméo et Juliette* ? Ils ont dû l'arrêter, l'interroger, et vous connaissez les méthodes des hommes du commissaire Dossi. Vous y êtes passé ! C'est Daniel qui, maintenant, va payer pour cette petite conne amoureuse du héros que vous êtes !

Thorenc avait violemment repoussé Bouvy.

— Bien sûr qu'elle a pu parler, avait-il hurlé. Et alors ?

Il était retourné dans la cuisine et avait entrepris de fouiller les deux hommes, puis il avait déposé leurs armes et leurs papiers sur la table.

Chacun d'eux disposait d'un ausweiss et d'un laissez-passer établi par le commissaire Antoine Dossi, ainsi que d'une carte de la Gestapo.

Thorenc avait examiné les photos, puis poussé vers Jacques Bouvy les documents de l'homme avec qui il avait le plus de ressemblance physique.

— Leur voiture stationne derrière l'église, avait-il indiqué. Il nous faut quatre heures pour aller jusqu'à Lyon.

Il avait regardé Bouvy :

— On ne peut l'abandonner, avait-il murmuré.

— Où est-elle ?

— Prison Saint-Paul.

— Les directeurs de prison sont souvent des lâches, avait exposé Bouvy. Si on agite sous leur nez une carte de la Gestapo...

— Il faut partir dès maintenant, avait décrété Bertrand.

Bouvy avait glissé les papiers dans sa poche.

Ils avaient tiré les deux corps dans l'appentis, puis remonté la rue du village jusqu'à l'église.

Le directeur de la prison avait paru soulagé de se débarrasser de la détenue — « dite Claire Rethel », avait-il précisé en tendant à Thorenc la carte d'identité de la jeune femme.

D'une voix pressante, il avait ajouté qu'elle semblait ne pas aller bien. Le médecin de la prison avait même exigé son transfert à l'hôpital, mais il s'y était *personnellement* — il avait insisté sur le mot — opposé :

— Les possibilités d'évasion, vous le savez, messieurs, sont plus grandes dans les hôpitaux ou les infirmeries. Or j'ai cru comprendre que vous teniez à cette détenue.

Thorenc n'avait pu dissimuler son dégoût, et le directeur avait paru inquiet, houspillant les gardiens qui n'ouvraient pas assez rapidement les portes.

On avait dû porter Claire Rethel jusqu'à la voiture. On l'avait allongée sur la banquette arrière. Elle paraissait inconsciente.

Ils avaient roulé vers le sud, leurs armes à portée de main, décidés à forcer les barrages. Mais, sur la route qui longeait le Rhône — parfois, après une courbe, Thorenc, ébloui par le soleil, avait l'impression qu'il allait bondir dans le fleuve, et il en avait même éprouvé à deux ou trois reprises la tentation —, ils n'avaient pas vu un seul uniforme noir.

Bouvy était descendu à Valence. Il allait prendre un train pour Clermont-Ferrand afin de rétablir au plus tôt le contact avec le commandant Joseph Villars. Si les Allemands envahissaient la zone Sud, il fallait savoir comment réagir.

Au moment de refermer la portière, Bouvy s'était penché par-dessus le siège. Il avait examiné le visage de Claire Rethel.

— Excusez-moi, avait-il murmuré. Je crois en effet qu'elle n'a pas parlé. En tout cas, elle a résisté autant qu'elle a pu, au-delà des limites humaines.

Thorenc avait posé un instant son front sur le volant, puis il avait roulé jusqu'à Bollène et s'était engagé sur la route de Sainte-Cécile-les-Vignes.

Il y avait de cela quelques heures...

Thorenc s'arrête. Il fait nuit noire. Le village de Murs surplombe la route.

Il descend, tâtonne pour retrouver son vélo derrière les buissons. Il remet le moteur de sa voiture en marche et la dirige, malgré les ornières, sur le bas-côté. Il roule lentement sous les arbres. Peut-être ne la trouvera-t-on pas avant quelques jours... ?

Il monte vers le village, fait le tour du mas Barneron.

Silence. Ils ne sont pas encore revenus.

Il entre, ouvre la porte de l'appentis. L'odeur, écœurante, lui donne la nausée. Il perçoit des trottinements, de petits cris aigus. Des rats se faufilent entre ses jambes.

Thorenc ne peut s'empêcher de trembler. Il claque la porte, s'y appuie pour recouvrer son calme.

Il monte dans sa chambre, soulève quelques-unes des tommettes, trouve les lettres, les ordres de mission qu'il y avait cachés, puis ressort en courant.

Il s'arrête près du puits.

C'est la même odeur... Il se met de nouveau à trembler.

Tous les morts se valent-ils ?

Il bondit sur son vélo. Il a quelques heures d'avance sur les hommes d'Antoine Dossi.

Il roule, courbé sur son guidon, et, le village traversé, se jette dans cette fente noire : la route qui dévale entre les falaises, de Murs vers la plaine.

Il a l'impression que le vent le nettoie.

— 5 —

Thorenc est assis dans l'angle d'une chambre aux murs blancs laqués sur lesquels la lumière et les ombres se réfléchissent comme si ces cloisons nues étaient tapissées de miroirs.

Il se tient très droit, bras croisés, la tête tournée vers la fenêtre qui donne sur un parc. Il semble se désintéresser de ce qui se passe à l'intérieur de la pièce, mais son visage, le plus souvent inexpressif, se crispe parfois et des rides d'amertume cernent sa bouche. Alors il lance un coup d'œil autour de lui.

Debout au centre de la pièce, le commandant Joseph Villars parle :

— Nous devons arracher cette décision à Xavier de Peyrière, dit-il. Lui seul a assez d'autorité sur tous ces pleutres qui ne pensent qu'à leur retraite, qui n'aspirent qu'à gagner un galon ou une étoile, et qui estiment que le général de Peyrière est maître du tableau d'avancement.

Il s'emporte, vitupère, respire bruyamment :

— Ils sont donc couchés devant lui et lui obéissent comme des chiens bien dressés. Allez leur parler de la prochaine invasion allemande en zone Sud, ou bien du probable débarquement des Américains en Afrique du Nord. Ils vous écoutent avec intérêt. Vous les croyez prêts à s'engager, à livrer aux hommes qui veulent se battre les armes qu'ils ont planquées. Ils proclament leur patriotisme, ils vous approuvent de vouloir résister aux Allemands. Et puis ils ajoutent d'une voix suave, le visage patelin : « Il va de soi que je me conformerai, selon les règles de notre armée, aux ordres que je recevrai du Maréchal ou du général de Peyrière. Tout autre comportement serait une trahison... »

Le commandant Villars se campe devant la fenêtre comme s'il voulait capter l'attention de Thorenc. Mais celui-ci paraît ne pas le voir ; il regarde au-dessus de la tête de l'officier, vers les branches dépouillées des arbres du parc, vers le ciel où passent en longues traînées noires des nuages bas.

Villars lève les bras, puis les laisse retomber comme si c'était l'attitude de son interlocuteur qui l'accablait.

Il se tourne vers Jacques Bouvy, assis sur le lit qui occupe un côté de la pièce, puis toise le lieutenant Mercier et Pierre Villars, appuyés au mur de part et d'autre de la porte.

Mercier est en uniforme. Son étui à revolver, ramené sur le devant, est si volumineux qu'il lui couvre l'aine. Il garde la main posée sur la courroie de l'étui comme s'il voulait être prêt à dégainer son arme.

— Vous les connaissez, Mercier, reprend Villars, et vous-même avez eu affaire au général de Peyrière. Un aide de camp, ça vide les poches de son supérieur ! Peyrière n'a rien pu vous cacher. Est-ce qu'on peut le décider à donner l'ordre de livrer les armes dont dispose l'armée ?

Il attend quelques instants, constate que Mercier ne lui répond pas. Il reprend d'un ton irrité :

— Il y a bien peu de chances d'obtenir un ordre formel

de ce salaud — excusez-moi, Mercier —, mais, sans cet ordre, tous les prudents attendront l'arrivée des Allemands et, au garde-à-vous, leur ouvriront les portes des dépôts... en espérant passer dans le cadre de réserve avec deux grades de plus ! À vomir !

Le commandant Villars s'approche de Mercier qui se redresse.

— Qu'est-ce que vous pensez, Mercier ? On a une chance ou pas, avec Peyrière ?

— Si le Maréchal ou Laval lui en donne l'ordre, il le transmettra.

Pierre Villars se tourne brusquement vers Mercier, puis vers son père :

— Mais vous aussi, vous continuez d'espérer en ces hommes-là !

Il s'avance.

— Ils ont tout accepté : l'armistice, la collaboration, les rafles de Juifs, le reniement de la parole de la France ! Ils ont distribué des cartes d'identité françaises à des agents allemands, ouvert les aérodromes de Syrie aux avions ennemis. Ils ont transmis les renseignements dont ils disposaient à l'Abwehr et à la Gestapo. Et vous imaginez qu'ils vont maintenant choisir de résister à une entrée des troupes allemandes en zone Sud ? Ils se mettront au garde-à-vous, comme ils l'ont déjà fait devant Hitler et Goering !

Il hausse les épaules :

— Ils interpréteront peut-être une brève saynète de leur façon, mais ils accepteront tout.

— Alors, que faisons-nous ? grogne Jacques Bouvy.

— Nous nous organisons autour de Max, poursuit Pierre Villars, nous nous rassemblons tous derrière de Gaulle, nous prenons date, nous essayons de récupérer ici et là quelques armes, nous en aurons besoin pour équiper les réfractaires au Service du travail obligatoire. Il y a eu des grèves de cheminots pour protester contre le recensement des travailleurs. On a fait sauter à Lyon un centre de propagande pour le travail en Allemagne. Des tracts ont été diffusés par le Mouvement ouvrier français, l'opinion bouge ! C'est là qu'est notre force. Le général Delestraint vient d'être désigné pour prendre la tête de l'Armée secrète. Voilà l'essentiel.

— Mon cher Pierre, dit le commandant Villars, tourné vers son fils, vous êtes, comme à chaque fois, en avance et en retard.

Pierre Villars lui tourne le dos et reprend sa place contre le mur.

— Savez-vous, explique le commandant, que John Davies a quitté la Suisse pour Vichy ? Qu'il prépare en ce moment même le passage du général Giraud en Afrique du Nord, et qu'il essaie de rallier Peyrière à Giraud ? Si cela réussit, de Gaulle sera écarté.

— Nous savons cela, rétorque Pierre Villars d'un ton rogue. Moulin a alerté Londres. Mais la transmission du message a été plus longue que prévu — il se tourne vers Bertrand — : notre radio Daniel Monnier a été arrêté. Thorenc et Bouvy peuvent nous raconter cela en détail...

Il secoue la tête avec indignation :

— Ils ont pris des initiatives sans consulter qui que ce soit !

Pierre Villars poursuit en s'approchant du journaliste :

— Je veux savoir où vous avez caché cette fille, Claire Rethel. On ne peut pas la laisser dans la nature. Elle sait beaucoup de choses. Qu'a-t-elle raconté ? Mon frère me dit qu'elle connaissait les fausses identités et les adresses de la plupart des responsables des mouvements. Philippe lui confiait en effet la livraison des faux papiers qu'il réalisait.

Il pensait qu'on ne l'identifierait pas et que, dans le cas contraire, elle ne parlerait pas. Je l'ai cru et je vous l'ai dit. Mais, puisqu'il y a eu cette descente à Murs, au mas Barneron, je ne suis plus sûr de rien. Il faut que nous l'interrogions, Thorenc, que nous sachions à quoi nous en tenir. Où est-elle ?

Bertrand paraît ne pas avoir entendu ; son regard parcourt les allées désertes du parc.

Pierre Villars se dirige vers Jacques Bouvy, mais celui-ci secoue la tête :

— Je ne sais pas, lâche-t-il. J'ai quitté Thorenc à Valence.

Il décoche un coup d'œil au journaliste.

— Je ne crois pas que Claire Rethel ait parlé. Sinon, ils ne l'auraient pas mise dans l'état où je l'ai vue.

Il baisse la tête, puis se redresse. Sourcils levés, bouche boudeuse, il a une expression dubitative :

— Elle a peut-être livré le nom de Thorenc pour cacher tous les autres. Si vous l'aviez vue, Villars, vous ne le lui reprocheriez pas. Et ce n'est là, au surplus, qu'une simple hypothèse...

Une rafale de vent vient rabattre la pluie contre les vitres. Le crépitement rageur résonne dans la chambre, meublée seulement par un lit à une place, deux chaises et une table de nuit.

Thorenc se lève, s'approche de la fenêtre. En glissant sur les vitres en nappes épaisses, l'eau masque le parc sous un voile gris.

Le commandant Villars rejoint Thorenc.

— Sinistre, marmonne-t-il. Même le temps est sinistre.

Il pose la main sur l'épaule du journaliste.

— Vous êtes courageux, Thorenc. Je ne partage pas la

sévérité de Pierre — il lance un coup d'œil vers son fils —, c'est un orthodoxe, il a besoin de règles précises. Il a bien plus l'esprit militaire que moi. Ce qui lui plaît dans le Parti communiste, c'est le devoir d'obéissance. Moi, je comprends votre initiative. On a des devoirs vis-à-vis des camarades qui sont en danger. Vous avez arraché cette jeune femme à ses bourreaux, je vous en félicite. Vous l'avez cachée en lieu sûr, je ne vous demande pas où...

Il serre l'épaule de Bertrand.

— Mais coupez avec elle ! Dans son intérêt et dans le vôtre. Dans le nôtre, aussi !

Thorenc ne répond pas, mais fait un pas de côté de manière que le commandant soit contraint de retirer la main de son épaule.

La pluie continue de fouetter les vitres.

— La clinique du docteur Boullier est sûre, reprend l'officier. Clermont-Ferrand est une ville discrète. Faisons de cette clinique l'un de nos lieux de rencontre. Et quand les Allemands envahiront la zone Sud, retrouvons-nous ici. Le docteur Boullier a toute ma confiance.

Il s'écarte de quelques pas, s'arrête et explique :

— Les Allemands s'occuperont de moi dès qu'ils auront franchi la ligne de démarcation. Je les ai déjà sur les talons. Mais je tenterai de leur échapper. Je m'installerai sans doute ici. Boullier est d'accord.

Il pose la main sur la poignée de la porte.

— Je propose..., dit Thorenc à cet instant précis.

Le commandant se retourne.

— ... je propose d'enlever le général Xavier de Peyrière, poursuit Bertrand, et, s'il refuse de signer l'ordre de livrer les armes entreposées dans les dépôts de l'armée à ceux qui veulent résister, de l'exécuter aussitôt pour trahison.

Jacques Bouvy siffle entre ses dents. Pierre Villars marmonne d'une voix excédée :

— Mais qu'est-ce que c'est que cette nouvelle folie ?

Mercier fait non de la tête.

— La plupart des officiers, je peux même dire tous, seront choqués, indignés, révoltés, proteste-t-il. Ils imputeront ce meurtre aux communistes. Déjà, ils condamnent les attentats perpétrés dans la rue contre les militaires allemands par les tueurs du Parti communiste. Vous imaginez ! Si vous voulez les rassembler tous autour de Pétain, et même de Laval, peut-être même les pousser dans la voie d'une collaboration active que certains, dans l'armée, souhaitent... Voyez l'amiral Darlan...

— C'est un habile, une girouette ! grogne le commandant Villars.

— Tuez Peyrière, et vous verrez ! s'obstine le lieutenant Mercier.

— Une provocation stupide ! commente Pierre Villars.

— On a bien tiré sur Déat et Laval, objecte Jacques Bouvy.

— Ce sont des hommes politiques, pas des généraux, reprend Pierre Villars. Il faut tenir compte d'une solidarité de corps, de l'aura dont jouissent toujours le Maréchal, l'armée et ses cadres, même s'ils ont été battus. À un moment ou à un autre, et sans doute plus tard que nous ne l'espérons, la majorité des officiers rejoindra les mouvements de Résistance. Mais nous n'en sommes pas là.

Il montre son père.

— Le Service de renseignement de l'armée, pour sa part, n'a jamais cessé d'agir contre les Allemands et de transmettre les informations recueillies aux Anglais et aux Américains.

Il ajoute d'une voix sèche :

— La proposition de Thorenc ne mérite même pas d'être discutée. Elle couronne d'ailleurs une série de comportements irresponsables.

— Allons, allons, proteste le commandant Villars. N'oublions pas que nos bons camarades ont réuni un tribunal militaire pour condamner à mort le général de Gaulle, le colonel de Larminat et quelques autres. Je répondrai seulement à Thorenc que le moment pour ce genre de mesure n'est peut-être pas encore venu, mais que nous ne pouvons rien exclure.

— Ce serait une provocation ! répète Pierre Villars.

— Et abattre d'une balle dans la tête un officier allemand qui attend le métro, qu'est-ce que c'est ? lance Thorenc. Et fusiller cent otages, c'est quoi ?

Il sort en claquant la porte.

On le voit, depuis la chambre, arpenter les allées du parc battues par la pluie.

— 6 —

Thorenc sent la pluie glisser sur son visage. Il a froid. Il marche plus vite, passe d'une allée à l'autre. Parfois, il doit écarter les branches des sapins qui heurtent sa poitrine et dont certaines lui griffent les joues.

Il lève la tête.

Il n'a aucune envie de rentrer dans le bâtiment.

Il a croisé dans les couloirs ces silhouettes en blouse blanche soutenant des patients à la démarche lente et incertaine. Il a vu un enfant dont tout le haut du visage était enveloppé de pansements. Une infirmière le guidait, le tenant par la main, et il levait l'autre bras comme pour appeler à l'aide.

Bertrand s'est précipité dans le parc pour ne plus voir ces plaies, ne plus entendre ces soupirs, ne plus respirer les odeurs de maladie, pour fuir la contagion de la mort.

Il s'arrête. Malgré l'averse, il reste planté entre les arbres aux branches ployées.

Il repense aux yeux bandés de l'enfant, à ceux, tuméfiés, de Claire Rethel, au visage de Joseph Minaudi qui n'était plus qu'une plaie.

Il se souvient de Maurice Juransson, l'imprimeur de la rue Royer-Collard, et du professeur Georges Munier, tous deux fusillés.

Il entend les cris de Julie Barral au moment où les policiers l'ont arrêtée.

Qu'en est-il d'Isabelle Roclore, de Geneviève Villars et de tous ceux qui, comme elles, ont pris des risques, sont devenus des proies traquées ?

Une conviction, une révolte, une guerre valent-elles que l'on se précipite au-devant de la douleur et de la mort quand elles viennent vous prendre si souvent et si vite ?

Il veut quitter cette clinique. La souffrance qu'il y côtoie remet en cause son combat, les dangers qu'il accepte de courir.

Il se demande s'il n'y a pas, au bout du compte, qu'une seule exigence qui vaille : préserver la vie, la prolonger, ne jamais devancer l'échéance, pour soi comme pour les autres.

Les plaintes de l'homme qu'il a blessé au mas Barneron et que Bouvy a achevé envahissent à nouveau sa tête.

Il a tué deux hommes. Il vient de proposer d'en tuer un autre.

Il se sent perdu dans ce parc, cette vie.

Il marche jusqu'à la grille. Dans la nuit qui tombe, il aperçoit sous les nuages les toits de Clermont-Ferrand.

Il ne connaît pas cette ville. Il ne peut s'y rendre. Le docteur Boullier a insisté pour qu'il demeure à la clinique.

À Clermont, la police multiplie les barrages. Elle procède même à des rafles dans les quartiers ouvriers, la vieille ville, autour de la cathédrale, sur la place de Jaude.

Les suspects interpellés ou les personnes en situation irrégulière n'ont le choix qu'entre l'emprisonnement et le départ en Allemagne avec le statut de travailleurs volontaires. Le docteur Boullier a déjà accueilli dans sa clinique plusieurs réfractaires qui s'y cachent quelques jours, puis gagnent les villages de l'Auvergne, les monts du Forez.

« Il leur faudra des vivres, des couvertures, a dit le médecin. Et puis des armes, surtout si les Allemands occupent la région. »

Thorenc voudrait ne pas écouter, brandir le poing contre cette vie afin d'arrêter l'engrenage. Et parce qu'il sait qu'il ne peut pas, qu'il est inexorablement entraîné.

Il lève les yeux. Derrière la vitre déjà éclairée d'une des fenêtres du troisième étage, il aperçoit les visages de Pierre Villars et de Mercier.

Quelqu'un tire les rideaux.

Il en veut à ces deux hommes-là. Ils ont avancé des arguments raisonnables. Mais si c'est la raison qui doit l'emporter, alors il faut toujours attendre ! En 1938, il fallait accepter Munich. En 1940, on devait admettre la défaite et l'armistice comme inéluctables. En 1941, la collaboration était une politique raisonnable. En 1942, enfin, on attend que les Alliés agissent !

La raison est lâche, car il n'est jamais raisonnable de risquer sa peau. Il faut la préserver à n'importe quel prix. Survivre : voilà la raison des raisons !

Tout le reste, en effet, est passion.

On peut tuer le général Xavier de Peyrière. Ce n'est pas plus déraisonnable que de manifester le 11 novembre 1940 sur les Champs-Élysées. Et ça ne l'est pas moins.

Thorenc rentre dans la clinique.

Il retrouve la petite chambre où le docteur Boullier l'a installé. Elle est située sous les combles. Pour y accéder, il faut gravir un escalier aux hautes marches de bois. « Personne ne vous dérangera, lui a dit Boullier. Les infirmières ne montent jamais jusque-là. »

Pourtant, voici qu'on frappe à la porte avec insistance.

Thorenc prend son arme. Mais c'est Philippe Villars, le frère de Pierre, lui aussi caché dans cette clinique depuis les arrestations qui ont décimé son réseau à Lyon.

— Je voulais vous remercier, dit-il en se laissant tomber sur le lit et en cachant son visage derrière ses paumes. Je me sentais coupable d'avoir lancé Claire là-dedans. Elle était si efficace, comme je vous l'avais dit... Elle voulait en faire sans cesse davantage. Vous l'avez tirée de là !

Il relève la tête, dévisage Thorenc : a-t-il été l'amant de Claire ? Au bout d'un silence, il demande :

— Elle était comment ?

Thorenc a la tentation de lui faire mal. Il lui suffirait de décrire en détail le visage tuméfié de la jeune femme.

— Pas très bien, marmonne-t-il. Mais elle s'en remettra, j'en suis sûr.

Qu'est-ce qu'il sait de ce qu'elle a subi ? De la mort qu'elle va garder en elle pour l'avoir vue de si près ?

— Il faut la venger ! s'écrie Philippe. On ne peut pas avoir de pitié.

Il hésite, puis se lève.

— Il ne s'agit pas seulement de nous, de notre patrie, murmure-t-il. Mon père, lui, voit les choses comme cela : la France qu'il faut relever, qui doit retrouver sa place, son honneur, sa puissance. C'est un officier...

La tête baissée, car le plafond est bas, Philippe Villars arpente la chambre.

— Quant à mon frère Pierre, poursuit-il, je ne sais trop. Peut-être imagine-t-il qu'il est un révolutionnaire ? Mais moi — il s'immobilise —, en gare de Perrache, j'ai vu ces trains qui partaient pour l'enfer, j'en suis sûr... Sinon, on ne traiterait pas des enfants, des vieux de cette façon-là. Mathieu, mon cousin dominicain, a essayé, avec l'Amitié chrétienne, d'en sauver quelques-uns. En vain.

Il se remet à parcourir la pièce.

— Je crois que c'est une guerre entre le Bien et le Mal, la vie et la mort, la civilisation et la barbarie. Je le sens ainsi.

Au bout d'un silence, sa voix en vient à trembler :

— Claire parlait souvent de vous..., dit-il.

Thorenc ouvre la lucarne comme s'il étouffait tout à coup.

— Vous lui avez sauvé la vie une première fois, poursuit Philippe Villars. Elle n'imaginait pas que...

Bertrand l'interrompt. Il faut désormais qu'elle reste absolument en dehors, dit-il. Elle ne doit plus se mêler à l'action.

— Je suis sûr qu'elle n'a pas parlé, se borne à marmonner Philippe.

— Ils sont venus au mas Barneron, reprend Thorenc après une hésitation.

— Elle n'a pas parlé, répète Philippe. Si elle l'avait fait, ils auraient pris tout le monde, et même mon frère. Peut-être aussi Max. Ils n'ont arrêté que ceux qui sont tombés dans la souricière en gare de Perrache.

— Ils me recherchaient, au mas. Ils sont venus pour cela, répond laconiquement Thorenc.

Après avoir accusé le coup, Philippe conteste avec véhémence cette version des faits.

Ce n'est sans doute qu'une coïncidence, expose-t-il. Ils ont probablement découvert que les Villars étaient apparentés aux Barneron. Ils surveillaient le commandant Villars. Ils ont pensé que ce mas, à Murs, dans ce village reculé, pouvait être utilisé par le Service de renseignement français : un lieu idéal pour un émetteur radio.

— Or vous êtes lié à mon père, aux services... La Gestapo vous a recherché là-bas, un point c'est tout.

Il ajoute plus bas :

— Je ne demande pas à la rencontrer. Je ne veux surtout pas savoir où elle est. Je préfère ignorer ce qui n'est pas directement nécessaire à mon action.

Il sourit :

— De la sorte, si on m'interroge et que je parle, je ne pourrai pas en dire davantage.

Il ouvre la porte.

— Je suis sûr d'une chose, Thorenc : Claire n'aurait jamais donné votre nom. Jamais elle ne vous aurait mis en péril !

Et, s'appuyant des deux mains au cadre de la porte et en se penchant quelque peu, il ajoute :

— Si nous pouvions nous permettre de verser dans la futilité, je vous dirais que je vous envie pour les sentiments qu'elle vous porte...

Thorenc se sent mal à l'aise. Il ne répond pas. Il raccompagne Philippe Villars jusqu'au bout de l'étroit couloir, là où se trouve sa propre chambre.

— Elle vaut la mienne, dit-il en découvrant la petite pièce obscure.

— 7 —

Thorenc regarde les vagues rouler sur le sable de la crique. Le vent d'est est tombé, mais elles s'engouffrent toujours avec la même violence dans cette petite anse du cap d'Antibes. Elles se jettent sur les rochers et, à chaque fois, leur force le laisse surpris.

Il recule en courant sur la route. Puis, quand le reflux ne laisse plus sur le sable qu'une écume bouillonnante qui disparaît peu à peu, il s'avance à nouveau.

Il respire ce parfum salé. Il se souvient.

Puis la vague tout à coup s'élance, elle se brise dans un choc sourd contre les rochers qui protègent la crique ouverte à l'est, avant de déferler au centre de celle-ci, vers la plage, dans un grondement qui s'amplifie.

Il attend, puis bondit en arrière, court vers la chaussée,

la pinède, et c'est comme s'il s'enfonçait dans son enfance, quand il jouait ainsi avec sa peur, fuyant devant les vagues, puis s'y précipitant, emporté, soulevé, étouffé, saisi de panique, le corps criblé de grains de sable, surgissant enfin hors de l'eau, loin, si loin du rivage, se mettant à nager à vive allure dans le creux de la houle, puis, porté par elle, rejeté sur la plage, s'y accrochant, se relevant, courant, poursuivi par le flux.

Il revit ces courses.

Il habitait alors, avec sa mère et Simon Belovitch, la maison des remparts d'Antibes qu'il aperçoit, avec ses volets d'un bleu vif tranchant sur sa façade rose.

Peut-être appartient-elle toujours à sa mère, à moins que celle-ci n'ait menti quand elle minaudait au salon : « Nous passons quelques jours, cher ami, dans notre maison d'Antibes... » ? Peut-être le propriétaire n'était-il autre que Simon Belovitch, l'amant et ami de Cécile de Thorenc, producteur de cinéma, financier, spéculateur, escroc selon certains, le Juif, l'apatride, etc., peut-être aussi le père naturel de Bertrand Renaud de Thorenc ?

— À Antibes, lui a dit le commandant Villars, vous êtes un peu chez vous, n'est-ce pas ?

Ils se trouvaient dans le bureau que le docteur Boullier avait mis à la disposition de Joseph Villars, au premier étage de la clinique. Les cimes des sapins, bousculées par le vent, venaient parfois frôler les vitres de la fenêtre.

Joseph Villars a refermé le dossier placé devant lui, puis l'a recouvert de ses deux mains.

— N'imaginez pas que je vous envoie à Antibes pour vous éloigner de Vichy. De toute manière, quels que soient votre obstination et votre courage, vous ne seriez pas arrivé jusqu'à Xavier de Peyrière. Il est bien gardé, croyez-moi : j'ai étudié la question.

Il a souri :

— Mais oui, Thorenc, vous n'êtes pas le seul à avoir des idées déraisonnables. Mais ce n'est pas cela qui m'a fait renoncer à ce projet. Ni le souci d'épargner la vie de Xavier de Peyrière, qui est mon beau-frère, je vous le rappelle en passant...

Il a levé la main :

— Non, voyez-vous, s'il nous faut cet ordre signé par Peyrière, dans le même temps je ne crois pas que ceux qui le recevraient le mettraient à exécution dès lors qu'il les exposerait à quelque péril. Vous les imaginez livrer les armes dont ils disposent à des gens comme vous, ou bien à mon fils Pierre, ou encore à Max, à Frenay, à d'Astier de La Vigerie ? Quelques-uns, peut-être, mais les autres prétendraient brusquement qu'il leur faut désobéir au nom de...

Il a esquissé un signe de la main.

— On a toujours de bonnes raisons : la fidélité au Maréchal, ou bien à l'amiral Darlan, ou même à Laval... L'essentiel étant de ne pas prendre de risques. Alors, liquider Xavier de Peyrière... Il mérite la mort, j'en suis convaincu, mais un autre général le remplacerait aussitôt. Bridoux, par exemple.

Villars a soupiré :

— Un mot encore : ni Mercier ni mon fils Pierre ne vous laisseraient agir. Et je leur donnerais raison.

Thorenc a hésité. Il aurait pu discuter avec son interlocuteur, essayer de le convaincre, mais il s'est contenté de murmurer :

— La raison...

Le commandant a haussé les épaules :

— Je sais bien, c'est un mot, et on peut trouver des arguments raisonnables pour justifier n'importe quelle décision. La raison n'est que l'habillage commode de nos choix, de nos passions, de nos lâchetés. Mais vous savez tout cela, Thorenc. Quand on approche de la quarantaine, si on n'a pas compris ce genre de mécanisme, c'est qu'on est aveugle pour la vie.

Thorenc a fermé un instant les yeux. Il a entendu le rire de l'officier.

— Mais, j'en conviens, Thorenc, on peut préférer la cécité. Moi aussi, parfois, je me demande si la lucidité n'est pas le pire des malheurs.

Il a rouvert le dossier posé devant lui :

— Je bute sur vous à chaque instant, Thorenc. Je veux vous envoyer à Antibes, et voilà que votre mère y a vécu avec Simon Belovitch ! Drôle de personnage... Il s'est d'abord réfugié à Cannes, puis est rentré à Paris. Il y a créé une société, lui, Simon Belovitch dont on peut pourtant voir le portrait, assure-t-on, à l'exposition sur *Le Juif de France* ! Il symbolise l'apatride qui a étouffé entre ses griffes le cinéma français ! Eh bien, il est au mieux avec les tueurs français de la rue Lauriston, il dîne une fois par semaine au Don Camillo avec Henry Lafont, et il est reçu presque chaque jour par le général von Brankhensen qui s'est approprié l'hôtel de Robert de Rothschild. Ils sont en affaires...

Il a croisé les bras.

— Belovitch est votre père ou pas ? Vous savez que c'est ce qu'on a prétendu parmi les gens de la Gestapo. Même Alexander von Krentz s'en est fait l'écho. Et certains éléments de l'Abwehr en ont aussi répandu le bruit. Une manière de vous déconsidérer. De vous tenir, aussi. Ça vous gêne que je vous pose cette question ?

Thorenc se sentait si las... Il avait l'impression de s'enfoncer peu à peu dans des eaux saumâtres.

Il a humé l'odeur de médicaments qui flottait dans toute la clinique et qui lui donnait la nausée.

— J'ai eu beaucoup de pères qui ont gravité autour de ma mère, murmure-t-il. Celui-là a duré un peu plus que les autres. Je l'ai trouvé pittoresque, généreux, sympathique ; et puis je l'ai perdu de vue... Si, au cours de cette période, il réussit à survivre sans se cacher, en faisant même, à ce que je comprends, des affaires avec les Allemands, je ne peux le condamner. Je lui reconnais même des qualités exceptionnelles...

— Il a monté une entreprise de récupération de métaux, a précisé Joseph Villars. Il déboulonne les statues sur les places et dans les cimetières. Il les fond. Il fait découper les coques des navires échoués à Dunkerque ou à Bordeaux. Il sert de fournisseur au général von Brankhensen qui peut ainsi passer du bon temps avenue Foch, au numéro 77, vous connaissez, Thorenc ?

Bertrand n'a pu qu'acquiescer en baissant la tête.

— Oui, je vous rencontre là encore ! Brankhensen est toujours très lié avec votre amie Lydia Trajani. Elle vous a aidé à deux ou trois reprises, je le sais. Tant mieux, Thorenc ! Je crois que, sans elle, sans les pressions de von Brankhensen, du lieutenant Konrad Ewers et du ministre Varenne — tous trois amants de Lydia Trajani, tout comme vous, n'est-ce pas ? —, le commissaire Antoine Dossi vous aurait liquidé d'une manière ou d'une autre. En vous livrant aux gens de la Gestapo, à Oberg, au lieutenant Wenticht, à qui vous avez déjà eu affaire, ou bien en vous fracassant la tête. En vous aidant, Lydia Trajani s'est couverte, tout comme Simon Belovitch se couvre lui aussi. Il nous fait passer des renseignements utiles. Et je crois que le général von Brankhensen les lui transmet en connaissance de cause, sachant parfaitement où ils aboutissent. Chez nous, mais pas seulement...

Villars s'est levé.

— Votre ami John Davies a quitté Vichy pour se rendre à Antibes. Je suis à peu près sûr que Lydia Trajani, Belovitch, et par conséquent le général von Brankhensen et Konrad Ewers sont en relations avec lui. Nous savons — et Davies sait — que les Allemands vont occuper la zone Sud dans quelques jours ou quelques semaines. Von Brankhensen sait — et nous savons — que les Américains vont déclencher une grande opération en Méditerranée, probablement en Algérie et au Maroc. Dans cette affaire, leur homme, vous me l'avez confirmé, est le général Giraud.

Il s'est rassis.

— L'évasion de Giraud de la forteresse de Königstein est un acte héroïque, mais l'héroïsme conduit souvent au martyre ; or Giraud a survécu ; dans son cas, à l'héroïsme se sont donc ajoutées la chance, sans laquelle rien n'est possible, mais aussi quelques complicités utiles, indispensables... Peut-être les amis du général von Brankhensen au sein de la Wehrmacht ont-ils voulu donner des gages aux Américains ? Les Américains, avec Giraud, veulent à la fois torpiller de Gaulle et renflouer Vichy en trouvant un appui ou un successeur à Pétain. Giraud a le bon profil. Et je crois que l'OSS a bien travaillé autour de la forteresse de Königstein, puis en accompagnant Giraud du bas des murailles jusqu'en Suisse, et ensuite à Vichy.

L'officier a tapé sur l'épaule de Thorenc.

— Et maintenant, on va le faire sortir de France !

Puis il s'est penché pour ordonner à voix basse :

— Giraud est à Antibes avec John Davies et Thomas Irving. Vous devez aller là-bas. Vous les connaissez. Vérifiez mes hypothèses et mes informations. Ils vont l'embarquer à bord d'un sous-marin. C'est pour cela qu'Irving est sur place. Ce sera un navire de la Royal Navy. Les Américains sont incapables de monter une telle opération. Ils ignorent encore tout de la Méditerranée. Depuis des siècles, les Anglais, eux, en connaissent toutes les criques...

Thorenc s'est assis sur le muret qui borde la route du cap d'Antibes et qui surplombe les plages, les rochers, les criques.

Il regarde vers le large. Les vagues viennent de l'est. Aucun vent ne creuse plus la houle qui est comme la mémoire de la tempête.

Cette nuit, la mer sera calme.

— 8 —

Thorenc reconnaît le parfum des aiguilles de pin. Sèches, fines et aiguës, il les sent sous ses paumes, comme un tapis épais.

Il rampe pour se rapprocher de la villa dont il aperçoit la façade blanche entre les arbres. La lumière filtre à travers les volets du rez-de-chaussée.

Il se soulève, s'appuie sur les coudes, tourne la tête.

La route du cap est déserte. De l'autre côté de l'anse de la Salis, il distingue au loin les remparts d'Antibes et les maisons qui les surplombent. Elles ressemblent dans la nuit à une falaise au sommet de laquelle se dresse une tour.

Il écoute.

La mer s'est calmée, mais, de temps à autre, des coups sourds se succèdent. Quelques vagues encore fortes frappent les rochers. Puis c'est la respiration paisible et régulière du ressac.

Il avance encore de quelques mètres. Des aiguilles de pin se glissent à l'intérieur de ses manches.

Il secoue le bras. Elles paraissent vouloir s'enfoncer, s'accrocher à sa peau. Il s'irrite : que fait-il là, allongé dans cette pinède ?

En fin d'après-midi, il a reçu un appel de Clermont-Ferrand. Il a reconnu la voix du commandant Villars :

— Ils sont à la villa Waldstein.

Puis, peut-être pour que la communication ne soit pas trop brève, il a ajouté :

— J'espère que vous avez beau temps.

Et il a raccroché.

Thorenc a aussitôt quitté l'hôtel du Marché, situé derrière les remparts.

Il a marché le long de la route du cap, passant devant la villa Waldstein en tournant à peine la tête. Il a reconnu le portail de bois, et, tout au fond de la pinède, la villa.

Il a traversé la chaussée, est descendu sur les rochers, sautant de bloc en bloc, trouvant enfin une anfractuosité d'où il pourrait observer la route, le portail et l'allée.

Il s'est souvenu de Lydia Trajani, il y avait quelques mois de cela, s'avançant vers lui, son manteau de fourrure jeté sur les épaules, si fière d'avoir acheté cette villa à Henry Lafont qui en avait dépouillé Waldstein.

Elle se cachait là pour quelques jours en compagnie du lieutenant Konrad Ewers. Des petites vacances, en somme !

Il avait pensé la tuer.

Elle est peut-être encore dans la villa, ce soir, mais, cette fois, en compagnie de John Davies et de Thomas Irving.

Tous les fils se sont emmêlés.

Elle dîne avec Henry Lafont, le chef de la Gestapo française, le tortionnaire, le pillard. Elle doit se vautrer avec lui dans un lit de l'hôtel particulier de la rue Lauriston dont les caves ont été transformées en cellules et en chambres de torture. Puis elle rentre chez elle, dans cet appartement du 77, avenue Foch que lui a offert le général von Brankhensen et qu'il a volé à une famille juive. Elle offre un dîner. Elle rit, penchée vers Konrad Ewers ou Alexander von Krentz. Mais elle accueille dans sa villa de la Côte Irving et Davies, et peut-être, ce soir, va-t-elle embarquer avec le général Giraud sur un sous-marin qui rôde encore au large, attendant l'heure du rendez-vous.

Thorenc ramasse une poignée d'aiguilles de pin, les broie, tente de les briser.

Que fait-il là ?

Il voudrait tant être du côté de la clarté, de la simplicité ! Le Bien contre le Mal, a dit Philippe Villars. La barbarie contre la civilisation... Ici, c'est l'eau trouble des doubles jeux, les lignes qui se superposent, se recoupent, s'écartent pour mieux se retrouver.

Où est la réalité ?

Il repense à Claire Rethel, à ses yeux pareils à deux grosses protubérances noirâtres. Il se souvient des deux hommes qui, à quelques centaines de mètres de la villa Waldstein, dans la pinède de l'hôtel du cap d'Antibes, ont jadis interpellé la jeune femme.

C'est ce jour-là que Bertrand l'a vue pour la première fois.

Elle est du côté de la souffrance, du côté de la vérité.

Il répète : du côté de la souffrance, *donc* de la vérité.

Lydia disait seulement qu'elle voulait jouir de tout, amasser, posséder jusqu'à plus soif. Et donc qu'elle ne pouvait que trahir.

Mais, pour elle, existait-il une frontière entre le Bien et le Mal ? Celui qui n'a que la jouissance pour mesure peut-il trahir s'il ne connaît et ne recherche que son propre plaisir ?

La porte de la villa s'ouvre.

Thorenc reconnaît la silhouette de John Davies. Elle se découpe, grande et mince, dans le rectangle de lumière.

Il lui semble que l'Américain regarde soudain dans sa direction.

Bertrand s'aplatit, la joue collée aux aiguilles de pin.

Il ferme les yeux.

Tout à coup, un poids l'écrase entre les omoplates.

En un éclair, il revoit la scène au mas Barneron, quand Bouvy a appuyé le canon de son arme contre la poitrine du policier et a fait feu.

C'est son tour. On va le tuer.

On lui tord le bras, on le force à se retourner. Un éclair blanc l'aveugle. Puis on éteint la lampe.

— Thorenc, je vous quitte sur les bords du lac de Genève et c'est pour vous retrouver ici !

Il reconnaît la voix ironique de Thomas Irving.

Il se redresse, reste un instant assis sur le sol de la pinède.

— Vous ne pouviez pas sonner au portail, comme ferait un ami ?

Irving lui tend la main, l'aide à se relever.

— La nuit, par les temps qui courent, on tire sans sommation, vous savez. Vous êtes très imprudent... mais ça, je l'avais déjà compris à Genève !

Il invite Thorenc à le suivre.

— On va prendre une tasse de thé. Pour un Américain, John le réussit plutôt bien.

Davies vient à leur rencontre. Il ne paraît pas surpris.

— Vous vouliez embarquer avec Giraud ? demande-t-il en s'esclaffant.

Il sort son paquet de cigarettes, en allume une, rentre dans la villa.

La pièce est vaste et blanche, le sol en marbre. Les murs immenses sont nus.

— Partir avec le général ou bien le descendre ? reprend Davies en s'éloignant.

Il revient avec une théière et des tasses.

— Il est parti hier soir du Lavandou, enchaîne Irving. On vous a mal renseigné sur les horaires, Thorenc !

Davies lui tend une tasse.

— Mais il y a un autre métro dans trois heures, poursuit l'Anglais. On vous emmène ? La station n'est pas très éloignée.

Thorenc entend des bruits de pas, se retourne. Lydia Trajani apparaît au fond de la pièce. Elle s'immobilise en reconnaissant Thorenc, puis lui ouvre les bras.

— L'homme le plus surprenant que je connaisse ! s'exclame-t-elle.

Elle enlace le journaliste.

— Qu'est-ce que tu fais là ? susurre-t-elle.

Thorenc ne peut pas parler. Lydia Trajani consulte du regard Davies, puis Irving.

— Il part aussi ? demande-t-elle.

— Il part ou il meurt, répond Irving en lançant un coup d'œil à Davies.

Elle se pend à nouveau au cou de Thorenc.

— Je n'y comprends rien, soupire-t-elle.

D'une voix tout à coup anxieuse, Davies fait remarquer que l'heure tourne, qu'ils doivent être au point de rendez-vous, à quinze kilomètres, dans une demi-heure. Les autres sont déjà là-bas, à la merci d'une patrouille de douaniers ou de policiers. Si Thorenc a trouvé la villa Waldstein, c'est qu'il y a eu des fuites, des bavardages. Il faut quitter la villa tout de suite.

— Vous ne le tuerez pas ! s'insurge Lydia Trajani.

— Lui vous tuera, réplique Irving. Maintenant ou plus tard.

— Mais non, mais non ! répète-t-elle.

Elle caresse la nuque de Bertrand.

Il devine que Irving hésite.

— Vous êtes inconscient, Thorenc, finit par lâcher l'Anglais. Vous n'êtes qu'un amateur. Vous n'avez pas votre place dans ce jeu. Ça ne m'étonne pas que vous soyez gaulliste. Restez-le, mon vieux !

Puis, tourné vers Lydia Trajani :

— Si vous vous en chargez, c'est votre problème.

Davies est déjà sur le seuil.

— On s'en va, s'impatiente l'Américain.

— On a encore une place, Thorenc, murmure Irving. Dans moins d'une semaine...

Il s'interrompt, hausse les épaules et explique :

— Évidemment, je ne voulais pas vous tuer ! J'essayais de vous convaincre ; mais vous êtes têtu. Vous n'irez pas jusqu'au bout de la guerre, mon cher !

Ils ont quitté la villa. Thorenc se tient debout face à Lydia Trajani. Ils sont seuls dans la grande pièce blanche.

— J'ai vendu tous les tableaux de Waldstein, indique-t-elle en montrant les murs. Von Brankhensen les a achetés pour le maréchal Goering. Le maréchal était fou de joie. Il a décoré von Brankhensen et von Ewers et leur a promis qu'ils n'iraient jamais en Russie.

Elle se pend au cou de Bertrand. Il reste les bras le long du corps.

— C'est trop compliqué pour toi, gémit-elle. Et je n'ai pas le temps de te dégeler, ni d'entrer avec toi dans tous les détails. Mais il faut que tu t'en ailles, vite ! La police va arriver. Ce sont des Français, mais ceux-là sont pires que la Gestapo.

La chaleur du corps de Lydia Trajani le pénètre peu à peu. Il pose ses mains sur les reins de la jeune femme.

— Tu es folle, murmure-t-il, ce sont des bêtes féroces !

Elle secoue la tête. Son chignon se défait. Ses cheveux noirs tombent sur ses épaules. Tout son visage exprime le mépris.

— Ils sont idiots, dit-elle. J'en fais ce que je veux. Ça m'amuse !

Elle repousse Thorenc.

— Va-t'en, insiste-t-elle. Ils vont arriver.

Il s'élance, court dans l'allée. Il entend un vrombissement de moteurs qui couvre le bruit du ressac.

Il bondit parmi les rochers, s'y cache.

Les voitures s'arrêtent devant le portail. Des hommes se précipitent vers la villa.

Dans la lumière jaune des phares, Thorenc distingue leurs armes.

Ils crient. Il entend Lydia Trajani répondre d'une voix aiguë que ceux qu'ils recherchent embarquent à La Napoule. Elle n'a pas pu les retenir.

Elle les injurie : pourquoi ont-ils tant tardé ?

Il la voit monter à bord d'une des voitures.

Les portières claquent.

Après, il n'y a plus que le choc des vagues sur les rochers du cap.

— 9 —

Thorenc va et vient sur le quai de la gare de Nice, ce vendredi 13 novembre 1942. Il s'arrête souvent, se penche audessus du ballast.

Il suit des yeux les rails qui guident son regard jusqu'à la bouche noire du tunnel qui perce une petite colline située à l'est, à quelques centaines de mètres du dernier poste d'aiguillage.

Il s'avance jusqu'à l'extrémité du quai. Il fait chaud. Il

rentre sous la verrière, dans la pénombre glauque et poussiéreuse qu'elle diffuse.

Il aperçoit la foule passive, tassée sur les bancs, assise sur ses valises, appuyée aux murs, s'agglutinant parfois autour d'un contrôleur, quémandant une explication, puis retournant attendre.

Thorenc s'éloigne à nouveau, mais d'un pas rapide, comme s'il avait un but ou voulait fuir, alors qu'il attend lui aussi ce train qui doit surgir du tunnel mais qui ne vient pas.

Les convois de troupes italiennes ont la priorité sur le réseau. Depuis quatre heures que dure cette attente, plusieurs trains ont traversé la gare à vive allure, chargés de soldats, de canons, de camions.

La foule a regardé, assoupie, presque indifférente.

Thorenc a marmonné, mais assez fort pour qu'on l'entende :

— Ils n'ont pas conquis un seul mètre de terrain en 40, et voici maintenant qu'ils nous occupent. C'est une honte que Vichy laisse faire ça !

On s'est écarté de lui. Puis quelqu'un, à quelques mètres, a lancé :

— Les Américains ont bien envahi l'Algérie ! Les autres, ils répondent, et c'est nous qui payons. Cocus des deux côtés, voilà ce que nous sommes. Merci, les Alliés !

Thorenc a serré les dents pour ne pas répondre.

Disparue, la joie qu'il a éprouvée quand il a appris, à la fin de la semaine écoulée, que les opérations du débarquement américain en Afrique du Nord allaient se déclencher d'une heure à l'autre.

Il avait quitté Antibes pour Marseille, rencontré le commandant Pascal et les responsables de Combat, de Franc-Tireur et de Libération.

La décision avait été prise de tenter d'obtenir des autorités militaires qu'elles organisent à leur tour la résistance, puisque le commandant Villars avait transmis l'information qu'à l'opération Torch lancée par les Américains en Algérie et au Maroc allait répondre, dans moins de quarante-huit heures, l'opération Attila, l'occupation de la zone Sud par les Allemands et les Italiens.

Dans cette cave humide d'une villa de Cassis, Thorenc avait écouté l'appel de De Gaulle que la BBC répétait :

« Chefs français, soldats, marins, aviateurs, fonctionnaires, colons français d'Afrique du Nord, levez-vous ! Aidez nos alliés ! Joignez-vous à eux sans réserve ! La France qui combat vous en adjure... Une seule chose compte, le salut de la patrie... Allons, voici le grand moment, voici l'heure du bon sens et du courage. Partout l'ennemi chancelle et faiblit... »

Ils avaient bu, rêvé à l'entrée de l'ensemble de l'armée d'Afrique dans la guerre, imaginé un débarquement prochain en Provence.

Puis ils avaient appris que les troupes françaises avaient ouvert le feu sur les Américains et qu'il y avait eu de part et d'autre, au Maroc, en Algérie, des milliers de morts et de blessés. Qu'avec la complicité des autorités françaises, des unités allemandes occupaient la Tunisie, laissée à l'écart, sans qu'on comprît pourquoi, de l'opération Torch.

— Ces Américains sont des cons ! s'était exclamé Pascal.

Mais le pire était encore à venir.

Pierre Villars était arrivé de Clermont-Ferrand, sombre et amer. Un seul général s'apprêtait à résister aux Allemands : de Lattre de Tassigny, à Montpellier. Les autres avaient déjà pris contact avec les troupes d'invasion. Le général Xavier de Peyrière avait mis à la disposition de ses collègues allemands des casernes et des bâtiments militaires désaffectés.

— Le tuer n'aurait servi à rien, avait lancé Pierre Villars en regardant Thorenc. Ils sont tous comme Peyrière ! À Toulon, l'amiral de Laborde ne veut même pas admettre que les Allemands puissent vouloir s'emparer de la flotte ! Il a renvoyé tous nos émissaires en menaçant de les dénoncer s'ils insistaient. Voilà où nous en sommes !

Bertrand avait lorgné vers les bouteilles vides entassées dans un coin de la cave.

— Le plus préoccupant, avait poursuivi Pierre Villars, ce sont les accords que les Américains sont en train de passer avec l'amiral Darlan qui se trouve à Alger. Ils vont faire de lui le haut commissaire français pour l'ensemble de l'Afrique.

Thorenc en avait eu la nausée. Pascal avait décoché un coup de pied dans la pyramide de bouteilles.

— Des cons et des salauds ! avait-il lancé. C'est une ignominie !

Pierre Villars s'était tourné vers Thorenc :

— L'autre soir, à Antibes, vous avez manqué Maurice Varenne.

Sans doute sous l'influence de Lydia Trajani, le ministre de Vichy avait en effet décidé de gagner l'Algérie et de se mettre à la disposition de Giraud.

— Davies et Irving l'ont fait embarquer à Cagnes-sur-Mer. Il est désormais à Alger aux côtés de l'amiral Darlan. Quant à Giraud, il s'est placé sous les ordres de l'amiral.

Vomir d'avoir trop bu, de s'être laissé griser par l'espérance.

Resté maître de lui, Pierre Villars avait essayé de calmer Pascal qui répétait qu'il s'agissait d'une méprisable manœuvre de Roosevelt dirigée contre de Gaulle. Les camarades morts venaient d'être fusillés une seconde fois puisque Darlan, l'homme qui avait ouvert les aérodromes de Syrie aux Allemands, l'homme qui avait rencontré Goering, décidé de fournir des renseignements à l'Abwehr et à la Gestapo, celui qui incarnait la haine aveugle de l'Angleterre, et donc la collaboration, qui avait envisagé de faire entrer la France dans la guerre aux côtés du Reich, était maintenant l'interlocuteur, le partenaire des États-Unis, reconnu par eux comme le représentant des intérêts français !

— Dauphin de Pétain et traître, avait lancé le commandant Pascal, et le voici sacré par Roosevelt. Bravo !

Puis, d'une voix éraillée d'avoir trop hurlé, il avait ajouté que tout cela puait :

— Nauséabond ! avait-il insisté un ton au-dessus.

— La bataille est politique, avait répliqué Pierre Villars. Il y a un fleuve de boue à traverser. Si nous nous rassemblons, nous y réussirons. Tel est l'avis de Max, qui exprime celui de De Gaulle. Si la Résistance est unie derrière Max, et donc derrière de Gaulle, Giraud et surtout Pétain apparaîtront pour ce qu'ils sont : des hommes seuls. L'un que la vanité a aveuglé, et l'autre, un traître avec lequel on doit se montrer sans pitié. Et cela vaut pour Maurice Varenne et les autres ministres de Vichy qui auraient la tentation de faire de même !

L'avenir, avait-il poursuivi, n'était pas aux traîtres. La formule était de De Gaulle. Mais il fallait rassembler toutes les forces de la Résistance. Y compris les communistes.

Thorenc avait regagné Antibes et tenté d'y rencontrer des représentants du Parti communiste.

Il avait quitté Marseille au moment précis où les premiers motocyclistes de la Wehrmacht dévalaient la

Canebière. Nulle part l'armée de l'armistice n'avait résisté, et de Lattre de Tassigny avait été arrêté.

Thorenc était arrivé à Antibes alors que des détachements italiens prenaient position autour de la gare. Ils avaient mis en batterie un canon et une mitrailleuse, et semblaient ainsi viser la mer, le Fort Carré au loin. Les badauds les observaient avec une indifférence amusée.

Il avait repris contact avec José Salgado et Jan Marzik, et déjeuné avec eux dans un restaurant proche de l'hôtel du Marché, cours Masséna. Mais les deux hommes ne pouvaient parler au nom du Parti. Ils avaient seulement indiqué qu'en tant qu'étrangers, ils avaient trouvé leur place dans des organisations dépendant du Parti communiste, qu'il s'agît de la MOI ou des FTP.

— Cette guerre a commencé en Espagne, vous le savez, Thorenc, avait dit Salgado.

Il s'était tourné vers Marzik :

— Et la première trahison a été Munich. Pour moi, Daladier est pire que Pétain, même si, aujourd'hui, il se montre courageux et refuse la collaboration. Blum aussi, je n'hésite pas à le mettre en cause...

— Oh ! les communistes..., avait commencé Thorenc.

Mais il n'avait pas eu envie de poursuivre.

À quoi bon rappeler le pacte germano-soviétique ? On était à la fin de l'année 42. Les Américains venaient de débarquer à Alger et la France entière était occupée. Même s'ils n'avaient plus l'initiative, les Allemands n'avaient pas encore perdu la partie. Ils encerclaient Stalingrad.

— Nous traînons tous un passé, avait-il repris. Les historiens l'analyseront plus tard. Mais, aujourd'hui, il faut rassembler tous les mouvements, et même les partis politiques. Il faut que je rencontre un représentant communiste. Écoutez...

Il leur avait lu le texte du dernier discours de De Gaulle prononcé au cours d'une réunion à l'Albert Hall de Londres : « La France ne juge les hommes et leurs actions qu'à l'échelle de ce qu'ils réalisent pour lui sauver la vie. La nation ne reconnaît plus de cadres que ceux de la libération. Comme dans la Grande Révolution, elle n'accepte plus de chefs que ceux du salut public... »

— Voilà ce que je veux rappeler au représentant communiste, avait conclu Thorenc.

Il avait attendu en compagnie de Marzik le retour de Salgado, parti transmettre la demande de Thorenc.

Ils avaient marché en silence le long des remparts. Ils avaient vu entrer lentement dans le port une vedette lance-torpilles italienne.

— Tout cela, que nous vivons, me semble parfois irréel, lui avait dit Marzik. Vous vous souvenez de ce que nous étions auparavant ? Et vous mesurez ce que nous sommes devenus ?

Marzik s'était adossé au mur bordant la route et la protégeant des paquets de mer qui, par fort vent d'est, venaient se briser contre les rochers, au pied des remparts.

— Moi, je suis un exilé, avait poursuivi Marzik. Vous, vous l'êtes dans votre propre pays. Un clandestin est toujours un exilé. Vous êtes traqué, je le suis. Alors que nous étions naguère des personnalités connues et respectées. Nous invoquions les lois, les droits. Aujourd'hui, les assassins ont pris le pouvoir. Et, s'ils nous découvrent, ils nous briseront les os.

Il avait eu un sourire amer.

— Quelle régression ! Et nous avons cru que nous en avions fini avec la guerre, en 1918 ! Nous avons créé la Société des Nations. Elle a porté sur les fonts baptismaux la Tchécoslovaquie, mon pays ! On a laissé Hitler la dépecer. Et on massacre partout ! Pour l'exécution du SS Heydrich, à Prague, on a fusillé plus de cinq cents otages. On en a arrêté des milliers d'autres.

Marzik avait montré les maisons qui se dressaient de l'autre côté de la route, au-delà des remparts :

— Vous allez regretter la zone libre. Les Allemands vous interdiront même de vous approcher de la mer !

Il s'était tourné vers le port. La vedette italienne s'était amarrée à l'un des quais. Une petite foule se pressait, entourant les marins.

— Les Italiens ne sont que des figurants, avait repris Marzik, des occupants d'opérette. Mais ils vont ouvrir les portes à la Gestapo. Je plains les Juifs qui se sont réfugiés ici et que la police française n'a pas encore raflés. Ils vont se trouver pris dans une nasse. Et pourtant...

Il avait posé la main sur l'épaule de Thorenc, puis s'était tourné vers l'horizon. La mer calme était d'un bleu profond.

— Bien sûr, plus tard, s'il y a pour nous un plus tard, nous ne regretterons pas les moments que nous vivons. Nous sommes malades de peur et d'angoisse, de violence. On nous tue. Nous tuons. Comment pourrions-nous regretter cet état de choses ? Mais ce qui nous manquera, peut-être, c'est ça, avait-il fait en pointant l'horizon. Le sens, l'espérance, ce pour quoi nous nous battons, Thorenc. La liberté, la justice, le respect des autres... Nous regardons vers l'horizon. Si, un jour, quand tout sera fini, nous n'avons plus d'horizon, il deviendra difficile de vivre, surtout pour nous.

— Il y a toujours un horizon, avait murmuré Thorenc.

— Des petits segments d'horizon, oui, peut-être... Mais celui auquel nous rêvons maintenant est si vaste...

Marzik avait haussé les épaules, comme s'il s'excusait :

— Je bavarde... Mais, dans les moments où tout change, on s'interroge. Or, la guerre bascule, Thorenc. Avec ce débarquement en Algérie et au Maroc, l'offensive va passer d'un camp dans l'autre.

Ils s'étaient remis à marcher.

Combien de temps avant que cela finisse ?

De combien de vies seraient payés les lâchetés d'un Xavier de Peyrière, les trahisons de Darlan, les prudences de la plupart, les calculs politiques des Américains, la vanité de tel ou tel chef de réseau qui refusait de perdre son fief et n'admettait pas que Max fût le patron ?

— Ce n'est pas fini, je sais, avait murmuré Marzik comme s'il avait lu dans les pensées de Thorenc. Les Américains vont prendre leur temps : un bond en Algérie ; peut-être, d'ici un an, un autre bond en Grèce ou en Italie ; dans deux ans, peut-être ici même. Ils ne sont pas pressés. Nous, oui !

Il s'était arrêté, avait scruté de nouveau l'horizon.

— Nous, nous allons sans doute mourir. Nous avons commencé trop tôt, avant même que le rideau ne soit levé. Quant à ceux qui entrent maintenant en scène... ceux-là vont être de plus en plus nombreux ! On dit que Maurice Varenne a rejoint Alger, qu'il est membre du Conseil impérial que vient de créer Darlan. Darlan et Giraud main dans la main ! Vous vous représentez comme tout cela va vite ! C'est en France qu'après la chute de Napoléon on a publié un dictionnaire des girouettes, n'est-ce pas ? Nous allons assister à de belles variations, à des héroïsmes calculés, bien sonores !

— Il est trop tôt, avait murmuré Thorenc. Les girouettes

ne font encore que grincer. Elles tourneront plus tard, quand les risques seront moins grands.

Jan Marzik avait approuvé d'un hochement de tête.

Ils avaient aperçu Salgado qui venait à leur rencontre, et Thorenc avait reconnu, marchant à quelques pas derrière lui, la silhouette de Stephen Luber.

Les communistes avaient donc préparé ce rendez-vous. Le déjeuner avec Salgado et Marzik, apparemment sans objet précis, avait eu pour but de sonder Thorenc. Habituellement, pour nouer un contact avec un responsable communiste, il fallait plusieurs semaines, tant les règles de sécurité chez eux étaient strictes. Ils avaient donc attendu Thorenc. Les communistes, avait-il pensé, essaient toujours d'avoir un coup d'avance.

Il était resté seul avec Luber. Marzik et Salgado s'étaient éloignés chacun de leur côté.

— On marche ? avait dit Luber.

Avec ses cheveux coupés court, son front paraissait plus vaste, ses traits plus énergiques.

— On peut se diriger vers le cap, avait-il ajouté.

Il avait décoché un coup d'oeil à Thorenc :

— Mais nous n'irons pas jusqu'à la villa Waldstein, ou plutôt, puisqu'elle l'a rachetée, la villa Trajani...

Il avait tourné la tête vers Thorenc, marché plus lentement.

— Nous savions que les Anglais et les Américains avaient préparé, à partir de la villa, des départs pour Gibraltar ou Alger : ceux de Giraud, de Varenne... Ils pensaient même que le général Xavier de Peyrière se joindrait au ministre de Pétain.

— Peyrière ! s'était exclamé Thorenc.

Il avait eu un mouvement de colère qu'il avait été incapable de dissimuler.

— Mais oui, Thorenc ! Vous espériez quoi ? Le double jeu, ça fait partie des règles de votre monde, non ? Lydia Trajani, Varenne, ministre de Pétain hier, cagoulard avant-hier, et aujourd'hui allié des Américains ! Voulez-vous que je cite d'autres exemples ?

Thorenc s'était arrêté, avait fixé Luber, l'obligeant à baisser les yeux.

— Croyez-vous qu'il soit utile que je vous réponde en évoquant la période d'août 1939 à juin 1941 ? avait-il interrogé. Si vous continuez sur ce ton, je vais le faire. Et nous aurons perdu notre temps.

Luber s'était remis à marcher tout en parlant :

— Vous allez me parler de Comité national, de rassemblement, etc. De Gaulle a besoin de nous contre Giraud et Darlan, pour montrer aux États-Unis qu'il a l'appui de la Résistance et prendre ainsi l'avantage sur ses deux concurrents. Pourquoi jouerions-nous ce jeu-là ?

— Pour la France, Luber. Quand je m'adresse à vous, j'oublie que vous êtes allemand, je parle au représentant du Parti communiste français.

Luber avait fait la grimace :

— La France ? Laval est allé à Berchtesgaden et a scellé avec Hitler une alliance politique *durch Dick und Dünn*, « pour le meilleur et pour le pire ». Ce qui voulait dire : livrer les Juifs, envoyer les ouvriers travailler en Allemagne ; ce qui veut dire...

— Vous appelez ça *la France* ?

— Qu'est-ce qu'elle attend, alors, la vraie, pour se révolter contre ça ? Qui tue des Allemands ? Des communistes étrangers, moi, Stephen Luber, que vous méprisez, Thorenc ! Et vous, engagé dans la Résistance depuis le début, qu'est-ce que vous faites ? Vous êtes reçu par Cocherel, le bras droit de Pucheu, l'égal de Bousquet, et vous sortez libre de son bureau à Vichy !

Thorenc avait eu envie de l'empoigner par les revers de sa veste et de le pousser dans les rochers. Il s'était mordu les lèvres pour ne pas riposter. Il s'était borné à marmonner :

— De Gaulle dit : « La France ne juge les hommes et leurs actions qu'à l'échelle de ce qu'ils réalisent pour lui sauver la vie... » Je m'en tiens là, Max s'en tient là. Vous, les communistes, vous voulez vous distinguer, c'est clair ; vous voulez prendre date pour après. Après ? Est-ce qu'il y aura un après si les Allemands sont victorieux ?

— Les nazis vont se casser les dents sur Stalingrad, avait pronostiqué Luber. Les Russes ne les laisseront jamais prendre la ville.

Ils étaient à présent à la hauteur du portail de la villa Waldstein dont les volets étaient clos.

— Nous aurions bien liquidé Lydia Trajani, avait murmuré Luber, mais elle a l'instinct d'une chatte sauvage. Elle est partie avec la police.

Ils avaient fait demi-tour. La ville était plongée dans la lumière rasante du crépuscule, et les façades, les remparts comme les rochers semblaient recouverts d'une poussière dorée.

— Nous sommes évidemment prêts à rejoindre un Comité national de la Résistance, avait repris Luber. Mais il y a déjà le Front national dont nous faisons partie. Et il faut qu'on ne nous oublie ni dans la distribution des fonds, ni dans les parachutages d'armes. Ou bien nous sommes des combattants comme les autres et on nous traite comme les autres ; ou bien on nous tient à l'écart. Mais on ne peut à la fois nous demander de nous unir aux autres mouvements et, dans le même temps, nous considérer comme des parias.

Ils s'étaient retrouvés sur les remparts.

— Dites ça à Max, avait lâché Stephen Luber avant de s'éloigner sans même tendre la main à Thorenc.

Puis il était revenu sur ses pas :

— Je n'ai plus aucune nouvelle d'Isabelle Roclore ni de Geneviève Villars, avait-il indiqué.

Thorenc était resté impassible. Pourquoi montrer à l'Allemand que le souvenir des relations qu'elles avaient eues avec ce dernier le troublait encore ? Tellement ridicule, ce sentiment, par les temps qu'ils traversaient !

— J'espère qu'elles sont encore vivantes, avait marmonné Luber.

Il avait soutenu le regard de Thorenc, puis ajouté :

— Mais, parfois, il vaut mieux être mort que tomber vivant entre certaines mains.

Puis il avait précisé qu'il était plus prudent de prendre le train à Nice. On passait facilement inaperçu parmi la foule.

Il avait brusquement tourné le dos et s'était engagé à grands pas dans la petite rue descendant des remparts vers la vieille ville.

Thorenc était resté seul, accoudé au mur, à regarder l'horizon teinté de rouge.

DEUXIÈME PARTIE

— 10 —

Thorenc voit d'abord les branches grises, tordues et dénudées des deux grands figuiers. Il se souvient des masses vertes et touffues qu'ils formaient aux extrémités opposées de l'aire.

Il fait encore quelques pas dans l'allée bordée de platanes.

Il découvre les taches sombres qui maculent la façade de la maison de Victor Garel. Il s'arrête. Il a la tentation de renoncer.

Il regarde autour de lui. Les troncs des arbres sont à vif. Des morceaux d'écorce s'entassent sur le sol détrempé. Les ornières sont remplies d'eau noire, les ceps nus à demi noyés dans ce lac boueux qu'est devenue la plaine viticole.

Thorenc va jusqu'au bord de l'allée. Il a l'impression que tout n'est que douleur et blessure.

Il hésite encore. Comment seront les yeux, le visage, le corps, la voix de Claire Rethel ? Il n'a pas prémédité de venir la voir. Et pourtant, le voici à quelques dizaines de mètres de la maison de Victor Garel...

Lorsqu'il a quitté Nice, il savait seulement qu'il devait se rendre à Cassis, puis à Lyon.

Le voyage jusqu'à Marseille a duré plus de sept heures,

le train s'arrêtant plusieurs fois afin de laisser passer des convois de troupes italiennes. Dans les gares — Cannes, Agay, Saint-Raphaël, Fréjus —, les soldats transalpins patrouillaient sur les quais.

Puis le train s'est approché de Toulon. Il faisait clair. On apercevait dans la rade les superstructures des destroyers et des sous-marins, des croiseurs et des cuirassés. Il aurait suffi d'un ordre pour que la flotte appareille à destination d'Alger, redonnant ainsi à la France une place de premier plan dans la guerre, échappant aux troupes SS qu'on voyait maintenant en longues colonnes rouler vers le port militaire.

Mais l'amiral de Laborde refusait d'obtempérer à l'ordre que, d'Alger, lui envoyait Darlan afin que l'escadre rejoignît l'Afrique du Nord.

— Parfait, Darlan ! Le traître veut se racheter, avait ricané le commandant Pascal dans la villa de Cassis.

Il s'était mis à pleuvoir. L'eau ruisselait sur la terrasse de la villa, s'infiltrait dans la cave où étaient rassemblés, autour de Pierre Villars, les responsables des mouvements de Résistance.

Ils avaient écouté le compte rendu de Thorenc. Mais, d'un ton méprisant, Villars avait souligné que Luber parlait au nom d'un petit groupe qui n'était peut-être même pas relié à la direction du Parti ou des FTPF.

Puis il avait commencé à lire d'une voix solennelle un document que Max avait reçu de la zone Nord. Rémy, l'agent du BCRA, avait rencontré un représentant du Parti communiste. Par son intermédiaire, les FTPF en appelaient à de Gaulle, « le grand soldat », et demandaient à faire partie de la France combattante, à être « confondus dans la foule ardente des patriotes ».

Les chefs des réseaux et les délégués des partis, ainsi que ceux du Mouvement ouvrier français, avaient décidé pour leur part d'adresser aux gouvernements alliés un télégramme de défiance envers Darlan. Dans ce texte, les mouvements de Résistance et les différents partis politiques demandaient « que ralliement responsable trahison politique et militaire ne soit pas considéré comme excuse crimes passés. Demandent instamment que destinée nouvelle Afrique du Nord libérée soit remise au plus tôt entre les mains du général de Gaulle ».

— Parfait, parfait ! s'était exclamé le commandant Pascal de sa voie aiguë et sarcastique. Mais c'est Darlan qui règne à Alger et la BBC a refusé de diffuser ce message : voilà la réalité ! Roosevelt est décidé à marcher avec le diable si cela lui paraît nécessaire. Et nous, avec de Gaulle, nous n'existerons que si nous pesons. Il ne suffit pas de se faire fusiller. Il faut attaquer, attaquer, armer les maquis, les encadrer, saboter, tuer ! Il n'y a pas d'autres voies !

Thorenc avait eu le sentiment que chacun répétait sa partition, déjà cent fois entendue. Il avait repris le train pour Lyon.

Les gens entassés dans les wagons et les couloirs se lamentaient à propos des retards, du froid, des difficultés rencontrées pour se procurer cent grammes de viande ou un quignon de pain. Et puis de ces orages qui se succédaient, poussés par le vent du sud, de cette humidité qui pourrissait tout : la terre, les fruits, les semences, et qui pénétrait le corps comme une sale maladie.

— Toute cette pluie, ça n'est pas normal, murmurait une voix.

Mais qu'est-ce qui était normal ?

Les uns chuchotaient, mais il suffisait d'un regard pour

qu'ils se taisent, détournent les yeux, semblant ne même plus oser parler de la pluie qui tombait, refusant de remarquer les soldats allemands qui arpentaient le quai de la gare d'Avignon. L'eau ruisselait sur leur casque, sur ce triangle de toile verte qui couvrait leurs épaules et leur poitrine et sur lequel brillait une plaque de métal où l'on pouvait lire *Feldgendarmerie*.

Thorenc était descendu sans réfléchir, comme si la vue de ces soldats l'avait tout à coup déterminé alors qu'elle aurait dû au contraire le pousser à rester parmi la foule des voyageurs serrés dans le couloir.

Mais ç'avait été une poussée instinctive : refus de céder à la peur, désir de lancer un défi, intuition que rien ne pourrait lui arriver dans cette ville où il avait rencontré Victor Garel.

D'un pas tranquille, il avait marché vers les soldats. Il avait pensé à ces *Feldgendarmen* qui venaient d'exécuter sept FTPF à Tours, chargeant les cercueils dans le même camion que les Français qui allaient mourir. Puis obligeant ceux-ci à se dévêtir jusqu'à la ceinture et à se placer, poitrine nue, contre les poteaux. Et ils avaient exécuté les sept hommes en deux salves, quatre d'abord sous le regard des trois derniers. Et l'un de ceux-ci, d'à peine vingt et un ans, avait appelé sa mère avant de se remettre à chanter *La Marseillaise* avec ses camarades et de crier : « Vive la France » !

Il eût été déraisonnable de tirer sur ces soldats dans cette gare d'Avignon et d'être aussitôt abattu.

C'est pourtant ce qu'il avait eu envie de faire.

Mais, le train reparti, les *Feldgendarmen* avaient quitté les quais et Thorenc avait erré dans la gare déserte jusqu'à ce qu'on annonçât le départ d'un omnibus pour Valence, avec arrêts à Orange, Pont-Saint-Esprit, Bollène.

Il s'était alors souvenu de la route rectiligne qui va de Bollène à Sainte-Cécile-les-Vignes, et de la maison de Victor Garel au bout de l'allée bordée de platanes.

Il n'avait pas voulu imaginer Claire Rethel.

Il n'avait pas même pensé à elle.

Non, il n'avait pas décidé de la revoir. Mais il était tout de même monté dans le train qui s'arrêtait à Bollène.

Thorenc s'avance jusqu'à la lisière du vignoble. Il ne pleut pas, mais c'est comme si le ciel était tout imprégné d'eau.

Est-ce qu'il aura le courage de regarder Claire Rethel si ses yeux, son visage, son corps, sa voix ne sont encore que douleur et blessure, comme tout autour de lui par cette fin d'après-midi du mercredi 18 novembre 1942 ?

L'horizon n'est qu'un lavis noirâtre où apparaissent parfois, quand l'épaisseur nuageuse se déchire, les dentelles de Montmirail, silhouettes lacérées, déchiquetées.

Il pense à Gisèle, à Léontine Barneron dont les corps ont dû être remontés du puits du mas.

Il pense à ces deux morts dans l'appentis, à ces hommes qu'il a tués et que les rats avaient commencé à mordre.

Temps maudits !

Il ne sait pas. Il ne veut pas. Il veut...

Il recommence à pleuvoir. Pluie d'averse froide, oblique, perverse.

En quelques minutes, il est trempé.

Il se remet à descendre l'allée, poussé par le vent. Il tente de se protéger en marchant à l'abri des platanes. Ils sont dépouillés, mais leurs branches, leurs troncs brisent quelque peu la pluie. Il passe ainsi d'un arbre à un autre, jusqu'à l'aire.

Il aperçoit sous la remise la camionnette de Victor Garel.

Il s'étonne. Il n'entend que la pluie. Pas une voix. Pas un aboiement.

Il ne décèle aucune lumière derrière les fenêtres alors qu'il fait déjà sombre.

Il regarde la campagne avec tous ces ceps surgissant de l'eau. Il a l'impression d'une mer couverte des vestiges d'un naufrage.

La façade de la maison est souillée de traînées brunes laissées par des voies d'eau.

Il crie :

— Garel, Garel, Garel !

Il n'aurait pas dû. Il aurait dû prendre son arme, contourner la maison, se glisser à l'intérieur comme il l'avait fait au mas Barneron, délivrant ainsi Jacques Bouvy et abattant ses deux geôliers.

Pourtant, il crie à nouveau :

— Garel, Garel, Garel !

Il pousse la porte. Les chaises sont renversées, les tiroirs ouverts.

Immobile au milieu de la table, un gros rat fixe Thorenc de ses yeux rouges et brillants.

— 11 —

Thorenc est assis dans le salon du docteur Raymond Villars.

Il sait qu'on l'observe.

Il serre ses mains pour les empêcher de trembler. Mais des frissons le parcourent. Ils irradient depuis la base de sa nuque. Il se raidit, contracte chaque partie de son corps. Il veut donner le change.

— Le mythe Pétain est en miettes, commence-t-il. La statue est brisée.

Il s'entend. Cette voix, c'est bien la sienne.

— Qui peut maintenant encore croire ce que raconte Pétain ? dit-elle. Les Allemands sont à Toulouse, à Marseille, ici, à Lyon. Les Américains occupent l'Afrique du Nord. Darlan, le dauphin, est devenu leur allié. Il a fait reconnaître son Conseil impérial par Staline ! C'est tout dire ! Pétain n'est plus que ce vieillard impotent qui se promène dans les jardins de l'hôtel du Parc et que la Gestapo surveille.

Il parle. Mais sa pensée s'échappe. Son corps tremble. Et il ne cesse de frissonner depuis l'instant où il a vu ce rat, sur la table, dans la maison de Victor Garel.

Mais il ne peut avouer ce qu'il a ressenti. Cette panique, cette fureur.

Il a saisi l'une des chaises renversées, l'a brandie. Il a voulu crever ces yeux rouges, écraser cette vermine. Puis il a eu la certitude que cette boule gris-noir, grosse comme un chat, allait se jeter à son visage.

Il s'est alors souvenu des récits des prisonniers du commissaire Dossi. Lorsqu'il s'était plaint à certains d'entre eux des cafards qui lui couraient sur la figure, on lui avait parlé des rats affamés qui mordaient les oreilles, que le sang des plaies provoquées par les coups endurés en cours d'interrogatoires excitait, rendait comme enragés.

Il avait lancé la chaise tout en hurlant. Puis il s'était enfui, remontant en courant l'allée de platanes.

Il avait marché jusqu'à Sainte-Cécile-les-Vignes.

Les rues étaient vides, certaines transformées en torrents boueux.

Il avait aperçu des silhouettes derrière les vitres embuées du café de l'Union. Il avait poussé la porte et tous les visages s'étaient tournés vers lui. Il avait vu leurs yeux rouges.

Il s'était accoudé au comptoir. Est-ce qu'on pouvait lui indiquer la maison de Victor Garel ? avait-il demandé à la femme qui servait. Elle avait paru ne pas entendre. Elle avait poussé vers Thorenc un verre de vin chaud, puis, en essuyant le comptoir avec le bord de son tablier, elle avait murmuré :

— La maison de Garel, elle est vide.

Elle avait regardé autour d'elle et ajouté dans un souffle, tout en se penchant :

— N'y allez pas !

Elle n'avait pas répondu aux autres questions qu'il avait posées.

Les conversations avaient repris à l'intérieur du café, mais, à chaque fois qu'il avait relevé la tête, il avait croisé des yeux injectés de sang...

Il avait pris le car pour Bollène, puis le train pour Lyon. Il s'était assis dans le couloir, recroquevillé. C'était comme si le rat avait rongé toutes ses pensées, ne laissant en lui que l'angoissant souvenir de deux points rouges et brillants dans une boule de poils sombres et lisses.

À Lyon il avait longé le Rhône jusqu'au quai Gailleton. Il avait remonté la rue Victor-Hugo et s'était arrêté en face de l'hôtel Résidence.

Qu'étaient devenus Claire, Victor Garel, sa femme ?

Il ne songeait même plus à tenter de les sauver. Il avait

réussi à tirer Claire hors de la prison Saint-Paul ; il savait qu'il ne pourrait pas recommencer.

Il avait simplement le désir de les venger.

Il avait croisé des officiers allemands. Était-ce ceux-là qu'il allait essayer d'abattre ? Puis il avait vu un officier français, un capitaine, saluer avec déférence ces ennemis, et ceux-ci lui répondre avec une courtoisie ironique.

La révolte était revenue en lui.

Il avait marché jusqu'à la rue Saint-Jean ; chaque pas lui rappelait Claire.

Il avait sonné à la porte de l'appartement du docteur Raymond Villars, le frère du commandant. La bonne, Roberte, avait hoché la tête, en le voyant.

— Vous, vous avez pris la pluie. Et pire, on dirait ! avait-elle soupiré.

Elle l'avait fait attendre au salon : le docteur devait en finir avec ses consultations.

Peu après était arrivé Mathieu Villars, qui s'était inquiété :

— Vous allez bien ? Vous êtes fiévreux ? Mon père va vous examiner, vous donner quelque chose. Vous ne pouvez pas rester dans cet état.

Thorenc avait murmuré qu'il était seulement un peu las. Et Mathieu avait paru se contenter de cette réponse, racontant comment la Gestapo avait, dès l'arrivée des Allemands à Lyon, perquisitionné le couvent Fra Angelico :

— Ils étaient accompagnés et même guidés par des policiers français, avait-il précisé. Les inspecteurs des Brigades spéciales du commissaire Dossi.

Liquider Dossi. Le guetter lorsqu'il quitte ses bureaux et ses cellules du quai de la Joliette. On ne peut se défendre d'un homme qui accepte de mourir pour vous tuer.

Pour la première fois depuis qu'il avait quitté Sainte-Cécile-les-Vignes, Thorenc s'était un instant détendu.

— Nous avions caché une vingtaine d'enfants juifs dans la chapelle, avait continué Mathieu. J'ai craint qu'ils ne les trouvent, mais nous avons tous prié.

Le docteur Raymond Villars était entré à ce moment-là. Il avait longuement regardé Bertrand avant d'embrasser son fils.

— Où étiez-vous passé ? lui avait-il lancé à voix basse.

Le commandant Villars attendait Thorenc à la clinique du docteur Boullier, à Clermont, avait-il exposé. Il avait dû se cacher dès l'arrivée des Allemands. Dans les minutes qui avaient suivi leur entrée en zone Sud, des agents de la Gestapo s'étaient présentés à l'hôtel Thermal, cherchant le chef du renseignement. Ils avaient arrêté le général Weygand. Mais oui, oui, même Weygand ! Le lieutenant Mercier avait réussi à leur échapper, à rejoindre lui aussi la clinique de Boullier où se trouvaient encore Philippe Villars et Jacques Bouvy.

Raymond Villars s'était approché, avait tendu la main vers le front de Thorenc ; celui-ci s'était reculé, s'efforçant de maîtriser son tremblement tout en ne pouvant dissimuler la sueur qui lui couvrait le front.

— Et les Allemands, à Lyon ? avait-il demandé. Ils sont partout. Les officiers français les saluent !

Fixant Thorenc d'un œil soupçonneux, le docteur Villars avait eu un moment d'hésitation, puis s'était laissé entraîner par le besoin de confier ce qu'il avait vu, ce qu'il savait.

Les services de la Gestapo avaient réquisitionné l'hôtel Terminus, près de la gare de Perrache, et surtout l'École de santé militaire, sur la rive gauche du Rhône.

Le matin même, Raymond Villars s'y était présenté, comme il avait l'habitude de le faire deux fois par semaine. On l'avait accueilli poliment, conduit jusqu'au lieutenant Wenticht, l'adjoint du commandant du détachement de la Gestapo, un homme affable, mais aux yeux perçants. L'Allemand avait expliqué qu'il y avait dans la région lyonnaise de nombreux hôpitaux où l'on pouvait former des médecins et accueillir les malades. Mais la ville avait une autre particularité : c'était un foyer d'infection terroriste. Il fallait nettoyer cela au plus vite ! Voilà pourquoi la Gestapo avait dû réquisitionner l'École de santé. On allait y traiter cette maladie-là.

Wenticht avait raccompagné le docteur Raymond Villars jusqu'à l'entrée de l'école, puis, au moment de le quitter, lui avait dit :

« Vous êtes le frère du commandant Joseph Villars, n'est-ce pas ? Nous aimerions beaucoup le rencontrer. Mais il nous évite. Si vous le voyez, conseillez-lui de nous rendre visite. C'est un officier, nous pouvons le comprendre. Mais qu'il cesse de nous faire la guerre ! Elle est terminée pour la France depuis longtemps. Et vous, docteur, restez en dehors de tout ça, n'est-ce pas ? Vos malades ont grand besoin de vous... »

— Ce Wenticht m'a glacé, avait ajouté Raymond Villars.

Mathieu Villars avait rapporté que ses amis de *Témoignage chrétien*, qui étaient en contact avec des policiers résistants, avaient appris que Wenticht et son chef, le capitaine Barbie, avaient recruté à Lyon des centaines d'indicateurs. Ils les payaient grassement ou les menaçaient d'arrestation, de déportation s'ils cherchaient à se dérober. Ces hommes et ces femmes avaient pour mission de circuler en ville, de fréquenter restaurants et cafés, halls de gare, salons d'hôtels, de relever tout ce qui leur paraissait suspect, de surprendre les conversations, de suivre ceux qui tenaient des conciliabules sur les quais, dans les jardins, ou bien qui s'attardaient à deux ou trois sur les places.

— On m'a assuré, avait précisé le dominicain, qu'ils sont des centaines : des repris de justice et des prostituées, mais aussi des gens irréprochables qui ont besoin d'argent ou que la Gestapo menace. Ils doivent rendre compte chaque jour à l'hôtel Terminus ou bien à l'École de santé militaire. On établit des fiches à partir de leurs rapports, on compare les signalements, les adresses, etc.

Mathieu s'était tourné vers Bertrand :

— Il ne faut pas traîner en ville, Thorenc. Ou alors — il l'avait toisé du regard — avoir une apparence plus... plus naturelle, plus normale que la vôtre... Il faut changer de vêtements. Excusez-moi de vous dire ça, mais on dirait que vous venez de vous évader d'un asile de nuit ou d'une prison !

Le docteur Villars s'était levé et, avant même que Bertrand ait pu l'en empêcher, avait pris son poignet.

— Vous avez de la fièvre, avait-il dit au bout de quelques secondes.

Thorenc avait baissé la tête et, la tension se relâchant, s'était mis à claquer des dents.

— 12 —

Thorenc aperçoit d'abord cette lumière blanche qui partage la pièce en deux. Elle trace sur le mur et le parquet un sillon clair qu'il suit des yeux jusqu'à une porte entrebâillée.

Au-delà, des pas résonnent. Il imagine un couloir. Il entend une voix qui dit : « Je vais voir. »

Les pas se rapprochent.

Le voici couché. Pourquoi est-il couché ? Il se redresse.

Ses paumes prennent appui sur un drap frais, un peu rêche, sans doute du lin. Il devine dans la pénombre une table de nuit, l'abat-jour d'une lampe de chevet. Il tâtonne, bras tendu. Touche le pied de la lampe, l'interrupteur.

Il allume. Découvre le tissu de ce pyjama, bleu avec un liséré blanc.

On pousse la porte. Du couloir, la lumière déferle. Une femme dont il ne discerne que la silhouette se tient sur le seuil. Elle est grande, ses épaules sont larges, ses cheveux mi-longs. Elle s'avance. Son profil est régulier, son menton prononcé, son front bombé au-dessus d'un nez droit. Elle dit :

— Je ne pousse pas les volets, il pleut et il fait encore presque nuit.

Elle s'avance vers le lit.

— Je vais partir, répond-elle. J'ai cours, ce matin. Disposez de l'appartement comme vous voudrez, mais ne sortez pas. N'ouvrez à personne.

Elle consulte sa montre, murmure :

— Déjà...

Elle sort, ajoute depuis le couloir qu'il y a du lait sur la table de la cuisine, un peu de pain et des fruits.

Elle claque la porte.

On la rouvre. On court dans le couloir. Elle est à nouveau sur le seuil de la chambre.

— Je m'appelle Catherine Peyrolles, dit-elle. Je suis une

amie du docteur Villars. Vous avez dormi quarante-huit heures d'affilée. Ne sortez pas, n'ouvrez pas !

Bruit de porte qu'on referme. Silence rayé de pluie.

Il ferme les yeux. Il voudrait à nouveau s'enfoncer dans le sommeil. Il pense à ces ruelles de Sainte-Cécile-les-Vignes noyées par l'averse, à la buée couvrant les vitres du café de l'Union, à cette femme qui, penchée sur le comptoir, lui a chuchoté :

« La maison de Garel, elle est vide. N'y allez pas ! »

La maison était en fait peuplée de rats.

Il se lève d'un bond. Il ne va pas recommencer à se laisser hypnotiser par ces petits yeux rouges !

Il traverse la chambre, se cogne au pied du lit, étouffe un cri de douleur.

Il ouvre la fenêtre, puis les volets. C'est vrai : il fait encore presque nuit.

Il reconnaît le quartier, entre Rhône et Saône, du côté de la rue du Plâtre. Il distingue sous la pluie les toits et les façades qui s'encastrent et composent ce labyrinthe de petites rues qui va de la place Bellecour à la place des Terreaux.

Il se penche, reçoit la pluie. Le froid lui enserre la nuque. Il grelotte.

Il se souvient seulement d'avoir baissé la tête et commencé à claquer des dents. Il était assis dans le salon du docteur Raymond Villars en compagnie de Mathieu, le fils de ce dernier.

Il renoue peu à peu les fils...

On a donc dû le conduire ici.

Il clôt la fenêtre, ouvre l'armoire qui fait face au lit. Il y découvre d'abord des casquettes d'officier de marine, puis des uniformes de drap bleu, de toile blanche. Il referme la penderie. On a laissé des vêtements sur une chaise.

À déplier la chemise, à essayer le pantalon, puis à faire son nœud de cravate, à terminer de s'habiller, il éprouve une sorte de surprise et presque de joie enfantines, comme s'il renaissait. Il ne tremble plus.

Et, tout à coup, il se laisse tomber sur le lit.

Suffit-il d'un long sommeil pour oublier, pour que la souffrance s'éloigne, que la vie redonne un coup d'éperon, qu'on se prenne à cavalcader de nouveau ?

Adieu les morts, adieu Claire, Victor Garel et son épouse ! Adieu Léontine Barneron et Gisèle ! Adieu Minaudi !

Peut-on être fidèle à ceux qui meurent si on ne meurt pas avec ou pour eux, si on ne va pas s'allonger sur leur tombe ?

Il reste ainsi longtemps prostré, puis se cambre. Il s'injurie. Il a honte de cette faiblesse, de cette complaisance, de ce pourrissement de la volonté qu'il tolère, qu'il en vient à susciter en lui-même.

Il sort de la chambre.

Il longe le couloir, entrouvre les portes. Il devine d'autres chambres. Il pénètre dans la cuisine. Il a faim. Il parcourt les autres pièces, la salle à manger, le salon, tout en croquant une pomme. Il s'arrête devant les photos d'un officier de marine debout sur la passerelle ou bien mêlé à un équipage ; allant d'un cliché de groupe à un autre, Thorenc le cherche, puis le retrouve au deuxième rang, l'un des plus grands.

La dernière porte qu'il ouvre est celle d'une pièce d'angle

tapissée de bibliothèques. Par la fenêtre de droite, on aperçoit le fleuve. Le Rhône ou la Saône ? Un bureau occupe le centre de la pièce. Des livres, des copies d'élèves l'encombrent. Une revue est ouverte. Il se penche, puis s'assied. C'est comme si, tout à coup, il entendait la voix de Claire Rethel, comme s'il relisait sa lettre.

Il est à nouveau saisi par le remords, comme si le fait d'avoir été distrait, d'avoir mangé avec avidité, avec une sorte de joie, avait constitué une trahison.

Il feuillette cette revue. *Poésie 42*. Puis retrouve la page à laquelle elle était ouverte. Il lit :

« Nous sommes heureux d'offrir à nos lecteurs ce poème de Jean Cayrol. Écrit dans des circonstances particulières, avec son titre nu comme la souffrance, "Écrit sur le mur", il atteste cette double persistance au cœur d'un des meilleurs de nos jeunes poètes : celle de la poésie et celle de la patrie.

J'appartiens au silence
à l'ombre de ma voix
aux murs nus de la Foi
au pain dur de la France
. . . .
J'appartiens au ciel bleu
qui souffre sur la pierre. »

Thorenc tourne les pages. Chaque vers est une souffrance avivée et en même temps une exaltation, une exhortation au courage, comme si la poésie pouvait seule mêler fidélité et mémoire, rappel de la douleur et de la mort, mais aussi élan vers la vie.

Ce n'est pas en rêve qu'il pleut, c'est l'automne
sur nos régions
Ce ne sont pas les anciens morts, mais des morts frais
dans la bourrasque
Cadavres rompus venant flotter aux lieux des flagellations
... Sur l'horizon
déjà la liberté sauvée sécrète la nacre et la moire,

écrit Loys Masson.

Thorenc n'entend même plus la pluie.

Il lit, relit. Il aperçoit sur un des rayonnages la photo d'un couple. Il reconnaît l'officier de marine, et cette femme en robe longue blanche, près de lui, qu'il tient par la main, c'est elle : celle qui est venue dans la chambre et dont il a du mal à retrouver le nom.

Il retourne s'asseoir au bureau, écarte du bout des doigts quelques feuillets, découvre cette enveloppe :

Madame Catherine Peyrolles
Professeur agrégé de lettres
Lycée du Parc

Il repousse l'enveloppe sous les papiers comme pour cacher son indiscrétion.

Il se lève. Sur une table basse placée contre un fauteuil, près de la fenêtre, si bien qu'en tournant la tête et en levant les yeux on voit et le ciel et le fleuve, des journaux sont entassés ; brusquement, c'est comme si les mots redevenaient de la fange. Des mots de marécage — ceux de

Marcel Déat : « Et s'il faut un peu de terreur, la France en vaut la peine » ; ceux de Pétain : « Nous, Maréchal de France... », donnant tous pouvoirs à Pierre Laval ; et celui-ci dont le visage boursouflé occupe la première page des journaux : « Ceux qui escomptent la victoire américaine ne peuvent pas comprendre que M. Roosevelt apporte dans ses bagages le triomphe des Juifs et des communistes. Libre à certains de le souhaiter, mais je suis résolu à les briser coûte que coûte. Nous voulons que le bolchevisme universel qui représente la plus affreuse menace qui ait jamais pesé sur le sort des hommes ne vienne pas derrière les fourriers anglo-saxons pour éteindre à jamais la lumière de la civilisation française. Nous tenons à conserver notre vieille civilisation. Désormais, grâce à M. Roosevelt, les destins de tous les peuples de l'Europe sont liés. » Et Laval d'annoncer la création d'une Légion de volontaires, Légion impériale qui partira combattre aux côtés des Allemands en Afrique !

Darnand lance un appel en faveur de cette phalange africaine : « Jeunes Français révolutionnaires, depuis deux ans vous vous lamentiez d'être privés d'action. Militants de l'État nouveau, jamais vous ne ferez votre révolution si les Anglo-Américains ramènent dans leurs bagages la démocratie, le capitalisme et la juiverie ! »

Fermer les yeux. Ne pas se salir à cette boue, oublier ces noms : Déat, Pétain, Laval, Darnand.

Mais ils tuent.

Il vient s'asseoir au bureau. Reprend la revue. Et lit :

Martyrs de mes cent villages, soldats sans fusil dont le casque était de pâle écume.

Mais la pluie c'est la résurrection des morts...

— Ah ! vous êtes là, je vous cherchais !

Thorenc sursaute. Catherine Peyrolles est près de lui, penchée sur son épaule.

— Loys Masson, murmure-t-elle.

Il se lève en s'excusant. Il va à la croisée comme s'il souhaitait se tenir loin d'elle pour mieux la découvrir.

Elle a les cheveux aussi noirs que ceux de Lydia Trajani, mais sa peau est mate : celle d'une Méditerranéenne. Son visage est dur, peut-être à cause du menton qui donne de la force, presque de la virilité aux traits ; le front, large et bombé, accuse cette impression.

Catherine est restée debout, la cuisse appuyée au bord du bureau. Elle porte une jupe droite bleu foncé et un pull-over blanc dont dépassent les deux pointes d'un chemisier bleu.

Thorenc baisse la tête. Il se souvient du chemisier bleu, rayé de sang, de Claire Rethel.

— Ici, personne ne viendra vous chercher, dit Catherine en reposant la revue. Vous êtes mon frère.

Elle sourit :

— J'ai vraiment un frère, mais il est en Nouvelle-Calédonie...

Elle ouvre son sac, en sort une pièce d'identité qu'elle lit avant de la tendre à Thorenc.

— Dominique Bucchi. Je m'appelle Catherine Bucchi, je suis corse. On a donc aussi changé votre prénom, je crois.

Elle s'assied à son bureau, entreprend de ranger les livres, les copies.

— Je n'ai pas d'accent corse, vous n'en avez pas. La concierge ne sera pas étonnée.

Elle se tourne, fixe Bertrand.

— Je vis seule, dit-elle en parlant vite. La concierge

imaginera sûrement autre chose, mais cela n'a pas d'importance. Elle comprendra parfaitement que je veuille sauver les apparences. Je suis — elle pince un peu la bouche — ... je suis veuve.

Elle montre d'un mouvement de tête la photo de couple, puis les autres clichés où apparaît l'officier de marine.

Elle reprend d'une voix de plus en plus sèche, tranchante, comme si la salive lui manquait. Elle raconte que son mari — « Paul, oui, Paul Peyrolles » — était lieutenant de vaisseau :

— On lui promettait un destin d'amiral, dit-elle d'un ton sarcastique comme si cela ne l'avait jamais concernée, comme si elle n'avait jamais été que le témoin distant de la vie de cet homme, tué le 3 juillet 1940 à Mers el-Kébir. Il n'y a eu que trois survivants sur son contre-torpilleur, ajoute-t-elle dans un murmure.

Elle se lève, va ranger les livres à leur place dans les rayonnages.

— Il a été décoré par l'amiral Darlan — à titre posthume...

Elle émet une sorte de ricanement, le visage crispé, les mâchoires serrées, le menton prognathe.

— Au lycée, les collègues m'évitent. Je suis la veuve, la jeune veuve... Et, en plus, ce sont les Anglais qui ont tué mon mari !

Thorenc a la sensation que sa voix trop aiguë est si tendue qu'elle pourrait se rompre.

Catherine lui lance un coup d'œil.

— C'est difficile de s'approcher d'une veuve, n'est-ce pas ? On hésite entre le respect, la compassion hypocrite et la concupiscence...

Elle laisse tomber un livre, le repousse du bout du pied.

— On imagine aussi que je suis pétainiste, peut-être même pronazie. À cause de la mort de Paul.

Elle prend le cadre, contemple le cliché, le repose, puis, tout à coup, touchant du doigt un livre, le renverse.

— Tout cela est très commode..., ajoute-t-elle.

Elle a un rictus d'amertume.

— Paul nous a rendu un grand service en se faisant tuer par les Anglais : je suis devenue insoupçonnable. Mon appartement est rempli de tracts, de journaux clandestins. Et sans doute d'armes.

Elle hausse les épaules.

— Le docteur Villars, Mathieu et Philippe Villars déposent ici tout ce qu'ils veulent. Et ma concierge comprend fort bien qu'après deux ans de veuvage je puisse recevoir la visite de quelques hommes. Car j'héberge aussi des pilotes évadés, anglais ou canadiens.

Elle se baisse enfin, ramasse le livre, le remet à sa place.

— J'ai quand même préféré vous présenter comme mon frère, reprend-elle.

Thorenc s'est assis dans le fauteuil. Il contemple le ciel et le fleuve. Peut-être Claire Rethel est-elle un jour entrée dans ce bureau, a-t-elle transmis à son occupante quelque courrier, un paquet de tracts ?

— Vous êtes épuisé, murmure Catherine. Le docteur Villars et Mathieu ont dû vous porter, vous coucher...

Peut-être est-ce elle qui a fait découvrir à Claire ces revues, ces poètes...

— J'ai connu..., commence-t-il.

Elle se tourne vers lui dans un mouvement violent :

— Nous n'avons connu personne ! l'interrompt-elle.

— 13 —

Thorenc est assis sur le bord du lit, les yeux fermés, la poitrine penchée ; on dirait que sa tête trop lourde l'entraîne en avant.

Parfois il se redresse, oscille, se laisse tomber en arrière, bras écartés, paumes ouvertes, comme s'il implorait.

Il prie : « Notre Père, qui êtes aux cieux... »

Il voudrait remplir sa tête de mots, comme s'il avait la faculté de retrouver, grâce à eux, le sommeil de l'enfance, quand il suffisait d'une prière — « Je vous salue Marie, pleine de grâce, le Seigneur est avec vous... » — pour n'entendre plus la voix de Simon Belovitch qui, dans la maison des remparts, à Antibes, répétait : « Cécile, ma chère Cécile, où êtes-vous ? Venez ici, rapprochez-vous... » Et il s'endormait malgré les rires montant du salon.

Il a raconté cela à Catherine Peyrolles, hier soir, à la fin du dîner qu'ils ont pris dans la salle à manger, assis chacun à l'un des hauts bouts de la longue table.

Ils ont ri à plusieurs reprises, s'interrompant brusquement, gênés l'un et l'autre par cette gaieté qui les emportait et que, tout à coup, ils jugeaient en même temps inconvenante, presque sacrilège.

Ils se taisaient durant un long moment, puis, brusquement, ils se remettaient simultanément à parler, paraissant ne pas s'écouter, mêlant leurs phrases qui s'entrelaçaient, se recouvraient comme s'ils avaient eu tant de choses à dire qu'il fallait vite les déverser avant qu'à nouveau le silence les étouffât.

Et ils riaient de cette profusion.

Elle devait lui apprendre ce que c'était que d'être corse. Il fallait bien qu'il puisse répondre si on l'interpellait...

Il était ainsi quelque peu entré dans la vie de Catherine Bucchi. Il avait connu ce père officier, tué en 1918. Il avait marché sur le cours Mirabeau, à Aix, aux côtés de Catherine quand elle se rendait à la faculté des lettres. Il avait...

Mais elle avait interrompu le récit de sa jeunesse pour dire qu'elle avait rejoint Paul à Oran, au mois de mai 1940, quelques jours avant l'attaque allemande. Elle était enceinte et avait obtenu un congé. Et puis il y avait eu le bombardement par les Anglais de la flotte française de Mers el-Kébir.

Elle s'était levée et avait lancé, désinvolte :

— J'ai perdu ce jour-là et mon mari et mon enfant.

Elle avait interdit à Thorenc de l'aider à desservir. Puis elle était revenue s'asseoir après avoir déposé au milieu de la table une bouteille de marc.

— J'ai été gaulliste dès la fin juin, quand j'ai lu le texte du discours de De Gaulle. Paul, lui, ne l'était pas. Au contraire !

Elle avait rempli le verre de Thorenc, puis le sien.

Elle avait bu.

— Et vous ?

Il n'avait parlé que de son enfance. Et il avait réussi à la faire rire. Mais, au bout de quelques minutes, ç'avait été comme si un verre s'était fracassé par terre. Elle avait sursauté, secoué la tête, murmuré quelques mots tout en se levant, expliquant qu'elle avait encore des copies à corriger.

Elle avait laissé ses phrases en suspens, puis avait quitté la pièce.

Resté seul, il avait bu, essayant de se vider la tête.

Il avait regagné sa chambre en titubant et s'était allongé, persuadé qu'il allait s'enfoncer dans le sommeil. Mais, tout à coup, les visages, les scènes s'étaient succédé, comme vivement éclairés pour qu'il n'en perdît aucun détail, qu'il vît les yeux tuméfiés, les plaies de Claire Rethel auxquels se substituaient bientôt ceux de Catherine Peyrolles...

Il s'était dressé, assis sur le bord du lit.

Ils étaient fous de lui avoir fourni ces papiers d'identité au nom de Dominique Bucchi ! Si on l'arrêtait, et même s'il ne parlait pas, s'il se tuait ou résistait à la torture, ils identifieraient en un rien de temps la sœur, Catherine Peyrolles, née Bucchi.

Il fallait qu'il déchire ces papiers, qu'on lui en obtienne d'autres, qu'il soit le seul mis en cause s'il venait à être pris.

Il avait marché à travers la chambre, ouvert la fenêtre, poussé les volets.

Il n'y avait plus ni toits ni façades, ni rue, ni ciel, ni pluie, mais ce brouillard qui déposait sur les vitres et la peau de petites gouttelettes, et qui s'étendait, transformant la ville en cité engloutie.

Thorenc avait suffoqué. Il se sentait pris à la gorge. Il fallait qu'il agisse sur-le-champ.

Il avait fouillé fébrilement dans son portefeuille et en avait sorti sa nouvelle carte d'identité, l'avait posée sous la lampe de chevet, et, tout à coup, comme si d'avoir relu ces nom et prénom l'avait décidé, il avait entrepris de la lacérer, reprenant chaque morceau pour le déchirer à nouveau.

Et il avait jeté cette poignée de confettis dans le brouillard.

Il avait refermé les volets, puis la fenêtre. Il avait pensé qu'il allait enfin pouvoir dormir, mais il avait dû s'asseoir à nouveau sur le bord du lit.

Il entend des pas dans le couloir. Ce n'est qu'un frôlement, quelqu'un qui marche en veillant à ne pas faire de bruit, qui ouvre une porte, s'arrête parce qu'elle s'est mise à grincer, recommence, s'interrompt à nouveau.

Puis, le silence.

Thorenc a envie de hurler. Il voudrait sentir un violent courant d'air, que le vent et l'averse s'engouffrent dans la pièce, entendre des bruits qui prouveraient qu'il y a une issue par laquelle ils pénètrent jusqu'à lui et par où il pourrait donc s'enfuir.

Il quitte la chambre, s'engage dans le couloir, fait quelques pas.

Il lui semble percevoir une respiration. Il tend les bras dans l'obscurité.

Il touche les épaules et les seins de Catherine Peyrolles. Il dit :

— Je ne peux pas être votre frère.

Il la serre contre lui. Elle sanglote et rit tout à la fois.

— 14 —

Jacques Bouvy parle si bas que Thorenc est souvent contraint de s'arrêter, se penche vers lui qui se retourne, répète qu'il leur faut continuer à marcher : c'est la meilleure façon de ne pas attirer l'attention. Il faut donner l'impression qu'on va quelque part, non qu'on est dans la rue pour se parler, à l'abri des indiscrets.

— Ce brouillard..., murmure Thorenc.

Il s'est épaissi tout au long de la matinée. Il couvre la presqu'île entre Saône et Rhône d'une poussière dense et humide qui bouche les petites rues autour de Notre-Dame-Saint-Vincent. L'église n'est plus qu'une masse grisâtre aux contours flous.

— Le brouillard nous protège, mais il les dissimule aussi, répond Bouvy.

Et il oblige Thorenc à avancer plus vite, comme s'ils se rendaient à quelque rendez-vous, alors qu'ils se dirigent au hasard, tournant brusquement quand ils aperçoivent un attroupement devant une boutique ou une silhouette qui surgit du brouillard et semble les épier.

— Ils arrêtent, ils raflent, ils torturent déjà, surtout à l'École de santé militaire, mais aussi dans les caves de l'hôtel Terminus, reprend Bouvy.

Il lève la tête vers Bertrand.

— Vous connaissez le lieutenant Wenticht ? Barbie et lui ont toujours un nerf de bœuf à la main. Wenticht a placé votre nom en tête de la liste des suspects qu'il entend retrouver et arrêter.

Bouvy siffle entre ses dents.

— Redoutable honneur, Thorenc !

Il prend le bras de son interlocuteur et le serre :

— Nous avons deux femmes de ménage qui travaillent pour nous, à l'École de santé et à l'hôtel Terminus. Nous sommes sûrs que ni Victor Garel, ni sa femme, ni Claire Rethel ne sont entre les mains de la Gestapo. Vous entendez, Thorenc ? Ça ne sert à rien de vous tourmenter.

Il marche tête baissée. Il semble n'avoir ni nuque, ni cou.

Son corps est lourd, mais son pas reste juvénile, ses gestes sont vifs.

Il secoue le bras de Thorenc.

— Peut-être ce Garel, qui a du courage, et, semble-t-il, du sang-froid, a-t-il quitté Sainte-Cécile parce qu'il ne s'y sentait plus en sécurité ? À quel moment ? Avant ou après l'entrée des Allemands en zone non occupée ? Nous l'ignorons. Mais, s'il s'est planqué ailleurs avec votre amie, pourquoi voulez-vous qu'il donne signe de vie ? Il se terre. Et il a raison !

Il continue d'étreindre le bras de Thorenc et lui parle la bouche à peine entrouverte, les dents serrées :

— Écoutez-moi, nom de Dieu ! Ils ne sont ni à la Gestapo, ni à la prison Saint-Paul, ni dans celle de Montluc. Les gendarmes de Carpentras et de Bollène n'ont arrêté personne. Il n'y a que deux solutions, pas trois...

Il répète que Garel a pu se cacher ailleurs, à la campagne. Puis il se tait...

Thorenc imagine : on les a abattus, puis on s'est débarrassé de leurs corps. Il pense à ce rat qui le fixait de ses yeux rouges.

— Vous avez fouillé le mas ? demande Bouvy.

Il lance un coup d'œil intrigué à Thorenc, puis conclut :

— Donc, nous ne savons rien.

Il tire sur la manche de l'imperméable de Bertrand :

— Maintenant vous m'écoutez : on tourne la page concernant vos braves gens !

Il a changé de voix et de ton. Il semble avoir encore rentré davantage la tête dans ses épaules. Il répète :

— Il faut empêcher ça, Thorenc !

D'après les informations recueillies par le commandant

Villars, les Allemands s'apprêteraient à tenter un coup de main sur la flotte française en rade de Toulon.

— Ils peuvent compter sur l'amiral de Laborde, un salopard, un collabo qui a voulu constituer une armée pour aller déloger les FFL du Fezzan et du Tchad. Il se contente des belles promesses des Allemands qui se sont engagés à ne pas entrer dans le port militaire !

Il s'arrête comme malgré lui.

— Plus de cent navires, Thorenc, qui pourraient rejoindre l'Algérie, donner à la France combattante le poids militaire qu'elle n'a pas encore !

Il baisse la voix :

— Max est à Nice, confie-t-il. Il faut le voir.

Moulin, expose-t-il, y a légalement ouvert une galerie de peinture, rue de France. Bertrand est chargé de prendre contact avec lui, puis, à Toulon, avec les quelques officiers dont Catherine Peyrolles a donné les noms et qui pourraient tenter de neutraliser l'amiral de Laborde.

Bouvy se tait tout à coup. Trois soldats allemands, accompagnés d'un policier français, s'avancent au milieu de la chaussée. Ils paraissent un instant tout proches, mais sont presque aussitôt absorbés par le brouillard.

— Je parie que ces porcs cherchent le bordel ! maugrée-t-il.

Thorenc sent que Bouvy glisse dans la poche de son imperméable une enveloppe. Ce sont les nouveaux papiers de Thorenc. Mais, lors de ses séjours à Lyon, il est entendu qu'il continuera d'habiter chez Catherine Peyrolles.

— Le point de chute le plus sûr..., dit Bouvy en se tournant vers lui. Au surplus, on me dit qu'elle a demandé à vous conserver.

Il donne un coup de coude à Thorenc, qui s'écarte. Il a

le sentiment d'une complicité entachée de vulgarité. Il ne le supporte pas.

— Je veux tuer le commissaire Dossi, lâche-t-il. Voilà mon programme personnel.

Bouvy s'arrête, se hausse sur la pointe des pieds, approche son visage de celui de Thorenc comme pour mieux le discerner en dépit du brouillard qui se confond de plus en plus avec la nuit tombée.

— Je n'ai rien entendu, murmure Bouvy. Parce que vous ne m'avez rien dit.

Thorenc sent son haleine sur son visage. Il recule. Bouvy s'avance à nouveau.

— Vous avez à ce point envie de mourir ? demande-t-il.

Il regarde autour de lui, montre diverses silhouettes qui s'effacent.

— Vous êtes con, Thorenc ! N'allez pas au-devant de la mort. C'est inutile : elle est là. Partout !

Bertrand le voit qui s'éloigne et se mêle aux ombres fugitives qui peuplent encore la rue.

— 15 —

Thorenc avait fermé les yeux.

Il n'avait plus entendu que les cris perçants des mouettes accompagnant le battement sourd et rythmé des vagues sur les galets de la baie des Anges.

Il avait eu envie de s'assoupir, d'oublier un instant ce qu'il avait vu le long des routes que la voie ferrée côtoyait.

Entre Marseille et Toulon, il était resté le front constamment appuyé à la vitre, dans le couloir du wagon.

Il s'était laissé bousculer, apostropher. Il encombrait le passage. À l'écoute des remarques désobligeantes, des insultes, il n'avait même pas bougé la tête, suivant des yeux les colonnes de blindés qui roulaient vers Toulon.

Il les avait déjà aperçues lors de son voyage de Nice à Lyon, quelques jours auparavant. Mais elles semblaient maintenant avoir envahi tous les axes routiers.

Certaines étaient immobilisées sous les pins parasols et les palmiers, en bordure des vignes. Tête nue, les manches de leur vareuse retroussées, leur casque et leurs armes posés près d'eux, des soldats étaient assis sur les talus de terre rouge. La plupart portaient l'uniforme noir des SS et, dans la lumière légère de cette fin novembre, dorée, tirant sur l'ocre, l'acier des tanks et des camions, des armes et des casques paraissait d'autant plus menaçant qu'il était incongru.

Dès son arrivée à Nice, Thorenc s'était rendu rue de France.

Elle était étroite et sombre, mais l'horizon bleu, la mer, la lumière étaient au bout de chacune des traverses perpendiculaires conduisant, en une centaine de mètres, à la Promenade des Anglais.

À chaque fois, Thorenc s'était arrêté au bord de la chaussée. Légère, la brise de mer glissait le long de ces rues, portant le bruit du ressac et les piaillements des oiseaux.

Il était passé une première fois devant le numéro 22. Il avait aperçu une petite foule qui se pressait entre des murs blancs auxquels étaient accrochés des toiles, des aquarelles, des dessins. C'était bien la galerie de peinture qu'avait évoquée Jacques Bouvy.

Il était revenu sur ses pas. Le brouhaha des conversations et des rires envahissait jusqu'à la rue.

Thorenc s'était immobilisé sur le seuil, comme un invité timide arrivant un peu en retard à l'inauguration d'une galerie ou au vernissage d'une exposition.

Il avait remarqué une très jeune femme au visage d'une beauté presque parfaite. Ses cheveux courts, légèrement bouclés, rejetés en arrière, dégageaient ses traits. Il avait été frappé par la douceur quelque peu mélancolique de ses yeux.

Elle allait de l'un à l'autre des invités, souriante, et, à chaque fois, lançait un regard vers le fond de la galerie, comme si elle quêtait une approbation ou bien au contraire s'inquiétait, surveillait ce qui s'y passait.

Thorenc s'était avancé de quelques pas, bientôt enveloppé par le bruit et l'éclat des voix.

Il avait été ébloui par la lumière des spots qui éclairaient chaque tableau. Il avait aperçu un homme en uniforme, le préfet des Alpes-Maritimes, sans doute, qui traversait la galerie, et il avait dans le même temps reconnu Jean Moulin qui raccompagnait le représentant du gouvernement, puis, à quelques pas, pareils à un couple d'amateurs, Stephen Luber et Christiane Destra, une coupe de champagne à la main.

Thorenc s'était approché et son regard avait tout à coup croisé celui de Luber. Il avait perçu l'étonnement, presque la panique qui, durant un bref instant, avait traversé les yeux de l'Allemand. Christiane Destra avait deviné qu'il venait de se produire un événement insolite et, découvrant à son tour Bertrand, elle n'avait pu s'empêcher de toucher le bras de Luber pour l'avertir, mais ce dernier était redevenu maître de lui ; le regard voilé, il se dirigeait sans hâte vers le journaliste tout en faisant mine de s'attarder devant un tableau. Christiane Destra le suivait, incapable, quant à elle, de dissimuler son anxiété, les joues creusées, les yeux écarquillés.

— Je ne savais pas que vous étiez à Nice, avait murmuré Stephen Luber, ni que vous aimiez la peinture.

Thorenc s'était contenté d'incliner la tête en s'efforçant de sourire.

— Nous nous rencontrons bien souvent, avait ajouté l'Allemand.

— Les circonstances, le hasard..., avait répondu Bertrand.

Il avait eu la sensation qu'on l'observait. Il s'était retourné et avait aperçu Jean Moulin qui le considérait tout en chuchotant quelques mots à la jeune femme.

Le plus attirant chez elle, c'était cette douceur du dessin de la bouche et du cou. Elle portait un chemisier blanc échancré dont le col recouvrait celui d'une veste de tailleur noir. Moulin souriait, ne quittant pas des yeux Thorenc et néanmoins l'air absent, comme si la présence à ses côtés de cette jeune femme à laquelle il parlait, le transfigurait.

Thorenc avait été touché par cette sensibilité de Max qui se dévoilait sans doute malgré lui. Il s'était senti proche de lui, fier même d'être sous les ordres d'un tel homme qui, malgré le danger, les charges, les difficultés, pouvait être ému par une femme, et était incapable de le cacher.

La jeune femme s'était avancée vers Bertrand et Luber avait eu le temps d'indiquer qu'on pouvait toujours le trouver au 5, rue Fodéré. Thorenc se souvenait de l'adresse, n'est-ce pas ?

L'Allemand avait pris le bras de Christiane Destra et tous deux avaient quitté la galerie.

— Je crois que vous voulez voir Jean ? avait demandé la jeune femme.

D'un mouvement de tête, elle avait désigné Moulin qui quittait la galerie par une porte située au fond du local.

Thorenc l'avait suivi et s'était retrouvé, sitôt la porte franchie, sous un porche.

Il avait aperçu la silhouette de Moulin qui s'engageait dans un escalier. Celui-ci devait conduire dans les étages de l'immeuble dont la galerie occupait le rez-de-chaussée donnant sur la rue de France.

Moulin avait laissé entrouverte la porte de l'appartement du premier étage et quand Thorenc l'avait poussée, il l'avait aperçu, debout, regardant par la fenêtre. Puis Max s'était retourné.

C'était à nouveau l'homme au visage grave, aux yeux exprimant force, attention et volonté. En quelques mots, il avait expliqué que la galerie lui servait de couverture, qu'il allait pouvoir justifier ainsi ses voyages à travers la France par la nécessité dans laquelle il se trouvait de rechercher des tableaux. Mais, avait-il insisté, il regrettait que leur rencontre se fût produite à la galerie. Elle ne pouvait servir de couverture efficace que dans la mesure où elle n'était ni connue ni utilisée, ou seulement en cas de circonstances exceptionnelles.

Thorenc avait profité d'une pause de quelques secondes pour s'avancer et répliquer que tel était bien le cas.

Il avait commencé à décrire les *Panzerdivisionen* SS qui

encerclaient Toulon. Le commandant Villars était persuadé que les Allemands allaient mettre en œuvre leur plan Lila afin de s'emparer des navires français ancrés dans le port militaire. Ce plan était le complément nécessaire des plans Anton et Attila d'occupation de la zone Sud. Dans les jours ou les heures qui venaient, la Wehrmacht déclencherait cette opération, en violation de tous les engagements pris auxquels feignaient encore de croire Laval, Pétain et la plupart des amiraux.

— On ne peut accepter cela ! avait ajouté Thorenc. Ces navires, une fois dans la guerre...

Lèvres serrées, traits durcis, le visage de Moulin s'était contracté ; des rides plissaient son front, creusaient ses joues et les coins de sa bouche d'une grimace amère.

Thorenc était-il venu jusqu'à Nice pour annoncer ce que toute personne informée savait déjà ? s'était-il exclamé en se mettant à aller et venir dans la pièce. C'était avoir pris des risques inutiles et en faire courir de tout à fait superflus à d'autres. Car on l'avait peut-être suivi !

Qui donc avait eu l'idée saugrenue de lui confier cette mission à Nice ? avait-il répété.

Bien sûr que les Allemands allaient tenter un coup de main sur l'escadre, et aussi sur l'armée de l'armistice ! Ils n'avaient plus besoin de ménager le gouvernement de Vichy. Ils allaient eux-mêmes arracher les derniers voiles du mensonge. Mais cela allait permettre à des millions de Français de sortir de leur somnolence, de voir la réalité en face.

D'ailleurs, la réalité allait frapper à leurs portes puisqu'on allait recenser les jeunes hommes afin de les livrer à l'Allemagne ! Et les quelques maquis qui n'avaient pas attendu cela pour se constituer allaient se renforcer.

— Il nous faut constituer au plus tôt cette Armée secrète, Thorenc !

À tous les échelons de la Résistance, et pour des raisons d'efficacité, il fallait séparer l'organisation militaire des autres aspects de l'action.

Il avait eu un mouvement d'impatience :

— Est-ce que vous comprenez ça, vous ? Eh bien, la plupart des chefs de réseaux et de mouvements, eux, ne le comprennent pas !

Ils avaient bien voulu apporter leur soutien à de Gaulle en adressant des communiqués à Roosevelt afin de reconnaître la France combattante et son chef au lieu d'appuyer Giraud et Darlan, avait poursuivi Moulin, mais, dès qu'on voulait aller plus loin, ils s'opposaient aux directives de Londres.

— Nous sommes en guerre, Thorenc, et, dans la guerre, il faut un chef. Et ce chef, c'est de Gaulle ! avait-il martelé.

Comment pouvaient-ils ne pas comprendre ça, à Combat, à Libération, à Franc-Tireur ? Ils étaient réticents face à la constitution d'un Conseil national de la Résistance. Ils refusaient l'autonomie de l'Armée secrète et exigeaient de la contrôler. Ils réclamaient qu'on leur versât des fonds, des dizaines de millions, sans qu'on exerçât le moindre contrôle sur leurs activités !

— Ils iront en Suisse voir les Anglais et les Américains, avait murmuré Thorenc. Ils ne s'en cachent pas. Ils le font déjà...

Moulin avait paru se rendre compte qu'il s'était laissé emporter.

— Pour nos navires, à Toulon, je crains qu'il ne soit trop tard, avait-il murmuré. L'exigence du moment, c'est l'union de toutes les forces de la Résistance, la constitution de ce Conseil...

— ... avec les communistes ? avait interrogé Thorenc.

Moulin l'avait fixé intensément durant quelques secondes.

Bertrand avait baissé les yeux. Il ne parlerait pas à Moulin de Stephen Luber ni de Christiane Destra. Moulin l'avait sûrement vu, dans la galerie, échanger quelques mots avec eux. Peut-être Luber et Destra assuraient-ils la protection de Max ?

— Les communistes, avait repris ce dernier, ont leur propre stratégie à très long terme. Mais, si nous sommes unis, ils ne pourront pas l'imposer. D'ailleurs, ils reconnaissent d'ores et déjà l'autorité de De Gaulle.

Il avait fait quelques pas dans la pièce, l'air pensif, puis s'était tourné vers Thorenc :

— Les communistes sont les hommes les plus courageux de la terre, avait-il murmuré.

Il avait ajouté qu'il fallait naturellement les obliger à servir en priorité la France, et cela, il se faisait fort de les y contraindre. C'était même l'un des buts de la constitution du Conseil national de la Résistance.

Il avait ouvert la porte de l'appartement et Thorenc avait aussitôt entendu le brouhaha monter de la galerie par la cage d'escalier.

— Quel que soit le sort de l'escadre de Toulon, avait repris Moulin en élevant la voix, ce mois de novembre 1942 change la donne. Les Allemands ne réussissent pas à prendre Stalingrad. Les premières neiges sont tombées. L'URSS ne s'effondrera plus. Les Américains sont en Algérie. Il nous reste à faire en sorte que la France redevienne une nation souveraine. Pour cela, il faut que les directives de De Gaulle soient suivies par tous. Et qu'on cesse de vouloir jouer chacun pour soi, avec l'aide toujours intéressée des Anglais, des Américains ou des Russes !

Il avait commencé à redescendre l'escalier, s'arrêtant quelques marches avant de s'engouffrer sous le porche. La porte de la galerie était restée entrouverte.

Il voulait, avait-il poursuivi, que Thorenc transmette aux différents chefs de mouvements que la réunion qui devait se tenir à Lyon était fixée au 27 novembre suivant.

— Pour Toulon, avait-il ajouté, il faut tout essayer. Mais il ne nous reste que quelques jours. Vous avez des contacts ?

Thorenc avait cité les noms d'officiers que Catherine Peyrolles lui avait communiqués.

— Le milieu leur est hostile, avait murmuré Moulin. Ou on les a déjà étouffés, éloignés, ou bien on les écartera à l'heure de la décision. L'amiral de Laborde n'a qu'une obsession : empêcher les Anglais de mettre la main sur ses bateaux. Non seulement les Allemands ne le préoccupent pas, mais il a laissé entendre à plusieurs reprises qu'il les tenait pour de véritables compagnons d'armes. La collaboration, tel est son idéal politique ! Quant à ses officiers, ils sont obsédés par le souvenir de Mers el-Kébir, de Dakar et même de Trafalgar !

Il avait soupiré :

— Bonne chance, Thorenc !

Il avait paru hésiter, puis avait ajouté que Bertrand pouvait utilement rencontrer Stephen Luber.

— ... Mais vous le connaissez, n'est-ce pas ?

Moulin avait lancé un coup d'œil interrogateur à Thorenc avant d'ajouter que Luber était à la tête d'un petit groupe communiste qui rayonnait sur toute la Côte, et dirigeait vers l'arrière-pays, dans les hautes vallées, les réfractaires au Service du travail obligatoire, ainsi que les antifascistes italiens que l'OVRA, la Gestapo de Mussolini, avait commencé à pourchasser dans les heures qui avaient suivi l'entrée des troupes italiennes à Nice. L'OVRA torturait, fusillait à l'égal de la Gestapo avec qui elle travaillait. Elle entretenait aussi les meilleures relations avec les Brigades spéciales françaises.

— Il faudrait tuer le commissaire Dossi, avait déclaré Bertrand.

Moulin avait paru surpris, puis, penchant un peu la tête, il avait indiqué que Thorenc pouvait évoquer la question avec Stephen Luber : c'était un homme qui avait les moyens de mener à bien ce genre d'opération.

Moulin lui avait serré longuement la main. Il fallait, avait-il dit, ne jamais se laisser détourner de l'objectif principal, et chaque décision n'avait de sens que si elle permettait de s'en approcher davantage.

— Hiérarchiser les objectifs, les actions et les moyens, voilà ce qu'il faut avoir en tête à chaque instant. Unification autour de De Gaulle, Conseil national de la Résistance, Armée secrète pour parvenir à la libération d'une France ayant recouvré sa souveraineté : voilà la route !

Il avait paru songeur.

— Mais le plus difficile reste à faire... et à vivre, avait-il ajouté.

Thorenc avait vu la jeune femme de la galerie s'avancer sous le porche, prendre Moulin par le bras et l'entraîner.

Peu à peu engourdi par la douceur du soleil automnal, bercé par le balancement du ressac, Thorenc avait repensé à cette femme que certains des invités de la galerie avaient appelée familièrement par son prénom, Colette.

Il avait été ému par la manière dont elle regardait Moulin, le suivant des yeux lorsqu'il s'éloignait et, chaque fois que Thorenc avait pu capter ce regard, il l'avait trouvé empreint de tendresse, de respect, presque de vénération, mais aussi d'inquiétude.

Peut-être Colette ignorait-elle tout des responsabilités de Max, mais elle semblait cependant pressentir que c'était un homme menacé.

Elle le protégeait du regard tout en le suppliant de ne pas s'exposer.

Pensant à elle, Thorenc avait senti combien l'amour d'une femme lui était nécessaire.

Il avait songé à la nuit qu'il avait passée avec Catherine Peyrolles, puis à ces autres nuits partagées autrefois avec Geneviève Villars, Isabelle Roclore ou Claire Rethel. Ç'avait été à chaque fois comme une trêve, une façon d'affirmer que la vie n'était pas seulement soupçons, violences, meurtres. On pouvait serrer un corps sans avoir l'intention de l'étouffer, de le faire souffrir, mais prendre et donner du plaisir, faire naître la joie, se rassurer, affirmer que l'on pouvait, l'espace de quelques heures, échapper à la barbarie.

C'était aussi une manière d'affirmer l'espérance du retour à la vie humaine dont la notion même était remise en cause par la cruauté des temps et le sadisme des comportements. Il était persuadé que c'est ce que Claire Rethel et Catherine Peyrolles recherchaient dans la poésie.

Il s'était souvenu de la lettre de Claire, de ces quelques vers d'Eluard qu'elle avait recopiés :

Et par le pouvoir d'un mot
Je recommence ma vie
Je suis né pour te connaître
Pour te nommer
Liberté !

Ce que voulaient faire les hommes du lieutenant Klaus Wenticht et ceux du commissaire Antoine Dossi, c'était martyriser les corps pour annihiler l'amour et l'espoir.

Thorenc s'était recroquevillé sur la chaise longue. Il revoyait le visage blessé de Claire Rethel, imaginait Geneviève Villars et Isabelle Roclore pourchassées, arrêtées, torturées.

Il avait froid. Rouvrant les yeux, il avait suivi durant quelques secondes le soleil estompé qui disparaissait derrière le sombre massif de l'Estérel.

On l'avait touché à l'épaule. Il avait sursauté. Stephen Luber s'était assis près de lui, appuyant les pieds à la rambarde qui surplombait la plage de galets.

L'Allemand avait relevé le col de son manteau en poil de chameau. Il était d'une élégance voyante qui le faisait ressembler à l'un de ces personnages un peu équivoques qu'on croisait sur la Promenade des Anglais, guettant les femmes seules que l'ennui tourmentait et qui rêvaient d'aventures. Peut-être était-ce, à Nice, un moyen de passer inaperçu ? On ne pouvait certes imaginer que cet homme-là était à la tête d'un groupe de Francs-Tireurs et Partisans du Parti communiste, ayant sans doute à son actif plusieurs attentats et maints assassinats !

— Vous vouliez me voir, avait dit l'Allemand.

Le ton était à la fois agressif et sardonique.

Thorenc avait évoqué l'imminence d'une opération contre la flotte française ancrée en rade de Toulon.

— Vous croyez que nous pouvons, nous, arrêter une division blindée SS ? avait ironisé Luber.

Il avait ricané, puis poursuivi :

— Il y a une armée de l'armistice, je crois. Elle dispose de dépôts d'armes : qu'elle les distribue à ceux qui veulent se battre ! Les pièces des navires peuvent ouvrir le feu. Nous, nous ne disposons que de quelques armes légères. On peut abattre ici et là un officier ; nous pouvons faire sauter un transformateur, un pont, dix mètres de voie ferrée, mais combattre plusieurs milliers de SS, ça, ce n'est pas encore le moment !

Il s'était rapproché de Thorenc. Quelques ouvriers des arsenaux de Toulon avaient voulu se mettre à la disposition de l'état-major de la marine, avait-il indiqué. On les avait aussitôt emprisonnés.

— Tout ce que les amiraux seront capables de faire, c'est de saborder leurs navires. Ils y pensent, et, d'après nos informations, ils s'y sont préparés, mais, s'ils réussissent, nous aurons de la chance !

Thorenc avait examiné Stephen Luber. Son visage exprimait du mépris et, en même temps, une certaine satisfaction que le sourire — un rictus, plutôt — confirmait.

— Les élites de ce pays — nous en avons déjà parlé, Thorenc, et vous en faites partie — n'ont plus d'énergie. Il faudra qu'elles cèdent la place, et j'espère que cette guerre les balaiera !

L'assurance dédaigneuse de Luber, sa violence, qu'il ne réussissait pas à masquer, son désir de revanche personnelle avaient exaspéré Thorenc.

Il avait longuement devisagé l'Allemand, imaginant ce qu'un tel homme, disposant de la moindre parcelle de pouvoir, était à même de faire. Il liquiderait les traîtres, mais aussi tous ceux qui ne partageraient pas ses idées, à la manière dont Staline avait, en 1936, fait disparaître ses opposants, et dont, en Espagne, il avait fait décimer les anarchistes et les trotskistes.

La libération de la France pouvait, dans ces conditions, se transformer en guerre civile. Pour cette raison aussi, il fallait se rassembler derrière de Gaulle, seul capable d'empêcher les affrontements entre les factions extrêmes de la Résistance.

Thorenc était resté silencieux, le temps de recouvrer son calme.

— Je croyais que vous autres, communistes, étiez partisans d'un Front national regroupant tous ceux qui seraient décidés à lutter contre les nazis, avait-il dit en s'efforçant de sourire naïvement.

Luber avait hésité, puis répété :

— Bien sûr, c'est là notre ligne. Mais il faudra aussi juger les traîtres, les collabos !

— Mais vous êtes allemand, avait objecté Thorenc. Vous aurez tout loisir de faire ça chez vous...

Luber avait paru décontenancé. Puis il avait expliqué qu'il était un internationaliste et qu'il irait là où il serait le plus utile au combat contre le fascisme.

Thorenc avait regardé la mer, devenue une étendue foncée. Il s'était levé. La Promenade des Anglais, plongée dans l'obscurité, était déserte. La nuit était vite tombée.

— Il fait froid, avait-il dit pour rompre le silence.

Il avait marché aux côtés de Luber vers la colline du Château qui ferme la baie des Anges. Il avait revu l'hôtel qui y était adossé. C'est là qu'il logeait quand il avait recueilli Myriam Goldberg. À l'époque, il avait imaginé qu'il allait la sauver en lui donnant cette nouvelle identité : Claire Rethel. Mais il l'avait jetée dans des périls peut-être plus grands que ceux qu'elle aurait courus en restant ce qu'elle était.

Qui pouvait savoir ?

Où se trouvait-elle, aujourd'hui ? Cachée avec Victor Garel, ou son corps gisait-il dans le mas de Sainte-Cécile ?

Il avait revu les rats.

Il s'était alors arrêté de penser, de se souvenir.

Les deux hommes étaient parvenus à ce cap d'où l'on aperçoit à l'est le port, à l'ouest la baie des Anges.

Thorenc s'était approché de la rambarde. Sous le vent vif, la mer battait le littoral rocheux à grands jets d'écume.

— Je veux tuer le commissaire Dossi, avait-il lâché.

Luber s'était accoudé à la rambarde, près de lui.

— Nous avons depuis longtemps cette intention, avait marmonné l'Allemand.

Bertrand s'était redressé :

— On peut..., avait-il commencé.

— On se revoit et on en parle, avait coupé net Luber.

Il s'était éloigné en marchant en direction du port.

Thorenc était parti dans l'autre sens.

Le trottoir de la Promenade des Anglais descendait en pente douce, rejoignant la plage.

Bertrand avait ramassé un galet et l'avait lancé de toutes ses forces, aussi loin qu'il avait pu.

— 16 —

Thorenc se penche, sort ainsi à demi la tête du porche sous lequel il se dissimule. Ce simple mouvement, qui ne dure que quelques secondes, lui donne aussitôt la nausée.

Il recule, s'appuie contre le mur comme s'il voulait s'y enfoncer, se fondre en lui.

Il est en sueur. Il a l'impression qu'on lui écrase le bas-ventre. Il pense qu'il va céder à la panique, laisser tomber le pistolet que Stephen Luber lui a confié et dont il lui a expliqué le maniement.

L'arme est lourde. Elle tire sur le bras, les doigts. Il va la lâcher, s'enfuir. Il se souvient du sourire de l'Allemand quand, rue Fodéré, dans l'atelier de couture de Christiane Destra, l'autre a posé l'arme sur la table :

— Vous êtes vraiment décidé ? lui avait-il répété.

Thorenc avait simplement baissé la tête.

Luber avait alors poussé l'arme dans sa direction.

— C'est un Mauser. Il y a une balle dans le canon. Le crâne de Dossi explosera si vous tirez à bout portant.

Il avait repris l'arme et avait visé Thorenc.

— Il faudra que vous touchiez sa nuque avec le canon. Vous n'aurez qu'une fraction de seconde pour appuyer sur la détente. Si vous hésitez, c'est vous qui êtes mort.

Il avait enfin reposé l'arme sur la table. Il avait écarté des vêtements, les entassant contre la machine à coudre derrière laquelle se tenait Christiane Destra, puis il s'était appuyé à la table et avait recommencé à expliquer les différentes phases de l'action.

Dossi rentrait chaque soir chez lui vers vingt-deux heures en compagnie d'un garde du corps. Il venait du quai de la Joliette, ou bien du 425, rue du Paradis, siège de la Gestapo. Il remontait la rue de l'Évêché, puis la rue de la Joliette. Christiane Destra s'avancerait à la rencontre des deux hommes, comme une putain un peu ivre. Il fallait qu'elle les attire, qu'elle retienne leur attention. Thorenc sortirait alors du porche et abattrait Dossi. Christiane se chargerait du garde du corps. Puis, ils se replieraient l'un et l'autre vers la voiture conduite par Luber qui serait garée à quelques pas du porche.

Stephen Luber avait parlé d'une voix éteinte, presque excédée, s'interrompant souvent pour répéter qu'il ne comprenait pas pourquoi Thorenc tenait à agir par lui-même. Ce n'était pas à un homme comme lui, à la place qu'il occupait, d'accomplir ce type d'actions. Elles étaient réservées à des immigrés, à des prolétaires ; pas à un Bertrand Renaud de Thorenc !

— Il faut des couilles pour faire ça, et beaucoup d'expérience...

Il y avait tant de provocation méprisante et de défi dans la manière dont l'Allemand avait chaque fois prononcé ces phrases que Thorenc s'était demandé s'il ne cherchait pas, en fait, à l'empêcher de reculer. Il avait hésité, puis avait répondu qu'il en faisait une question de principe, que l'opération devait être exemplaire, montrant qu'il y avait unité d'action entre les mouvements, risques partagés entre la base et le sommet.

Il avait empoigné le pistolet, l'avait à son tour braqué sur Stephen Luber.

— Cela paraît simple, avait-il conclu.

Puis il avait reposé l'arme sur le plan du quartier de la Joliette que Luber venait de déployer sur la table.

Thorenc se penche à nouveau. La rue de la Joliette est vide. Il aperçoit la voiture arrêtée à une dizaine de mètres, de l'autre côté de la chaussée. Luber a dû se coucher sur la banquette avant pour ne pas être remarqué.

Bertrand se retire sous le porche.

Il a entendu des pas. Il lui semble reconnaître la voix gouailleuse de Dossi. Il se rencogne autant qu'il peut, glisse contre le mur, cherche une ombre plus dense.

Les deux silhouettes passent devant le porche.

Thorenc a nettement vu le profil de Dossi, cette cigarette pendant à ses lèvres, ce bord du chapeau cassé. Le garde du corps qui l'accompagne est tête nue.

Thorenc gagne la rue.

Ils sont devant lui, à quelques pas.

Il lui semble qu'il ne pourra pas avancer, que son corps s'alourdit, se tasse. Il aperçoit, venant à la rencontre des deux hommes, la silhouette de Christiane Destra.

Elle oscille, chantonne, balançant son sac à bout de bras.

Il fait deux pas. Il lève le bras, appuie sur la détente.

Dossi se retourne, les yeux affolés, ouvrant la bouche.

Thorenc laisse tomber l'arme qui a dû s'enrayer.

Il court, se jette dans la première rue à gauche. Il ne sait plus où est garée la voiture.

On crie, on tire.

Il se retourne. Il aperçoit Dossi agenouillé, le garde du corps penché sur lui, et voit Christiane Destra s'engouffrer dans la voiture de Luber qui démarre, s'enfonce dans la nuit, disparaît.

Thorenc court. Les cris, les détonations le poursuivent. Il sent une brûlure au mollet gauche. Il tombe, se redresse, recommence à courir dans des rues qu'il ne connaît pas.

Tout en courant, il pense que Christiane Destra a dû tirer et blesser Dossi.

Il s'arrête un instant, la jambe paralysée. Il se penche ; le sang a coulé sur sa chaussure.

Il fait encore quelques pas, incapable de courir plus avant, comme si un boulet était attaché à sa cheville.

Une ombre qui se détache du mur lui barre tout à coup le passage. Un agent de police, dont il lit l'hésitation dans le regard, le tient en joue.

Thorenc murmure que la Gestapo, les gens des Brigades spéciales du commissaire Dossi sont à ses trousses, qu'il est un résistant.

Il halète. Il a envie de se laisser glisser sur le sol.

Il songe à cette pilule, son ultime recours, et il s'affole car il ne sait plus dans quelle poche il l'a fourrée, persuadé qu'il allait réussir à abattre Antoine Dossi puis que le garde du corps le tuerait sur le coup.

Rien ne se produit jamais comme on croit.

Sa jambe ploie, il s'effondre.

Il ne peut plus rien. Il a fait ce qu'il devait.

L'agent de police se penche, lui passe un bras sous l'aisselle, le soutient, l'entraîne.

— 17 —

Thorenc était assis sur le sol, le dos appuyé au mur de la borie.

Il avait découvert cet abri de berger dès le lendemain de son arrivée à la ferme Ambrosini. Depuis, chaque matin, malgré la douleur qu'il ressentait à la jambe gauche, il s'y rendait, marchant lentement, s'appuyant à une canne.

L'un des fils Ambrosini, tantôt Régis, tantôt Aldo, l'accompagnait. Comme leur père Gaston ou leur mère, Julia, ils étaient silencieux. Mais, dès qu'il les avait vus, dans la grande pièce de leur ferme, debout l'un près de l'autre, s'exprimant seulement avec leurs yeux et leurs mains calleuses, Thorenc les avait aimés.

— Ce sont des gens sûrs, avait dit le commandant Pascal au moment où il quittait la route de Manosque pour emprunter ce chemin de terre qui montait vers le plateau et la ferme Ambrosini.

Cela ne faisait que quelques kilomètres que Thorenc avait quitté sa cache, sous des sacs de pommes de terre, où Pascal l'avait aidé à se glisser.

Le camion s'était garé dans la cour de la clinique. On avait passé à Thorenc une blouse d'infirmier. Au reste, les couloirs étaient déserts. Pascal et un médecin l'avaient soutenu, presque porté jusqu'à l'arrière du camion, puis on l'avait soulevé, poussé dans une caisse qu'on avait dissimulée sous des sacs.

Il avait essayé de dormir, mais les cahots de la route le jetaient contre les parois. Même si la plaie était superficielle, sa jambe blessée était douloureuse.

Surtout, tout au long du trajet, il n'avait pas réussi à chasser la peur.

Il avait eu peur d'être découvert quand le camion s'était arrêté, sans doute à la sortie de Marseille, puis une autre fois, en cours de route.

Il avait entendu les voix des soldats allemands qui inspectaient le chargement.

Quand le véhicule avait redémarré, il s'était détendu quelques instants, peut-être une poignée de secondes, car il avait alors eu peur d'étouffer dans ce cercueil enseveli sous les sacs et à l'intérieur duquel il pouvait à peine bouger.

Puis il avait eu peur de ce qui lui venait à l'esprit, de ce soupçon qui l'envahissait. Il revivait chaque instant entre celui où il était sorti du porche pour emboîter le pas au commissaire Dossi et celui où il avait perdu conscience, quelques rues plus loin, alors qu'un agent de police le menaçait de son arme.

Il se souvenait par-dessus tout de ce petit bruit — un claquement amorti — qu'il avait entendu lorsque, le canon de son revolver effleurant la nuque de Dossi, il avait appuyé sur la détente. Au lieu de la détonation, il n'y avait eu que ce petit bruit mat de cliquet.

Il avait alors compris que l'arme s'était enrayée.

Il avait vu les yeux de Dossi. Il s'était tout à coup senti libre et léger comme un homme qui a donné les preuves de son courage et qui a en même temps sauvegardé son innocence. Il n'avait pas tué, mais il avait relevé le défi. Il était fier et désespéré.

Puis Dossi s'était mis à hurler et lui-même s'était enfui.

Il avait vu Christiane Destra monter dans la voiture conduite par Luber. Et c'était peut-être à ce moment précis, alors qu'il prenait la fuite, qu'il avait commencé à soupçonner Luber et Christiane Destra de l'avoir joué.

C'est lui qui, en fait, devait détourner l'attention de Dossi en le suivant et en ne le menaçant que d'une arme enrayée. Dossi et son garde du corps auraient dû le ceinturer. Pendant ce temps, Christiane Destra se serait trouvée dans leur dos, oubliée, et aurait pu les abattre sans risque. Luber avait sans doute décidé qu'il n'essaierait même pas de récupérer Thorenc après l'attentat.

Devenu certitude, ce soupçon avait envahi, avec le bruit de la détente frappant dans le vide, la tête de Thorenc.

Quand, après Manosque, Pascal l'avait aidé à s'extraire de sa cachette, l'invitant à s'asseoir près de lui sur la banquette, il avait déclaré aussitôt :

— Luber et les communistes ont voulu m'avoir. Je suis tombé dans un traquenard.

Le commandant Pascal lui avait jeté un bref coup d'œil, mais il n'avait pas posé de question. Il avait raconté que Dunker, le chef de la Gestapo à Marseille, avait réuni tous ses hommes, dans la nuit de l'attentat, au 425, rue du Paradis. Il était comme fou, les injuriant, giflant certains d'entre eux. Dunker avait établi des relations amicales avec Dossi et se sentait personnellement bafoué et menacé par cette action. Dossi était grièvement blessé, de même que son garde du corps ; aucun des auteurs de l'attentat n'avait été pris. On n'avait même pas leur signalement.

Pascal avait sifflé.

— Une grande maîtrise dans l'exécution ! s'était-il exclamé. Si c'était un traquenard, reconnaissez que la victime en est d'abord Dossi.

Une arme pouvait toujours s'enrayer, avait-il ajouté. Et le devoir de Stephen Luber était de quitter sur-le-champ les lieux de l'attentat.

— Vous avez eu de la veine, Thorenc...

L'agent de police l'avait caché chez lui durant la première nuit.

Il avait été interrogé dès le lendemain par les inspecteurs des Brigades spéciales et les hommes de la Gestapo, comme tous les policiers de service dans le quartier de la Joliette au cours de cette nuit-là. Il avait pu alerter des membres de Combat. On avait transporté Thorenc dans une clinique où le commandant Pascal était venu le chercher.

— Ici, on ne vous trouvera pas, avait dit l'officier en arrêtant le camion devant la ferme des Ambrosini.

La ferme était située au bord du plateau qui, à l'est, domine la Durance. Elle se dressait dans une sorte de golfe de terres rouges abrité du vent par des collines pierreuses. La borie était construite au pied de l'une d'elles, et lorsque Thorenc s'y était assis pour la première fois, il avait senti la chaleur rayonnant des pierres plates et sèches qui, entassées l'une sur l'autre, constituaient les murs du bâtiment.

Le golfe de terre était ouvert sur l'horizon. Le paysage n'était limité par aucune cime. En plus vaste et en plus austère, il ressemblait à celui que Thorenc avait aimé contempler du haut de la crête dominant le village de Murs et le mas Barneron.

De temps à autre il se levait, faisait quelques pas, étouffant un cri chaque fois qu'il trébuchait sur une pierre, la douleur se réveillant alors dans son mollet et sa cuisse.

Il apercevait le père et les fils Ambrosini qui bêchaient la terre dans ce qui devait être un champ d'épeautre, ce blé du pauvre.

L'un ou l'autre, quand il se redressait, s'appuyait au manche de son outil et saluait Thorenc d'un petit signe de la main.

C'était à peine un geste, mais il suffisait pour que Bertrand se sentît apaisé. Et le soir, même si on n'échangeait pas deux mots autour de la table, il avait l'impression d'une communion qui n'avait nul besoin de paroles pour s'exprimer.

À la fin du dîner, Aldo ou Régis débranchait la prise qui alimentait l'unique ampoule de la pièce. Au bout de quelques minutes, le petit voyant de la radio s'éclairait et la voix s'élevait dans l'obscurité : « Ici Londres, les Français parlent aux Français... »

Julia allumait une chandelle qu'elle plaçait au centre de la table, fichée dans un bol.

Le silence donnait à la voix, qui disparaissait par intervalles, une résonance grave.

Thorenc écoutait, replié sur lui-même, les mains serrant sa tête. Assis autour de la table, le père et les deux fils ne bougeaient pas.

Dans la pénombre, on distinguait à peine leurs traits.

Puis le père se levait, posait une bûche dans la cheminée, et les murs de la pièce, éclairés par les flammes, ressemblaient aux parois d'une grotte qu'envahit la fumée, les jours de vent.

Dans un accès de rage qu'il n'avait pu contenir, Thorenc avait abattu son poing sur la table quand la BBC avait annoncé le sabordage de la flotte de Toulon.

Il avait craint de se mettre à sangloter de désespoir et d'impuissance.

Ce gouvernement et ceux qui le servaient étaient allés jusqu'au bout de la lâcheté. Cent navires envoyés par le fond au lieu d'être engagés dans le combat ! Seuls cinq sous-marins avaient réussi à fuir la rade, et certains, comme le *Casabianca* et le *Marsouin*, avaient pu atteindre Alger.

Gaston Ambrosini avait lui aussi marmonné quelques

mots. Il s'était levé, avait posé quatre verres sur la table et les avait emplis d'un alcool à l'odeur de prune.

Ils avaient bu en écoutant de Gaulle exprimer d'une voix vibrante et amère ce que Thorenc avait ressenti :

« Un frisson de douleur, de pitié, de fureur a traversé la France tout entière... C'est un malheur qui s'ajoute à tous les autres malheurs. Vaincre, il n'y a pas d'autre voie, il n'y en a jamais eu d'autre ! »

Gaston avait à nouveau rempli les verres. Il avait montré la bouteille à Julia qui s'était approchée de la table, avait pris le verre de son fils, bu une gorgée, puis était retournée dans l'ombre.

Après, il avait fallu écouter le récit de ces humiliations : les casernes de l'armée de l'armistice envahies et pillées par les unités allemandes ou italiennes, les officiers et les soldats renvoyés, chassés hors des cantonnements, démobilisés, les unités dissoutes, et si peu d'hommes pour s'y opposer !

Lâcheté, trahison...

Thorenc s'était levé. Il avait traversé la pièce en boitant, ouvert la porte, puis l'avait refermée derrière lui. Il s'était avancé sur l'aire.

Jamais de sa vie il n'avait contemplé un ciel aussi clair.

L'air était si pur, si froid, si sec qu'il semblait vibrer comme une toile tendue que le vent commence à faire trembler.

La porte de la maison s'était rouverte.

Thorenc avait entendu la voix du speaker de la radio annoncer qu'à Stalingrad, les Allemands avaient dû abandonner plusieurs quartiers et avaient finalement été repoussés loin des rives de la Volga.

Il était rentré dans le bâtiment de la ferme. Gaston Ambrosini avait levé son verre et poussé vers lui la bouteille d'alcool de prune.

— 18 —

Thorenc se lève en s'appuyant des deux paumes aux pierres plates de la borie.

Puis il reste ainsi adossé au mur. Il pèse avec précaution sur sa jambe gauche ; il ne ressent plus qu'une légère douleur. Alors il s'avance à grands pas, en boitillant encore un peu, presque par habitude, vers Jacques Bouvy qui vient de sortir de la ferme Ambrosini, et, depuis l'aire, fait de grands gestes du bras, puis commence à se diriger vers lui à travers le champ d'épeautre.

Thorenc éprouve des sentiments qui le laissent étonné.

Il a l'impression qu'il va vers Bouvy avec la même émotion, le même élan, la même joie que s'il s'agissait d'un frère. Il marche plus vite, trébuche, se redresse, s'essaie même à courir malgré la douleur plus vive qu'il ressent à fouler les sillons durcis par le froid.

Il est enfin en face de Bouvy qui lui ouvre les bras. Ils se serrent l'un contre l'autre. Ils restent ainsi enlacés quelques secondes.

Plus petit que lui, Bouvy lui lance de joyeux coups de

coude, puis lui prend le bras, et Bertrand l'entraîne vers la borie.

Bouvy ne cesse de s'exclamer, de s'enthousiasmer. Le panorama est encore plus grandiose qu'à Murs. Cette haute Provence, avec cette sculpture du relief aux lignes pures, la lumière ciselant l'horizon comme à coups de scalpel, donne une impression à la fois héroïque et exaltante.

Bouvy s'assied près de Thorenc.

— Normal que vous soyez ici, lui dit-il. Ce paysage vous convient.

Bouvy pose la main sur la cuisse de Bertrand. Il raconte que, durant quelques heures, tout le monde a cru que le journaliste était tombé aux mains de la Gestapo.

— Dunker, paraît-il, est plus intelligent, plus cruel aussi que Wenticht et que Barbie. On a tous prié pour que vous ayez eu le temps de croquer votre pilule ! Et puis le commandant Pascal nous a dit qu'il avait réussi à vous extraire de Marseille...

Bouvy allume une cigarette, laisse aller sa tête en arrière.

— Pierre Villars n'a pas du tout apprécié ce que vous avez fait. Il vous l'avait interdit !

Villars, poursuit Bouvy, avait exigé que l'on coupe tous liens avec lui, Thorenc, et qu'on l'expédie de gré ou de force en Algérie ou bien en Angleterre. Mais qu'on ne lui confie plus aucune mission !

— Personne n'a été d'accord, ajoute Bouvy. Je pense même qu'après le rapport de Pascal au BCRA, de Gaulle vous fera compagnon de la Libération. Il aime bien les héros.

— Je n'ai même pas tiré..., murmure Thorenc.

— Le commissaire Dossi est grièvement blessé. Les gens

de la Gestapo se sentent menacés, et tous ceux qui sont passés entre les mains de Dossi ont exulté. Abattre Dossi, c'était votre idée. Vous êtes un homme têtu, Thorenc !

— Cette arme qui s'enraye..., objecte Bertrand.

— On ne peut rien reprocher à Stephen Luber, répond Bouvy.

Il penche la tête vers Thorenc :

— Le radio du réseau Prométhée...

— Marc Nels, marmonne Thorenc.

Il revoit chacun des traits du jeune homme. Il se souvient de l'amour que lui portait Geneviève Villars, de la jalousie qu'il avait éprouvée à son endroit.

— Vous disiez qu'on ne saurait jamais si Nels était coupable ou pas, poursuit Bouvy. Il s'est pourtant suicidé. Luber, lui, a rédigé un rapport qu'il a fait parvenir aux différents mouvements.

Bouvy allume une nouvelle cigarette. Il baisse la tête.

— Il affirme qu'on ne peut pas savoir si, au dernier moment, vous n'avez pas eu un instant d'hésitation. Il n'est pas sûr que l'arme se soit enrayée...

Thorenc se redresse, serre les poings, lance une bordée d'injures.

— ... Mais il ne tarit pas d'éloges sur votre courage. Il dit même que, d'une certaine manière, votre attitude a rendu l'action de son groupe plus facile. Volontairement ou non, vous avez joué un rôle d'appât, ce qui a permis à l'une de ses camarades, pleine d'expérience, d'abattre Dossi et de blesser son garde du corps.

— Ils m'ont abandonné sur place ! objecte encore Thorenc.

Luber fournissait des explications convaincantes. Thorenc avait disparu dans une des rues perpendiculaires à la rue de la Joliette. Luber n'avait pu, en conscience, prendre le risque de rester sur place alors que la police et les Allemands qui disposaient, rue de l'Évêché, de plusieurs postes de garde, allaient boucler et fouiller le quartier.

— Il faut prendre les choses comme elles sont, reprend Bouvy. Dossi est éliminé pour plusieurs mois, et, croyez-moi, la leçon a porté. Ils ont peur, Thorenc ! Ils commencent à se persuader qu'ils ont perdu, qu'on va les juger. Nombreux sont ceux qui rêvent d'imiter Darlan : de changer de camp, de se refaire à temps une virginité...

De son bras, il enveloppe l'épaule de Bertrand.

— Ils sont fissurés ! Joseph Darnand, ce salopard qui nous injurie, qui nous persécute, qui nous livre à la Gestapo, dont le Service d'ordre légionnaire est l'auxiliaire des Allemands, a fait discrètement demander aux gens de Combat d'organiser son passage à Londres ! Frenay a répondu : « La porte s'est refermée derrière vous, vous êtes condamné à poursuivre la route que vous avez librement choisie... »

Bouvy se lève, marche lentement de long en large, s'arrêtant souvent pour contempler le panorama, cette large vallée de la Durance pareille à un ample sillon doré au centre duquel sinue la rivière.

— Darnand ! répète Bouvy.

Il revient vers Thorenc, s'assied en face de lui sur une pierre.

— Comme nous le pensions, l'armée de l'armistice s'est décomposée. Il a suffi que les Allemands la bousculent pour qu'elle tombe en poussière. À quelques exceptions près, les officiers n'ont eu qu'un seul souci : se débarrasser des armes qu'ils avaient cachées en prétendant vouloir se battre. Ils en ont jeté partout, dans les fleuves, les grottes, les puits, les galeries de mines. Répugnant !

Malgré tout, quelques-uns s'étaient enfin décidés à agir.

Ils avaient créé une Organisation de résistance de l'armée. Le commandant Villars y avait délégué le lieutenant Mercier.

— Vous savez qu'ils pensent enrôler... le général Xavier de Peyrière ? Mais oui, Thorenc !

Ce n'était pas encore le plus révoltant, le plus préoccupant. Il y avait pire. Ils avaient placé à leur tête le général Frère, un homme courageux, certes, mais qui avait présidé, le 2 août 1940, le tribunal militaire qui avait condamné de Gaulle à mort par contumace.

— Vous voyez le jeu, Thorenc ? Contre les Allemands, mais derrière Giraud, les Américains et les Anglais. Et, naturellement, pas question de se rallier à de Gaulle !

Bouvy tend une main à Bertrand pour l'aider à se lever.

— Mais tout va vite, bien plus vite que ces gens-là ne l'imaginent, dit-il. L'Armée secrète commence à exister.

Ils traversent lentement le champ.

Max, explique Bouvy, a réuni les chefs de Combat, de Franc-Tireur et de Libération autour du général Delestraint que de Gaulle a placé à la tête de l'Armée secrète.

En l'écoutant, Thorenc a l'impression qu'en quelques jours d'absence, en cette fin de novembre, toute la situation a changé. Des hommes nouveaux sont apparus : le général Frère ; René Hardy, un ingénieur de la SNCF qui est devenu l'adjoint de Philippe Villars au service des voies ferrées ; d'autres encore. Quant à la Gestapo, elle est partout présente, sillonnant les routes, contrôlant les gares. Autour d'elle, il y a toujours une tourbe de Français qui jouent leur va-tout. Les tueurs de la rue Lauriston multiplient les expéditions dans l'ancienne zone Sud. Ils terrorisent, mettent à sac des villages, essaient de repérer les terrains de parachutage ou d'atterrissage.

Bouvy s'arrête, décrit d'un ample geste du bras le golfe de terres rouges.

— Si vous voulez partir pour Londres..., dit-il.

Il explique qu'un Lysander pourrait se poser sans difficulté sur le plateau.

— Mais vous ne partirez pas, hein ?

Ils sont arrivés sur l'aire. Julia Ambrosini se tient sur le seuil. Thorenc échange avec Bouvy un rapide coup d'œil. Ils se souviennent de Léontine Barneron et de Gisèle, jetées dans le puits de leur mas.

Bouvy étreint le bras de Bertrand.

— On sait..., murmure-t-il.

Thorenc a un moment d'hésitation. Il voudrait ne pas entendre. Mais il se tourne vers son compagnon.

— Morts ? demande-t-il soudain.

Bouvy hoche la tête, puis, sans regarder Thorenc, raconte qu'à Sainte-Cécile-les-Vignes, des voisins de Garel ont dû le dénoncer à la Gestapo dès que les Allemands sont entrés en zone Sud. Victor Garel, sa femme et Claire Rethel ont été arrêtés le 13 novembre et conduits en voiture jusqu'à Dijon. On ignore pourquoi. Ils ont été embarqués dans un train avec des centaines d'autres personnes raflées dans les camps organisés par Vichy.

— Ils les ont livrés, dit Bouvy.

Il s'indigne. Parle de châtiment. Il faudra fusiller Pucheu, Bousquet, Laval et leurs complices, Cocherel, les Peyrière...

Thorenc ne répond pas.

Tous ces noms débités pour faire oublier ceux de Claire Rethel, de Victor Garel et de son épouse...

Tout ce bruit pour tenter de garrotter sa blessure personnelle, intime, qui saigne tant !

Thorenc fait quelques pas, rentre dans la grande salle. Ça sent le bouillon de poule et l'omelette.

Il s'approche de Julia Ambrosini et, brusquement, la serre contre lui.

TROISIÈME PARTIE

— 19 —

Thorenc s'était retourné.

Par la lunette arrière de la petite voiture, il avait vu les Ambrosini, debout l'un près de l'autre au centre de l'aire. Gaston avait posé la main sur l'épaule de Julia. Régis, le fils aîné, se tenait à la gauche de son père, et Aldo du côté de sa mère.

Ils étaient encore dans l'ombre, mais le ciel bleuissait au-dessus de la ferme.

Bouvy avait démarré et commencé à engager la voiture dans le chemin de terre. Les fils Ambrosini avaient levé la main au moment précis où l'aire s'était trouvée envahie par une lumière blanche. Le soleil avait soudain surgi au-dessus de la ferme. Thorenc avait dû fermer les paupières et, quand il les avait rouvertes, les Ambrosini avaient disparu. Le paysage avait déjà changé. La voiture avait quitté le haut plateau et roulait entre les prés.

Il n'avait pas bougé, le menton appuyé à son avant-bras posé sur le rebord du siège.

Il avait continué à regarder, derrière lui, le chemin de terre qui se déroulait, puis la chaussée goudronnée. Il avait éprouvé un tel sentiment de désespoir qu'il avait dû se mordre les lèvres pour ne pas laisser un sanglot ou un cri lui échapper.

En aurait-il jamais fini avec la séparation, avec l'inquiétude ? Cette guerre ne se terminerait-elle donc jamais ?

Il avait imaginé la ferme Ambrosini cernée, comme l'avait peut-être été celle des Garel. Les hommes armés — soldats, gendarmes, membres de la Gestapo ou policiers français — auraient poussé les membres de la famille au centre de l'aire ; comme ce matin-là, ils se seraient tenus l'un près de l'autre avant qu'on ne les abatte, qu'ils ne disparaissent, corps couchés dans l'immense fosse commune qu'était devenue cette période barbare.

On y avait peut-être déjà jeté Victor Garel, sa femme et Claire Rethel.

Thorenc avait laissé tomber son front sur son avant-bras.

Il ne pouvait accepter ça. Il ne pouvait plus.

— Ça va ? lui avait lancé Jacques Bouvy.

Il n'avait pas répondu. Son compagnon avait paru ne pas relever son silence. Il avait commencé à parler, d'un ton tour à tour enjoué, indigné, enthousiaste. Toutes les humeurs de la vie passaient dans sa voix. Et Bertrand avait eu l'impression qu'il ne pouvait adhérer, lui, aussi simplement aux idées et aux choses. Il se sentait séparé d'elles, mais peut-être en avait-il toujours été ainsi puisqu'il avait été ce journaliste qu'on payait pour voir et raconter, être à la fois « dedans » et « dehors ». Il l'avait été en Espagne, à Berlin, à Prague. Et s'il s'était jeté dans l'action dès le mois de mai 1940, s'il avait tué des hommes, ces soldats qui s'avançaient dans la clairière vers la croix de Vermanges, c'était aussi pour tenter d'être enfin à plein dans la réalité, que ce fût en la subissant ou en pesant sur elle.

Y avait-il réussi ?

Il avait écouté Jacques Bouvy sans pouvoir cesser de

penser aux Ambrosini, aux risques qu'ils avaient pris en l'hébergeant — et ce n'était encore qu'une manière, pour lui, d'essayer de ne pas imaginer Claire Rethel déportée ou assassinée.

— Vous m'écoutez ? avait interrogé Bouvy.

Ils étaient l'un et l'autre, lui avait-il rappelé, des médecins de Manosque : Bertrand Duparc et Jacques Beaussy, qui se rendaient à Lyon où se tenait une rencontre de praticiens du sud de la France. Elle avait réellement lieu, et les médecins inspiraient confiance aux gendarmes et même aux Allemands. Ils étaient donc censés arriver à Lyon sans encombre.

— Ça va, Thorenc ? avait-il à nouveau demandé.

Bertrand avait perçu dans sa voix une once d'inquiétude.

Il s'était donc retourné et, bras croisés, avait contemplé la route à travers le pare-brise.

— Quelle lumière ! s'était exclamé Bouvy. Elle donne confiance. Je pense à ces centaines de milliers d'Allemands qui sont pris comme des rats à Stalingrad, et je trouve le ciel encore plus bleu ! Vous savez ce qu'a dit Hitler ? « 1943 ne sera pas 1918 ! » Vous vous rendez compte où ils en sont ? Ils parlent de 1918...

Il avait jeté un coup d'œil perplexe à Thorenc, mais il n'avait pu rester silencieux plus de quelques minutes. S'il l'interrogeait, il n'en attendait pas pour autant de réponses.

Thorenc avait-il lu cette lettre que Pétain avait adressée à Hitler ? C'était la grande nouvelle, saluée par toute la pègre collaborationniste de Paris. Le Maréchal remerciait le Führer pour sa résolution de collaborer avec la France afin de l'« aider à reconquérir son domaine colonial ».

— Vous entendez ça, Thorenc ?

Et les collabos poussaient Vichy à s'engager dans la

guerre. « C'est la dernière chance offerte à la France », avait déclaré Philippe Henriot, le chroniqueur de Radio Paris.

Bouvy s'était brièvement tourné vers son compagnon. Mais, avait-il poursuivi, c'était aussi l'avis de gens que le journaliste devait connaître et avait même dû estimer : Drieu La Rochelle, par exemple, qui interprétait le même refrain, assurant qu'il avait choisi le fascisme pour lutter contre la décadence de la France et de l'Europe : « Je n'ai vu d'autre recours que dans le génie de Hitler et l'hitlérisme », avait-il osé affirmer.

Thorenc avait fermé les yeux et n'avait pas bronché.

Il était au-delà de l'indignation. Il ne pouvait même pas être surpris par ce que Bouvy rapportait de la situation à Alger. L'amiral Darlan, Bertrand ne l'ignorait pas, avait créé un Conseil impérial, aussitôt reconnu par les Américains et les Anglais. Il s'était entouré des gouverneurs des colonies dont certains, comme Boisson, à Dakar, avaient fait ouvrir le feu sur les Forces françaises libres, en 1940. Boisson avait ordonné le transfert en France des gaullistes qu'il avait faits prisonniers, afin qu'on les condamnât à mort ! Les Américains insistaient même pour qu'un ancien ministre de l'Intérieur de Vichy, Peyrouton, fût nommé gouverneur de l'Algérie !

— Écoutez ça, Thorenc : Pucheu, l'homme qui a donné des conseils aux Allemands afin qu'ils choisissent les bons otages, a gagné l'Afrique du Nord et s'est placé sous la protection de Giraud. Et il a demandé à s'engager dans l'armée ! Tout est dit, non ? Et ils veulent que la Résistance passe à la trappe et qu'on n'entende plus parler de De Gaulle et de la France combattante !

Bouvy s'était tu, puis, d'une voix étonnée et furieuse, il avait repris :

— Ça ne vous révolte pas ?

— Il faut prendre le pouvoir à Alger, avait murmuré Thorenc, et, pour cela, il sera peut-être nécessaire de tuer Darlan et Giraud.

Bouvy avait sifflé entre ses dents, puis conclu par un juron.

Thorenc avait rouvert les yeux et redressé la tête.

Le soleil l'avait d'abord ébloui, puis il avait vu, avançant lentement sur le côté opposé de la route qui longeait le Rhône, une colonne de tanks allemands. Ils étaient flanqués de motocyclistes qui forçaient les voitures à ralentir et parfois à s'arrêter. Des soldats étaient juchés sur les tanks, bras et tête nus. Certains jouaient de l'harmonica, les yeux mi-clos.

Sur le bord de la route, des enfants regardaient passer la colonne et quelques-uns d'entre eux saluaient les soldats qui répondaient d'un geste joyeux.

De nouveau envahi par le désespoir, Thorenc avait refermé les yeux.

Il fallait, pour agir, devenir un barbare. Oublier, au moment où l'on s'apprêtait à lancer une grenade sur un char, le son de l'harmonica, le sourire du soldat à l'enfant.

Pour tuer un homme simplement parce qu'il appartenait au camp ennemi, il fallait ne voir en lui que l'incarnation d'une idée, d'une injustice, d'un danger, du Mal.

Et puis il y avait les autres, ceux dont on connaissait parfaitement les méfaits et les crimes : Darlan, Cocherel, Pucheu, Antoine Dossi...

Mais, même ceux-là...

Thorenc avait pensé qu'au fond de lui, il était heureux de ne pas avoir pu abattre Dossi. Il avait été jusqu'au bout de l'acte, mais c'est Christiane Destra qui avait accompli l'irrémédiable. Il ne le regrettait pas.

Le moteur de la voiture s'était mis tout à coup à hoqueter. Bouvy avait juré. Il avait tenté en vain de redémarrer, puis s'était tourné vers Thorenc :

— Nous sommes médecins, avait-il rappelé en montrant le caducée sur le pare-brise.

Puis il était descendu, avait soulevé le capot. Le moteur fumait. Des *Feldgendarmen* s'étaient approchés, puis des soldats avaient sauté à bas d'un tank et l'un d'eux avait arrosé le moteur avec un extincteur.

Thorenc avait à son tour quitté la voiture et fait quelques pas.

— Il faut pousser, lui avait lancé Bouvy en s'installant au volant, et Bertrand s'y était employé, bientôt rejoint par un *Feldgendarme* et quelques soldats. Le moteur était enfin reparti et les Allemands avaient applaudi en riant. Thorenc les avait remerciés d'une inclinaison de tête.

— *Corrects*, les Allemands sont corrects, n'est-ce pas ? avait ricané Bouvy.

Ils avaient roulé vite vers Vienne et Lyon. Le Rhône scintillait sous la profondeur bleue du ciel.

C'étaient des hommes comme ceux-là qui avaient dû pousser dans leur wagon Claire Rethel, Victor Garel et sa femme — et combien d'autres ? des centaines de milliers d'autres à travers l'Europe.

— Ce train..., avait commencé Bertrand.

Bouvy avait d'abord paru ne pas comprendre, lançant des coups d'œil à son passager qui n'avait pas ajouté un mot. Puis, tout à coup, il avait répondu d'une voix exaltée.

Grâce au réseau d'ingénieurs de la SNCF et de cheminots qu'avait mis sur pied Philippe Villars, on pouvait savoir quelle avait été la destination du train : si, partant de Dijon, il avait directement gagné l'Allemagne, ou bien si les déportés avaient d'abord été dirigés vers un camp situé en France, où ils avaient été regroupés, parqués, triés. La déportation pouvait ainsi se faire en plusieurs étapes.

— C'est presque toujours le cas, avait indiqué Bouvy.

Il s'était tourné vers Thorenc.

— Ils sont peut-être encore à Drancy ou à Compiègne.

Puis, d'un ton vibrant, impatient, il avait répété qu'on pouvait le savoir.

Il s'était brusquement tourné vers son compagnon, le visage soudain inquiet :

— Mais qu'est-ce que ça change ? Vous ne croyez tout de même pas pouvoir la sortir de là ? Ne rêvez pas, Thorenc !

Bertrand avait regardé le ciel.

— 20 —

Thorenc avait aussitôt reconnu Catherine Peyrolles.

Elle était passée, très droite, près de la voiture que Jacques Bouvy, après avoir longtemps erré dans les rues de Caluire, venait de garer. La pluie qui tombait dru enveloppait cette banlieue de Lyon dans un silence gris sombre.

Bouvy avait effacé la buée qui s'était déposée sur le pare-brise et il avait montré à Thorenc la maison de trois étages située de l'autre côté de la place Castellane. C'était là, chez le docteur Dugoujon, que devait se tenir la réunion.

Au moment où Thorenc s'apprêtait à ouvrir la portière, il avait entendu un pas approcher. Il avait posé la main sur le genou de Bouvy. Depuis qu'ils les parcouraient, à la recherche de cette place Castellane, les rues de Caluire avaient toujours été vides ; ils avaient dû s'arrêter à plusieurs reprises pour chercher leur route sur un plan imprécis.

Et maintenant, alors que la place battue par le vent était elle aussi déserte, il y avait ce pas qui approchait, rapide et volontaire.

Thorenc s'était tassé sur son siège et avait vu, à hauteur de la vitre, un sac noir qui ressemblait à un cartable, puis une silhouette de femme dont le long imperméable, noir lui aussi, descendait jusqu'aux chevilles. Elle en avait relevé le col, et le béret qu'elle portait enfoncé achevait de cacher ses cheveux.

À l'émotion qu'il avait ressentie, Thorenc avait su qu'il s'agissait de Catherine. Elle avait traversé la place, regardant droit devant elle, semblant ne pas se soucier de la pluie qui pourtant la frappait de biais, le vent soulevant les pans de son imperméable.

Bertrand avait eu envie de s'élancer, de l'enlacer, de la protéger. Elle lui avait semblé héroïque et donc menacée. Elle aussi se rendait à la réunion.

Elle avait poussé le portail et, après avoir traversé le jardinet, avait gravi les marches du perron. Elle était restée quelques instants devant l'entrée.

Thorenc n'avait pas répondu à Bouvy qui se demandait à son tour s'il s'agissait bien de Catherine Peyrolles.

Ils avaient attendu qu'on lui eût ouvert pour descendre

de voiture et se diriger à sa suite vers la maison du docteur Dugoujon.

Catherine Peyrolles était assise dans l'antichambre du premier étage, un peu en retrait, un cahier ouvert sur les genoux.

Elle allait donc, comme l'avait fait naguère Claire Rethel, prendre des notes afin de rédiger le compte rendu de la discussion. Thorenc avait été si troublé à ce souvenir, à ce recommencement de ce qu'il ressentait comme une insupportable tragédie, qu'il avait aussitôt détourné le regard comme s'il avait pu ainsi chasser cette présence de la pièce.

Mais, après avoir salué le commandant Joseph Villars, le lieutenant Mercier, Pierre Villars, et cet homme maigre et blond, aux yeux presque verts, qu'on lui présentait comme étant René Hardy, ingénieur des chemins de fer, l'adjoint de Philippe Villars, force avait été de s'arrêter devant Catherine Peyrolles, de lui serrer la main, de retrouver la chaleur de sa peau.

Elle avait dit — ce n'avait été qu'un murmure qu'il avait moins perçu que deviné sur ses lèvres :

— Je suis heureuse de vous revoir.

Il n'avait pu répondre, cherchant une place loin d'elle, s'asseyant près de Hardy. Mais il avait alors découvert que Catherine se trouvait installée juste en face de lui et qu'il ne pouvait lever la tête sans la voir.

Chaque fois que son regard avait croisé le sien, il avait eu le sentiment que la blessure qu'il portait en lui, depuis qu'il avait appris l'arrestation de Claire Rethel, s'élargissait, devenait plus douloureuse. Il souffrait à la fois du destin de Claire et de ce qu'il annonçait de celui de Catherine Peyrolles.

Il devait donc sauver Claire pour préserver Catherine.

Il s'était penché vers René Hardy. Il lui avait chuchoté qu'il devait absolument connaître la destination d'un train de déportés formé par les Allemands en gare de Dijon le 13 ou le 14 novembre dernier.

— Vous aussi ! avait dit Hardy en souriant.

Il avait un visage sensible, aux traits réguliers. Les yeux très clairs se fixaient rarement, comme toujours aux aguets, explorant tout le champ de vision, et c'était comme un aveu d'angoisse que rien d'autre ne révélait, ni les gestes lents, ni la voix posée qui expliquait que Philippe Villars avait, dès la mi-novembre, fait effectuer des recherches sur la composition et l'itinéraire de ce train où, en effet, on avait entassé quelques centaines de personnes provenant des camps de la zone Sud.

— Le convoi a mis plus de trois jours pour arriver à Compiègne, avait conclu Hardy.

Il avait été arrêté par de nombreux sabotages effectués le long des voies. De surcroît, les convois militaires allemands roulant vers le sud avaient eu la priorité.

— Aucun train de déportés, depuis son arrivée à Compiègne, n'a quitté cette gare, avait ajouté l'ingénieur en se penchant.

Thorenc avait pu croiser un bref instant son regard.

— Ils sont donc encore là-bas, avait dit René Hardy.

Puis ses yeux avaient fui.

Thorenc avait relevé la tête.

Catherine Peyrolles avait le visage tourné vers lui, les lèvres serrées, ce qui renforçait encore la vigueur de ses traits.

Elle fronçait les sourcils, et une ride partageait son front bombé par le milieu.

Il avait eu la certitude qu'elle devinait ce qu'il ressentait, ce désespoir et cette impatience mêlés, la peur de ne rien pouvoir faire pour sauver Claire, enfermée avec des milliers d'autres prisonniers au camp de Compiègne, dans l'attente d'un départ pour l'Allemagne, et la volonté forcenée de tout tenter pour l'arracher à cet enfer. Tout, tout de suite !

Le regard de Catherine l'avait quelque peu calmé. Il avait pu affronter les reproches de Pierre Villars qui, sans le nommer, avait critiqué ces matamores qui voulaient jouer les héros sans se soucier des périls qu'ils faisaient courir à leurs camarades. Chacun devait agir dans le cadre de l'Armée secrète et en respecter la discipline, ainsi que celle des mouvements. Il fallait, avait martelé Villars en cherchant le regard de Thorenc, que les responsables qui connaissaient tous les rouages de l'organisation ne s'exposent pas inutilement au risque d'être arrêtés, torturés, et donc à la possibilité d'être conduits à parler.

Thorenc avait murmuré assez haut pour que Pierre Villars entende :

— On se demande bien pourquoi Max n'est pas resté à Londres !

— Il ne se mêle pas de participer à un attentat contre Wenticht, Barbie ou Dunker ! avait riposté Pierre Villars d'une voix rageuse.

Bouvy s'était à demi dressé sur sa chaise, la poitrine penchée en avant, le poing brandi vers l'intervenant.

Qu'est-ce que c'étaient que ces propos insultants ? S'il s'agissait d'accuser Thorenc, que Pierre Villars le fasse ouvertement ! Mais alors, pourquoi Passy, chef du BCRA, détenteur de tous les secrets de la Résistance et de la France combattante, et Brossolette, son adjoint, avaient-ils demandé à effectuer des missions en France ? Et les dizaines d'autres responsables qui agissaient de même ? Il fallait faire confiance à la détermination et à la volonté de ces hommes, à leur capacité de résister à la torture et de choisir la mort, si besoin était.

Bouvy avait dévisagé chacun des participants et dit :

— J'imagine que nous sommes tous dans ce cas, ici !

Bertrand avait senti que Catherine le regardait.

Il avait insensiblement redressé la tête, vu son sourire. Son visage exprimait une compréhension tendre et bienveillante, peut-être aussi de l'amour.

Il lui avait semblé que le silence qui s'était installé à l'intérieur de la pièce révélait que tout le monde autour d'eux avait deviné leurs sentiments, leur émotion.

Il avait toussoté, interrogé du regard les uns et les autres, acquis la certitude qu'on les observait avec sévérité.

Il était prêt à accomplir n'importe quelle mission, avait-il déclaré. Il souhaitait qu'on lui en confiât une au plus vite. Il pensait que l'heure de l'action était venue. C'est pour cela aussi qu'il avait agi comme il l'avait fait. Il en avait d'ailleurs averti Max, à Nice, sans que celui-ci cherchât à le décourager.

Il avait défié Pierre Villars. Il n'était pas un homme de cabinet, avait-il conclu. Toute sa vie, il avait choisi de quitter les bureaux pour aller suivre sur place l'événement. Il avait ajouté qu'il ne connaissait pas les derniers développements de la situation à Vichy ou à Alger ; mais qu'il acceptait avec discipline les décisions qui seraient prises dans cette pièce.

Il avait baissé la tête, lâché pour finir qu'il pensait qu'on devait exécuter Laval et Darlan.

Puis il s'était tu.

Il y avait eu une hésitation, puis le lieutenant Mercier avait rapporté les propos tenus par Laval lors d'une conférence de presse à l'hôtel du Parc.

Mercier lui-même y avait assisté. L'atmosphère était sinistre, sordide. Les journalistes guettaient pour s'en emparer les longs mégots que Laval laissait dans le cendrier, ne tirant qu'une ou deux bouffées d'une cigarette avant de l'écraser et d'en entamer une autre.

Les propos tenus montraient que Laval s'enfonçait chaque jour davantage dans la servilité vis-à-vis de l'Allemagne.

Il avait déclaré qu'il ne se laisserait jamais égarer par l'opinion publique, même si celle-ci lui devenait majoritairement hostile. Il avait choisi, avait-il répété, la seule route pouvant conduire au salut du pays : « La victoire de l'Allemagne empêchera notre civilisation de sombrer dans le bolchevisme ! »

Le commandant Villars s'était exclamé que les Russes étaient en train de creuser le tombeau de l'Allemagne à Stalingrad.

— C'est le tournant symbolique de la guerre, avait-il ajouté. Le moral de l'armée allemande va être brisé.

Thorenc avait continué d'écouter. Mais on ne se souciait plus de lui. On paraissait ne pas avoir entendu sa proposition d'abattre Laval et Darlan. Au point où on en était, il lui avait semblé qu'il n'y avait pas d'autres voies. Mais les autres préféraient disserter sur les manœuvres américaines. Pourquoi s'en étonner ? Ils jouaient leur jeu.

Pierre Villars assurait que Thomas Irving et John Davies avaient été parachutés en France dans la région du Ventoux, qu'ils y avaient pris contact avec des chefs de réseaux. En relation avec les gens d'Alger, de Giraud à Darlan, ils essayaient plus que jamais de séparer les mouvements du général de Gaulle, donc d'empêcher Max de constituer le Conseil national de la Résistance. De Gaulle n'avait plus librement accès à la BBC, mais les Américains avaient installé à Alger un poste émetteur qui s'intitulait Radio Patrie. Il soutenait la politique de Darlan et commençait ses émissions par la formule « Honneur et Patrie ! », comme la radio de la France libre, afin de semer la confusion.

— Ils n'y réussiront pas ! avait protesté Bouvy.

Des maquis se constituaient dans le Vercors, dans l'Ain, en Corrèze, dans les monts du Forez. Qui pouvait imaginer que ces milliers de réfractaires se soumettraient un jour à un amiral Darlan, ou même à Giraud ? Seul de Gaulle pouvait les rassembler et éviter qu'un jour, au moment de la Libération, une guerre civile...

Le commandant Villars avait brutalement interrompu Bouvy :

— Ne recommençons pas ! avait-il dit d'une voix furibarde.

Il y avait suffisamment de divisions en ce moment même pour ne pas évoquer celles qui risquaient de surgir au lendemain de la victoire, avait-il ajouté.

Il s'était tourné vers Mercier : était-il exact que le général Xavier de Peyrière, l'homme de toutes les lâchetés, de toutes les trahisons, avait eu des contacts avec l'ORA, l'Organisation de résistance de l'armée ?

Mercier avait laissé tomber les bras en signe d'accablement. L'armée restait une grande famille traditionaliste. On préférait ceux qui avaient continué d'obéir au Maréchal, comme Xavier de Peyrière, à ceux qui avaient enfreint la règle de la discipline. On n'aimait donc pas de Gaulle, on ne revenait même pas sur sa condamnation à mort. Tout le monde ici le savait : le général Frère, qui était à présent à la tête de l'ORA, avait naguère présidé le tribunal militaire qui avait condamné le chef de la France libre. Quant au général de Lattre de Tassigny, il venait d'écoper de dix ans de prison pour insubordination ! On se défiait aussi bien de la Résistance, de l'Armée secrète, du Front national que, naturellement, des FTPF. Derrière ces mouvements, on croyait déceler la stratégie conjointe du Parti communiste et de l'URSS.

Pierre Villars s'était levé. La Résistance ardente, avait-il dit en pérorant, ne concernerait jamais qu'une minorité d'environ cinq pour cent de la population. C'était déjà le cas et c'était considérable, compte tenu des risques encourus. Dans cette minorité-là, il y aurait en effet des divisions dues aux appartenances politiques, aux ambitions personnelles, à l'action des puissances alliées qui s'efforçaient de peser dans le sens de leurs propres intérêts. Mais il y avait aussi, autour de ce noyau incandescent, une résistance potentiellement active qui pouvait atteindre quarante pour cent de la population. C'est d'elle que venaient les réfractaires au travail en Allemagne, qui passaient au maquis. Ceux-là voulaient l'unité derrière de Gaulle. Et puis, encore plus loin du foyer, il restait les cinquante-cinq pour cent de résistants passifs qui écoutaient la BBC et plantaient des petits drapeaux sur les cartes pour suivre, sur les différents fronts, l'avance des Alliés. Les vrais collaborateurs, les hommes de Darnand, de Déat, de Doriot, les trente mille Français dont on disait qu'ils s'étaient mis au service de la Gestapo, ne constituaient qu'une simple frange de boue et de détritus comme on en voit à la lisère des vagues.

— Nous sommes la mer ! avait-il conclu avec emphase. Mais il faut unir les cinq pour cent dans le CNR ; il faut que de Gaulle, face à Roosevelt et Churchill, puisse invoquer notre soutien.

Il avait poursuivi d'une voix plus assurée encore, s'exprimant avec un ton d'autorité qui avait irrité Thorenc.

Il fallait prendre d'urgence contact, à Paris, avec Passy et Brossolette s'ils se trouvaient encore dans la capitale. Mais peut-être leurs missions — Arquebuse et Brumaire — étaient-elles déjà terminées ? Il fallait le vérifier. Il fallait en outre discuter avec Lévy-Marbot, de l'OCM, et avec Jean Delpierre, proche du Comité d'action socialiste et de Libération-Nord.

Thorenc avait hésité, puis, d'une voix résolue, avait lancé :

— Je connais tous ces hommes. Et depuis longtemps ! Je peux me rendre à Paris.

Pierre Villars avait secoué nerveusement la tête.

— Pas vous ! avait-il répliqué. Thorenc ne doit pas être chargé de cette mission.

Bouvy s'était tourné un bref instant vers Bertrand, puis, faisant face à Pierre Villars :

— Au nom de quoi ? avait-il demandé.

— Comportement personnel mettant en danger la sécurité de plusieurs réseaux.

Se levant à son tour, Bouvy s'était emporté. Il fallait qu'on apporte des preuves de telles accusations ! L'attentat contre Dossi, à Marseille, avait semé la peur dans les rangs de la Gestapo et des Brigades spéciales. Pierre Villars avait-il choisi l'attentisme ? Se défiait-il des résistants qui voulaient agir ?

Le commandant Villars avait réclamé un vote.

Quand Catherine Peyrolles avait levé la main pour soutenir la demande de Thorenc, Pierre Villars avait indiqué que la secrétaire de séance ne pouvait participer au vote. Catherine l'avait défié du regard, mais avait baissé son bras.

Pierre Villars n'avait recueilli que l'abstention de Mercier. Le commandant Villars, Jacques Bouvy et René Hardy avaient voté pour la suggestion de Thorenc.

— Irresponsable, avait marmonné Pierre Villars. J'en référerai à Max.

Ils avaient quitté la maison du docteur Dugoujon en laissant entre le départ de chacun d'eux un intervalle d'une quinzaine de minutes.

Thorenc et Catherine Peyrolles étaient restés les deux derniers, seuls dans la chambre. Ils n'avaient pas parlé, puis, quand Bertrand s'était levé pour partir à son tour, Catherine avait enfilé son imperméable.

— Puisque vous logez chez moi, avait-elle indiqué, partons ensemble...

Sur le perron, elle lui avait pris le bras.

La pluie continuait de tomber et le vent faisait tourbillonner quelques rares feuilles mortes sur la place Castellane.

Ils avaient marché en silence vers le funiculaire de la Croix-Paquet. La place et les rues avoisinantes étaient vides.

Thorenc était ému. Ce bras serrant le sien, ce poids d'un corps, cette chaleur le troublaient.

Il avait éprouvé le besoin de parler. Puis il s'était souvenu de la manière dont Catherine Peyrolles, quand il avait voulu, chez elle, évoquer Claire Rethel, l'en avait empêché en disant : « Nous n'avons connu personne. »

Il s'était donc tu. Mais c'est elle qui avait murmuré qu'elle savait bien qu'il désirait se rendre à Paris pour autre chose, quelque chose de plus personnel que la mission qu'il avait sollicitée.

Peut-être voulait-il rencontrer la fille du commandant Villars, Geneviève, la sœur de Philippe et de Pierre, dont l'un ou l'autre lui parlait parfois comme d'une héroïne cherchant le sacrifice ? Ou bien s'agissait-il de cette jeune femme, Claire Rethel, qui avait été l'assistante de Philippe Villars et dont on racontait qu'elle avait été enlevée de la prison Saint-Paul par Thorenc et Bouvy au terme d'une action aussi audacieuse qu'imprudente, mais qui avait réussi ? Elle avait été arrêtée à nouveau, déportée. Voulait-il encore tenter quelque chose pour elle ?

Elle s'était pressée contre lui dans la cabine du funiculaire. Elle avait murmuré qu'elle ne cherchait pas à savoir, mais qu'elle tenait à ce qu'il comprenne qu'elle n'était pas aveugle, qu'elle avait percé à jour ses intentions.

Quelque part du côté du Ventoux et de L'Isle-sur-la-Sorgue, avait-elle ajouté, elle avait rencontré un poète qui était aussi un combattant. Il lui avait lu un texte aussi rocailleux que les dentelles de Montmirail. Thorenc connaissait-il cette région ?

Il l'avait enlacée. Ils partageaient donc cela aussi : ce paysage-là...

Catherine s'était un peu écartée pour chuchoter puis répéter les quelques mots qu'elle avait retenus du poète :

« *... aimez au même moment qu'eux les êtres qu'ils aiment. Additionnez, ne divisez pas...* »

— 21 —

Thorenc marchait dans l'avenue Foch.

La nuit enveloppait les façades de grandes draperies noires qui recouvraient peu à peu toute la chaussée sans qu'aucune trace de lumière vienne les déchirer.

Au fur et à mesure qu'il descendait l'avenue, se rapprochant des sentinelles qui, sur le côté opposé, gardaient le siège de la Gestapo, il avait eu l'impression que ces draperies entravaient sa marche et qu'il devait les écarter, les repousser avec tout son corps pour avancer. Elles étaient lourdes, imprégnées d'une humidité glacée.

Il avait frissonné, hésité, marqué un temps d'arrêt au coin de l'une des rues qui s'ouvraient sur sa droite. Il n'avait pas réussi à lire la plaque que l'obscurité masquait. Puis il avait entendu le bruit d'un moteur, deviné qu'une voiture roulant au ralenti s'approchait. Sans doute patrouillait-elle le long de l'avenue.

Il ne s'était pas retourné, mais avait repris sa marche, et la voiture l'avait dépassé, volume noir glissant dans le noir de la nuit.

Il avait regardé tout autour de lui. L'avenue était vide, à l'exception de ces soldats qui allaient et venaient devant l'immeuble de la Gestapo, le seul dont l'entrée éclairée crevait les voiles nocturnes.

Il avait tout à coup retrouvé quelques-uns des vers de ce poème que, dans la nuit précédant son départ, Catherine

Peyrolles lui avait lus et relus. Il les avait alors récités après elle qui se tenait appuyée à sa table de travail, dans la pièce qui lui tenait lieu de bureau :

Dans l'étrange Paris de Philippe le Bel
Le roi même faisait de la fausse monnaie
On entendait les loups près du Louvre et ce n'est
Qu'au galop qu'on fuyait les hommes de gabelle. [...]

La mort et non l'amour est l'unique domaine
Où l'homme se démasque et se découvre enfin
Les traits décomposés d'un enfant qui a faim
La mort et non l'amour rend la face humaine.

Catherine lui avait murmuré :

— Vous allez dans ce Paris-là.

Il s'était approché d'elle, avait posé les mains sur ses épaules, soulevé ses cheveux sans autre désir que de se rassurer.

Elle s'était laissée glisser contre lui. Elle avait dit — sa bouche touchant sa poitrine, et il avait eu l'impression que sa voix pénétrait ainsi, sans qu'il eût besoin de l'entendre, à l'intérieur de son corps, tout près du cœur, là où elle avait posé ses lèvres :

— Quand vous reviendrez, parce qu'il faut que vous reveniez, je vous demanderai quelque chose...

Elle avait secoué la tête, devançant et esquivant ainsi les questions qu'elle avait éveillées en lui :

— Quand vous reviendrez !

Ils avaient passé la nuit à parler.

Il avait rapproché sa chaise du bureau sur lequel Catherine s'était à nouveau assise, et il avait posé les mains sur ses cuisses comme s'il avait voulu se remplir de cette chaleur dont il aurait tant besoin là-bas, à Paris.

Mais il n'avait pas imaginé cette ville aussi froide, aussi noire, ces rues qui paraissaient désertes mais qui se remplissaient brusquement d'une foule silencieuse, laquelle sortait, morne, noire elle aussi, des bouches de métro, ou bien s'agglutinait devant des boutiques aux devantures pourtant vides.

Les femmes avaient le visage caché par des écharpes, les épaules recouvertes de châles. Les corps étaient sans formes ; des enfants on ne voyait que les yeux. Souvent, les rues ou les couloirs de métro étaient barrés par des cordons de policiers qui contrôlaient les papiers, fouillaient les cabas.

On lui avait rendu sa carte d'identité en le saluant. Il était le docteur Bertrand Duparc, habitant 2, place des Ormeaux, à Manosque, logeant à Paris chez son confrère le docteur Pierre Morlaix, 10, rue Royer-Collard.

Il avait craint le malencontreux hasard qui l'aurait mis en présence de l'agent Maurin, le mari de sa concierge du 216, boulevard Raspail. Et il avait en même temps espéré cette rencontre, pour renouer avec son passé, l'avant-guerre, se rassurer en constatant que ce qu'il avait connu — la paix, la liberté, le plaisir de vivre dans une ville bruyante et illuminée — n'avait pas tout à fait disparu.

Mais il ne s'était jamais trouvé en face de Maurin et il avait marché « *dans l'étrange Paris de Philippe le Bel* » — une ville noire. Et il avait contemplé cette foule en se souvenant de quelques autres vers de ce poème d'Aragon que Catherine Peyrolles lui avait lu :

Mais le peuple ressemble au peuple. Ses haillons
Ressemblent aux haillons de la vieille misère...

Il avait attendu Delpierre sur le pont Saint-Louis.

Il s'était penché, regardant la Seine qui coulait, noire, à peine effleurée par quelques lueurs intermittentes. Il avait été gagné peu à peu par un sentiment d'impuissance.

Étranglée par la faim et le froid, la ville suintait le désespoir et la peur. Comment aurait-elle pu pousser le moindre cri de révolte ?

Il n'avait entendu dans les queues, devant les magasins ou dans le métro, que des murmures vite interrompus dès que les gens se rendaient compte qu'on pouvait les écouter. Et lui-même avait eu à plusieurs reprises l'impression d'être guetté, suivi. L'angoisse, la frousse, la lâcheté étaient contagieuses.

Il avait sursauté quand Delpierre, passant près de lui, lui avait demandé de rester à dix pas et de ne s'approcher qu'après s'être assuré que personne ne le filait.

Ils s'étaient enfin rejoints quai de Béthune et avaient marché côte à côte dans l'obscurité et le silence oppressant.

— Plus aucun lieu n'est sûr, avait marmonné Delpierre. La Gestapo a des indicateurs partout. Les types de la bande de la rue Lauriston écument la ville. C'est devenu une vraie jungle, Thorenc. Lafont, Marabini, Bardet sont des bêtes féroces. Nous, nous avons les mains nues, et si peu de moyens pour nous défendre !

Delpierre avait donné son accord à la constitution du Conseil national de la Résistance et des MUR, les Mouvements unis de la Résistance. Mais Thorenc avait surtout prêté attention à l'anxiété de son interlocuteur. Il se retournait à tout moment. Il l'avait même poussé dans un renfoncement afin de laisser passer deux agents cyclistes qui paraissaient pourtant bien paisibles.

— Si vous êtes pris dans l'engrenage, avait murmuré Delpierre, vous ne savez plus où il s'arrêtera. On vous conduit au commissariat pour une vérification d'identité, et vous tombez sur un policier des Brigades spéciales, ou bien sur un tueur de Lafont qui dispose d'un sauf-conduit de la Gestapo pour interroger qui bon lui semble et le conduire rue Lauriston. Soyez sur vos gardes !

En tenant les mains de Thorenc, il avait avoué qu'il était à bout et avait demandé à pouvoir regagner Londres.

— Les gens n'imaginent pas ce que nous vivons, ici, depuis des années. C'est un miracle que ni vous ni moi n'ayons encore été pris.

Il avait conseillé à Thorenc de ne plus jamais donner rendez-vous dans un café. Ils étaient tous surveillés. Il fallait aussi se défier des restaurants du marché noir : tout le monde s'y côtoyait, agents de la Gestapo ou de l'Abwehr, trafiquants, proches de Déat et de Doriot...

— La tentation est forte, avait-il soupiré. Et il m'arrive d'y succomber, mais je sais que je peux payer de ma vie mon petit salé aux lentilles !

Il avait brusquement donné l'accolade à Thorenc, le tutoyant et évoquant brièvement, la gorge serrée, les années d'avant-guerre :

— Tu te souviens ?...

Cela n'avait duré que quelques minutes. Puis il s'était repris. Il avait appris, avait-il confié, que Geneviève Villars travaillait pour l'Organisation civile et militaire. Lui-même n'aurait jamais accepté de l'utiliser. Mais, parce qu'ils recrutaient leurs membres dans les conseils d'administration, à

Passy et à Neuilly, les gens de l'OCM avaient la conviction d'être invulnérables...

— Ils n'ont pas compris que l'appartenance à une caste, à une hiérarchie, ne garantit plus l'immunité. C'est la loi du milieu criminel qui s'impose. Les tueurs sont au pouvoir. Laval invite Henry Lafont à sa table ! Et les marquises rêvent de devenir les maîtresses de ce tueur ! Il dispose de la force. Il vole en toute impunité. La police, c'est lui, Thorenc ! Et tout le monde peut devenir une proie. Alors, on se comporte en sauvage. On dénonce son voisin pour sauver sa propre peau ou celle de son fils. J'aurais mille histoires de ce genre à raconter. Quand il y a des héros, il y a cent fois plus de mouchards et de pleutres...

Il avait de nouveau serré Thorenc contre lui et celui-ci avait eu l'impression qu'il grelottait.

Le lendemain matin, Bertrand avait rencontré Lévy-Marbot dans un appartement de la rue du Four dont tous les volets étaient clos. Lévy-Marbot avait d'abord paru plus maître de lui. Il avait réussi à gagner Londres grâce au réseau du colonel Rémy, mais avait décidé de rentrer en France.

Il n'avait guère aimé l'atmosphère qui régnait autour de la France libre, avait-il expliqué à Thorenc. De petits groupes de Français — « de vrais émigrés, ceux-là ! » avait-il ricané — s'opposaient au général de Gaulle au nom du « socialisme », de la démocratie, mais plus souvent de leurs propres ambitions. Ils dénonçaient de Gaulle aux Anglais et aux Américains, lesquels étaient tout heureux de les écouter et de les soutenir.

— À Londres, avait ajouté Lévy-Marbot, j'avais le sentiment de trahir ceux que j'avais laissés ici.

Les meilleurs des Français libres, tels Brossolette ou

Passy, avaient d'ailleurs tous demandé à accomplir des missions en France comme s'ils avaient voulu se purifier.

— Brossolette, voilà un homme de courage ! s'était exclamé Lévy-Marbot.

Thorenc s'était souvenu de ce normalien qui avait, comme Delpierre et lui, choisi le journalisme. Il avait un visage anguleux, rendu quelque peu étrange par cette longue mèche grise, presque blanche, qui, prenant racine au milieu du front, partageait ses cheveux en deux.

— Il faut préparer la France d'après, avait répété Lévy-Marbot.

Il était préoccupé par le rôle grandissant que jouaient les communistes. Ces derniers mettaient leur héroïsme au service d'une stratégie qui risquait, selon lui, de se révéler dangereuse pour la démocratie.

Lévy-Marbot avait donc été plutôt réticent vis-à-vis de la création du CNR où se retrouvaient à la fois représentants des mouvements de Résistance et délégués des anciens partis politiques. C'était une idée de Jean Moulin, mais il avait eu le sentiment que Brossolette et Passy ne partageaient pas ce point de vue.

Thorenc s'était senti incapable de discuter et de convaincre. Il n'était qu'un courrier, avait-il répondu. Il avait vu Delpierre. Il devait rencontrer le général Delestraint, chef de l'Armée secrète, puis Brossolette, et enfin transmettre et recueillir les avis et décisions. Il s'en tenait là.

Lévy-Marbot l'avait raccompagné jusqu'à la porte de l'appartement.

Les fauteuils étaient recouverts de housses blanches. Dans la pénombre, Thorenc avait heurté une petite table. Lévy-Marbot lui avait empoigné le bras, le serrant avec une sorte de fureur contenue. Il fallait veiller à ne pas faire de bruit ! avait-il chuchoté. Les voisins se figuraient en effet que l'appartement était vide.

Il avait mis plusieurs minutes à se calmer, retenant Thorenc chaque fois que celui-ci avait voulu ouvrir la porte palière. Il était en fait tout aussi angoissé que Delpierre ou que Bertrand lui-même, et sans doute personne, une fois plongé dans l'acide de la clandestinité, ne pouvait échapper à cette tension nerveuse.

Il avait forcé Bertrand à s'asseoir et à attendre. Il lui avait confié qu'il travaillait chaque jour avec Geneviève Villars, laquelle assurait le secrétariat de l'OCM. C'était une femme d'un courage et d'une détermination exemplaires. Thorenc la connaissait, n'est-ce pas ?

Bertrand avait baissé la tête. Il n'avait pas eu la force de regarder en face cette partie de sa vie et de se souvenir des sentiments qu'il avait éprouvés à l'égard de Geneviève Villars.

— Elle a fait beaucoup, s'était-il borné à répondre. Elle devrait maintenant se tenir en retrait, peut-être même quitter la France.

Lévy-Marbot l'avait regardé d'un air d'abord étonné, puis scandalisé :

— Mais nous en sommes tous là ! Moi, vous, elle, Delpierre, Brossolette, tous...

Il avait collé son oreille contre la porte, avait fait jouer le verrou, entrouvert le battant, puis, d'un geste, indiqué à Thorenc qu'il pouvait sortir.

Bertrand avait lentement remonté le boulevard Saint-Germain, puis bifurqué dans le boulevard Saint-Michel. Au coin de la place de la Sorbonne, la librairie allemande était la seule boutique aux vitrines illuminées. Des agents de police et des soldats allemands la surveillaient, arpentant le trottoir.

De l'autre côté de la place, dans la pénombre, Thorenc avait distingué plusieurs silhouettes qui se tenaient aux aguets : sans doute des inspecteurs en civil qui protégeaient aussi la librairie, que les FTP avaient déjà attaquée à plusieurs reprises.

Thorenc avait eu l'impression qu'on le suivait des yeux et il s'était efforcé de ne pas marcher plus vite, tout en sentant l'angoisse monter en lui. Il n'en avait pas éprouvé d'aussi intense depuis cette nuit passée rue de la Joliette à attendre le passage du commissaire Dossi.

Paris l'étouffait de son inquiétante noirceur.

Il n'avait été rassuré qu'au moment où le docteur Pierre Morlaix avait refermé sur lui la porte de son appartement.

Ils s'étaient installés au salon et Morlaix avait débouché une bouteille de cognac.

— Ville noire..., avait murmuré Thorenc après plusieurs minutes de silence.

Le médecin s'était lissé les cheveux, puis avait rempli les verres.

— On n'imagine pas ce qu'endurent les gens, avait-il indiqué.

Ce n'était pas seulement la misère, la faim, le froid ou même la peur, mais plutôt un immense, un profond dégoût, avait-il expliqué.

Thorenc avait dû paraître étonné. Pierre Morlaix avait alors posé son verre, s'était levé et avait commencé à marcher à travers le salon, mains derrière le dos.

— Les gens, quand ils sont nus, se confient, avait-il repris. Je colle mon oreille contre leur poitrine et c'est à ce moment-là qu'ils me parlent. Ils se sentent pourrir, Thorenc ! C'est comme une tumeur. Ils ont honte d'eux-mêmes. C'est cela, le dégoût. Tout le monde n'est pas capable de devenir un héros, de jeter une grenade dans un cabaret rempli d'Allemands...

Il s'était interrompu.

— Ils ont fait ça, hier soir, à la Boîte-Rose, rue Delambre. J'ai pensé à vous. Vous habitiez tout près, boulevard Raspail, n'est-ce pas ?

Thorenc avait imaginé Françoise Mitry, Fred Stacki, tous les autres, peut-être aussi Alexander von Krentz et le général von Brankhensen, gisant dans la salle au sol et aux murs maculés de sang. Il s'était souvenu de Geneviève Villars entrant avec lui à la Boîte-Rose, la nuit du 11 novembre 1940.

— Les gens sont obligés de subir, de se taire, de se compromettre, avait poursuivi Morlaix. Ils ont le sentiment qu'ils sont lâches et corrompus. Pour acheter un kilo de sucre et un litre d'huile, ils essaient de trafiquer, de revendre un tableau qu'on leur a légué. Les femmes sont obligées de séduire pour obtenir trois cents grammes de viande. Personne n'est fier d'agir ainsi, mais la plupart le font. Ils écoutent la BBC, mais cela ne suffit pas à les réhabiliter à leurs propres yeux. Ils savent ce qu'ils ont vu, accepté.

Il avait décrit la grande rafle des Juifs intervenue le 16 juillet. Les autobus remplis de femmes et d'enfants. Les agents de police exécutant les ordres. Les concierges montrant les appartements où les Juifs se terraient. Et les voisins se bouchant les oreilles pour ne pas entendre les cris.

— Tout le monde sait cela, avait continué Morlaix. On a laissé faire. Parfois, on a même participé à la rafle, comme ces bons agents de la police parisienne qui ont convoyé les autobus jusqu'au vélodrome d'Hiver, puis, de là, à Drancy. Et des dizaines de trains sont déjà partis de Drancy pour l'Allemagne ou pour le camp de transit de Compiègne.

Ce mot, comme une dague qui s'enfonçait...

Thorenc s'était levé à son tour, murmurant qu'il avait une mission personnelle à accomplir, maintenant qu'il en avait terminé avec celles qu'on lui avait confiées.

Il allait ressortir, avait-il dit à Morlaix. S'il n'était pas rentré dans deux jours, il faudrait avertir Catherine Peyrolles, à Lyon, afin qu'elle prenne les dispositions nécessaires.

Il avait posé sur la table les documents que Lévy-Marbot et Delpierre lui avaient remis.

— Quand vous aurez prévenu Catherine Peyrolles, avait-il ajouté, ils enverront quelqu'un chercher ces papiers.

Il avait souri.

— En sortant d'ici, Morlaix, j'aurai oublié votre adresse. De cela je suis sûr ! avait-il ajouté.

Le médecin avait haussé les épaules, lui avait tendu un verre de cognac.

— Je ne me soucie pas de moi, mais de vous, avait-il répondu. Il y a des risques qu'on ne doit pas courir. La tentation suicidaire existe, Thorenc. Elle s'avance masquée. On croit être poussé par une volonté de vivre, et c'est la mort qui vous berne et vous entraîne. Il faut se méfier du désir d'héroïsme : ce n'est souvent qu'un piège, un désir de mort.

— Je veux essayer de sauver quelqu'un, avait murmuré Bertrand.

— S'il est trop tard, et si c'est au risque de vous perdre ?

— Vous parliez du dégoût qu'on peut éprouver envers soi, avait repris le journaliste en sortant du salon, suivi par Pierre Morlaix. Je ne veux pas connaître ça.

— Vous ?

Thorenc avait serré le médecin contre lui.

— Attendez deux jours, avait-il murmuré.

Il s'était enfoncé dans la foule noire et grise du métro. Puis il avait descendu l'avenue Foch et était entré dans l'immeuble qui portait le numéro 77, disant à la concierge qui le dévisageait, soupçonneuse, qu'il se rendait chez Lydia Trajani.

Il avait attendu l'ascenseur, craignant de se retrouver face à face avec l'un des invités de Lydia : Konrad von Ewers, le général von Brankhensen, ou, pire, Alexander von Krentz ou Michel Carlier. Et pourquoi pas Henry Lafont ? Mais la cabine était vide. Peut-être la jeune femme était-elle seule ?

C'était le pari qu'il avait fait. La surprendre et l'émouvoir, peut-être la menacer, lui lancer un défi. Elle était si joueuse — flambeuse, même — qu'elle pouvait vouloir le relever.

Une vie, désormais, tenait à cela.

— 22 —

Thorenc avait entendu le brouhaha de rires et de voix quand Lydia Trajani avait ouvert la porte du vestibule.

Elle s'était immobilisée, la bouche entrouverte, paraissant hésiter entre sourire et crier. Elle avait les épaules et les bras nus et le décolleté de sa robe fourreau en lamé noir laissait voir tout l'arrondi de ses seins.

Elle avait légèrement levé les bras comme pour tendre les mains à Thorenc. Il avait entr'aperçu sous ses aisselles les petites touffes noires, puis il avait remarqué le clignement de sa paupière gauche qu'elle ne réussissait pas à maîtriser — un tic qui était l'aveu de sa surprise, peut-être même de sa frayeur.

Il avait dit au domestique d'annoncer à madame Trajani que l'un de ses amis d'Antibes demandait à la voir, et que c'était urgent.

— Je n'imaginais pas..., avait-elle commencé.

Elle avait repoussé la porte, puis s'était avancée, bras tendus, mais il n'avait pas saisi ses mains.

Elle s'était arrêtée à un pas et il avait reconnu ce parfum lourd et entêtant qui lui avait toujours fait penser à un drapé doré, rayé de traces brunes.

— Je suis en compagnie de quelques amis, avait-elle indiqué en montrant la porte d'un hochement de tête.

Les éclats de voix et les rires parvenaient, assourdis, jusque dans le vestibule.

Puis le visage de Lydia Trajani s'était contracté, dévoilant des traits durs, les rides qui encadraient sa bouche charnue, le rouge vif des lèvres souligné par un mince trait noir. Ses paupières étaient teintées d'un vert sombre, et ses yeux prolongés par deux lignes de même couleur. Elle avait tout à coup entouré de ses mains le cou de Thorenc et il avait senti ses longs ongles peints sur sa nuque.

— Qu'est-ce que tu veux ? avait-elle questionné.

Thorenc avait connu un instant de panique. Il n'avait pas réfléchi à ce qu'il devait lui dire, à la façon de lui présenter ce qu'il attendait d'elle.

Elle n'avait pas bougé, ses doigts lui enserrant toujours le cou.

Il avait saisi ses poignets, lui avait écarté les bras, mais elle s'était alors avancée et il avait eu ses seins contre sa poitrine.

Il avait dit en la forçant à reculer :

— Thomas Irving et John Davies...

Aussitôt, la paupière gauche de la jeune femme avait recommencé à battre de manière incontrôlée.

Pour la première fois depuis qu'il était arrivé à Paris, Bertrand avait alors eu le sentiment que tout n'était pas exclusivement gris et noir. C'était comme si, dans l'obscurité, une petite lueur apparaissait.

— Ils m'envoient, avait-il repris.

Elle s'était dégagée brusquement.

— Toi ? avait-elle glapi.

Son visage marquait le doute et le mépris.

— Les choses ont changé depuis le débarquement en Afrique du Nord. Nous sommes en contact. Alliés ! avait-il répliqué.

La vue de cette paupière dans le visage de Lydia qui continuait de cligner machinalement avait rendu de l'assurance à Thorenc.

Il avait marmonné que Davies et Irving voulaient obtenir à n'importe quel prix la libération d'une jeune femme internée au camp de transit de Compiègne. Elle allait être d'un jour à l'autre déportée en Allemagne. Il fallait tout mettre en œuvre pour l'empêcher.

Sa voix s'était étranglée, et il s'était soudain senti envahi par le désespoir. Il venait, sans même y avoir réfléchi, de décider d'abandonner Victor Garel — Garel, qui lui avait sauvé la vie —, ainsi que son épouse. Mais comment aurait-il réussi à arracher trois personnes à la mort ?

Il ne pouvait, il ne devait penser qu'à Claire.

Il s'était méprisé. Il n'avait plus éprouvé que dégoût envers lui-même. Mais il n'en avait pas moins répété que Thomas Irving et John Davies voulaient que tout fût mis en œuvre pour sortir Claire Rethel du camp.

Lydia Trajani se mordillait les lèvres.

— Juive ? avait-elle questionné.

Thorenc avait simplement indiqué qu'elle avait été arrêtée sous le nom de Claire Rethel.

— C'est un nom qui sonne faux, avait-elle grimacé. Une Juive, bien sûr : les Américains ne s'intéressent qu'à ça. Et comment veulent-ils que je fasse ?

Elle avait commencé à marcher dans le vestibule.

— Combien d'argent ? avait-elle demandé.

Thorenc avait dû paraître ne pas comprendre, car elle s'était emportée, revenant vers lui :

— La vie de cette Juive, ils la paient combien ? On achète et on vend tout, en ce moment ! Ils ne croient tout de même pas qu'on va la tirer de là comme ça, parce que je vais faire un joli sourire aux gens de la Gestapo !

Elle avait mis les mains sur ses hanches, et, d'une manière provocante, s'était cambrée, sa robe se tendant sur son bas-ventre et ses cuisses.

— Il n'y a pas de limite au prix, avait-il dit, mais il faut avancer les fonds.

— Ils sont fous ! Ils me prennent pour qui ? s'était-elle exclamée. Et si...

Elle s'était tue, tout à coup, dévisageant Thorenc. Il avait soutenu son regard. Il voulait qu'elle imagine d'elle-même que Davies et Irving étaient prêts à révéler aux Allemands qu'elle leur transmettait des informations.

— Tu tomberas avec moi ! avait-elle murmuré.

Elle avait compris.

Thorenc avait secoué la tête.

Elle avait hésité quelques instants, puis lui avait pris la main et l'avait entraîné, ouvrant la porte, se dirigeant à grands pas vers la pièce d'où montaient, de plus en plus présents, les voix et les rires.

— 23 —

Thorenc avait essayé de dégager sa main, mais, d'un mouvement impérieux, Lydia Trajani l'en avait empêché, écrasant sa paume entre ses doigts bagués. Il avait donc suivi la jeune femme avec un sentiment croissant de malaise à être ainsi tenu et conduit.

Ils avaient traversé deux salons et un fumoir.

Les pièces étaient plongées dans la pénombre, tous rideaux tirés. Il avait heurté plusieurs meubles. Il s'était alors rendu compte que ces lieux qu'il avait connus, près de deux ans auparavant, au début de l'année 1941, quand il avait passé la nuit dans ce même appartement, étaient désormais encombrés de tout un mobilier disparate. Une coiffeuse en fer forgé voisinait avec deux commodes en marqueterie, une liseuse avec un canapé de cuir blanc. De nombreux tableaux étaient appuyés aux murs, posés à même le sol. Des aiguières, des théières, des carafons, des couverts en argent massif étaient dispersés sur les meubles, et un autre service de table occupait un coin du parquet entre deux fauteuils.

D'un coup sec, Thorenc avait retiré sa main. Il s'était arrêté, regardant autour de lui.

Lydia Trajani s'était retournée :

— J'achète tout ce qui est à vendre.

Elle avait parlé le menton en avant, et, pour la première fois, il avait remarqué combien sa mâchoire inférieure était forte, tout le bas de son visage lourd et carré.

Elle avait repris d'autorité la main de Thorenc.

À cet instant, une voix cassée avait dominé les autres. Elle était dure et aiguë, pleine de dissonances mais sans épaisseur : comme s'il s'était agi d'un son artificiel, d'une voix recréée. Dans le silence qui s'était promptement établi, toutes les autres voix semblant se soumettre à celle-ci, elle avait répété qu'il fallait aller chercher Lydia, qu'on allait tout casser si elle ne revenait pas.

Seule une porte à double battant séparait encore cette voix de Thorenc qui, sans doute angoissé, avait lancé un coup d'œil à Lydia.

Elle avait posé sa main gauche sur la poignée de porte tandis que la droite serrait, mais presque tendrement, celle de Thorenc. Et elle avait murmuré :

— C'est Henry Lafont. Écoute-le, approuve-le, ne dis rien. Surtout, ne dis rien, laisse-moi faire !

Elle avait ouvert la porte.

Thorenc avait tout de suite identifié Lafont. Il n'avait même vu que lui, assis en bout de table, deux seaux à champagne posés de part et d'autre de son assiette. Il avait également reconnu les deux hommes qui se tenaient derrière Lafont. Ils se penchaient vers lui sans quitter le journaliste des yeux. Douran et Ahmed étaient donc devenus les gardes du corps de Lafont. Ils avaient dû lui chuchoter que cet homme qui pénétrait dans la salle à manger, et que Lydia Trajani tenait par la main, n'était autre que Bertrand Renaud de Thorenc, qu'ils avaient souvent vu à la Boîte-Rose quand ils en contrôlaient les entrées.

Dodelinant de la tête, Lafont avait eu un sourire ironique, puis avait demandé à Douran de lui remplir sa flûte. Il l'avait levée, avait trempé ses lèvres dans le champagne et lancé :

— Rien ne vaut une bonne Veuve !

De ses yeux perçants, mobiles, il avait rapidement dévisagé les convives, puis était revenu fixer Thorenc.

— C'est pour cela qu'il faut supprimer les maris !

Ils avaient ri tout autour de la table, et c'est seulement à compter de cet instant que Thorenc les avait regardés.

Françoise Mitry, la propriétaire de la Boîte-Rose, et l'actrice Viviane Ballin étaient assises l'une à droite, l'autre à gauche dè Lafont. Thorenc avait aussi reconnu Pinchemel, l'industriel, Fred Stacki, le banquier suisse, Alfred Greten qui dirigeait la Continental Films, Michel Carlier, le directeur de *Paris-Soir*, et, en uniforme, le lieutenant Konrad von Ewers qui se trouvait installé en face de Simon Belovitch.

Belovitch s'était levé. La peau de son visage et de son cou était fripée, couverte de petites plaques d'eczéma, et il bougeait la tête comme une tortue. Ses yeux exorbités étaient comme écrasés par des paupières gonflées, soulignées de cernes noirs.

Avant même que Thorenc eût pu faire le moindre geste,

Simon Belovitch l'avait serré entre ses bras courts, le pressant contre son ventre difforme qu'enfermait difficilement un gilet de soie.

— Vieille canaille, tu le connais ! avait lancé Lafont. Juif, comme toi ?

Belovitch avait passé un bras sous celui de Thorenc.

— Le fils de Cécile de Thorenc, Bertrand Renaud de Thorenc ! Cécile est ma plus vieille passion.

— J'aime beaucoup les aristocrates, avait ricané Lafont. J'ai fait autrefois leurs poubelles ; aujourd'hui, c'est moi qui leur verse des ordures sur la tête. Et ils en redemandent !

Son rire avait retenti au milieu du silence gêné des convives qui avaient tous baissé la tête.

— Nous connaissons tous Bertrand, ce cher Bertrand, avait dit Françoise Mitry au bout de quelques instants. Je l'imaginais bien loin d'ici, à Londres, à Alger, peut-être déjà mort, qui sait ? Je vous voyais bien jouer au héros en Afrique, mon cher Thorenc. Mais c'est nous que vos amis cherchent à tuer. Une bombe, hier soir, à la Boîte-Rose : mais ces cons n'ont tué que les serveuses, ils ont fait exploser leur engin trop tôt. Vous, Thorenc, vous n'auriez pas commis une connerie pareille. Vous étiez un habitué !

Françoise Mitry s'était tournée vers Viviane Ballin, puis vers Lydia Trajani :

— Il n'a pas vieilli, n'est-ce pas ? Toujours aussi séduisant. Qu'est-ce que vous faites pour ça, Bertrand ? On ne vous voit plus, vous vivez où ?

— Il est partout, avait lâché Fred Stacki.

Sa voix était pleine d'indulgence, et il avait cligné de l'œil en signe de connivence.

— Et il est même ici, avait-il continué, chez notre belle, inoubliable Lydia !

Henry Lafont avait levé son verre, dit qu'il fallait porter un toast au nouvel arrivant :

— Buvez, buvez aussi ! avait-il ordonné d'une voix impatiente en tendant l'index vers Thorenc.

Il avait saisi la flûte que lui tendait Douran et il avait bu, essayant de noyer ainsi le sentiment de dégoût qui l'avait envahi.

Il avait repensé à tous ces gens qu'il avait vus, enveloppés dans « *les haillons de la vieille misère* », et il avait eu honte de se trouver là avec ces corrompus, ces collabos, complice du seul fait de les côtoyer et de les écouter, tous cherchant à profiter des circonstances pour amasser, jouir — et les uns comme les autres, Belovitch aussi bien que Konrad von Ewers ou Lydia Trajani pensant aussi à sauver leur peau et à se prémunir contre la défaite en aidant l'autre camp.

Thorenc avait observé Henry Lafont. Peut-être cet homme qui, en 1940, n'était encore qu'un criminel pourchassé par la police, et qui, aujourd'hui, était devenu, à la tête de sa bande de la rue Lauriston, l'un des personnages les plus puissants, les plus redoutés, les plus courtisés de Paris, était-il en définitive le moins calculateur. Et Bertrand avait éprouvé envers lui ce qu'il avait ressenti parfois devant des bêtes enragées, prédatrices, mais dont l'énergie de mort le fascinait.

Lydia avait repris sa place en face de Lafont. Elle avait fait asseoir Thorenc entre elle et Konrad von Ewers.

Le lieutenant s'était penché vers le journaliste. Son regard était voilé et il semblait avoir de la peine à garder les paupières ouvertes. Il avait murmuré :

— Vous allez gagner la guerre... Maintenant, avec ce qui

se passe à Stalingrad, c'est sûr. Mais — il avait posé la main sur l'avant-bras de Bertrand — qu'est-ce que ça veut dire, gagner, si les communistes occupent toute l'Europe ? Il faut s'entendre, cher ami, tout de suite ; sinon, il sera trop tard, et Staline sera pour vous et pour nous bien plus insupportable que Hitler !

Il avait laissé tomber son menton contre sa poitrine, puis il avait sursauté, paru découvrir qui était son voisin de table, et s'était étonné :

— Ah, vous êtes là ? Ces policiers de Marseille vous ont donc relâché ?

Il avait souri d'un air las.

— J'espère que vous interviendrez en ma faveur quand on voudra me fusiller...

Il avait hoqueté, disant qu'ils étaient du même côté, que cette guerre était absurde, fratricide, que l'Europe allait se diviser entre nations civilisées et barbares, et qu'Allemands, Français, Anglais, Italiens et Espagnols étaient ensemble du côté de la civilisation...

Tout en écoutant von Ewers, Thorenc n'avait pas cessé de regarder Henry Lafont qui se penchait souvent vers Viviane Ballin, enlaçant l'actrice, lui parlant à l'oreille, et elle riait, rejetant la tête en arrière, lançant un coup d'œil vers Michel Carlier, son époux, qui souriait d'un air complaisant.

Celui-ci avait interpellé Thorenc, lui disant qu'il ne lui demandait plus s'il voulait écrire dans *Paris-Soir* : chacun avait choisi son camp, n'est-ce pas ?

Carlier s'était levé et était venu s'appuyer aux épaules du journaliste, lui chuchotant qu'il avait fait d'Isabelle Roclore, l'ancienne secrétaire de Bertrand, sa collaboratrice directe :

— Elle est d'une intelligence remarquable. Mais vous la

connaissiez bien, je crois, avait-il ajouté d'une voix un peu grasse.

Thorenc avait eu du mal à se contenir, contraint d'entendre encore Carlier lui raconter qu'Isabelle avait séduit Drieu La Rochelle que, depuis lors, on voyait tous les jours au journal.

Il n'avait pas pris la peine de répondre, essayant plutôt d'entendre ce que Lydia Trajani murmurait à Simon Belovitch qui l'écoutait les yeux mi-clos, les mains croisées sur l'estomac. Il paraissait somnoler, mais, de temps à autre, jetait un coup d'œil rapide vers Lafont, vers Thorenc, puis refermait prestement les yeux, pareil à un gros saurien aux aguets.

Bertrand était intrigué par cet homme qui réussissait à survivre alors que tout le désignait à la persécution, et qui demeurait apparemment serein, à quelques pas de Henry Lafont, le pillard et le tueur de Juifs, le criminel que les Allemands avaient fait *Hauptmann* de la SS !

Simon Belovitch avait hoché plusieurs fois la tête, puis s'était levé, marchant pesamment, s'arrêtant auprès de Pinchemel pour lui chuchoter quelques mots, s'approchant de Lafont, se glissant entre lui et Viviane Ballin, s'asseyant sur le bord de la chaise de l'actrice et entreprenant de lui parler longuement.

Henry Lafont s'était reculé, les deux mains appuyées au rebord de la table, se balançant d'avant en arrière, la chaise calée sur deux pieds. Il n'avait cessé de considérer un à un chacun des invités, les obligeant tous à baisser les yeux. Douran et Ahmed appuyaient le regard de Lafont d'une mimique menaçante.

Thorenc, pour sa part, s'était efforcé de ne pas broncher, soutenant ce regard.

Lafont avait quitté la table et s'était dirigé vers les fenêtres qui donnaient sur une terrasse dominant l'avenue Foch.

Il portait un costume discret, de coupe élégante ; la veste croisée, éclairée par une pochette blanche, arborait de longs revers. Il s'était frotté les mains, pressant ses paumes l'une contre l'autre comme pour écraser quelque chose.

Tout à coup, il s'était tourné vers Simon Belovitch :

— Et tu me proposes cela ici, en face du siège de la Gestapo, à moi qui suis capitaine des SS ! avait-il dit d'un ton goguenard, accentué encore par le timbre aigu et irrégulier de sa voix. Racheter une Juive ! Parce qu'elle l'est, ne me racontez pas d'histoires... Eh bien, je vais vous dire...

Il s'était avancé vers la table.

— Je me fous qu'elle soit juive ! Tu l'es bien, toi, et nous travaillons ensemble...

Il avait tendu le bras vers Thorenc.

— Vous, monsieur de Thorenc, vous, l'aristocrate, le gaulliste, n'est-ce pas, sachez une chose : Lafont ne rend de comptes à personne, Lafont décide seul, Lafont choisit de faire ce que bon lui semble !

D'un étui doré, à gestes maniérés, il avait sorti une cigarette qu'il avait allumée, laissant longtemps brûler la flamme du briquet.

— Je suis toujours preneur d'une bonne affaire.

Il avait familièrement posé son bras sur l'épaule de Belovitch.

— Ce vieux Juif sait parler aux hommes comme moi, avait-il ajouté. D'ailleurs, il convainc aussi ces messieurs de la Gestapo, on en fera un Aryen d'honneur ! Je vous prends à témoin...

Il avait écarté les bras et s'était penché sur la table :

— Le contrat est conclu, je la fais sortir. Simon Belovitch verse la moitié tout de suite, le reste à la livraison. Mais...

Il s'était assis, avait frappé des mains sur ses cuisses.

— ... je garde dans tous les cas ce qui a été versé, même si la femme est morte...

Il avait décoché un regard à Thorenc, souri.

— Dans ce cas, avait-il repris, si cela peut satisfaire monsieur de Thorenc, je peux même livrer le corps, s'il est disponible.

Il s'était tourné vers Ahmed et Douran :

— On s'en va ! avait-il décidé brutalement.

Il avait invité Thorenc à le suivre afin de mettre au point les détails de l'opération.

Devant l'entrée de l'immeuble stationnait une Bentley blanche dans laquelle Lafont s'était installé, faisant signe à Thorenc de s'asseoir à côté de lui.

Un énorme bouquet était posé sur le siège à côté du chauffeur. L'arôme était si fort que Thorenc en avait eu la nausée. Il avait eu l'impression d'entrer dans un reposoir.

— Belovitch paie pour vous : parfait ! lui avait dit Lafont. Il s'imagine qu'il souscrit ainsi une assurance qui lui garantira l'impunité quand les Allemands auront été vaincus. Ils le seront, ça ne fait plus un pli. Mais, en attendant, j'aurai vécu comme un seigneur en m'empiffrant de femmes, de fleurs — j'adore les fleurs... —, en rencontrant des gens comme vous dont je faisais jadis les poubelles et qui viennent maintenant picorer ma merde !

Il avait ri grassement :

— Je mets chaque soir une pute et une aristocrate dans mon lit, j'adore ça ! Elles aussi. Eh bien, la vraie pute, la plus pute des deux, tu vois — il avait enfoncé l'index entre les côtes de Thorenc —, ça n'est pas celle qu'on croit ! Ç'a été ma plus grande surprise !

La voiture s'était arrêtée devant le 93 de la rue Lauriston que gardaient des hommes armés de mitraillettes.

— Dis-moi tout de cette femme, avait repris Lafont. Elle vaut tant que ça ? Cinq lingots d'or et deux millions de francs ? C'est quoi : une Américaine ? Même pour Belovitch, c'est beaucoup. Il n'est pas si généreux, habituellement. S'il tient tant à te faire plaisir, ça veut dire que tu es un type important, de l'autre côté...

Il avait posé la main sur la cuisse de Thorenc.

— Si je te livre à Oberg, tu crois qu'il me paiera combien ? Plus que Belovitch pour cette fille-là ?

Thorenc avait glissé la main dans sa poche, palpé la petite boîte contenant sa pilule de cyanure.

Il n'avait éprouvé aucune angoisse. Il avait fait tout ce qu'il devait faire pour sauver Claire Rethel.

Thorenc avait répondu aux questions précises que lui posait l'homme de la rue Lauriston, sans lui révéler pour autant le nom de Myriam Goldberg.

— Je ne vous invite pas à entrer chez moi, avait de nouveau ricané Henry Lafont en descendant de voiture, car je ne pourrais sans doute pas résister au plaisir de vérifier si vous vous taisez quand on vous chatouille un brin, ou bien si vous lâchez tout avant même qu'on vous ait touché ! Les gens comme vous, je les connais bien : c'est tout dans la prétention, et rien dans les couilles !

Lafont s'était écarté d'un pas, puis avait lancé :

— Mais peut-être pas... peut-être que vous en avez ? En attendant, foutez le camp, et vite ! Lydia ou Belovitch vous donneront des nouvelles. C'est eux qui ont monté l'affaire. C'est avec eux que je traite.

Et il avait claqué la portière.

Thorenc s'était éloigné, s'astreignant à marcher lentement, pensant qu'à chaque pas Douran et Ahmed, qui avaient suivi la Bentley blanche de Lafont à bord d'une voiture noire, pouvaient se jeter sur lui et l'entraîner à l'intérieur du 93, rue Lauriston.

Il avait imaginé ce qui surviendrait alors.

Mais, pour autant, il n'avait ni pressé le pas, ni regardé derrière lui.

— 24 —

Thorenc a marché une partie de la nuit au bord des falaises.

Il s'est souvent approché de l'à-pic qui surplombe d'une centaine de mètres le chaos des éboulis et le golfe de terres rouges où s'élèvent la ferme Ambrosini et la borie.

Le ciel est si clair que les rochers calcaires et les pierres sèches des bâtiments de la ferme et de l'abri de berger se détachent, blancs, sur l'étendue sombre des champs.

Thorenc s'est assis, les jambes dans le vide.

Il a quitté la ferme Ambrosini au moment où la BBC, après avoir annoncé l'assassinat de l'amiral Darlan à Alger — Gaston Ambrosini avait aussitôt posé au centre de la table la bouteille d'alcool de prune —, précisait qu'un tribunal militaire réuni d'urgence avait condamné à mort le patriote Fernand Bonnier de La Chapelle, qui avait exécuté le traître. Cet homme de vingt ans avait déjà été fusillé et le Conseil impérial qui s'était réuni sitôt après la mort de l'amiral avait désigné le général Giraud comme haut-commissaire et commandant en chef des Forces françaises en Afrique du Nord.

Thorenc s'était alors levé.

Il avait imaginé la satisfaction de John Davies et de Thomas Irving.

Fernand Bonnier de La Chapelle avait accompli un acte de justice, croyant servir la France combattante, et c'était le plan de Roosevelt qui se réalisait !

Bertrand avait été submergé par la révolte et le désespoir. Il avait eu le sentiment que chaque action, quelles qu'eussent été les intentions de son auteur, se dégradait comme l'eau de source se charge peu à peu de terre et devient boue.

Il avait ouvert la porte.

Au moment de sortir, il s'était retourné. Les Ambrosini le regardaient. Il n'avait pas voulu répondre aux questions que leurs yeux lui posaient.

Il avait montré à Julia Ambrosini l'escalier conduisant à la chambre où Claire Rethel reposait.

D'un mouvement de tête, Julia l'avait rassuré : elle veillerait sur celle qu'elle avait appelée la « pauvre petite ».

Thorenc s'était alors mis en marche.

Il s'était demandé si Claire dormait vraiment. Depuis qu'il l'avait retrouvée, elle refusait de lui parler, et même de le regarder. Il avait pourtant eu un éclair de joie quand, téléphonant à Lydia Trajani, deux jours après la soirée passée chez elle, celle-ci lui avait annoncé :

— Elle est chez Simon Belovitch. Il t'attend. Il faut y aller tout de suite.

Comme craignant d'être entendue — et peut-être Henry Lafont ou le général von Brankhensen se trouvait-il chez elle ? — elle avait expliqué d'une voix étouffée que Lafont était homme à avoir conclu un marché avec la Gestapo. Il avait certes obtenu la libération de Claire Rethel — sans doute avait-il payé pour cela des policiers subalternes — mais peut-être avait-il aussi expliqué qu'il comptait se servir de la jeune femme comme appât.

— Tu es peut-être la proie qu'il compte leur livrer. Dépêche-toi, Bertrand ! Tu peux en revanche compter sur Simon Belovitch...

Thorenc s'était rendu à l'hôtel particulier que ce dernier occupait à l'angle du square Pétrarque et de l'avenue Paul-Doumer. La porte en était gardée par des hommes armés de mitraillettes, sans doute des sbires appartenant à la bande de la rue Lauriston.

Le hall de l'hôtel, immense, dallé de marbre, aux murs recouverts de tapisseries, était encombré de caisses.

Le lieutenant Konrad von Ewers et Pinchemel attendaient d'être reçus par Belovitch.

— Vous aussi, vous entrez dans le circuit ? avait fait Pinchemel.

Il avait expliqué à Thorenc qu'il avait pris la liberté d'occuper son appartement du 216, boulevard Raspail : la concierge, madame Maurin, lui en avait remis les clés. Pinchemel avait en effet été convaincu que Thorenc était passé en Angleterre. Il avait prétendu avoir ainsi évité une réquisition des lieux au bénéfice d'un de ces voyous de la rue

Lauriston, Douran ou Ahmed, mais, dans l'entourage de Lafont, il y avait encore pire : Marabini et Bardet, des fous criminels...

— Naturellement, je vous rendrai la clé quand la situation sera redevenue normale.

Konrad von Ewers, qui s'était tenu à l'écart, les avait rejoints, vantant l'extraordinaire habileté de Simon Belovitch, son entregent. Ce dernier dînait aussi bien avec Laval qu'avec un ferrailleur de Montreuil. Naturellement, il vivait avec la tête sur le billot. Juif, il était haï par des gens comme Michel Carlier, et sans doute aussi par Lafont, et méprisé par le général von Brankhensen. Mais il était assez rusé pour empêcher ou dissuader le bourreau d'assener le coup de hache.

— Il tient tout le monde. Il paie royalement les gens de la Gestapo, Lafont, moi — mais oui, moi ! — et le général von Brankhensen. Et il est le seul capable de trouver aussi vite autant d'or et d'argent. C'est un magicien, un sourcier !

Konrad von Ewers avait poursuivi à voix plus basse :

— Si vous êtes là, c'est sans doute que Lafont a réussi à faire libérer la jeune femme en question, mais disparaissez vite avec elle ! Lafont aime beaucoup se faire payer deux fois : une première fois pour obtenir la libération de quelqu'un, une autre fois pour le revendre à un autre service de la Gestapo !

Pinchemel, qui n'avait pas entendu la dernière phrase, avait continué d'évoquer les talents de Belovitch :

— Vous lui demandez de vous trouver une tonne de manganèse, et il vous la livre ! Mais ce serait la même chose si vous cherchiez des coupons de tissu ou bien une négresse rousse... Il est extraordinaire, irremplaçable !

— C'est bien pour ça qu'il reste en vie, avait murmuré Konrad von Ewers.

Puis il avait poussé Thorenc vers l'escalier qui se trouvait au fond du hall, tout en murmurant :

— Voyez-le tout de suite.

Toutes les portes des pièces du premier étage, à l'exception d'une seule, étaient ouvertes.

Rond et vif, Belovitch passait de l'une à l'autre, les bras en mouvement, si courts que ses mains paraissaient jaillir directement du torse ou du ventre.

Thorenc avait aperçu un officier allemand dans l'une des pièces. Il examinait des diamants disposés sur une tablette recouverte de velours noir. Il n'avait pas même levé la tête quand le journaliste s'était avancé vers Simon Belovitch.

Celui-ci avait entraîné Bertrand en lui parlant à mi-voix.

La jeune femme était là, lui avait-il dit, épuisée, effrayée.

Il avait secoué la tête tout en décochant à son visiteur des regards apitoyés.

Elle était malade ; on l'avait peut-être droguée pour la faire sortir du camp. Elle n'avait pas proféré un seul mot.

Belovitch s'était approché d'une fenêtre, avait montré, garée dans la cour de l'hôtel, une ambulance : il fallait partir sur-le-champ.

Il avait fouillé dans ses poches, sorti des papiers, les avait fait glisser entre ses doigts comme des cartes à jouer.

Thorenc avait aperçu des documents barrés de tricolore, d'autres portant l'aigle et la croix gammée.

— Je n'ai pas de chauffeur, tu devras conduire toi-même, avait dit Belovitch. Mais tout devrait bien se passer. J'ai dit à Lafont que je la garderais ici trois ou quatre jours et que je ne savais pas comment tu comptais lui faire quitter Paris.

Il avait tendu les papiers à Thorenc.

— Tu comprends, Bertrand, lui avait-il dit en tentant en vain de lui envelopper les épaules de son bras court, je n'ai aucune confiance en Lafont, et il n'en a aucune en moi. Mais peut-être me croit-il plus bête que lui. Au fond, c'est ça : il me croit inférieur...

Il avait souri :

— Ils sont tous comme ça : malgré eux, ils sont dupes de leurs propres inepties, ce qui est bien utile...

— J'ai déjà une carte d'identité de médecin, avait murmuré Thorenc en consultant les faux papiers.

— Le hasard, les coïncidences, c'est comme l'action du bon Dieu...

Belovitch avait lancé un coup d'œil à l'officier allemand, toujours aussi absorbé dans l'examen des diamants.

— Elle est là, avait soufflé Belovitch en désignant la porte fermée.

Il s'était tourné, avait montré l'extrémité opposée du corridor. Il fallait que Thorenc prenne l'escalier de service conduisant jusque dans la cour. Il avait fouillé dans ses poches, sorti les clés de l'ambulance. Le plein était fait. Il y avait des bidons d'essence sous la couchette.

Il paraissait de plus en plus anxieux et Thorenc l'avait senti gagné lui aussi par l'angoisse.

— Il faut partir tout de suite, Bertrand. Lafont est un animal sauvage, il sent les choses. J'ai eu tort de préciser devant lui que Cécile de Thorenc était ma plus vieille passion; il va comprendre que je te connais depuis ton plus jeune âge, et que je ne vais donc sans doute pas te trahir, mais que c'est lui que je vais choisir de tromper. Il va deviner ça d'instinct, et il va venir ici avec ses tueurs, ses deux

Arabes, Douran et Ahmed ; ils t'attendront et te vendront à Oberg ; mais, au préalable, ils te feront parler...

Il avait ouvert la porte.

Thorenc avait d'abord aperçu les jambes de Claire. Elles étaient couvertes de bleus, d'éraflures. Puis il avait découvert ses mains enflées, énormes, comme si on les avait écrasées en retournant les doigts et en les brisant un à un. Alors seulement il avait regardé son visage. Les yeux n'étaient plus ces taches noirâtres qu'il lui avait vues naguère, mais ses lèvres étaient encore tuméfiées.

Il avait répété « Claire, Claire », tout en glissant ses mains sous ses aisselles. Il l'avait soulevée. Elle s'était raidie. Elle avait dit :

— Je ne veux pas les quitter, je veux rester avec eux !

Puis, comme si l'effort avait été trop grand, elle s'était affaissée contre lui.

Simon Belovitch tournait autour d'eux, répétant qu'il fallait se hâter. Lafont pouvait certes respecter sa parole, mais à sa manière : il avait libéré la fille, il pouvait donc la revendre, et Thorenc par la même occasion !

Ils étaient enfin parvenus dans la cour. L'ambulance était garée devant la porte de l'escalier de service. Brusquement, Claire Rethel s'était cabrée. Elle avait commencé à se débattre, les yeux révulsés, la bouche entrouverte.

Elle avait voulu crier.

— Attache-la ! avait recommandé Belovitch. Endors-la !

Il avait tendu une boîte de médicaments à Thorenc.

Celui-ci avait allongé la jeune femme sur la couchette. Avec ses doigts, il avait dû lui écarter les lèvres et la forcer, en comprimant ses mâchoires, à entrouvrir la bouche.

Il avait failli hurler en voyant ses dents brisées, ses gencives sanguinolentes.

Elle l'avait regardé. Il était sûr qu'elle l'avait reconnu. Elle n'avait plus résisté, murmurant :

— Je ne voulais pas les laisser là-bas, ce n'est pas juste !

Elle avait accepté d'avaler deux cachets, puis elle avait tourné le dos à Thorenc et, après avoir hésité, il avait noué les sangles, serrant très fort afin qu'elle ne puisse pas se dégager.

Il avait refermé les portes arrière de l'ambulance.

Simon Belovitch lui avait souri :

— Je n'ai pas payé tout ce que je dois à Lafont. Il me laissera donc vivre encore quelque temps.

D'un geste, il avait empêché Bertrand de le remercier.

— Je t'ai toujours un peu considéré comme mon fils..., avait-il dit en essayant de le presser contre lui.

Mais Thorenc s'était dégagé avec vivacité.

— 25 —

Thorenc a attendu l'aube. Il a écouté le bruit de l'eau qui jaillit au pied des falaises après un long parcours souterrain dans les profondeurs du plateau.

Il s'est plusieurs fois penché, attiré par le vide, comme si une force sombre voulait s'éjecter de son corps, l'entraînant après avoir creusé en lui des gouffres et des grottes.

Il a eu envie de basculer, d'aller rejoindre ces roches éclatées qui formaient un cône d'éboulis dans lequel les torrents se perdaient à nouveau.

Il a pensé que ce désir de mort était peut-être né au mois de mai 40, quand il avait tiré avec Minaudi sur la colonne allemande qui avançait en chantant dans la clairière de la croix de Vermanges. Pour la première fois, il avait tué.

Plus tard, il avait creusé une fosse pour Marc Nels, le radio du réseau Prométhée. Il avait vu les corps de ces deux policiers dans l'appentis du mas Barneron ; c'est lui qui les avait abattus.

Il avait su qu'au fond du puits gisaient Léontine Barneron et Gisèle.

Il avait découvert le visage martyrisé de Minaudi, celui de Claire.

Mais peut-être toutes ces morts, toutes ces souffrances n'auraient-elles pas encore suffi.

Il doit maintenant vivre avec le souvenir de Victor Garel et de sa femme qu'il a accepté d'abandonner pour sauver Claire.

Et pourquoi, tout cela ? Pour que le général Giraud succède un jour à Pétain ? Pour que les résistants se divisent et peut-être s'affrontent ?

Il ne devrait pas être surpris.

Les hommes sont ainsi : boue et ciel. Il le sait. Il l'a compris dès ses premiers reportages.

Alors, pourquoi cette tentation de mort ?

Peut-être, pour continuer à vivre, faut-il refuser de voir la boue, de côtoyer ne serait-ce qu'un instant des hommes comme Lafont ou Pinchemel, comme Michel Carlier ou même Simon Belovitch, ou des femmes comme Lydia Trajani ?

Le mal, le médiocre, le cruel et le sordide désagrègent l'espoir et la volonté.

Thorenc a froid. Ses oreilles sont devenues douloureuses, comme si on les avait pincées, tordues, déchirées.

Il cherche en tâtonnant des touffes d'herbe et des racines pour s'y accrocher. Puis il y a tout à coup ces hommes autour de lui : Régis et Aldo, et leur père, Gaston Ambrosini.

On lui met la main sur l'épaule. On s'accroupit autour de lui.

Gaston dit que la pauvre petite s'est réveillée. Julia lui a préparé un bouillon de poule. La pauvre petite l'a bu, et elle a demandé du pain.

— Du pain, répète Gaston Ambrosini en hochant la tête.

— Elle a pu le manger, ajoute Régis.

Gaston et Aldo aident Thorenc à se relever.

— Ce froid et puis la chaleur dans la journée, ça fend les pierres, remarque Gaston Ambrosini.

Ils marchent tous les quatre sur le haut plateau.

Aldo raconte que Jacques Bouvy est revenu, il y a deux jours. Quand la nuit est tombée, ils ont allumé de grands feux de bois sec sur le plateau. Un avion est passé, si bas qu'ils ont tous cru qu'il allait s'écraser contre les falaises. Il a parachuté une dizaine de containers qu'on a ensuite cachés dans les grottes.

— On les a même pas ouverts, lâche Aldo.

Il regarde Thorenc en rigolant :

— C'est toi qui commandes ! ajoute-t-il.

Régis passant le premier, ils se glissent l'un derrière l'autre dans une fissure de la roche.

Gaston Ambrosini a allumé une torche. Les voix résonnent comme dans une nef. Les containers sont alignés sur le sol.

Thorenc ouvre le premier. Les mitraillettes sont serrées les unes contre les autres. Sous les armes, on a coincé, entre les boîtes de munitions, trois cartouches de cigarettes.

Gaston Ambrosini enfonce la torche dans un creux de la paroi. Les autres s'asseyent sur la terre noire.

Gaston éventre l'une des cartouches, déchire l'un des paquets, prend une cigarette qu'il allume à la flamme grésillante de la torche. Puis il donne du feu à ses fils et à Thorenc.

Ils fument en silence.

— Ici, dit Gaston Ambrosini en montrant la grotte, il y a toujours eu des hommes qui se sont cachés — il frappe par trois fois son front avec son poing —, des têtus à qui les injustices ne plaisent pas. On est comme ça, nous autres, ajoute-t-il.

Puis, tourné vers Thorenc, il murmure :

— Et toi aussi !

Thorenc baisse la tête, craignant qu'on ne devine son émotion.

— 26 —

Assis dans l'obscurité de sa chambre, Thorenc, dans la nuit lumineuse, regarde briller les tuiles des toits et l'eau noire du Rhône.

Il a attendu sans impatience que le dernier des participants à la réunion quitte l'appartement de Catherine Peyrolles.

À chaque fois qu'il a entendu la porte se refermer, il s'est quelque peu penché pour suivre la silhouette qui s'éloignait dans la rue du Plâtre.

Il a été décidé qu'on laisserait passer une demi-heure après chaque départ. Mais, avant même que Philippe Villars ne se lève, Thorenc est sorti du bureau pour gagner sa chambre.

Catherine l'a suivi dans le couloir, le retenant par le bras, murmurant qu'elle tenait à lui parler le soir même, mais qu'il faudrait qu'il attende plus de deux heures avant que le dernier participant soit parti.

Il a souri.

Il ne s'est même pas soucié de l'inquiétude qui a tout à coup semblé saisir Catherine, laquelle, après s'être éloignée, est revenue sur ses pas, l'a rejoint sur le seuil de la chambre, lui disant qu'après tout elle pouvait remettre au lendemain cette conversation dont l'objet, a-t-elle précisé après un moment d'hésitation, était d'ordre personnel, strictement personnel.

Thorenc lui a répété qu'il attendrait.

— Où serons-nous, demain ? a-t-il répliqué.

Catherine a aussitôt approuvé et il a aimé son pas rapide et volontaire qui résonnait dans le couloir.

Thorenc s'est alors installé devant la fenêtre, s'étonnant de sa propre sérénité, se souvenant de ce qu'il avait éprouvé au bord de la falaise, sur le haut plateau.

C'était comme si les eaux de mort, au lieu de l'entraîner, s'étaient à nouveau enfoncées jusqu'à disparaître, à l'instar de ces lacs souterrains, froids, vert sombre, qui peuvent rester ignorés durant des millénaires. Et il faut un cataclysme pour qu'ils se déversent.

Il a cherché à comprendre les raisons de son apaisement.

Peut-être l'attitude des Ambrosini, cette force qu'ils puisaient dans la mémoire des lieux, dans la simplicité de leur mode de vie, la répétition de gestes venus du fond des âges, cette sagesse résolue qui avait fait dire à Julia qu'il valait mieux que Thorenc ne revoie pas, avant de quitter la ferme, la « pauvre petite ». Il fallait que celle-ci oublie un peu, avait-elle ajouté, d'autant plus que le visage de Bertrand, pour Claire, rappelait trop à l'évidence celui des jours de souffrance.

— Vous aurez tout le temps après, avait dit Julia Ambrosini en le raccompagnant jusqu'à la voiture de Jacques Bouvy. Il faut qu'elle cicatrise. Vous, c'est comme quand on verse du vinaigre sur une blessure. Ça désinfecte, mais ça brûle. Laissez-la dormir...

Il avait pensé à Claire à chaque minute du trajet, puis en revoyant Catherine Peyrolles, et, durant toute la réunion, il n'avait cessé d'attendre le moment où il pourrait demander à Pierre Villars de faire transporter la rescapée à Londres ou en Algérie.

Lorsque ce dernier avait indiqué que Max avait mis sur pied un Service des opérations maritimes et aériennes, que le prochain Lysander allait se poser sur le haut plateau, repéré par Jacques Bouvy qui y avait déjà organisé un parachutage d'armes, Thorenc était intervenu dans ce sens.

Il s'était tourné vers Philippe Villars dont il avait aussitôt perçu la joie.

— Vous avez donc pu faire sortir Claire du camp de Compiègne ? avait interrogé l'ingénieur.

René Hardy avait mimé un silencieux bravo.

Pierre Villars, au contraire, s'était rembruni.

Qui avait décidé de cette opération ? Qui l'avait menée ? Avec quels moyens, quels hommes ? Les Allemands ne relâchaient pas si facilement l'un de leurs prisonniers, ou alors il fallait donner quelque chose en échange.

— Cinq lingots d'or et deux millions de francs, avait répondu Thorenc.

Il avait senti qu'on le regardait avec une sorte d'effroi.

— Vous avez payé ça ? avait bredouillé le commandant Pascal.

— On a payé pour moi.

— Qui ça ? s'était exclamé Pierre Villars.

Il y avait des limites qui avaient été franchies par certains, avait-il poursuivi sur sa lancée. Il avait déjà mis en garde les responsables des mouvements contre les initiatives individuelles de Thorenc — d'autres aussi, il voulait bien en convenir. Au point où on en était de la guerre, de l'organisation des Mouvements unis de Résistance, de l'Armée Secrète, ces comportements n'étaient plus acceptables. De Gaulle jouait une partie difficile, sur le fil du rasoir. Il venait de recevoir l'appui explicite des communistes dont un des chefs clandestins était arrivé à Londres, manifestant ainsi officiellement le ralliement du PCF à la France combattante. Les socialistes avaient fait de même. Et Blum, de sa prison, avait écrit une lettre à Roosevelt et à Churchill pour leur demander de soutenir de Gaulle, et non Giraud. Un premier pas avait été fait avec la rencontre, déplaisante, humiliante, même, mais nécessaire, que les Américains avaient organisée près de Casablanca entre de Gaulle et Giraud. Personne ne doutait que, dans cette partie, les Américains avaient choisi Giraud, mais tous ceux qui connaissaient de Gaulle savaient qu'il l'emporterait. À la condition que la Résistance soit unie derrière lui, qu'elle se comporte comme une force organisée, contrôlant aussi bien les maquis qui se constituaient un peu partout que les activités de renseignement, les attentats ou les manifestations populaires comme celle qui venait d'avoir lieu à Montluçon. Là-bas, la foule mêlée aux cheminots avait réussi à empêcher le départ vers l'Allemagne d'une centaine d'ouvriers. Elle avait bloqué les trains, chanté *La Marseillaise* et *L'Internationale*, bousculé les gardes mobiles, et une compagnie allemande qui avait chargé, baïonnette au canon, avait eu du mal à disperser les manifestants. Voilà ce que devait être la Résistance, ce qu'elle était, et non pas une collection d'aventuriers, ni une juxtaposition de fiefs dont les seigneurs agissent à leur guise sans se soucier d'une stratégie d'ensemble, soucieux, les uns d'actes individuels pour satisfaire leur orgueil ou régler des comptes personnels, les autres pour conserver ou accroître leur petit pouvoir...

Pierre Villars avait parlé longtemps, allant et venant à travers le bureau.

L'époque des aventuriers, fussent-ils héroïques, et des féodaux, eussent-ils combattu dès les premiers jours de l'été 40, était révolue. La France était tout entière occupée. Le gouvernement de Vichy ne faisait plus guère illusion. Les nazis ne cherchaient plus à donner le change. Ils voulaient la soumission. Ils n'avaient plus besoin du masque de la collaboration. Ils déportaient, fusillaient. Et ceux qui les aidaient devaient être abattus. Ici, à Lyon même, il fallait organiser ces exécutions. Était engagée une course de vitesse entre la répression et l'action. À Marseille, les Allemands venaient de rafler plusieurs milliers de Juifs, et ils étaient en train de faire sauter le quartier du Vieux-Port.

Le commandant Pascal avait approuvé Pierre Villars. Lui-même avait essayé de monter, avec le groupe des FTPF de Stephen Luber, une série d'attentats, mais la Gestapo de Dunker et les hommes d'Antoine Dossi — « Il est rétabli », avait murmuré Bouvy en se penchant vers Thorenc — avaient frappé avant même que la première action ait eu lieu. Il semblait que, parmi les résistants arrêtés, certains se fussent mis au service de Dunker et de Dossi.

D'un geste, Pierre Villars avait demandé à Pascal de se taire. En fin de compte, il ne s'agissait là que de détails, avait-il éludé.

Le mot avait blessé Thorenc. Il avait imaginé, à côté des hommes torturés qui refusaient de parler, ceux qui acceptaient de collaborer et de dénoncer leurs camarades sans qu'on ait eu besoin de les frapper. Hier courageux clandestins, aujourd'hui traîtres efficaces.

À nouveau il avait eu — ç'avait été la seule et unique fois de la soirée — la nausée, un sentiment de dégoût, comme si, en lui, les eaux mortes s'étaient remises à rouler.

Pierre Villars avait continué de parler, énumérant les actions réussies, les bombes jetées dans les *Soldatheim*, le renforcement des maquis du Vercors et de l'Ain, de ceux de haute Provence, les sabotages de voies ferrées, et, pardessus tout, l'unité qui se constituait autour de De Gaulle. Naturellement, l'évolution de la guerre, la certitude que les armées allemandes étaient encerclées à Stalingrad et allaient être anéanties, renforçaient la Résistance et influençaient l'opinion.

— De Gaulle, avait-il conclu, a eu une fois de plus raison en affirmant, dans son message de Noël, que la France voit réapparaître à l'horizon son étoile. Mais — il avait fixé Thorenc — plus d'aventuriers !

Ils s'étaient détendus. Catherine Peyrolles avait servi du Viandox brûlant, car il faisait frisquet dans le bureau. L'espace de quelques minutes, ils avaient devisé sans respecter l'ordre du jour.

C'est à ce moment-là que Thorenc avait obtenu, avec l'aide de Philippe Villars, que Claire Rethel soit transportée à Londres par le prochain Lysander qui se poserait sur le haut plateau.

Il s'était aussitôt senti apaisé, et lorsque la discussion avait repris, que Catherine s'était à nouveau penchée sur son carnet de notes, il avait dit sur un ton d'allègre provocation qu'il était prêt à tenter d'abattre Pierre Laval. Bonnier de La Chapelle avait bien réussi à exécuter Darlan !

— J'ai dit : plus d'aventuriers ! avait répété d'une voix accablée Pierre Villars.

Ils avaient tous ri, puis, dans le silence revenu, Thorenc avait murmuré :

— Je ne plaisantais pas.

Pierre Villars avait répondu d'une voix sèche que la question n'était pas inscrite à l'ordre du jour, et que, d'ailleurs, la réunion était close.

Thorenc a entendu des pas s'éloigner dans la rue du Plâtre. Il n'a nul besoin de regarder la silhouette pour reconnaître, à ce martèlement énergique, la démarche du commandant Pascal.

C'est le dernier à partir.

Donc, Catherine Peyrolles va venir.

Il est déjà levé à l'instant où elle frappe à la porte de la chambre.

QUATRIÈME PARTIE

— 27 —

Thorenc est resté debout devant la fenêtre et devine que Catherine Peyrolles, après avoir ouvert la porte, hésite à pénétrer dans la chambre.

Il voudrait aller vers elle, lui parler, peut-être même l'enlacer. N'ont-ils pas passé une nuit ensemble ? Cependant, il ne peut que soulever un peu les bras, dans un geste qu'il juge ridicule, comme s'il lui offrait ses mains vides, comme s'il voulait lui faire comprendre qu'il est totalement démuni.

Et il l'est vraiment.

Elle fait un pas. Elle dit qu'il vaudrait peut-être mieux qu'ils parlent dans son bureau plutôt que dans cette chambre ; au demeurant, ce qu'elle a à dire...

Elle s'interrompt, fait un nouveau pas comme si elle avait enfin surmonté ses hésitations.

— Mais, pour moi, c'est important, murmure-t-elle.

Elle lui rappelle qu'avant son départ pour Paris, elle lui avait annoncé qu'elle aurait, à son retour, quelque chose à lui confier.

Il lève les mains un peu plus haut, comme s'il se rendait à ses raisons, qu'il était en son pouvoir et attendait donc qu'elle s'exprime.

Elle se laisse tomber sur le bord du lit, puis se relève,

s'installe sur la chaise qui se trouve derrière un petit bureau placé à l'opposé de la fenêtre. Elle y appuie ses coudes, le menton dans ses poings.

Il se souvient d'une statuette égyptienne qu'il avait placée sur l'un des rayonnages de son atelier du boulevard Raspail. Qu'est-elle devenue ? Peut-être a-t-elle été volée quand Marabini, Bardet, Douran, Ahmed, les hommes de Lafont ont saccagé son domicile ?

Il regarde Catherine. Il ne sait pas si elle est belle, mais elle est noble avec ses traits purs, ciselés. On dirait un visage sculpté.

Il voudrait lui raconter ce qu'il a vu à Paris, ce dîner, avenue Foch, chez Lydia Trajani, sa visite avenue Paul-Doumer, chez Simon Belovitch, et puis il devrait aussi lui parler de Claire Rethel et de ce qu'il a ressenti, il y a quelques nuits, assis, les pieds dans le vide, au bord de la falaise.

Il se borne à indiquer qu'à Paris, il s'est souvent remémoré ce poème qu'elle lui avait lu — et il se met à en réciter le premier vers, et Catherine déclame en même temps que lui :

« *Dans l'étrange Paris de Philippe le Bel...* »

Et ils se mettent à rire.

Thorenc se rapproche, tire le fauteuil de manière à s'installer de l'autre côté du bureau, face à Catherine.

— Je ne sais plus..., commence-t-elle.

Dans son visage, seules les lèvres bougent, le visage et les yeux sont figés comme s'ils étaient de pierre.

Elle murmure d'autres vers qu'il lui semble déjà connaître :

« *Les raisons d'aimer et de vivre*
varient comme font les saisons
Les mots bleus dont nous nous grisons
cessent un jour de nous rendre ivres
La flûte se perd dans les cuivres... »

— Je ne sais plus si je vous l'ai déjà lu, reprend-elle. Mais c'est de cela que je voulais parler avec vous...

Elle hésite, puis redit :

« *Les raisons d'aimer et de vivre*
varient comme font les saisons... »

— Ce n'est pas facile, en ce moment, poursuit-elle. Il y a tant d'occasions de mourir qu'on ne se soucie plus guère des raisons de vivre et d'aimer. On vit.

Ses traits ne bougent toujours pas.

Tout à coup, il lui saisit les poignets, avance son visage. Il dit qu'il s'est posé la question, qu'il a eu envie de se jeter au bas d'une falaise parce qu'il a eu le sentiment que la mort gagnait, qu'elle pourrissait chaque action et qu'il en avait eu assez de vivre tout cela. Et puis — il hausse les épaules —, comme l'a souligné Catherine, il y a tant d'occasions de mourir utilement !

— Par exemple, indique-t-il, en essayant de tuer Laval...

— Je n'ai voulu mourir qu'une seule fois, murmure-t-elle.

C'était ce 3 juillet 1940, quand Paul Peyrolles a été tué à Mers el-Kébir et qu'elle a perdu son enfant.

Il lui serre les poignets, elle baisse les avant-bras, posant les poings sur le bureau. Il les caresse et elle rouvre ses paumes.

— Je veux un enfant de vous, dit-elle d'une voix lente. Là, maintenant, pour m'obliger à survivre, pour nous obliger à vaincre.

En retirant ses mains de celles de Thorenc, elle ajoute qu'elle a pensé cela après la nuit qu'ils avaient passée ensemble dans ce logement.

— Pour vous, poursuit-elle, cette décision n'implique aucun engagement : ni que vous reconnaissiez l'enfant, ni que vous vous sentiez responsable de moi.

Elle veut simplement un enfant de lui, pour elle, comme un pacte qu'elle conclurait avec la vie, pour que la mort soit vaincue par ce choix qu'elle fait d'un enfant, en ce moment précis, au milieu de la guerre, alors qu'elle risque d'être arrêtée, torturée.

Thorenc se surprend à penser déjà à ce qu'il faudra faire après la naissance de cet enfant : sans doute le cacher sous un faux nom afin que la Gestapo ne puisse se servir de lui pour les faire chanter, comme elle l'a déjà fait si souvent, menaçant des parents de torturer leur progéniture s'ils ne parlaient pas.

— Je pourrai accoucher en Corse, dit Catherine.

Elle a reçu des nouvelles de l'île. Plusieurs de ses proches sont engagés dans la Résistance, presque tout entière unifiée dans le Front national que dirige un de ses parents éloignés, Arthur Giovoni, professeur comme elle. Il a regagné clandestinement l'île après avoir été déplacé sur le continent par Vichy.

— Ils seront les premiers libérés, ajoute-t-elle. J'en suis sûre.

Elle se lève et, sans un mot de plus, se dirige vers la porte.

Thorenc la laisse quitter la chambre. Mais il éprouve, en ne la voyant plus, un tel sentiment de solitude, un tel désespoir, le froid des eaux mortes réimprégnant tout son corps, qu'il traverse à grands pas la pièce, puis s'engage dans le couloir.

Il la rejoint. Il pense qu'elle est folle, mais il la saisit par les épaules, l'obligeant à se retourner, à se blottir contre lui.

— 28 —

Thorenc lève les yeux.

Le soleil est encore caché par les toits de l'hôtel Thermal et de l'hôtel du Parc. Mais le ciel de ce début de matinée du samedi 30 janvier 1943 est déjà envahi par une lumière presque blanche qui fait fondre peu à peu le bleu profond de la nuit. L'eau ruisselle le long des gouttières, des stalactites forment une frange irrégulière au bord des tuiles.

Thorenc se tient à une cinquantaine de mètres du perron de l'hôtel Thermal.

Il s'est caché, à l'aube, dans l'entrée d'une villa qui se dresse à droite de l'hôtel. Lorsqu'il est arrivé, les rues de Vichy étaient désertes. Il a dû se jeter plusieurs fois derrière des buissons, des massifs pour ne pas être repéré par les patrouilles d'hommes en armes.

Puis il a couru jusqu'à la villa.

Elle était habituellement occupée par le général Xavier de Peyrière et par son frère Charles, toujours conseiller diplomatique de Pétain. On a dit que ce dernier avait tenté de convaincre le Maréchal de gagner Alger au lendemain du débarquement américain, mais que le clan Laval l'avait emporté, et les Peyrière avaient été de ce fait écartés du pouvoir.

Le lieutenant Mercier, qui continue d'avoir ses entrées à Vichy, a assuré à Thorenc que la villa serait vide, ce samedi 30 janvier.

Il n'a pas questionné Thorenc sur ses intentions. Il lui a simplement dit :

— Vous n'aurez aucune chance. Depuis l'assassinat de Darlan, Laval vit dans la terreur d'un attentat. Il a toujours autour de lui une dizaine d'hommes, revolver au poing.

Thorenc les a vus. Ils entourent la voiture blindée de Laval quand elle s'arrête devant l'hôtel du Parc. Il faudrait, pour atteindre le président du Conseil, lancer de très près plusieurs grenades sur le groupe, puis tirer des rafales. Et, même après cela, il n'y aurait aucune garantie absolue de réussite.

Thorenc s'est assuré qu'il était impossible de monter un attentat sur la route qu'emprunte chaque matin la voiture de Laval. Elle la parcourt à vitesse réduite, tant le véhicule est alourdi par des épaisseurs de blindage. De plus, entre la propriété de Laval, à Châteldon, et l'hôtel du Parc, le président du Conseil a exigé qu'on place un garde armé tous les cent mètres. Et la route, chaque matin, est interdite pour près de deux heures à toute circulation.

Thorenc a donc dû renoncer, comme il y avait pensé, à utiliser l'ambulance avec laquelle il avait transporté Claire Rethel de Paris à la ferme Ambrosini. Il avait imaginé de la remplir d'explosifs et de la lancer à toute vitesse contre la voiture de Laval.

Et de mourir dans l'opération.

Il lui a fallu se rabattre sur une autre solution.

Depuis qu'il attend dans l'entrée de la villa, Thorenc y réfléchit avec sérénité.

C'est une décision raisonnée. Elle ne doit rien au désespoir. Les eaux mortes, il les a refoulées au plus profond de lui. Mais il a décrété qu'il devait faire ce choix. Qu'il s'accordait même un privilège exorbitant par rapport à tant de victimes, à celles et ceux qui, comme Victor Garel et sa femme, seront volés de leur mort. On les tuera quand on le voudra. Ou, pis encore, on les laissera crever en les empêchant de choisir de mourir.

Il entend conserver cette liberté-là. Que sa mort lui appartienne ! Il a l'impression que tout est désormais en ordre derrière lui.

Au milieu de la nuit, il s'est engagé dans la forêt qui entoure le château des Trois-Sources où il est arrivé la veille. Il a voulu gagner Vichy à pied afin d'éviter les contrôles établis sur les routes.

Il est descendu dans les gorges de l'Allier, puis a traversé la rivière qui n'est encore en cet endroit qu'un torrent de montagne. Il est remonté sur l'autre rive.

Il a dû attendre longtemps, couché dans l'herbe glacée, que les patrouilles s'éloignent.

Et c'est dans cette immobilité qu'il a pensé qu'il avait à présent le droit de mourir.

La guerre était perdue pour l'Allemagne. La BBC avait annoncé la veille que les troupes de la VIe armée du Reich, encerclées à Stalingrad, avaient commencé à se rendre à l'Armée rouge. Hitler s'apprêtait à proclamer plusieurs jours de deuil.

La même nuit, Thorenc avait entendu, répété plusieurs fois par le speaker de Londres, ce message dont Bouvy lui avait donné la teneur : « L'oiseau bleu s'est envolé et a rejoint son nid. »

En l'écoutant, Thorenc n'avait pas seulement éprouvé de la joie, mais la sensation qu'il était libéré d'une contrainte oppressante. Il avait enfin pu respirer calmement. Il avait accompli son devoir envers Claire Rethel.

Elle avait pu embarquer sur le Lysander qui s'était posé quelques minutes sur le haut plateau avant de repartir avec elle, et l'avion avait atterri en Angleterre. À cette heure, Claire devait dormir dans un lit d'hôpital, à l'abri de toute menace.

La patrouille s'était enfin éloignée, mais Thorenc était resté allongé malgré l'humidité qui le pénétrait.

Il avait repensé à Catherine Peyrolles, à cette dernière nuit passée avec elle, à la manière lente et grave dont ils avaient fait l'amour, sans échanger un mot; mais leurs corps avaient été si proches que Bertrand avait eu le sentiment qu'il ne pourrait plus se détacher de celui de Catherine, qu'elle faisait désormais partie de lui. C'était comme si, au cours de cette nuit-là, ils avaient accompli une cérémonie sacrée dont ils étaient l'un et l'autre les desservants.

Le lendemain matin, Catherine l'avait observé pendant qu'il préparait son arme, faisant jouer le barillet. Puis elle l'avait aidé à la fixer à l'intérieur de son avant-bras.

Ç'avait été un autre rituel, tout aussi silencieux.

Ce n'est que sur le seuil, à l'instant où il quittait l'appartement, qu'elle s'était agrippée aux manches de son manteau et qu'elle l'avait tiré à elle avec une sorte de fureur douloureuse. Ça n'avait duré que quelques secondes, le temps de ce geste. Elle ne l'avait pas embrassé, mais était restée sur le palier à le regarder descendre l'escalier.

Thorenc avait eu la certitude qu'il laissait un fils, qu'il resterait ainsi inscrit dans l'avenir. Catherine Peyrolles dirait à cet enfant ce qu'elle jugerait bon de son père.

Il tâte son arme, regarde à travers le verre dépoli de la porte d'entrée.

Des hommes en uniforme noir, coiffés d'un béret de chasseur, forment une haie d'honneur devant l'entrée de l'hôtel Thermal. D'autres sont rassemblés en deux sections rangées l'une en face de l'autre.

Thorenc reconnaît Joseph Darnand qui, ses décorations barrant sa poitrine, passe et repasse devant ses hommes, cette Milice dont, ce samedi 30 janvier 1943, il célèbre la naissance.

Une petite foule de badauds s'est massée entre la villa où se trouve Thorenc et l'entrée de l'hôtel.

Il entend les commandements lancés par Darnand de sa petite voix cassée, suraiguë. Il aperçoit Laval, entouré de ses gardes du corps, qui s'avance.

Les hommes se mettent à chanter :

> *« Miliciens, faisons la France pure*
> *Bolcheviks, francs-maçons, ennemis*
> *Israël, ignoble pourriture*
> *Écœurée, la France vous vomit !*

Pour les hommes de notre défaite
Il n'y a pas d'assez dur châtiment
Nous voulons qu'on nous livre les têtes
Nous voulons le poteau infamant... »

Thorenc entrouvre la porte.

Deux miliciens hissent le drapeau tricolore. Les autres, bras tendus, répètent :

« *À genoux, nous faisons le serment*
Miliciens, de mourir en chantant
Nous voulons qu'on nous livre les têtes
Nous voulons le poteau infamant ! »

Thorenc prend son arme.

Il aperçoit Darnand qui s'immobilise face à Laval.

— Monsieur le Président, commence Darnand, une force s'est levée. Vous en prenez le commandement. Donnez-nous les moyens, et vous ne serez pas déçu !

Et Laval de répondre :

— De toute mon âme, je m'efforcerai de vous permettre de servir la France. Je veux être votre ami, et je serai votre chef !

Thorenc ouvre un peu plus la porte. Il entend les voix des miliciens :

« *Nous jurons de refaire la France*
À genoux, nous faisons ce serment ! »

Il lève le bras, vise. À cette distance, il peut atteindre Laval ou Darnand.

Brusquement, il a devant lui le corps d'un enfant que l'un des badauds vient de soulever et de jucher sur ses épaules.

Il entend Darnand lancer :

— Miliciens et francs-gardes, avec Laval, France debout, France quand même, France toujours !

Il devine que Laval et Darnand pénètrent à l'intérieur de l'hôtel Thermal.

Il baisse le bras.

Le soleil envahit le ciel et l'éblouit.

— 29 —

Thorenc s'agenouille. Il fixe un instant ce crucifix que deux candélabres, placés de part et d'autre de l'autel, éclairent d'une lumière dorée.

Le temps de ce regard, il oublie qu'il est un homme pourchassé. Il est enveloppé par le murmure de la dizaine de fidèles qui prient, et c'est encore le bruit d'une eau qui l'entraîne.

Il se souvient de la voix de Catherine Peyrolles qu'il a appelée la veille au soir de Vichy. Il a d'abord hésité à la reconnaître. Son ton était plus grave. Il s'est même demandé si quelqu'un, peut-être un homme de la Gestapo, ne se trouvait pas près d'elle, la forçant à parler, mais, au bout de quelques mots, il n'a plus douté : elle était seule, et il l'a imaginée, assise dans son bureau, ne livrant aucun indice mais pourtant précise, prudente et sûre d'elle.

— On vous attend chez le docteur. D'urgence, avait-elle dit.

Cela signifiait donc que Thorenc devait se rendre à la clinique du docteur Boullier, à Clermont-Ferrand.

— Il est très inquiet à votre sujet.

Il lui fallait par conséquent quitter sur-le-champ Vichy où la police ou la Gestapo étaient peut-être déjà sur ses traces.

Catherine avait ajouté :

— C'est tout, pour vous...

Puis, détachant chaque mot, d'une voix quelque peu hésitante, elle avait repris :

— J'aimerais vous serrer les mains, vous dire que je suis heureuse et que c'est la première fois depuis trois ans. Peut-être même n'ai-je jamais été aussi heureuse...

Il n'avait pas répondu.

— Voyez le docteur, avait-elle répété. Soyez prudent, soignez-vous bien.

Elle avait raccroché avant qu'il ait pu ajouter un mot.

Un doux bonheur était entré en lui lentement, insidieusement, et avait chassé toutes les autres pensées. Il n'avait plus éprouvé d'inquiétude. Il avait jeté deux grosses bûches dans la cheminée de la plus petite pièce du château des Trois-Sources, où il s'était installé. Il s'était couché devant le feu, s'enveloppant dans un tapis.

Le château n'était qu'un amoncellement de gros cubes sombres et glacés dans lesquels les pas résonnaient. Thorenc s'y était réfugié lorsqu'il avait compris qu'il ne pourrait plus tirer sur Laval ni sur Darnand. Il n'avait eu que le temps de replacer son arme dans sa manche, puis de se mêler aux badauds.

Il avait vu avec surprise et un peu d'effroi des miliciens courir vers la villa des Peyrière où il se trouvait encore à peine quelques minutes auparavant. Ils l'avaient encerclée, mais dans un désordre furieux, comme s'ils avaient été aussi déterminés qu'affolés.

Ils avaient forcé la porte, celle-là même que Thorenc venait de tirer derrière lui, et ils s'étaient engouffrés à l'intérieur.

Bien qu'il sût qu'il était imprudent de ne pas s'éloigner immédiatement, Thorenc était resté parmi la foule de curieux. Il avait été fasciné par ces hommes qui criaient, brisaient des meubles, enfonçaient des portes. C'était comme s'il avait assisté à son propre lynchage.

Il avait enfin quitté les lieux.

Il n'avait pu admettre, en raison, que c'était lui qu'on recherchait. Cependant, cela semblait hautement probable. Un passant l'avait-il vu et dénoncé ? Ou bien savait-on qu'il était là, à l'affût, et quelqu'un avait-il souhaité qu'il ouvrît le feu pendant la cérémonie, qu'il tuât Laval ou Darnand, débarrassant ainsi l'un des clans de Vichy d'un ou de deux rivaux triomphants ?

Tout en marchant en direction du château dans la forêt du belvédère des Trois-Sources, Thorenc n'avait pu ajouter foi à cette hypothèse.

Il avait agi de sa propre initiative. Le lieutenant Mercier était le seul à savoir, à avoir deviné, plutôt, quelles étaient ses intentions. C'était Mercier qui lui avait indiqué que la villa Peyrière était inoccupée. Mais, dans le même temps, Mercier avait insisté sur l'inutilité de cette tentative. Que penser ?

Il s'était senti perdu dans les volumes sombres, silencieux et froids du château.

Il avait téléphoné à Catherine Peyrolles, puis avait longuement contemplé les flammes, sûr que la jeune femme avait voulu lui faire comprendre qu'elle était enceinte.

Il avait alors rêvé à des temps pacifiques, à une autre vie avec elle, avec lui, son fils — car ce serait bien sûr un fils.

Puis il avait pensé qu'il aurait aussi aimé avoir une fille pour qu'elle ressemblât à Catherine Peyrolles, ou peut-être à Claire Rethel, à Geneviève Villars, à Isabelle Roclore... Et il s'était moqué de lui-même...

Tout à coup, il avait eu froid. Il avait dû somnoler un long moment, car les bûches n'étaient plus que ce tas de braises gris-rouge qui lui chauffait encore un peu le visage, mais laissait son échine glacée.

L'aube était là, enveloppant la forêt et le parc du château de brumes noires.

Rejetant le tapis dans lequel il s'était enroulé, il s'était levé d'un bond, en frissonnant.

Il devait quitter le château au plus vite, rejoindre Clermont-Ferrand, fuir Vichy où on le recherchait sans doute. Cependant, il avait senti en lui une telle assurance, une telle volonté de vivre — presque de la joie —, si inattendues après les semaines qu'il avait vécues, qu'il s'était interrogé.

Il s'était mis à marcher sur la route interrompue çà et là par des nappes de brouillard dans lesquelles il s'était enfoncé, relevant le col de sa canadienne, tirant sur son chapeau pour qu'il lui couvrît tout le front. Le froid humide collait à chaque parcelle de peau à découvert, puis s'infiltrait dans tout le corps.

À frapper du talon le sol goudronné, à entendre résonner son pas, il avait éprouvé une satisfaction physique qui amplifiait encore la sorte de gaieté qui l'habitait.

Était-ce parce que Catherine Peyrolles lui avait annoncé qu'elle attendait un enfant ? D'un mouvement instinctif, il avait plusieurs fois rejeté cette hypothèse.

Il avait préféré penser qu'il était exalté par le désastre allemand subi à Stalingrad. Le maréchal Paulus et vingt-quatre généraux nazis avaient capitulé. Les Russes avaient tué près de trois cent mille soldats et en avaient fait prisonniers près de cent mille. C'était la mort annoncée du Reich.

Hitler avait ordonné trois jours de deuil. Bertrand avait vu le drapeau nazi en berne sur le bâtiment de la représentation allemande à Vichy. Et il avait même eu l'impression que les officiers allemands qu'il avait croisés marchaient tête basse, comme n'osant plus affronter le regard des passants.

Et puis il y avait cette peur des collaborateurs, des serviteurs des nazis, de Darnand qui avait dit : « Un danger domine tous les autres : le bolchevisme » ; de Laval qui avait répété : « Je voudrais que la France comprît qu'elle devrait être tout entière avec l'Allemagne pour empêcher que notre pays connaisse le bolchevisme... » Et les petites canailles qui terrorisaient, pillaient, torturaient, qui livraient aux Allemands, au tarif de cinquante marks par réfractaire démasqué, les Français qui essayaient d'échapper au Service du travail obligatoire en Allemagne, s'inquiétaient désormais pour leur peau.

« Que va faire la France devant la menace rouge ? écrivait-on dans *Je suis partout*. Qu'attendons-nous pour constituer des corps de protection, oui, qu'attendons-nous pour organiser notre défense intérieure, celle de nos foyers, de nos personnes, de nos biens ?... »

Thorenc s'était persuadé que c'étaient ce deuil allemand, cet affolement rageur des collaborateurs qui lui avaient insufflé une nouvelle et joyeuse énergie, mais, sitôt arrivé à Vichy, il avait eu envie de retéléphoner à Catherine Peyrolles, de lui dire que, dès le lendemain de la Libération, il l'épouserait et reconnaîtrait l'enfant.

Et il n'avait plus trop su ce qu'il devait penser de lui-même.

Il était entré dans la gare sans même se rendre compte qu'elle était envahie par des miliciens qui regagnaient sans doute Lyon et Clermont après la cérémonie, et chantaient :

« *Nous voulons qu'on nous livre ces têtes*
Nous voulons le poteau infamant ! »

Ils dévisageaient les voyageurs avec une morgue insolente, provocante.

Thorenc avait détourné les yeux, pris un billet pour Clermont. Un milicien qui se tenait près de l'employé avait exigé qu'il montre une pièce d'identité.

Bertrand avait essayé de dissimuler l'angoisse qui, comme un flot de chaleur inattendu, lui était montée du bas-ventre, mais il avait eu le sentiment que son visage s'empourprait. Le milicien lui avait néanmoins rendu ses papiers au nom du docteur Bertrand Duparc sans émettre le moindre commentaire. Et Thorenc était allé s'asseoir dans la salle d'attente.

Il avait déployé le journal, tenté de lire. Certains articles étaient entourés d'un cadre noir. Les titres se voulaient sobres, sans doute imposés par la censure : « L'héroïque résistance des forces européennes à Stalingrad a pris fin. Les défenseurs de Stalingrad sont morts avec la certitude de la victoire finale... »

C'est à ce moment-là qu'il avait eu l'impression qu'on l'observait.

Un homme qui, se sentant surpris, avait aussitôt détourné la tête — trop vite pour que Thorenc ne remarquât pas son mouvement —, se tenait appuyé au comptoir des guichets. Il était petit, engoncé dans un loden vert foncé ; il portait des gants noirs et un chapeau de feutre assorti à son manteau. Il s'était éloigné, cherchant à ne pas montrer son visage.

Thorenc avait à nouveau regardé son journal, mais n'était plus parvenu à lire la moindre ligne.

Peut-être, en effet, l'attendait-on ? Peut-être n'avait-il été que l'instrument d'une provocation ?

Il n'avait revu l'homme qu'en gare de Clermont-Ferrand. Il se tenait à une trentaine de mètres, dans la pénombre, et quand Thorenc s'était dirigé vers la sortie, marchant vite, l'autre lui avait emboîté le pas.

Bertrand avait alors parcouru au hasard les ruelles du vieux Clermont. Il avait essayé à deux ou trois reprises de se mêler à la foule qui se pressait devant quelques boutiques, un restaurant communautaire qui distribuait des repas à huit francs pour les plus démunis. Mais l'homme n'avait pas lâché prise, se faufilant derrière lui, se rapprochant même dès qu'il s'était engagé dans le marché Saint-Pierre. La foule y était plus dense et Thorenc avait pensé pouvoir s'y perdre, mais son suiveur n'était plus qu'à quelques pas de lui, écartant de ses mains gantées de noir les ménagères qui faisaient la queue.

Bertrand avait hésité. Il pouvait lui faire face, le

bousculer. Mais il avait aperçu dans le marché plusieurs policiers qui seraient intervenus en cas de rixe.

Il avait donc continué à flâner en essayant de faire croire qu'il ne s'était nullement rendu compte de la filature. Là était sa seule chance : rendre cet homme assez confiant, sûr de lui, et profiter de sa vanité pour le duper, peut-être l'abattre.

Thorenc était entré dans la cathédrale. Il avait été saisi par la pénombre glacée. Seuls les prie-Dieu les plus proches de l'autel étaient occupés.

Il s'était agenouillé sur l'un d'eux, au premier rang, au bord de l'allée.

Il entend ce pas qui résonne à l'intérieur de la nef et qui couvre le murmure des prières.

Il baisse la tête jusqu'à toucher de son front ses mains nouées, appuyées à l'accoudoir du prie-Dieu.

Il peut ainsi, sans paraître bouger, explorer du regard le chœur de la cathédrale, et deviner, malgré l'obscurité, à droite de l'autel, une porte noire qui doit donner soit sur la sacristie, soit dans la rue.

Il imagine le temps qu'il lui faudra pour l'atteindre. Quand il bondira, ce sera comme s'il sautait dans l'abîme ; mais il aura agi pour sauver sa vie.

Il n'entend plus le pas.

Il ne doit surtout pas se retourner.

L'homme est peut-être assis derrière lui et s'apprête à lui poser le canon de son arme contre la nuque.

Thorenc dénoue ses mains, glisse la droite sous la manche de sa canadienne. Il touche la crosse de son revolver. L'arme est fixée par des élastiques à son avant-bras. Il la tire, puis place sa main armée à l'intérieur de sa canadienne, sur sa poitrine.

Derrière lui, un frottement, celui d'un prie-Dieu qu'on déplace sur les dalles.

Il ne se retourne toujours pas.

Puis ce corps contre le sien, cette voix, ce contact dur dans son dos.

Thorenc éprouve comme une jubilation soudaine qui se mêle à son angoisse. Il avait prévu cela ! Il n'est pas paralysé par la peur, mais tendu. Un lointain souvenir lui revient : il est accroupi au bord d'une piscine, quelques secondes avant de plonger, de se battre pour l'emporter...

— Gestapo, police allemande, levez-vous, retournez-vous, n'essayez pas de vous enfuir ! dit la voix.

L'homme est un Français, ou bien un Allemand parlant le français sans accent.

— Au moindre geste, je vous abats. Allons, sortons. Debout !

Thorenc se redresse, tourne sur lui-même. L'homme a un visage rond, une peau très blanche ; un léger duvet blond couvre son menton.

En même temps qu'il remarque ces détails, Thorenc sort la main de sa canadienne et tire tout en bondissant de côté et en se ruant vers la porte noire, à droite de l'autel.

Avant de pousser la porte, il a l'impression que la nef est envahie de hurlements, de bruits de pas qui couvrent l'écho de la détonation qui se réverbère encore sous la voûte.

Puis c'est le silence, l'obscurité.

Il traverse une pièce où s'entassent des prie-Dieu, des

statues. Il pousse une autre porte donnant sur un petit palier, puis sur un escalier qui se perd dans un puits noir.

Il saute plusieurs marches. Il heurte du front la voûte d'une crypte. Il tâtonne, découvre des stèles, des tombeaux. Il s'enfonce. Une autre porte : il la pousse. Elle cède. La pièce est une sorte de long boyau éclairé par des soupiraux dont certains donnent sur la place.

Il entend des éclats de voix, des bruits de moteurs, des ordres, des claquements de portières, des cris.

Il ne voit rien. Les ouvertures sont étroites, à peine plus larges que la paume d'une main, et situées au ras du plafond.

Thorenc imagine que les Allemands doivent encercler le quartier, contrôler les identités.

Ils ont dû identifier la victime comme l'un de leurs agents.

Il s'accroupit dans l'angle le plus éloigné de la porte.

Si on le découvre, il ne pourra pas fuir.

Il fait jouer le barillet de son arme.

Il pense tout à coup à cet homme sur lequel il a tiré sans même réfléchir, sans l'ombre d'une hésitation.

A-t-il changé à ce point en l'espace de quelques jours ?

Peut-être ses doutes, ses remords, le sentiment de lassitude et de dégoût qui l'a habité n'étaient-ils qu'une faiblesse passagère due à la fatigue, à l'incertitude sur le sort de Claire Rethel, à l'angoisse contenue qu'il avait éprouvée durant tout son séjour à Paris ?

Il ferme les yeux, baisse la tête. Il revoit ce crucifix devant lequel il s'est agenouillé et au pied duquel il a tué un homme.

— 30 —

Thorenc se recroqueville, les jambes serrées, la tête rentrée dans les épaules, comme s'il ne voulait plus être que ses mains crispées sur la crosse de l'arme dont il pointe le canon vers la porte, essayant de ne pas trembler, les coudes posés sur ses cuisses.

Les voix sont là, derrière, à quelques mètres.

Les pas s'éloignent, puis se rapprochent.

Sa vie est prise dans un étau dont les mâchoires vont et viennent, s'écartent puis se rejoignent, comme font ces bruits.

On glisse une clé dans la serrure.

Il se souvient que, tout à l'heure, il a simplement poussé la porte et qu'elle a aussitôt cédé.

La clé cliquette; la porte ne s'ouvre toujours pas.

Des voix s'impatientent, recouvrent celle, claire et frêle, qui explique que cette porte est toujours fermée, que cela fait des lustres que personne ne pénètre plus dans cette cave.

Un choc écrase tout à coup les voix. La porte tremble.

Thorenc soulève quelque peu les coudes. Il imagine que, dans le cadre de la porte brisée à coups de bottes, il va voir se découper une silhouette. Il tirera. Ils lanceront alors une grenade. Thorenc l'entendra peut-être rouler sur le sol. Il fermera les yeux. Et c'en sera fini.

Peut-être, si on lui en avait accordé le temps, aurait-il choisi pour prénom de son enfant celui de Julie, à cause de cette jeune femme, Julie Barral, qu'il a autrefois entendue crier au moment où on l'arrêtait — il murmure : « Julie de Thorenc », « Julie Peyrolles » — ou bien celui de Victor à cause de Victor Garel qu'il imagine recroquevillé lui aussi dans un baraquement, dans l'attente qu'on le tue : « Victor de Thorenc», « Victor Peyrolles », murmure-t-il à nouveau.

Les pensées vont si vite que les visages s'effacent les uns les autres.

Bertrand revoit celui de sa mère, encore jeune, un foulard noué autour de la tête ; elle sourit à Simon Belovitch sur le balcon de la villa des remparts, à Antibes. Lui-même n'est qu'un enfant qui hurle de douleur parce qu'il vient de tomber dans l'escalier et qu'il sent le sang couler sur le mollet de sa jambe gauche.

Il entend sa mère qui dit :

« Ne vous inquiétez pas, Simon, il joue la comédie, comme à son habitude. »

Et elle rit.

« Il veut attirer l'attention, c'est le fils d'une actrice. Que voulez-vous, mon cher, nous avons ça dans le sang ! »

C'est cette jambe-là qui a été blessée alors qu'il s'enfuyait, dans le quartier de la Joliette, et qu'un agent de police l'a soutenu, caché, sauvé.

Il y a un nouveau coup contre la porte. Elle tremble sur ses gonds. Le bruit envahit la cave. Thorenc a envie d'appuyer sur la détente afin de mettre un terme à cette attente.

Puis les pas et les voix s'éloignent, s'estompent.

Le froid et la nuit coulent dans la cave par les soupiraux.

La jambe gauche de Thorenc est comme paralysée. Il a si mal, la crampe est si douloureuse, fouaillant sa cuisse, son ventre, sa poitrine, qu'il se laisse tomber sur le côté afin de pouvoir s'étirer.

Au bout de quelques minutes, la contracture s'est relâchée. Il veut se relever. Il prend appui sur le sol, se met à genoux. Et il reste ainsi, comme saisi, avec la tentation de se mettre à prier.

Tant de fois, depuis le début de cette guerre, la vie l'a tiré par les cheveux hors des eaux mortes, pour le sauver de l'arrestation, de la prison. Et du doute...

Tant de fois, alors que d'autres ont été emportés dès la première balle, dès la première rafle. Ils n'étaient ni plus imprudents ni meilleurs. Le corps de l'imprimeur Maurice Juransson, celui du professeur Georges Munier, ceux de Léontine Barneron et de Gisèle ne sont plus depuis longtemps que chairs anonymes décomposées. Et lui est vivant, par l'effet de quelle grâce ?

Le hasard, mais c'est un autre mot pour dire mystère.

Pourtant il ne prie pas. Il ne remercie pas. Il n'implore pas protection pour les jours à venir. Qui peut devancer le hasard, percer le mystère ? Il se sent simplement coupable d'être entré dans cette cathédrale, d'avoir abattu un homme aux pieds de ce Christ qui a refusé la violence et en est mort.

Il se redresse, s'assied. Pose son arme sur ses cuisses. Il a si froid qu'il claque des dents, et ç'est comme si ses pensées s'entrechoquaient, engendrant à chaque fois une souffrance.

Il se souvient de la voix de Pierre Villars. Ils marchaient le long des quais du Rhône et de la rue du Plâtre après une réunion chez Catherine Peyrolles.

Villars racontait le séjour qu'il avait effectué à Londres en compagnie de Jean Moulin, qu'il appelait désormais Rex plutôt que Max.

D'abord, la voix avait été émue, enthousiaste et admirative.

Elle décrivait la demeure de De Gaulle à Hampstead, près de Londres.

Dans le salon, le Général s'était avancé vers Jean Moulin, lui avait demandé de se mettre au garde-à-vous, puis avait dit : « Nous vous reconnaissons comme notre compagnon, pour la Libération de la France, dans l'honneur et par la victoire. » Et il lui avait donné l'accolade. Moulin avait le visage crispé, les larmes aux yeux.

Quelques jours plus tard, de Gaulle lui avait fait parvenir ses instructions en ces termes :

« Il doit être créé dans les plus courts délais possibles un Conseil de la Résistance, unique pour l'ensemble du territoire métropolitain et présidé par Rex, représentant du général de Gaulle. Ce Conseil de la Résistance assurera la représentation des groupements de Résistance, des formations politiques résistantes et des syndicats ouvriers résistants. »

Puis la voix de Pierre Villars s'était irritée, indignée. Certains, disait-il, contestaient, refusaient que ce Conseil national de la Résistance associât les partis politiques et qu'il fût présidé par Rex. Ils accusaient ce dernier de n'être qu'un « ambitieux ».

Ambitieux ! s'était exclamé Villars. Alors que ces gens-là manœuvraient, s'en allaient en Suisse retrouver John Davies qui avait quitté Alger pour reprendre, à Genève et à Berne, aux côtés du chef de l'OSS, Allen Dulles, ses manœuvres de séduction, en fait de corruption, de certains chefs de la Résistance. Il avait offert aux Mouvements unis de Résistance près de dix millions par mois ! Ils pourraient ainsi être autonomes, peser, arbitrer — contre de Gaulle, si nécessaire. « C'est un véritable coup de poignard que vous donnez dans le dos de De Gaulle ! » leur avait dit Moulin.

Ce sont eux, les ambitieux, avait répété Pierre Villars.

En retrouvant ces mots qui se heurtent dans sa mémoire, Thorenc a l'impression qu'on le secoue et qu'il grelotte non de froid, mais de désespoir et de colère.

Est-ce déjà le temps des rivalités ? Brossolette et Moulin s'accusant l'un l'autre d'ambitions personnelles, se hurlant leur antipathie mutuelle à l'occasion de leur rencontre dans le bois de Boulogne, alors que passaient dans les allées des cavaliers allemands occupés à leur promenade quotidienne ? Et Frenay se querellant avec le général Delestraint pour le commandement et la stratégie de l'Armée secrète...

Pendant ce temps, les jeunes gens réfractaires au Travail obligatoire en Allemagne affluent dans les forêts de Savoie, sur le haut plateau provençal, dans le Vercors. Ils attendent des armes.

Mais quand six bombardiers anglais survolent à basse altitude la région d'Annemasse, leurs soutes bourrées de containers, la DCA allemande les attend en embuscade là où était censé se trouver un maquis, et trois appareils sont abattus.

« Certains parlent, avait dit d'une voix amère Pierre Villars. Ils n'attendent même pas de recevoir une gifle. Ils lâchent tout ce qu'ils savent. Ils collaborent avec la Gestapo, qui les tient. »

Thorenc noue ses bras autour de ses jambes repliées, et

enfonce son visage entre ses cuisses. Il essaie de n'être qu'une boule qui conserve sa chaleur dans l'obscurité glacée de la cave que plus un seul bruit ne trouble.

Pierre Villars s'était insurgé contre ces membres de réseaux qui s'imaginaient pouvoir continuer d'avoir des affections, une femme, des enfants, et qui conservaient leurs photos sur eux !

Klaus Wenticht et Barbie, à Lyon, sortaient ces clichés les uns après les autres, les posaient sur la table devant l'homme arrêté qu'ils venaient de fouiller. Ils lui demandaient de choisir celui de ses enfants qu'il voulait voir torturer le premier, à moins qu'il ne préférât que sa femme, son tendre amour, fût expédiée dans quelque bordel de Russie ?

Dans la crypte de la cathédrale, Bertrand s'est mis à trembler. Mais il n'a sur lui aucune photo. Il se veut la seule cible.

« Nous sommes tous menacés, avait continué Villars. La Gestapo a reconstitué, me dit-on, à partir des aveux de certains de nos camarades, toute l'organisation de la Résistance. Elle sait tout, Thorenc, tout de nous ! Vous, vous êtes en tête de liste, juste après Rex dont ils connaissent l'identité.

Si nous tenons encore quelques mois, c'est que Dieu nous protège ! »

Thorenc voudrait s'endormir, mais le souvenir de ces propos et le froid qui se glisse par le col de sa canadienne, s'insinue sous les manches, le long des mollets et des cuisses, le maintiennent éveillé.

Ce n'est pas Pierre Villars, mais le commandant Pascal qui, lors d'une de leurs dernières réunions, à Lyon, avait fait état des manœuvres des gens d'Alger, des giraudistes auxquels les Américains offraient d'immenses moyens, des centaines de chars, d'avions, pour équiper leur armée, cependant que Roosevelt continuait de se gausser auprès des journalistes de « la capricieuse lady de Gaulle » qui minaudait, faisait la fière et n'avait même pas de quoi se payer une paire de chaussures et une robe décente, mais que Churchill entretenait ! On ne savait pas trop pourquoi, ajoutait le président américain, qui avait conseillé au Premier ministre britannique de « couper les vivres » à cette prétentieuse pour la rendre plus raisonnable ! Et Downing Street tardait à donner à de Gaulle l'autorisation de se rendre à Alger !

Où gît l'espoir ?

Faut-il croire de Gaulle quand il dit : « Restons fermes. Marchons droit. Vous verrez qu'on reconnaîtra que nous fûmes les plus habiles, parce que nous fûmes les plus simples » ?

Mais comment ne pas le suivre quand il n'y a, ailleurs, que trahison, arrière-pensées, compromissions, abandons, un Laval qui déclare : « Les petites nations comme la France doivent obéir à Berlin et à Rome » ? Ou bien quand on voit ces affiches où, sur fond rouge sang, se profile l'immense et régulier visage d'un soldat allemand casqué vers lequel marchent deux colonnes de petits hommes noirs comme des insectes que l'horizon avale ? Et qu'on lit les mots qui se détachent sur cette affiche : « Ils donnent leur sang, donnez votre travail ! »

Comment accepter ce mariage de soumission, d'hypocrisie et de barbarie ?

Le lieutenant Klaus Wenticht torture dans les locaux de l'École de santé militaire de Lyon.

Et ceux qui osent encore s'appeler « gouvernement de Vichy », les Laval, les Darnand, les Bousquet, et, leur servant d'emblème, Pétain, livrent aux Allemands les Juifs, les réfractaires, ces jeunes gens de vingt à vingt-trois ans que les gendarmes s'en vont quérir et que les miliciens pourchassent.

Dégoût, mépris pour ces prétendus gouvernants qui viennent d'accepter de remettre aux Allemands les hommes politiques qu'ils détenaient : Léon Blum, Paul Reynaud, Georges Mandel, Édouard Daladier et même le général Gamelin !

Thorenc resserre ses bras autour de ses jambes. Il crispe les mâchoires pour qu'elles ne claquent pas.

Il faut puiser son énergie dans ce mépris, cette colère, ce refus de la trahison. Il faut se battre même si on est entravé par les habiletés des uns et les arrière-pensées des autres.

Et même si, parfois, parmi ses propres camarades, on découvre aussi des lâches et des traîtres.

Il revoit la scène : les miliciens se ruant sur la villa de Peyrière où il s'était tenu à l'affût.

Quelqu'un l'avait-il trahi ?

Il lui faut maintenant essayer de reconstituer chaque regard, de retrouver les propos, de deviner les intentions de ceux qu'il a côtoyés, ses plus proches compagnons.

Et cette perspective le glace.

— 31 —

Thorenc entend le grincement de la clé qu'on tourne dans la serrure, il se lève, mais sa jambe gauche ne veut pas se déplier. Il a l'impression qu'elle va se briser, comme un arc à la corde trop tendue. Il étouffe un cri.

La porte s'ouvre. Il aperçoit, éclairé par la petite flamme penchée d'un cierge, un visage rond aux yeux écarquillés. Puis, alors que l'homme s'est avancé de quelques pas dans la cave, il découvre qu'il porte la soutane d'un prêtre.

— Je sais que vous êtes là, dit-il.

Il a une voix fluette. Il raconte qu'il sortait du confessionnal quand il a vu Thorenc s'enfuir. Il a porté secours à l'homme que ce dernier avait blessé.

— Des fidèles vous ont également aperçu, ajoute-t-il.

Il questionne à nouveau :

— Vous êtes là ?

Il soulève le cierge, mais le cercle de lumière jaunâtre vient seulement effleurer la pointe des souliers de Thorenc.

— Tout le monde a quitté la cathédrale avant que les Allemands n'arrivent, reprend-il.

Il fait un nouveau pas.

— N'avancez plus, ordonne Thorenc.

L'homme sourit.

— Je suis prêtre, chuchote-t-il. L'Allemand vous avait menacé.

Puis il baisse la tête. Il ajoute que Thorenc n'en a pas moins commis le plus grand des sacrilèges : il a voulu tuer un homme sous le regard du Christ, devant l'autel, à l'intérieur d'une cathédrale.

— Vous rendez-vous compte ? soupire-t-il.

— Il jugera, répond Thorenc.

Il sort de l'ombre. Le prêtre recule, paraît effrayé. Thorenc s'aperçoit qu'il le menace encore de son arme.

Tout à coup, un cri lui échappe. C'est comme si la peau de sa cuisse et de son mollet se déchirait.

Le prêtre s'approche, lui demande s'il est blessé.

— Comment sortir ? s'enquiert Thorenc en s'appuyant au mur.

Il peut à peine parler.

— Une crampe ? interroge le prêtre en plaçant son cierge de manière à examiner le visage de Bertrand.

Il fait couler un peu de cire fondue sur l'un des meubles qui s'entassent dans la crypte, puis y colle le cierge. Il s'agenouille et entreprend de masser la jambe de Thorenc. La douleur s'efface peu à peu pendant que le prêtre parle tout en comprimant puis étirant les muscles.

Les Allemands surveillent le quartier, lui dit-il. Mais il faut se méfier aussi des miliciens et des policiers français qui rôdent encore autour de la cathédrale. Il a, comme chaque nuit, fermé les portes, mais il les a vus au-dehors, sur le parvis. Ils sont venus de Vichy. Ils sont comme enragés. Ils ont molesté des fidèles. Ils sont persuadés que le bandit — comme ils disent — est resté caché à l'intérieur de la cathédrale.

— Voilà, fait le prêtre en se redressant.

Il reprend le cierge.

— J'ai vu le visage de la haine, murmure-t-il.

Chaque jour, les gendarmes conduisent des réfractaires jusqu'à la gare. Les miliciens les attendent et les battent avant de les pousser dans les wagons.

— Cette guerre, c'est notre Golgotha, ajoute-t-il.

Les trains passent chargés d'enfants, de pauvres gens : des Juifs. Leurs mains se tendent. Parfois, on voit leurs yeux. Et on ne peut oublier.

— Il faut se dépêcher, dit-il.

Cependant, il s'arrête sur le seuil pour confier encore qu'il a célébré plusieurs messes pour le maréchal Pétain : la nef était pleine, les fidèles priaient et chantaient avec ferveur.

— J'ai honte, aujourd'hui.

Il monte rapidement les escaliers. Thorenc le suit jusque dans la sacristie.

Le prêtre explique qu'on peut quitter par là la cathédrale et gagner aussitôt les ruelles du vieux Clermont.

— Vous savez où aller ?

Thorenc secoue la tête.

Le prêtre hésite, puis murmure que sa mère, madame Vivien, habite 2, rue du Marché, à quelques pas de la cathédrale.

— C'est une vieille femme, ajoute-t-il comme pour s'excuser.

Il sourit : elle a accroché dans sa chambre un portrait du Maréchal ; mais elle est veuve de guerre.

— Je lui dirai que vous êtes recherché par les Allemands.

Après avoir éteint la lumière, il ouvre la porte de la sacristie. Les maisons de la vieille ville dressent leur masse sombre. Il indique où se trouve la rue du Marché, puis fait un rapide signe de croix.

— Je crois que Dieu vous pardonnera, murmure-t-il.

Puis il s'élance à travers la place et Thorenc, derrière lui, est presque obligé de courir.

— 32 —

Les coudes appuyés sur la table, Thorenc a pris son visage dans ses mains et fermé les yeux.

Assis en face de lui dans la petite salle à manger de sa mère, l'abbé François Vivien parlait à voix basse.

Il s'interrompait souvent ; chaque fois, Bertrand se redressait, le regardait. Les lèvres du prêtre tremblaient comme s'il murmurait une prière. Puis il reprenait son récit.

Il a rapporté que même les rues éloignées du quartier entourant la clinique du docteur Boullier étaient parcourues par des voitures allemandes, des policiers, des soldats, des miliciens. Ceux-ci fouillaient les maisons, contrôlaient les papiers des passants.

On avait d'abord refusé de le laisser franchir les barrages. Il était pourtant accompagné d'un enfant de chœur portant le crucifix. Il avait été appelé pour administrer l'extrême-onction à l'un de ses plus anciens paroissiens qui venait d'être opéré par le docteur Boullier.

Un officier avait interrogé l'abbé Vivien. Il parlait parfaitement le français et s'exprimait d'une voix suave. Il avait un visage ouvert, mais ses yeux étaient perçants. À la fin, il avait souri avec bienveillance, montré la clinique, indiqué qu'à chaque fois qu'on voudrait l'empêcher d'aller plus loin, l'abbé Vivien devrait répondre que le lieutenant Wenticht l'avait autorisé à passer.

— J'avais à peine fait quelques pas quand il m'a lancé — jamais je n'oublierai le ton sur lequel il m'a dit cela — que je trouverais quelques morts en sus de l'agonisant que j'allais *convoyer*.

L'abbé Vivien a répété ce dernier mot, ajouté que c'était le terme précis que le lieutenant avait employé.

— Wenticht est l'un des chefs de la Gestapo de Lyon, a murmuré Thorenc. Un tortionnaire !

Le prêtre s'est signé.

À cet instant, sa mère a ouvert la porte. Elle s'est avancée, les épaules enveloppées dans un châle noir, ses longues mèches grises enroulées dans un chignon retenu par des peignes en écaille.

Elle a posé sur la table un plateau, deux tasses et une théière. Puis elle a versé un liquide presque rouge, disant qu'il s'agissait d'une infusion de pommes, que ça réchauffait.

— Vous n'avez pas froid ? a-t-elle demandé en se frottant les mains, toute voûtée, comme rabougrie.

Thorenc a commencé à boire le liquide brûlant mais sans saveur. Peut-être s'est-il déjà habitué à l'odeur douceâtre de pommes qui l'a tant surpris quand, il y a trois jours, au milieu de la nuit, il est entré pour la première fois dans ce logement de trois pièces si exiguës qu'il suffit de quelques pas pour aller d'un bout à l'autre du couloir qui les dessert. La cuisine est à droite de l'entrée, presque entièrement occupée par une cuisinière en fonte. Les toilettes sont à l'extérieur, sur le palier.

— Ne sortez de l'appartement que la nuit, a dit l'abbé Vivien. Les voisins seraient étonnés de vous voir. J'ignore ce qu'ils pensent.

Quand, cette nuit-là, après avoir vérifié que les volets étaient fermés, l'abbé Vivien a fait la lumière, Thorenc a découvert que sur tous les meubles et les étagères étaient alignées des pommes rouges. Il y en avait plusieurs rangées, serrées sur le buffet, mais aussi sur la table. L'abbé Vivien a expliqué que sa mère possédait un petit jardin de cinq cents mètres carrés à la sortie de la ville, qu'elle y cultivait quelques légumes, mais qu'il était surtout précieux pour les quatre pommiers plantés à chaque angle du terrain.

— Nous nous nourrissons de pommes, a indiqué le prêtre.

Dans la chambre de la vieille femme, les fruits occupent même l'un des côtés du grand lit.

Laure Vivien a voulu montrer à Thorenc le portrait de son époux, « mon brave Albert ». Il avait été photographié en pied, casqué, les pouces passés dans son ceinturon.

C'était la dernière photo qu'elle avait reçue de lui, en octobre 18. Il venait de rentrer de permission. Sous le cadre de cuivre était accroché un crucifix. Laure Vivien s'est signée.

— Je prie pour tous les deux, a-t-elle dit en montrant la photo du maréchal Pétain, placée non loin de celle du brave Albert Vivien. Il fait ce qu'il peut..., a-t-elle continué. Mais, maintenant, il est prisonnier des Allemands. J'espère qu'ils ne nous le tueront pas, ce brave homme ! Il est bon. Quand il parle, on sent qu'il est ému, on croit qu'il va pleurer. Et moi, quand il a dit : « C'est le cœur serré qu'il faut cesser le combat », j'ai sangloté. Qu'est-ce que vous vouliez qu'il fasse ? Il faut bien accepter son destin. J'ai bien accepté la mort de mon brave Albert, moi, et j'étais toute jeune, avec un enfant sur les bras. Il faut se soumettre, vous savez ; la vie, elle ne vous apprend que ça !

Thorenc a trouvé le parfum des pommes entêtant, écœurant, même.

Mais il n'a plus pu entendre le frottement des pantoufles de madame Vivien sur le linoléum du couloir sans être ému. Cette vie ténue lui serre le cœur.

— Ils avaient sorti tous les malades des chambres, a repris l'abbé Vivien.

Le prêtre a placé sa main devant ses yeux comme pour éviter de revoir la scène.

Les malades étaient couchés par terre, dans les couloirs et jusque dans le hall de la clinique. Certains geignaient, d'autres, des enfants, criaient. Les policiers, eux, éventraient les matelas, les balançaient dans le parc.

— Ils avaient laissé mon paroissien dans sa chambre, a poursuivi l'abbé Vivien. Il râlait. Il n'était plus conscient, mais, quand je lui ai pris la main, il a rouvert les yeux, et je crois qu'il a prié avec moi.

S'étonnant que l'abbé se déplaçât depuis la cathédrale, le lieutenant Wenticht avait attendu sur le seuil de la chambre, et il avait fallu que les parents du paroissien confirment qu'ils avaient tenu à ce que leur proche reçût les derniers sacrements des mains et de la bouche du prêtre qu'il connaissait.

— À ce moment-là, a poursuivi l'abbé Vivien, cet Allemand m'a fait peur. Il a l'intelligence de ceux qui aiment le mal, je vous assure ! Il a voulu savoir où je me trouvais à l'instant où son policier avait été abattu. Il a paru sceptique quand je lui ai répété que je n'avais rien vu. Il a dit qu'ils allaient interroger tous les fidèles qui avaient assisté à la scène. Ils les identifieraient tous !

L'abbé Vivien a baissé la voix :

— Je ne sais pas si vous pouvez encore rester chez ma mère, a-t-il dit. Ils peuvent venir perquisitionner ici.

Thorenc a approuvé. Il s'est levé, puis, en se tenant sur le côté de la fenêtre afin de ne pas être aperçu, il a observé la rue du Marché dont les pavés brillaient, couverts de l'humidité glacée qui s'infiltrait jusque dans le petit appartement. Le froid était si vif qu'il n'avait pas quitté sa canadienne, glissant ses mains dans les manches. Il lui a même semblé qu'il supportait d'autant moins cette température glaciale qu'il voyait Laure Vivien grelotter. La vieille femme voûtée répétait presque à chaque instant qu'elle n'avait jamais connu hiver aussi rigoureux, que Dieu voulait vraiment châtier les hommes pour les crimes qu'ils commettaient. Bertrand a essayé de lui expliquer que les Allemands s'emparaient de la quasi-totalité du charbon produit en France, mais elle a paru ne pas entendre, murmurant qu'elle comprenait le bon Dieu : Il avait donné toutes leurs chances aux humains, mais ceux-ci n'avaient su que saccager le monde. Ç'avait commencé comme ça... Elle avait montré les pommes, puis, se reprenant, elle avait ajouté :

— Enfin, heureusement qu'on les a, ça calme la faim !

— Je partirai demain, a décrété Thorenc en revenant s'asseoir face à l'abbé, qui a repris son récit.

Le lieutenant allemand l'avait conduit sous les combles de la clinique. Il y avait là de petites chambres dans lesquelles se trouvaient plusieurs corps de jeunes gens qui avaient cherché à se défendre. Wenticht les avait considérés avec indifférence, les écartant même de la pointe du pied, disant :

— Vous voyez ce qu'il arrive aux idiots ! Ils préfèrent crever ici plutôt que d'aller travailler en Allemagne. Mais je tiens à vous montrer en particulier celui-ci.

C'était un homme âgé d'une cinquantaine d'années qui avait été blessé de plusieurs balles, sans doute au moment où il essayait de fuir. Son corps était agenouillé devant une petite fenêtre donnant sur l'avant-toit.

Wenticht avait retourné le cadavre de manière que l'abbé Vivien découvrît son visage.

— Vous le connaissez ? avait-il demandé.

Il avait haussé les épaules, ajouté :

— Nous, nous le connaissons fort bien : c'est le commandant Joseph Villars. Vous pouvez faire dire une messe pour le salut de son âme ; elle aura valeur d'avertissement.

Dans l'une des chambres, l'abbé avait aperçu le docteur Boullier, ligoté sur une chaise. Sa tête retombait sur sa poitrine. Ses cheveux étaient collés par le sang coagulé. Son visage était si tuméfié qu'il ressemblait à une boule noire, crevassée. Ses doigts étaient sanguinolents.

— Je suis entré dans cette chambre, a murmuré Vivien.

Les policiers qui s'y trouvaient l'avaient violemment repoussé, le menaçant de lui faire subir le même sort.

— J'ai résisté, a ajouté l'abbé, tête baissée. Wenticht a finalement donné l'ordre de me laisser faire.

Le prêtre avait essuyé le visage du docteur Boullier avec son mouchoir, puis lui avait donné l'extrême-onction en s'agenouillant devant lui.

— Il ne vivra pas, a-t-il indiqué à Thorenc. Je suis même sûr qu'il a déjà succombé. Il respirait à peine.

Thorenc a écrasé ses yeux sous ses poings fermés.

Il avait peu connu le docteur Boullier, mais l'homme, dès 1940, avait mis à la disposition du commandant Villars tout ce qu'il possédait : le château des Trois-Sources et sa clinique. Avait-il été imprudent en accueillant des réfractaires au Travail obligatoire et en leur fournissant des certificats médicaux ? Qui l'avait dénoncé ? L'un de ces jeunes gens, ou bien quelqu'un qui avait voulu d'abord livrer le commandant Villars et frapper ainsi le cœur de la Résistance ?

Le *cœur* ! Ce mot, Thorenc n'a pu se retenir de le

murmurer, lui-même surpris par l'émotion qui l'a soudain étreint. Il a regardé l'abbé Vivien :

— Le commandant Villars était un homme de cœur, a-t-il répété.

Sitôt prononcée, cette phrase si banale et emphatique l'a gêné. Mais qu'aurait-il pu dire d'autre ? Évoquer la détermination et la lucidité de Joseph Villars dès les années 30 ? son courage ? son refus de céder ?

Thorenc a ajouté que Villars avait cinq enfants, tous engagés dans la Résistance.

Vivien s'est signé.

Ils sont restés silencieux.

Bertrand a écouté le frottement feutré des pas de Laure Vivien dans le couloir.

Tout à coup, en se levant, il a dit qu'il comptait quitter le logement de madame Vivien le jour même, profitant de ce que Wenticht n'avait sûrement pas encore fini d'exploiter ce qu'il avait découvert à la clinique Boullier.

Il a lu dans le regard de l'abbé la reconnaissance et le soulagement.

Il a ouvert la porte de la salle à manger. Il a aperçu la vieille femme qui sortait de la cuisinière un plat de terre contenant des pommes cuites, et, à la vue de ces fruits dont la peau s'était racornie, fripée, noircie, il a pensé au visage du docteur Boullier. Et il a eu envie de hurler.

L'abbé Vivien l'a rappelé, l'invitant à regagner la salle à manger, à s'y rasseoir et à l'écouter encore.

Il s'était passé quelque chose de curieux, dans le hall de la clinique, a-t-il raconté. Wenticht lui avait montré une dizaine de mitraillettes que les policiers avaient trouvées, cachées dans les chambres.

— Nous n'allons pas laisser assassiner nos soldats, vous comprenez ça, monsieur l'abbé ? lui avait dit Wenticht. Il faut nous aider à empêcher ces assassins de commettre leurs crimes. La plupart d'entre eux sont des étrangers, communistes et juifs. Ce sont les Juifs, n'est-ce pas, qui ont crucifié le Christ ? Eh bien, ce sont eux que nous pourchassons !

Il avait mis une main sur l'épaule du prêtre.

— Vous n'êtes pas du côté des bolcheviks et des Juifs, j'imagine ?

Vivien avait répondu qu'il était du côté de la souffrance, de la compassion et de la pitié. Tel était le message de Dieu.

Brusquement, Wenticht avait poussé Vivien vers un homme qui avait masqué le bas de son visage avec une écharpe. Son chapeau était rabattu sur ses yeux. Wenticht avait obligé Vivien à s'approcher davantage, et il avait senti le regard de l'homme le scruter.

L'autre avait fini par secouer la tête.

— Vous avez de la chance, avait conclu Wenticht. Pour l'instant, je suis contraint de vous croire.

— Le dénonciateur, a murmuré Thorenc.

Il s'est mis à interroger l'abbé avec une passion telle que celui-ci a reculé, secouant à son tour la tête avec effroi. Il ne dirait rien, a-t-il répété. Aurait-il vu le visage de l'homme, ce qui n'était pas le cas, qu'il ne le décrirait pas à Thorenc. Si l'homme était le traître, sa punition viendrait sans qu'il soit nécessaire de la susciter. Le remords est le châtiment de Judas, a-t-il dit.

Thorenc a eu un mouvement d'impatience, déclarant qu'il le découvrirait de toute façon et le tuerait. L'abbé lui a pris le poignet, mais, tout à coup, a paru hésiter.

— Faites selon votre conscience, a-t-il lâché.

Bertrand s'est tourné.

Il a vu Laure Vivien qui disposait sur une assiette les pommes cuites et il a été ému aux larmes par les gestes lents et le modeste sourire de la vieille femme.

— 33 —

Thorenc s'est arrêté au bord du lac Noir qui s'étire comme une boutonnière au centre du haut plateau de Dieulevoye, à près de trois heures de marche de la ferme Ambrosini.

Il s'est retourné et a aperçu en contrebas, à quelques centaines de mètres, Jacques Bouvy qui grimpait lentement en compagnie de Gaston Ambrosini.

Il les a devancés pour être quelques instants seul face à ce paysage de cimes et de vallées qui lui donne chaque fois un ineffable sentiment de plénitude.

Il a l'impression de voguer dans ce ciel bleu, aussi libre qu'Icare. Il s'assied sur l'herbe soyeuse qui couvre les rives du lac, et, s'appuyant sur ses bras tendus, la tête renversée en arrière, les yeux mi-clos, il respire à pleins poumons cet air que le soleil ne réussit jamais à réchauffer tout à fait.

Il est arrivé la veille de Clermont-Ferrand au terme d'un voyage de deux jours. Il ne s'est pas arrêté à Lyon, mais est descendu à Montélimar, attendant Bouvy devant la gare.

C'était jour de mistral, les rafales tranchaient comme une lame affûtée.

Il a été heureux de retrouver Bouvy et sa petite voiture que le vent, sur la route, paraissait capable de soulever, qu'il déportait de droite et de gauche, la ballottant comme un esquif.

Bouvy a d'abord parlé posément, comme un officier qui passe au rapport, évoquant la constitution de deux centrales — tel était le nom qui avait été choisi — qui allaient rassembler l'ensemble des renseignements recueillis par les mouvements de Résistance et les réseaux. Elles en assureraient la transmission à Londres.

Bouvy a jeté un coup d'œil à Thorenc et précisé que l'une s'appelait Coligny, l'autre Prométhée...

— Vous vous souvenez ? a-t-il dit. C'est le nom qu'avait choisi Geneviève Villars pour son réseau.

Il s'est demandé si elle jouait un rôle dans cette nouvelle structure, ou bien si elle travaillait pour l'Organisation civile et militaire.

— On s'unit, a-t-il ajouté, mais, dans le même temps, ça prolifère et ça se subdivise !

Puis Bouvy a changé de ton.

Il se tenait loin du volant, le dos droit, les bras raides, comme s'il maintenait de la sorte la voiture collée au sol et la poussait d'autant mieux en avant.

— Vous savez ce que dit Max ? Que les chefs de Combat et de Libération sont dans un état de surexcitation dangereux. Ils veulent qu'on appelle à l'insurrection, que les mouvements passent à l'action généralisée, qu'on crée dans les usines des bastions armés. Dieu sait que je ne suis pas un attentiste, mais de là à inciter à la révolte ouverte, les armes à la main, il y a un pas. Je suis de l'avis de Max : ils perdent leur sang-froid ! Et puis, cette affaire de financement par John Davies, c'est insupportable ! Max l'a dit : c'est trahir de Gaulle au moment précis où il faut le soutenir.

Il a ralenti et la voiture a aussitôt paru basculer, comme si elle ne pouvait résister au vent qu'en roulant à vive allure.

— Qu'est-ce que vous en pensez ? a-t-il demandé à Thorenc.

Celui-ci s'est borné à répondre par une moue renfrognée.

— On se chamaille, a repris Bouvy. On s'injurie. Il y a eu chez Catherine une réunion au cours de laquelle les gens ont failli en venir aux mains, tout en s'accusant des pires arrière-pensées. Le général Delestraint a été accablé par certains : il serait incompétent, attentiste, etc. Si c'est cela, l'union, le Conseil national de la Résistance sera encore pire que feu la Chambre des députés !

Thorenc a cessé d'écouter. Difficile, alors qu'on était traqué par la Gestapo, de vivre en même temps ces divisions, ces rivalités, ces jalousies mesquines, ces stratégies politiques que les uns et les autres commençaient à déployer en pensant à l'après-guerre, se défiant des partis politiques, des communistes, de De Gaulle — et chaque clan avait ses obsessions, ses inquiétudes, et si tous étaient menacés, tous n'en continuaient pas moins à se chamailler avec, sur leur gorge, le talon de botte du lieutenant Klaus Wenticht !

Bouvy s'est enfin tu.

— Catherine Peyrolles ? a murmuré Thorenc.

— Heureuse, sereine, épanouie, courageuse, inébranlable...

Malgré l'ironie que Bertrand n'a pas manqué de percevoir dans les propos de Bouvy, il a gardé ces mots en lui plusieurs minutes, souhaitant poursuivre la route en silence. Mais Bouvy n'a pas tardé à se remettre à parler.

— Quelqu'un les renseigne, a-t-il lâché.

Penché en avant, le visage fermé, le menton prognathe, Bouvy a de nouveau changé d'attitude.

Il y avait d'abord eu, a-t-il commencé à énumérer, le déplacement de la Gestapo de Lyon à Clermont...

— Ce n'était pas une affaire de réfractaires. Wenticht n'aurait pas fait le voyage avec une trentaine de ses hommes pour cueillir quelques jeunes insoumis. Les gendarmes et la Milice auraient amplement suffi à la tâche. Non, Thorenc — il a secoué la tête —, Wenticht savait que le commandant Villars se cachait dans la clinique. C'est lui qu'il voulait prendre. Je vais dire plus : s'ils ne vous ont pas arrêté à Vichy, c'est parce qu'ils ont pensé qu'une réunion devait se tenir avec Villars chez le docteur Boullier, et ils ne souhaitaient pas la faire annuler. Votre arrestation aurait donné l'alerte. Ils se sont donc contentés de vous filer.

Il a tapé sur le genou de Bertrand :

— Vous avez bien réagi, Thorenc ! Quand on a su ce qui s'était passé à la cathédrale, on a préféré ne pas bouger, on ne s'est pas rendus à la clinique : ni Pierre Villars, ni Philippe, ni René Hardy, ni moi. On a attendu. Mais le commandant Villars était sur place, tout comme Boullier et comme ces malheureux réfractaires qui, eux, n'ont vraiment pas eu de chance. Wenticht a dû se contenter du commandant et de Boullier.

À Lyon, a continué Bouvy, les gens de la Gestapo

arrêtaient au même moment Raymond Villars, chez lui, et son fils Mathieu au monastère Fra Angelico.

— Le salaud qui nous vend connaît tous les rouages, a ajouté Bouvy.

— Catherine ? a de nouveau murmuré Thorenc.

On avait toujours tenu son nom et son adresse secrets, même quand elle avait assisté à diverses réunions, et celles qui avaient eu lieu chez elle n'avaient concerné qu'un tout petit nombre de participants — « le noyau du noyau, le centre du centre », a précisé Bouvy.

— Mais personne n'est à l'abri, a-t-il repris après un silence.

Il s'est tourné vers Thorenc et l'a fixé intensément durant une ou deux secondes :

— Si vous avez un peu d'influence sur elle, a-t-il dit en regardant à nouveau la route, conseillez-lui de quitter Lyon. Tout le monde se retrouve dans cette ville. C'est, pour la Gestapo, comme un étang poissonneux. Ils n'ont qu'à jeter un filet et à le tirer. Et si, par surcroît, ils ont un collabo caché dans la vase, qui sait où les poissons se planquent, comment voulez-vous qu'ils ne fassent pas une bonne pêche ? Nous sommes fous, Thorenc. Il faudrait se disperser. Il y a d'autres villes en France, non ?

Thorenc aurait maintenant désiré que Bouvy continue de parler, mais l'autre semblait désormais frappé de mutisme. Dans son visage amer, des rides profondes cernaient sa bouche.

Ils ont roulé à vive allure sur le chemin de terre conduisant à la ferme Ambrosini.

Quand Thorenc a vu les bâtiments se détacher sur les terres rouges encerclées par les collines, il a posé la main sur le bras de Bouvy afin qu'il ralentisse :

— Qui ? a-t-il interrogé. Qui ? Est-ce que vous avez une idée ?

Bouvy a brutalement arrêté la voiture, coupé le moteur et ouvert la portière par où le vent s'est engouffré.

— Qui trahit ? Pourquoi pas vous, Thorenc ? Vous vous en sortez toujours. Vous avez été en relation avec eux. Vous vous faites libérer de prison. Vous ne tirez pas sur Dossi. Vous échappez à la Gestapo. Vous réussissez à sortir Claire Rethel du camp de Compiègne alors qu'elle est déjà sur le marchepied du wagon pour l'Est. Et maintenant vous échappez à une souricière à Clermont-Ferrand après un attentat manqué contre Laval que personne ne vous a demandé de commettre — comme d'ailleurs celui contre Dossi...

Thorenc a écouté Bouvy sans le regarder, puis s'est tourné vers lui :

— Qu'est-ce que vous foutez alors ici avec moi, Bouvy ?

— Je ne tire aucune conclusion de ce qui vous est arrivé, si ce n'est que vous avez de la chance, de l'intelligence et du courage.

Il est remonté en voiture, a remis le moteur en marche et, tout en roulant lentement vers la ferme, il a indiqué qu'à la demande de Pierre Villars il a interrogé l'abbé François Vivien.

— Vous êtes *clair*, Thorenc. Mais Pierre voulait s'en assurer. Vous le connaissez : il ressemble en cela aux communistes. Ils ne se fient à personne. Ça les arrange, tous ces gens qui se soupçonnent, se surveillent les uns les autres. Souvenez-vous, Staline en 36 : les grands procès, les traîtres... Au fond d'eux-mêmes, ils pensent que tous ceux qui ne sont pas communistes sont des suspects. Pierre Villars n'est pas loin de partager cette idée. Et il n'est même pas communiste... en tout cas, pas tout à fait !

Ils sont arrivés sur l'aire. Julia Ambrosini est sortie de la ferme en s'essuyant les mains à son tablier.

— Il y a quelqu'un, a encore murmuré Thorenc, quelqu'un que nous avons côtoyé, qui est sans doute parmi nous, et qui parle, qui les guide... Il faut le trouver, Bouvy, avant que...

— Avant quoi ? a répondu Bouvy en claquant la portière. Après lui, un autre craquera. C'est l'une des lois de la guerre que nous menons. Quand vous écrasez la tête d'un enfant dans un étau sous les yeux de sa mère, vous ne pouvez pas demander à cette femme de garder nos petits secrets. Cela dit, Thorenc...

Il a pris Bertrand par l'épaule, et, dans un souffle :

— Bien sûr, il faut le trouver et le tuer.

Ils ont embrassé Julia qui s'est tournée vers la bergerie.

— Les hommes sont là, a-t-elle indiqué.

Elle les a appelés, et Gaston et ses deux fils se sont avancés.

Le vent faisait voleter la laine de mouton restée accrochée à leurs gilets.

On eût dit de gros flocons plus gris que blancs.

— 34 —

Thorenc entend les éclats de voix dont les falaises dominant le lac Noir renvoient l'écho.

Il se lève et, marchant le long de la rive, sur cette terre

meuble couverte d'un duvet herbeux, il aperçoit des silhouettes qui dégringolent les cônes d'éboulis.

Elles surgissent des grottes qui s'ouvrent à flanc de falaise, disparaissent derrière les blocs, sautent de rocher en rocher en se dirigeant vers le lac.

Thorenc se retourne et distingue Jacques Bouvy et Gaston Ambrosini qui ont enfin atteint le plateau. Ce sont eux que saluent les jeunes hommes. Certains brandissent leurs armes en poussant des cris dont l'écho roule sur le plateau de Dieulevoye.

Thorenc fait de grands gestes des bras pour exiger le silence.

Il imagine que l'écho va, comme une avalanche, atteindre les vallées, alerter les Allemands et les miliciens qui, un jour, monteront jusqu'au plateau. Et les premières victimes seront alors Julia, Gaston, Régis et Aldo Ambrosini.

Il se laisse emporter par une colère faite d'indignation et de désespoir, empoignant par le col de son blouson de grosse laine bleue le premier des jeunes gens à s'arrêter devant lui.

Il le secoue, l'abreuve d'insultes, et il voit un étonnement mêlé de frayeur figer le visage de ce garçon d'une vingtaine d'années qui a tenté de se vieillir en cachant son acné sous une barbe clairsemée.

Envahi par un sentiment d'impuissance et d'accablement, Thorenc baisse tout à coup les bras. Il s'éloigne seul, va s'asseoir près de l'eau. Il y plonge les mains. Elle est si glacée qu'il a l'impression qu'on lui tranche les poignets et qu'il va laisser couler ses deux mains au fond du lac.

Quelqu'un s'assied auprès de lui et dit :

— Il faut les comprendre, ils ne savent pas ce qu'est la guerre. À leurs yeux, c'est comme un jeu. Pour l'instant.

Bertrand a d'emblée la certitude qu'il connaît cette voix.

Il tourne la tête : José Salgado lui sourit, lui offre une cigarette. Il l'accepte, lui qui ne fume que très rarement, mais c'est une façon de dissimuler sa stupeur sous des gestes simples et rituels : avancer le visage vers la flamme du briquet, plisser les yeux, aspirer la première bouffée, et, de la sorte, ne pas parler.

Il attend en silence que Salgado explique qu'après l'attentat contre le commissaire Antoine Dossi, la Gestapo et l'OVRA italienne se sont abattues sur Nice. Stephen Luber et Christiane Destra ont réussi à quitter la ville, et peut-être ont-ils gagné Paris ou Toulouse. Jan Marzik a été pris sur le quai de la gare d'Antibes. Quant à Salgado lui-même, il s'est réfugié à Marseille. Il y a retrouvé le commandant Pascal qui l'a dirigé vers cette ferme Ambrosini, et quand les premiers réfractaires sont arrivés, venant de Manosque, de Digne et même de Marseille, il est monté avec eux sur le plateau de Dieulevoye. Ils vivent dans les grottes.

Salgado soulève sa mitraillette : ils ont des armes, mais pas assez de munitions ; et ils ont faim et froid.

Il montre sa cigarette.

— Ce sont les dernières, précise-t-il.

Tout en fumant lentement, avec application, il désigne la trentaine de jeunes hommes qui se sont regroupés autour de Jacques Bouvy :

— Qu'est-ce qu'on fait de ces gosses ?

Debout au centre du cercle, Bouvy semble leur dispenser une leçon de stratégie, traçant avec le bout d'une longue branche des lignes dans la terre meuble.

Thorenc les dévisage. Ils sont si jeunes. Ils tentent de se réchauffer en se serrant les uns contre les autres et en rentrant la tête dans leurs épaules. Comment pourraient-ils résister à des soldats aguerris dont la peau, au bout d'années de campagne, a acquis l'épaisseur de la corne, et qui tuent un homme comme on écrase un brin d'herbe sous son talon ?

— Il ne faut pas les exposer, murmure Thorenc.

José Salgado approuve d'un hochement de tête, mais Bertrand devine en lui une hésitation, presque une réticence.

— Au premier engagement, ils se feront massacrer, reprend-il.

Salgado le regarde. Il porte maintenant une barbe drue qui donne à tout son visage l'aspect d'une grosse boule noire.

— Vous étiez à Madrid, lâche-t-il. Ça fait plus de sept ans que ça dure, que je lutte, que je me cache, que j'assiste à des massacres. Vous les avez vous-même décrits, Thorenc. Et vous croyez qu'on peut empêcher ce qui doit advenir ? Nous sommes — et eux comme nous — emportés par le courant. Ils sont là, donc il faut qu'ils se battent, et donc je vais les conduire au combat. Au début, nous effectuerons quelques sabotages, puis, un beau jour, on nous surprendra et nous nous en sortirons — ou pas. Qui peut le dire ? Mais il faut aller jusqu'au bout. Et puis, qui sait, il n'est pas interdit d'avoir de la chance...

Il se penche vers Thorenc :

— Vous vous souvenez de Joseph Minaudi ? Vous l'avez retrouvé dans une cellule, à Marseille...

Thorenc a un mouvement d'irritation. Jamais il n'oubliera

le visage de Minaudi, écrasé sous les coups de nerf de bœuf du commissaire Dossi.

— Vivant ! murmure Salgado.

Minaudi s'était pourtant tranché la gorge dans sa cellule, après que Dossi l'eut remis à la Gestapo.

Il avait été transporté à l'hôpital de Moulins, car on voulait continuer à le torturer, mais les médecins allemands l'avaient déclaré mort. On l'avait déposé à la morgue de l'hôpital. Un médecin français avait constaté qu'il survivait. On l'avait opéré d'urgence, caché, transporté dans un cercueil...

— Vivant ! répète Salgado.

Il prend appui sur l'épaule de Thorenc pour se relever.

— C'est comme une loterie, conclut-il.

Il fait quelques pas et attend que Thorenc l'ait rejoint pour ajouter :

— On sera prudent. On ne les exposera pas inutilement. Moi aussi, j'ai vu trop de morts !

Jacques Bouvy s'est approché et a entraîné Thorenc le long du lac. Une légère brise dessine sur l'eau noire des rides concentriques au centre desquelles oscillent de hautes herbes ployées.

— J'ai deux hypothèses, commence Bouvy.

Ils marchent silencieusement durant plusieurs minutes et atteignent ainsi l'extrémité du lac. De là, on aperçoit la juxtaposition des cimes qu'on peut croire d'abord chaotique, mais dont on finit par comprendre l'ordonnance en suivant les nervures saillantes des reliefs et les creux correspondants des vallées.

Bouvy s'immobilise :

— Ils n'ont pas touché à Catherine Peyrolles, reprend-il. Il y a donc deux hypothèses...

Thorenc s'est placé en face de lui, visage contre visage.

— Je sais, murmure Bouvy, vous en excluez une, mais moi...

Il recule d'un pas.

— Je ne couche pas avec Catherine Peyrolles, donc je la retiens. Catherine connaît les adresses de chacun de nous, celles de nos lieux de réunion.

Thorenc s'est jeté en avant, mais Bouvy lui a saisi les poignets. Cet homme râblé est plus fort qu'il y paraît.

— Ce peut être elle, dit-il en lâchant Thorenc.

Puis il secoue la tête.

— Pourtant, c'est comme pour vous : je n'y crois pas. Mais je ne l'écarte pas. Tout est possible, Thorenc, même l'incroyable ! Salgado m'a raconté l'histoire de Minaudi. J'en ai mille autres à votre disposition.

Thorenc lui a tourné le dos et regarde l'horizon, cette barrière de blocs aigus vers laquelle il aurait aimé s'élancer pour oublier toute cette boue.

— La deuxième..., reprend Bouvy.

Il s'est placé près de Thorenc.

— Il n'a jamais été chez Catherine Peyrolles, murmure-t-il, et c'est pour cela qu'il n'a pu la dénoncer, mais il n'ignore rien du reste...

— Mercier ? lâche Thorenc.

Il n'attend pas la réponse de Jacques Bouvy pour raconter comment Mercier lui avait indiqué que la villa des Peyrière, à Vichy, en face de l'hôtel Thermal, était inoccupée, et qu'il pouvait donc s'y cacher.

— Mais il m'a déconseillé d'agir, ajoute-t-il plus bas encore, comme s'il faisait ce constat à regret.

— Mercier ou Catherine Peyrolles : c'est l'un ou l'autre, décrète Bouvy.

Il hausse les épaules :

— Mercier, comme nous tous, n'est pas fait d'une seule pièce. Il peut livrer les uns et protéger les autres. Il veut se donner l'illusion de jouer au plus malin avec Klaus Wenticht. Il vous a fourni les moyens de tirer sur Laval mais il vous a averti de la difficulté de l'opération. Il vous a laissé libre, donc vous vous êtes jeté volontairement dans la souricière. Mercier croit ainsi avoir joué tout le monde : Wenticht, vous, Laval, etc. Il doit se prendre pour un stratège, alors qu'il n'est qu'un lâche qui se donne bonne conscience. Un salaud !

Bouvy émet un ricanement.

Il fait quelques pas, désigne les jeunes gens qui remontent maintenant les cônes d'éboulis :

— Ceux-là n'imaginent pas, marmonne-t-il. Tant mieux ! Il faut croire à des choses simples pour accepter de mourir. J'y crois, Thorenc, malgré tout. Vous aussi...

Il étreint l'épaule de son compagnon.

— 35 —

Thorenc a vu cet homme s'avancer à pas lents dans la rue qu'inonde le soleil.

L'homme est nu-tête, ses cheveux noirs sont tirés en arrière. Il semble flâner, s'arrêtant parfois devant les boutiques, revenant sur ses pas, passant d'un côté à l'autre de la rue.

Thorenc n'a pas réussi à distinguer ses traits.

L'homme s'est tout à coup retourné, se penchant comme pour découvrir la perspective de la rue de la Guillotière, et, au-delà, les quais du Rhône. Il a même semblé à Bertrand qu'il faisait un signe.

Thorenc a écarté les rideaux quelques secondes, puis s'est vivement reculé, heurtant le fauteuil dans lequel Jacques Bouvy est assis.

— Ils sont là, murmure-t-il.

Il a remarqué sur chacun des trottoirs plusieurs hommes disposés à une vingtaine de mètres les uns des autres. Parmi les passants vaguant souvent en couple, ils tranchent par leur solitude, leur désœuvrement affecté. Ils semblent attendre. L'un d'eux porte ce manteau de cuir noir qui tient lieu d'uniforme aux policiers de la Gestapo.

Au bout de la rue, Thorenc a repéré au carrefour une voiture basse en stationnement.

— Vous êtes sûr ? interroge Bouvy en se redressant.

Ils guettent depuis la veille dans cet appartement du quatrième étage, en face de l'église Saint-Louis.

Bouvy a fait transmettre à Mercier un courrier lui fixant rendez-vous devant l'église, au coin de l'impasse qui longe le chœur et de la rue de la Guillotière. Quelqu'un le conduirait jusqu'à l'appartement où devaient se réunir les chefs des mouvements de Résistance autour du représentant du général de Gaulle. Il avait été désigné pour représenter l'ORA, l'Organisation de résistance de l'armée, a précisé Bouvy.

Celui-ci avait fait la grimace :

— L'appât est gros, mais Mercier l'avalera. S'il vient seul — Bouvy avait observé quelques secondes de silence — ...

oui, Thorenc, s'il est seul, vous serez obligé de renoncer à votre rêve : c'est Catherine Peyrolles qui nous aura vendus.

Il avait de nouveau grimacé :

— Le mot n'est pas beau, mais il est précis. Elle aura vendu Boullier, le commandant Villars, Raymond Villars et Mathieu, les jeunes réfractaires abattus à la clinique, et vous aussi, Thorenc — en échange de quoi ? De sa vie ? De celle d'un de ses proches ? Elle a des enfants ? Ce serait sa seule excuse...

Il s'était tu à nouveau un long moment, avant de reprendre :

— Mais si Mercier se fait accompagner par ces messieurs, nous n'aurons plus qu'à le tuer, et vous pourrez continuer à coucher avec Catherine !

Thorenc avait eu envie de le souffleter. Il s'était approché de Bouvy, lequel avait aussitôt ajouté qu'il était persuadé, pour sa part, de la culpabilité de Mercier. Celui-ci allait avertir la Gestapo, et les Allemands, eux aussi, allaient mordre à l'hameçon, suivre Mercier dans l'espoir d'arrêter les chefs de la Résistance, et Max par la même occasion.

Bouvy a fixé le lieu de rendez-vous en face d'un appartement dont il était le seul à connaître l'adresse.

Ils s'y sont installés en début de soirée, et ils ont passé la nuit dans l'obscurité, parlant à voix basse, évoquant les événements qui se déroulent à Alger.

Le général Giraud a été contraint de déclarer caduques les lois de Vichy que, jusqu'alors, il avait maintenues en vigueur. Les ralliements à de Gaulle s'amplifient. En Tunisie, les soldats de l'armée d'Afrique désertent leurs régiments pour s'engager dans la colonne Leclerc qui vient d'arriver.

— Malgré les Américains et tous ces ralliés à Giraud, ces Pucheu, ces Varenne, malgré ces conseillers que Roosevelt lui a envoyés, de Gaulle va bouffer Giraud, vous allez voir, Thorenc... De Gaulle n'aura qu'à se montrer, et les Monnet et autres inspecteurs des Finances ou diplomates du Quai se mettront à son service. Ces gens-là savent repérer d'où souffle le vent.

À quatorze heures, ils ont vu arriver Mercier en manteau clair, un journal sous le bras. Il a regardé autour de lui, puis s'est placé au coin de l'impasse et de la rue.

— Il faut attendre, a dit Bouvy en se laissant tomber dans le fauteuil.

C'est peu après que Thorenc a aperçu l'homme qui feignait de flâner. Au bout de quelques instants, il l'a observé aux jumelles.

Au fur et à mesure qu'il tournait la bague moletée, mettant au point l'image, il a fait apparaître ces cheveux noirs, ce front bombé, ces traits réguliers qu'il a reconnus d'emblée.

— Klaus Wenticht est là, a-t-il murmuré.

Bouvy a bondi du fauteuil. Puis il a dévisagé Thorenc avec étonnement.

— Il m'a interrogé, en juillet 40. Je voulais franchir la ligne de démarcation, a expliqué Bertrand sans cesser de suivre Wenticht avec les jumelles.

L'officier allemand s'est de nouveau arrêté.

Il n'est plus qu'à une trentaine de mètres de Mercier qui paraît s'impatienter. L'heure du rendez-vous est maintenant passée, et, selon les consignes de la clandestinité, il n'aurait pas dû attendre plus de deux ou trois minutes. Mais il ne semble pas disposé à partir, consultant sa montre, s'avançant vers la chaussée, dévisageant les passants.

— Si Wenticht est là, observe Bouvy, c'est que Mercier est une pièce essentielle dans le jeu de la Gestapo. Il a livré Villars. Wenticht espère, grâce à lui, prendre Max et décapiter les réseaux.

Se tenant sur le côté de la fenêtre, Bouvy soulève le rideau.

— Mais nous le liquiderons avant, n'est-ce pas, Thorenc ?

Wenticht est passé une première fois devant Mercier, tournant à peine la tête dans sa direction, puis, après avoir fait quelques pas, il est revenu vers lui, penchant un peu la tête pour lui parler.

Mercier a hésité, puis a emboîté le pas à Wenticht qui se hâte maintenant vers les quais du Rhône.

L'un après l'autre, les policiers dispersés le long de la rue ont eux aussi commencé à se diriger vers le fleuve.

— Je le ferai, répond Bertrand dans un souffle.

Il va s'allonger sur le canapé et, les mains nouées sous la nuque, il regarde l'ombre envahir peu à peu le ciel.

— 36 —

Thorenc a d'abord vu cette jeune femme en robe de chambre blanche sur le perron de la villa qu'habitait l'homme qu'il était venu tuer.

Elle s'est étirée, levant les bras, se dressant sur la pointe des pieds comme si elle avait voulu saluer le soleil qui commençait à percer, faisant scintiller les gouttes de rosée qui constellaient les pelouses du parc. Puis elle a passé ses doigts dans ses cheveux noirs, les répandant régulièrement sur ses épaules.

Elle s'est alors tournée vers la porte de la villa qu'elle avait laissée ouverte. Ce simple mouvement, faisant virevolter le tissu blanc autour d'elle, a été comme une figure de danse.

Thorenc s'est dit que le corps de cette jeune femme devait ressembler à celui de Lydia Trajani.

À cet instant, Mercier est sorti de la villa.

Il portait le même manteau clair que le jour où Thorenc l'avait épié rue de la Guillotière.

Il s'est arrêté sur le seuil comme si la vision de la jeune femme l'avait surpris, ébloui. Puis il a baissé la tête et posé son visage contre la poitrine de sa compagne, et Thorenc a deviné qu'elle écartait les bords de sa robe de chambre pour qu'il puisse embrasser ses seins nus.

Thorenc a levé le bras, posant le canon de son arme sur son coude gauche replié.

Il sait fort bien qu'il ne va pas tirer. Il est trop loin et n'entend pas risquer de toucher la jeune femme. Mais, à la voir presser de ses mains la tête de Mercier contre sa poitrine, il a éprouvé un sentiment de colère, de mépris et, en même temps, de compassion.

— Il faudrait la tuer aussi, avait dit Bouvy lorsque, quelques jours auparavant, il avait placé sous les yeux de Thorenc la photo de cette femme et la fiche sur laquelle il avait inscrit les renseignements rassemblés sur elle.

Elle s'appelait Sonia Barzine. Elle devait avoir moins de

vingt ans. Klaus Wenticht, dont elle avait sans doute été la maîtresse, se servait d'elle comme de rabatteuse.

— Auriez-vous résisté ? avait dit Bouvy en désignant la photo.

On avait vu Sonia Barzine à Vichy, seule dans le restaurant de l'hôtel Albert-Ier où se retrouvaient ces hommes vaniteux qui se donnaient l'illusion de gouverner la France en servant Hitler.

Wenticht avait dû lui demander de séduire Mercier dont tout Vichy savait que, après avoir été l'aide de camp du général Xavier de Peyrière, il avait rompu avec lui et s'était rapproché des milieux de la Résistance. On le disait à présent proche de l'ORA. Il avait même fait le coup de poing contre des policiers de la Gestapo qui filaient d'un peu trop près le commandant Villars.

— C'est une histoire si banale ! avait marmonné Jacques Bouvy. L'officier et la belle espionne... Humain, et donc décevant !

Bouvy l'avait suivie durant plusieurs jours à Lyon. Elle portait des chapeaux extravagants, des capes noires, des robes drapées, des bracelets et des colliers qui faisaient qu'on se retournait sur elle.

— Au lit, on imagine ! avait ajouté Bouvy.

Il avait soupiré :

— Pauvre Mercier...

Puis il avait haussé les épaules :

— Un con ! Les hommes qu'on tient par les couilles sont de pauvres types. Et je suis sûr que Sonia Barzine, les couilles, elle doit...

Thorenc s'était détourné.

Il y avait certes de la complaisance dans l'insistance de

Bouvy, mais aussi une manière de le mettre en garde. Comme Pierre Villars, il était persuadé qu'on ne pouvait sans danger mener une action clandestine et conserver des liens affectifs.

Il avait continué, malgré l'indifférence affectée de son compagnon :

— L'amour, le désir, la tendresse et même l'amitié, ça agit comme un acide. Ça ronge tout : la volonté, les convictions ! Wenticht n'a eu qu'à ramasser Mercier. Et sans doute à lui faire croire qu'il lui accordait une certaine marge de manœuvre, ou bien à lui laisser entendre que, s'il ne collaborait pas avec la Gestapo, on allait envoyer la belle Sonia Barzine dans un camp où on la ferait baiser par des chiens ! Oui, ils font ça... Qu'est-ce qu'il vous reste comme issue quand vous vous êtes mis dans ce genre de situation ? S'enfoncer dans l'illusion, profiter de la femme, dépenser pour elle l'argent que Wenticht donne à profusion, et s'imaginer qu'on fait de la grande politique ! On livre le commandant Villars, mais sans doute protège-t-on les gens de l'Organisation de résistance de l'armée ; on joue Giraud contre de Gaulle, les Américains contre les bolcheviks... Il est établi que Mercier a effectué plusieurs fois le voyage de Genève, qu'il y a rencontré John Davies. Vous savez comment on a appris ça ? Parce que les douaniers et les policiers ont répété partout qu'ils n'avaient jamais vu une femme comme Sonia Barzine. Et Mercier, qui aurait pu rester là-bas avec elle, eh bien, il est rentré, ce con ! Parce qu'elle a dû l'exiger, inventer une histoire quelconque, et lui a cru qu'il allait changer le cours de la guerre ! Et John Davies l'a sans doute conforté dans cette idée...

Bouvy avait eu ce rire aigre et sarcastique qui, chaque fois, blessait Thorenc.

— Vous nous voyez raconter tout cela à nos jeunes gens

du plateau de Dieulevoye, à Gaston et aux fils Ambrosini ? Leur dire que Klaus Wenticht, l'un des chefs de la Gestapo de Lyon, a peut-être le même objectif que John Davies, un agent de l'OSS, et qu'ils veulent l'un et l'autre se débarrasser de Max en se servant pour cela du même homme ?

Thorenc s'était ostensiblement éloigné de Jacques Bouvy. Il avait répondu qu'il ne voulait même pas entendre ces hypothèses absurdes ; qu'en les formulant, Bouvy entrait dans le jeu de Klaus Wenticht. La Gestapo voulait en effet semer le trouble et le doute, diviser la Résistance, empêcher son rassemblement dans le Conseil national que Max mettait sur pied. Tout ce qui retardait la réunion de ce CNR, tout ce qui favorisait tel clan, tel courant contre tels autres, devait être rejeté.

— Ce n'est pas moi qui suis allé en Suisse, avait riposté Bouvy, mais vous, mais Mercier, et quelques autres encore. Vous savez fort bien, Thorenc, que certains acceptent le financement de leur mouvement par Davies. Mais nier que ces gens-là existent, écarter l'idée que Mercier s'imagine faire basculer la Résistance en agissant dans le même sens, c'est être aveugle !

— Je vais le tuer, avait murmuré Thorenc.

Ils avaient repéré la villa où Mercier habitait en compagnie de Sonia Barzine. C'était une grande bâtisse blanche située dans le quartier des théâtres romains, sur une colline dominant Lyon.

Un vaste parc l'entourait, fermé par un muret et une grille que l'on pouvait aisément franchir.

En face du portail se trouvait l'église Saint-Just où Thorenc et Bouvy s'étaient installés, découvrant que la sacristie était inoccupée, le prêtre ne venant que pour l'office dominical.

Ils avaient décidé d'agir seuls, sans avertir Pierre Villars qui aurait, selon Bouvy, tardé à donner son accord, sollicité l'avis des chefs de réseaux, et, qui sait, peut-être même ceux de Max et du BCRA. Cela aurait demandé des semaines et Mercier aurait continué d'agir, de livrer des hommes et des renseignements à Wenticht ; peut-être aussi en aurait-il profité pour filer en Suisse et se placer ainsi sous la protection de John Davies. Pourquoi pas ? Pucheu était bien en Afrique du Nord où il sollicitait le droit de combattre dans l'armée de Giraud ! Quant à Maurice Varenne, il était devenu le plus proche collaborateur de Jean Monnet, l'envoyé de Roosevelt auprès de Giraud !

Il fallait donc exécuter rapidement Mercier.

Thorenc avait craint que la Gestapo n'ait placé auprès de Mercier des gardes du corps ou ne l'ait mis lui-même sous surveillance. Mais, après avoir observé la villa durant cinq jours, ils avaient constaté que Mercier et Sonia Barzine y vivaient seuls, tout en la quittant souvent, comme un couple fortuné.

Ils faisaient penser à des trafiquants du marché noir : Mercier, une écharpe bleue tranchant sur son manteau clair ; Sonia Barzine, une capeline verte dissimulant ses cheveux et la grandissant d'autant plus qu'elle portait des chaussures à très hauts talons et à semelles épaisses.

Leur voiture, une Citroën noire à jantes jaunes, semblable à celles dont disposait la Gestapo — sans doute Wenticht l'avait-il mise à leur disposition —, était garée au bout de l'allée, devant le portail. Il fallait donc tirer sur Mercier avant qu'il n'ait eu le temps d'y monter.

Bouvy avait exigé que la jeune femme fût abattue en même temps que Mercier. Thorenc s'y était refusé. Ils s'étaient d'autant plus violemment opposés sur ce point qu'ils avaient dû, dans la sacristie, parler à voix basse, les dents serrées, presque front contre front, et ç'avait été comme si l'énergie qui ne passait pas par des éclats de voix se concentrait dans les propos rageurs qu'ils avaient échangés.

— Je ne suis pas un tueur ! avait martelé Thorenc.

Jacques Bouvy avait ricané. On le savait ! avait-il répliqué.

Thorenc était un affectif. D'ailleurs, le commissaire Dossi pouvait s'en féliciter !

Bertrand avait menacé de ses poings Bouvy qui reprenait ainsi à son compte la thèse de Stephen Luber. Il avait répété qu'il avait appuyé sur la détente, mais que le revolver que lui avait remis Luber s'était enrayé.

— Je ne laisserai pas de témoin, avait dit Bouvy, et je ne tiens pas à me faire abattre par cette femme qui doit mieux tirer que vous !

— Foutez le camp, Bouvy ! avait répondu Thorenc. Je vais agir seul. Le commandant Villars, je le connaissais depuis l'avant-guerre. C'est une affaire personnelle. Je ne manquerai pas Mercier !

Il avait même ajouté que, s'il le fallait, il le tuerait à coups de crosse.

— Vous n'êtes qu'un amateur, Thorenc ! avait lancé Bouvy d'une voix excédée.

Il avait conclu qu'il partageait désormais l'avis de Pierre Villars sur les initiatives du journaliste. Mais peut-être celui-ci était-il tout simplement un suicidaire, qui n'avait pas le courage d'enfoncer le canon de son revolver dans sa bouche et qui cherchait à ce qu'un autre le fasse à sa place ?

— Mercier est sûrement sur ses gardes, avait indiqué Bouvy. Sonia Barzine aussi. Vous m'avez sauvé la vie, Thorenc, quand vous êtes intervenu au mas Barneron ; je ne l'oublie pas.

Il s'était éloigné et s'était mis à parler plus haut, solennellement. Cette opération, avait-il expliqué, devait être menée par deux hommes, l'un s'occupant de Mercier, l'autre de Sonia Barzine. La jeune femme était aussi coupable que Mercier, et peut-être même plus dangereuse. Si on la laissait en vie, elle recommencerait avec un autre. Et elle était aussi capable d'ouvrir le feu.

— Je ne veux pas qu'elle vous tue, Thorenc. Exécutez Mercier, je me charge d'elle.

Thorenc avait secoué la tête et défié son compagnon du regard. Celui-ci avait alors quitté la sacristie en claquant la porte, et le bruit avait longuement résonné dans la nef vide.

— 37 —

À l'instant où il avait sauté le muret et commencé à courir, courbé, à travers le parc de la villa, Thorenc avait pensé qu'il avait eu tort de vouloir agir seul.

Mais, au lieu de revenir sur ses pas, de regagner l'église afin d'y attendre le retour de Jacques Bouvy, il avait couru encore plus vite vers cette haute haie qui se dressait à droite du perron.

Il s'était accroupi, reprenant son souffle, s'assurant qu'il pouvait, à travers le feuillage, voir le portail, l'allée, les marches. Il avait sorti son arme, vérifié qu'il avait engagé une balle dans le canon et que le cran de sûreté était abaissé. Puis il s'était assis par terre.

Le sol était mouillé. Au bout de quelques minutes, le crachin avait imbibé ses vêtements et fini par couler le long de son visage. Il avait eu froid dans cette obscurité que rien ne fissurait.

Il s'était souvenu des propos de Jacques Bouvy.

Peut-être, en effet, était-il suicidaire, peut-être les eaux mortes qu'il avait cru avoir refoulées au fond de lui imprégnaient-elles encore chacune de ses pensées, de ses décisions, chacun de ses actes.

Il avait cherché à comprendre ce qui l'avait poussé à traverser la chaussée au lieu de s'en tenir au plan qu'il avait arrêté avec Bouvy et qui prévoyait qu'ils n'abattraient le traître que le lendemain matin.

Mais il avait aperçu Mercier et Sonia Barzine qui sortaient de la villa. Et il n'avait pas réellement réfléchi. Il avait murmuré :

— C'est maintenant, je dois y aller.

Il avait attendu que les feux arrière de la voiture aient disparu et il avait aussitôt quitté la sacristie, traversé la nef de l'église. Et ce n'est qu'à ce moment-là, alors même qu'il débouchait dans la rue et constatait qu'elle était déserte, noyée sous le crachin, qu'il avait pensé que Mercier et Sonia Barzine avaient dû aller dîner, qu'ils rentreraient sans doute au milieu de la nuit, après une soirée passée dans l'une des boîtes proches de la place Bellecour où se retrouvaient les agents de la Gestapo et les trafiquants du marché noir.

Il s'était persuadé, en s'élançant vers le parc de la villa, que son instinct ne le trompait pas.

Mais, tandis qu'il frissonnait à présent, en faction derrière la haie, il s'était demandé s'il n'avait pas été tout bonnement poussé par l'instinct de mort.

Il était à peine vingt-trois heures. Il avait encore hésité : il avait le temps de retraverser le parc, de courir vers l'église, d'y attendre Bouvy.

Mais il s'était recroquevillé, essuyant de la manche de son imperméable la pluie qui ruisselait sur son front et ses joues.

Il s'était évertué à imaginer ce qu'il devrait faire après avoir tiré sur Mercier.

Il s'était affolé, incapable de reconstituer l'itinéraire de fuite qu'il avait pourtant étudié avec soin en compagnie de Bouvy.

Il avait eu la certitude qu'il ne pourrait sortir de ce parc, qu'il y serait traqué, qu'il n'aurait plus comme issue que de sauter dans le vide.

Mais où était le vide ? En l'occurrence, il n'était pas acculé au bord d'une falaise. Pourtant, il avait la sensation de se trouver en déséquilibre. Il allait basculer dans l'abîme. Il s'était redressé, sentant que sa jambe gauche devenait douloureuse.

Tout à coup, il avait entendu le bruit du moteur. Il avait vu les phares éclairer le portail et dessiner de longues bandes jaunes dans l'allée. Il avait aperçu à travers les grilles la silhouette de Mercier qui poussait le portail, puis remontait à bord de la voiture.

Elle avait roulé lentement dans l'allée, puis s'était arrêtée devant le perron. Sonia Barzine était descendue. Elle riait aux éclats, oscillant sur ses hauts talons.

Thorenc avait calé le canon de son arme sur une branche.

Mais, brusquement, il avait vu sortir par la portière arrière de la voiture un homme qui n'était pas Mercier, qui avait pris Sonia par le bras et avait commencé à gravir avec elle les marches de la villa.

Dans la lumière des phares, Thorenc avait reconnu Klaus Wenticht.

Il avait entendu Mercier dire d'une voix joyeuse qu'il allait les rejoindre, qu'ils n'avaient qu'à commencer à se servir à boire.

C'était Mercier qu'il devait abattre.

Thorenc s'était un peu soulevé, prêt à faire feu, mais, à cet instant précis, l'allée avait été à nouveau éclairée. Une seconde voiture s'avançait vers la villa.

Trois femmes et deux hommes en étaient descendus et s'étaient dirigés, bras dessus bras dessous, vers le perron tout en chantonnant.

Thorenc s'était laissé retomber.

Il avait eu envie de hurler de rage et de peur.

Il avait dû fermer les yeux, le temps d'un long battement de paupières.

Lorsqu'il les avait rouverts, les lumières de la villa éclairaient de larges portions du parc, mais la haie le protégeait.

Il avait entendu les rires des femmes qui, brusquement, couvraient les voix masculines.

Il avait vu la silhouette de Sonia Barzine se découper dans le cadre de la porte.

Elle avait crié plusieurs fois : « Édouard ! Édouard ! », et

Thorenc avait réalisé qu'eux-mêmes n'avaient jamais donné à Mercier son prénom, comme s'ils n'avaient pas souhaité mieux le connaître, se contentant de préciser sa fonction, son grade : « lieutenant Mercier », un masque qui s'était déchiré, laissant apparaître cet homme qui livrait ses camarades à l'ennemi, à la torture, à la mort, et qui répondait à présent à Sonia Barzine qu'il arrivait, qu'il allait juste refermer le portail.

Thorenc l'avait suivi des yeux cependant qu'il remontait l'allée presque entièrement éclairée par les lumières du hall.

En quelques enjambées, il s'était rapproché.

Quand Mercier avait posé la main sur le bord du portail, il se tenait à moins d'un mètre de lui.

Il avait vu cette nuque, ces larges épaules.

Il entendait un air de java, mais, au bout de quelques secondes, les rires et les voix s'étaient tus, la musique seule envahissant le parc.

Il avait fait un pas. Le gravier avait crissé. Mercier avait commencé à se retourner.

Thorenc avait dit :

— Mercier, vous avez trahi.

Dans le même temps, il avait fait feu, deux fois.

Puis il était resté immobile tandis que s'affaissait devant lui ce corps par-dessus lequel il allait lui falloir sauter pour atteindre la rue.

Il avait entendu des hurlements, s'était élancé, dévalant la pente droit devant lui, se souvenant qu'il aurait dû tourner dans la rue à droite, mais peut-être l'avait-il déjà dépassée ?

Il avait alors pensé qu'il allait s'écraser sur les éboulis, tout au bas de la falaise, là où jaillissaient les eaux mortes redevenues vives...

CINQUIÈME PARTIE

— 38 —

Thorenc a tout à coup l'impression que ses yeux deviennent deux braises incandescentes, rouges puis blanches, qui vont lui calciner les paupières. Il sent au même instant que ce feu se propage, rayonnant à partir de sa nuque, parcourant comme des traînées de lave son dos, ses épaules, ses bras, ses jambes, enflammant son ventre, son sexe. Et, brusquement, réduisant son crâne à un cratère incandescent qui emplit sa gorge et sa bouche de matière en fusion.

Ses yeux éclatent. Il rouvre les paupières pour que la chaleur s'en échappe, que cette pression intolérable qu'il ressent sous sa peau, qui va le déchirer, le fendre, l'éventrer, fuse.

Dans une vapeur épaisse, il discerne trois silhouettes, l'une plus blanche que les autres, qui peu à peu se précisent.

Il devine les traits de ce visage au front bombé, aux cheveux noirs rejetés en arrière, aux traits réguliers, un sourire entrouvrant sa bouche.

Il cherche le nom de cet homme, et, comme s'il craignait de s'en souvenir, il referme les yeux.

On parle en allemand près de lui.

On dit :

— Il s'en va encore...

On répond :

— Recommencez, je veux pouvoir l'interroger.

Thorenc sent qu'on lui fait une piqûre à la base du cou et c'est à nouveau cette sensation de jets de lave qui se répandent sous sa peau.

Tout à coup, il se souvient du corps de Mercier qu'il a enjambé, des cris, du martèlement de sa course dans la rue en pente, et de ces détonations, de cette violente poussée en avant qu'il a ressentie dans l'épaule gauche ; il avait repensé à ce moment-là à sa fuite dans le quartier de la Joliette, à la seconde précise où une balle lui avait déchiré le mollet gauche et où il s'était affaissé.

Il s'était dit : « Maintenant c'est l'épaule, du même côté. » La douleur avait été si intense qu'il avait eu l'impression qu'on lui brisait le bras à hauteur du coude, puis qu'on le lui arrachait.

On avait hurlé plusieurs fois :

— *Halt ! Halt !*

Il y avait eu d'autres détonations.

Une voix toute proche avait commandé de ne plus tirer, disant qu'il fallait le prendre vivant.

Et Thorenc s'était répété : « Je dois mourir. »

Il avait voulu glisser la main dans sa poche pour atteindre la pilule de cyanure.

Il avait ressenti un choc sur le front et avait su qu'il venait de heurter la chaussée. Il avait encore eu le temps de penser : « J'ai tué Mercier. Je dois mourir. »

Les voix au-dessus de lui s'étaient croisées, l'une d'elles disant qu'on allait l'interroger dès cette nuit.

Il rouvre les yeux dans l'espoir que les brûlures vont cesser. Les silhouettes se précisent.

Un homme est penché. Il porte sur son uniforme une blouse blanche entrouverte. Il tient le poignet de Thorenc. Il dit que le pouls est rapide, mais régulier.

Un peu à l'écart, appuyé à une fenêtre grillagée, se tient un autre homme en manteau de cuir noir.

Le troisième tire une chaise près du lit, et Thorenc ne voit d'abord que son profil, son épaule, son flanc. L'homme s'assied, lui fait face, sourit et dit :

— Je suis sûr que vous me reconnaissez, monsieur Bertrand Renaud de Thorenc. Allons...

Il ne faut surtout pas dire un mot.

Il faut garder le regard vague, faire mine de ne pas se souvenir de Klaus Wenticht qui se penche sur lui sans cesser de sourire.

— Vous vous souvenez, Thorenc ? commence l'officier allemand. C'était à Moulins, en juillet 1940. Que d'événements depuis, n'est-ce pas ? Mais je n'ai cessé de me préoccuper de ce que vous faisiez. J'ai souvent pensé que vous étiez fou, Thorenc, que vous agissiez ainsi par désœuvrement. J'ai même, une fois, interrogé votre mère. Elle m'a dit que, depuis votre enfance, vous vous êtes toujours ennuyé, et que c'est pour cela que vous avez couru le monde, que vous n'avez manqué aucune guerre : pour voir, échapper à votre ennui.

Wenticht pose la main sur l'épaule gauche de Thorenc et c'est comme si on lui broyait tout le corps. Il ne peut s'empêcher de geindre, puis, parce que l'Allemand s'est mis à serrer de plus en plus fort, de hurler.

— Quelle idée de tuer Mercier, Thorenc ! Qu'est-ce que vous aviez contre ce brave Édouard ? J'ai souvent parlé de vous avec lui. Il vous estimait. Il pensait que vous faisiez fausse route, mais il m'a toujours demandé de ne pas vous arrêter, parce qu'il pensait qu'au moment décisif, quand il faudrait choisir entre les communistes et la défense de notre civilisation, vous seriez du bon côté. J'étais plus sceptique, mais j'appréciais Mercier, et, après tout, vous n'étiez pas la cible la plus importante. Mais qu'est-ce qui vous a pris ? Que les FTP communistes pratiquent ce genre d'action, soit : ce sont des bandits, des assassins, mais vous, Thorenc !

Il serre à nouveau l'épaule blessée. Thorenc hurle, ferme les yeux, mais la chaleur est trop vive ; il les rouvre.

— Il va falloir nous expliquer tout ça, Thorenc, reprend Wenticht.

Thorenc voit l'Allemand se lever, marcher autour du lit, rejeter les pans de son imperméable, enfoncer les mains dans les poches de sa veste.

— Nous savons déjà presque tout, dit-il. C'est ce qui a d'ailleurs convaincu Mercier de travailler avec nous. Quand il a vu le tableau que nous avons dressé des différents réseaux, de leurs liaisons, quand je lui ai donné la liste des principaux responsables, et même, pour certains, la date de leur nomination, la fréquence et la durée de leurs séjours à Londres, il a été stupéfait, tout comme vous le serez, Thorenc. Il ne nous manque que quelques détails, et nous avons aussi besoin de différentes confirmations. Mais il y a beaucoup de choses que vous ignorez et que nous connaissons. Parce que vous autres, Français, vous êtes aussi bavards que vous êtes douillets. Et puis...

Wenticht s'assied, effleure de la main l'épaule de Thorenc, et cela suffit pour que la douleur revienne, plus aiguë.

— Vous vous détestez tant entre vous que vous livrez ceux que vous n'aimez pas. Si j'interroge un communiste, il me dira tout ce qu'il sait des partisans de Giraud, de l'ORA. Dix fois on m'a donné le nom de Mercier, le vôtre, Thorenc, celui de Bouvy. Je ne vais pas continuer. Et le jour où j'arrête Mercier, ceux qu'il me livre d'abord, ce sont les communistes, ou les résistants qu'il soupçonne de les favoriser. Mercier n'aimait pas de Gaulle et il détestait le commandant Villars. Nous aussi, vous l'imaginez bien. Mais...

Wenticht allume une cigarette. Il en approche le bout rougeoyant de l'œil de Thorenc, puis se met à fumer, la tête penchée en avant.

— Mais, reprend-il, Mercier a été incapable de me livrer les hommes qui nous intéressent le plus : Pierre Villars, et surtout... — il écarte les mains — vous devinez qui ? Max, bien sûr, celui que vous appelez aussi Rex. Nous n'ignorons plus rien de lui, de la carrière du préfet Jean Moulin, de son visage, de sa ligne politique. Il est intelligent, courageux, coriace, mais il a rassemblé sur sa tête tant de haines, il a tant de rivaux que, voyez-vous, Thorenc, je pense que nous l'aurons. Quelqu'un nous dira : « Il est là, prenez-le, débarrassez-nous-en ! »

Wenticht incline sa chaise, empoigne l'épaule de Thorenc. Celui-ci hurle. L'Allemand le relâche et poursuit :

— En définitive, nous sommes bien utiles, Thorenc. On se sert de nous pour régler ses comptes. Les femmes qui ont un amant dénoncent leur mari : comment voulez-vous que nous ne répondions pas à leur attente ? Elles nous disent tout : qu'il est résistant, qu'il cache des armes, etc. Elles sont si heureuses quand nous arrivons... Mais, plus sérieusement, il y a tous ceux qui ne veulent pas de De Gaulle ni de son représentant en France. Ils apprécient le général Giraud. Ils sont soutenus par John Davies, les services américains de Berne et de Genève. Nous suivons ça de très près, Thorenc. Nous avons appris que vous aviez rencontré Davies et Irving à Genève.

Il a fouillé dans sa poche, sorti quatre feuillets agrafés ensemble.

— C'est le dernier message de Moulin à Londres. Le grand Rex se sent traqué. Écoutez, Thorenc, ce qu'il écrit : « Je suis recherché maintenant tout à la fois par Vichy et la Gestapo qui, en partie grâce aux méthodes de certains éléments des mouvements — vous entendez, Thorenc, il est lucide, votre Max ! —, n'ignore rien de mon identité et de mes activités. Ma tâche devient donc de plus en plus délicate alors que les difficultés ne cessent d'augmenter. Je suis bien décidé à tenir le plus longtemps possible, mais, si je venais à disparaître, je n'aurais pas eu le temps matériel de mettre au courant mes successeurs. »

Douleur dans l'épaule et le bras que Wenticht effleure, puis serre. Brûlure dans les yeux. Tête qui se fend par le milieu ou qu'on écrase. Thorenc geint. La souffrance qu'il ressent à écouter Wenticht avive celle qui lui ronge le corps, lui brise la tête, émiette ses pensées.

Wenticht semble en effet presque tout savoir de l'organisation de la Résistance, de ses forces et de ses divisions. Il raconte comment des chefs de réseaux se plaignent auprès des Américains, à Berne, de la « domination du Comité national français — de la France combattante, donc de De Gaulle — et de ses tentatives pour désigner des individus qui doivent diriger les mouvements de Résistance en France ». Ils remettent en cause l'autorité de Jean Moulin tout en prétendant se rassembler derrière de Gaulle, mais en contestant ses directives et l'homme qui le représente.

Wenticht avance à nouveau la main et la place juste au-dessus de l'épaule de Thorenc.

— Chaque fois que je pense à vous, dit-il, que je relève vos traces, je me souviens que vous avez interviewé notre Führer, avant guerre. Vous connaissez la politique, Thorenc, et depuis longtemps. Vous voyez bien ce qui est en train de se jouer ? C'est le sens de la guerre et de l'après-guerre. Il ne s'agit plus seulement de nous, Français, Allemands, mais de savoir qui souhaite ouvrir à deux battants la porte de l'Europe aux communistes. Je ne veux pas croire que vous, Bertrand Renaud de Thorenc, vous y soyez décidé. Et je tiens à vous dire...

Il se penche sur le prisonnier :

— Il y a de nombreux résistants — je pourrais vous citer leurs noms — qui n'acceptent pas la politique gaulliste consistant à favoriser les communistes pour prendre le pouvoir grâce à leur appui. Ce sont des patriotes, nos adversaires, mais nous nous comprenons. Ce que je vous demande, Thorenc...

Il approche son doigt tendu du pansement qui enveloppe l'épaule de Thorenc.

— Il faut nous aider à prendre Max. Bien sûr, nous pouvons y réussir sans vous, quelqu'un d'autre nous aidera, j'en suis sûr. Mais chacun doit mettre tous les atouts dans son jeu, et vous êtes une très bonne carte, Thorenc, n'est-ce pas ?

Wenticht enfonce tout à coup son index dans l'épaule de Thorenc qui hurle une nouvelle fois.

— Je veux les adresses, ordonne l'Allemand, toutes les adresses où nous pouvons trouver Max, les lieux où se tiennent les réunions auxquelles il peut assister. Vous les connaissez, j'en suis sûr. Il me les faut, Thorenc ! Vite, car les choses ne vont pas manquer de s'accélérer. De Gaulle a besoin que toute la Résistance apparaisse rassemblée derrière lui. Moulin va donc multiplier les consultations, essayer de tenir la première assemblée de ce Conseil national de la Résistance qu'il s'efforce de mettre sur pied. Il va convoquer plusieurs personnes. Certaines, bien sûr, refuseront d'y participer. Vous savez ce que dit l'un des responsables de réseau ? Que ce Conseil national n'est qu'une farce ! Une supercherie politique que montent de Gaulle et Moulin pour impressionner les Américains, leur faire croire que le premier est le chef incontesté de l'ensemble de la Résistance !

Wenticht se penche derechef sur Bertrand :

— Je veux toutes les adresses que vous connaissez, que ce soit à Lyon, à Paris ou ailleurs. Je veux que vous me disiez tout ce que vous savez sur Moulin et Pierre Villars !

Il se lève et, d'une voix sèche, cinglante :

— Je veux que vous me parliez pendant des heures, Thorenc !

Wenticht arpente la chambre.

— Vous n'avez pas le choix, Thorenc. Si vous vous taisez, vous allez vraiment souffrir. Et pourquoi ? Pour rien ! De toutes les façons, nous aurons Jean Moulin. Je vous ai lu son message. Il en est lui-même persuadé. Nous savons qu'il a dit qu'il était un mort en sursis depuis le 17 juin 1940. Comprenez-nous, Thorenc : nous nous battons contre les bolcheviks. Nous ne pouvons laisser sur nos arrières des gens qui, ici, à l'Ouest, nous harcèlent et sont les alliés des Russes. Il nous faut nettoyer, nettoyer ! C'est aussi l'intérêt de la France. Je ne vous demande pas de nous aimer, Thorenc, mais de faire montre d'un peu de bon sens en songeant à vous et à l'avenir de votre pays.

Wenticht chuchote quelques mots à l'homme en blouse blanche.

— Vous n'êtes pas en état de parler, paraît-il, mon cher ami. On va donc vous soigner et vous retaper pendant quarante-huit heures.

L'Allemand se frotte les mains :

— Nous sommes beaucoup plus humains qu'on ne dit, Thorenc. Ces deux jours vous donneront le temps de réfléchir. Vous serez ainsi prêt à répondre à toutes mes questions. Si, par contre, vous persistez à vous taire, vous aurez choisi en connaissance de cause.

Il s'approche et assène un violent coup de poing dans l'épaule de Bertrand.

Les silhouettes s'effacent.

Thorenc pense qu'il sombre dans un de ces lacs noirs, immobiles et profonds, emprisonnés dans l'épaisseur du plateau.

— 39 —

Il a l'impression que son bras droit va être arraché de son épaule, puis que son corps va retomber et qu'il verra sa main agrippée au sommet du portail qu'il se doit de franchir.

Il plaque ses cuisses, son sexe, sa poitrine, ses lèvres aux barreaux pour ne faire qu'un avec ce portail, se hisser par mouvements de reptation malgré son bras gauche paralysé, ces élancements fulgurants dans l'épaule, cette douleur que le pansement serré ne contient pas mais, au contraire, fait exploser.

S'il disposait de ses deux bras, il pourrait, par une simple traction, passer le portail et se retrouver dans la ruelle qui borde l'hôpital allemand de la Croix-Rousse.

C'est là, dans le quartier cellulaire de l'hôpital, qu'on l'a conduit en fin d'après-midi après l'avoir laissé sous la garde d'une sentinelle dans l'un des bureaux de l'École de santé militaire.

Il n'a plus revu Klaus Wenticht, mais il a entendu sa voix résonner dans les couloirs, s'emporter parce que le prisonnier n'avait pas encore été transféré à l'hôpital :

— Je veux qu'on le soigne, qu'on me le remette d'aplomb !

On l'avait enfin porté jusqu'à une ambulance.

Il n'avait pas ouvert les yeux. Il avait essayé de paraître inerte, évanoui, ballant d'un bord à l'autre du brancard, imaginant, à l'instant où on l'avait introduit dans le véhicule, qu'il pourrait peut-être en bondir.

Mais, regardant à travers ses cils, il avait pu constater que deux soldats se tenaient de part et d'autre du brancard ; après avoir refermé les portes, ils s'étaient assis sur une civière, jetant de temps à autre un coup d'œil à Thorenc.

Puis, constatant que celui-ci paraissait dormir, ils avaient commencé à parler, évoquant cette 23e division qu'on avait composée avec des hommes pris en France dans chaque service de la Wehrmacht, et qui était partie pour le front de l'Est.

— On a fusillé hier un gamin de dix-neuf ans, avait

déclaré à mi-voix le plus âgé qui avait ôté son casque. Ce petit con s'était tiré une balle dans la main.

L'autre soldat s'était contenté de hocher la tête.

Puis ils avaient parlé de leurs femmes, de ces salopards de Français qui avaient pris, dans les fermes, la place des paysans mobilisés. Eux, les Allemands, faisaient la guerre, et ces prisonniers français qui n'avaient même pas su se battre, qui avaient tout de suite levé les bras, se comportaient sûrement là-bas comme des coqs de village.

Les deux soldats avaient d'un même mouvement tourné les yeux vers Thorenc, s'interrogeant sur ce qu'avait pu faire celui-là.

— Terroriste, assassin, avait marmonné le plus âgé.

Dans la cour de l'hôpital, tout en le portant, ils avaient sciemment secoué le brancard, et Thorenc n'avait pu s'empêcher de geindre.

Un infirmier les avait guidés jusqu'à une chambre que gardait une sentinelle. Ils l'avaient fait rouler sur le lit. Thorenc avait à nouveau crié. L'infirmier les avait insultés, puis avait entrepris de défaire le pansement du blessé et de désinfecter sa plaie.

C'est lui qui avait serré si fort les bandes que Thorenc avait eu l'impression que son bras gonflait, comme si le sang ne parvenait plus à y circuler.

On avait refermé la porte de la chambre. Il avait entendu les rires de la sentinelle qui devait plaisanter avec des infirmières.

Il s'était aussitôt levé, malgré le poids insupportable qui paraissait accroché à son épaule gauche.

Il avait marché jusqu'à la fenêtre, bloquée par un cadenas. Il avait aperçu les toits de bâtiments bas, peut-être des garages, situés à environ deux mètres au-dessous. Au-delà, il avait découvert dans la nuit tombante une petite cour fermée par un portail qui donnait sur une ruelle.

C'était pour maintenant. C'était pour cette nuit-là.

Wenticht ne lui laisserait que le choix entre la trahison et la mort. Il fallait donc fuir en prenant le risque d'être abattu par un gardien, ou bien vivre encore quelques heures et attendre passivement que Wenticht choisisse le moment de le tuer.

Il avait guetté les bruits, attendu, couché, que l'infirmier repasse, lui touche le front, puis quitte la chambre.

Aussitôt, il avait essayé de forcer le cadenas, et, au bout de quelques minutes seulement, avait réussi.

Il en avait été si surpris qu'il était resté saisi, se demandant si on n'avait pas voulu faciliter sa fuite, peut-être pour le suivre afin qu'il conduise la Gestapo à l'un de ces lieux qu'elle ne connaissait pas encore et qu'elle pourrait transformer en souricière.

Mais il n'a plus voulu réfléchir. Il a enjambé la fenêtre. Il a eu l'impression qu'il allait tomber la tête la première, mais il a sauté sur les toits plats des garages. Le choc a été si rude qu'il est resté étourdi ; sa blessure s'était sûrement rouverte.

Il s'est immobilisé sur la toile goudronnée qui recouvre les toits. Puis il a rampé et bondi dans la cour, courant jusqu'au portail, s'y accrochant de la main droite, s'y hissant.

Pourquoi son corps est-il si lourd ?

Passer ou mourir, ou, pis encore, trahir s'il ne peut résister à la torture. Car Wenticht frappera de nouveau son épaule blessée.

Thorenc se souvient des visages tuméfiés de Minaudi et de Claire Rethel.

Il atteint le haut du portail. La barre de fer cisaille son ventre. Il l'enjambe. Elle écrase son sexe. Il bascule et se retrouve affalé sur le sol de la ruelle. Et, tout à coup, c'est la pluie qui l'inonde, le fait frissonner, le fouette.

Debout, debout !

Il faut maintenant courir en rasant les façades, en s'éloignant le plus vite possible de l'hôpital allemand, ne traversant les carrefours qu'après s'être assuré qu'aucune patrouille, aucune voiture, aucune ronde de police n'approche.

Il pense à tous ceux qui déjà l'ont aidé, recueilli, à ces Français qui ont risqué leur vie en lui ouvrant leur porte : le docteur Morlaix, le policier de Marseille, l'abbé Vivien et sa mère, la vieille madame Laure Vivien.

Plusieurs fois, au bord de l'épuisement, il a la tentation de s'engouffrer dans un immeuble et de frapper à une porte, au petit bonheur.

Il entend un bruit de moteur, s'enfonce sous un porche.

Dès qu'il s'arrête, la douleur devient insoutenable, comme si tout le flanc gauche de son corps n'était qu'une plaie rougeâtre au centre de laquelle bat son cœur.

La voiture passe, disparaît.

Il parcourt des ruelles, contourne des places. Tout à coup, devant lui, cette longue percée rectiligne : la rue du Plâtre.

Elle est déserte, battue par l'averse.

Thorenc court, glisse, se redresse.

Il reconnaît cette façade obscure.

Il pénètre dans l'immeuble, s'accroche à la rampe pour ne pas s'écrouler dans l'escalier.

Il frappe à la porte, plusieurs fois, à petits coups espacés.

Si Catherine Peyrolles n'ouvre pas, il va mourir.

Il sent qu'il s'affaisse. Il s'appuie au battant.

Il murmure plusieurs fois :

— C'est moi... c'est moi...

Il a l'impression que la porte cède, qu'une haute paroi s'effondre et que les eaux mortes jaillissent de lui comme un torrent fonçant vers l'air libre.

— 40 —

Couché, les yeux fermés, Bertrand a effleuré de sa main droite le drap lisse.

Il a tâtonné, reconnaissant le grain d'un tissu, la chaleur d'une couverture, et il est sorti peu à peu du sommeil, de ce rêve où il s'était imaginé allongé au bord d'un courant d'eau fraîche et claire dont il lui semble encore entendre le murmure.

Il s'est redressé comme pour s'arracher à ce mirage ; la douleur dans son épaule gauche a été si vive qu'il s'est cambré, son corps plié par la souffrance à hauteur des reins.

Il a réussi à étouffer un cri, mais, dès qu'il a ouvert les yeux, il a d'abord vu ces raies obliques, sur le mur, et cru au premier regard qu'il s'agissait de barreaux fermant une fenêtre.

Il s'est dit : « Ils m'ont repris. Ils vont me fusiller. » Puis, tournant un peu la tête, il a découvert le volet qui sectionnait la lumière en bandes blanches striant les cloisons et le parquet de la chambre. Il a reconnu l'armoire, la table basse, l'abat-jour.

Il était donc couché dans la chambre située au bout du couloir de l'appartement de Catherine Peyrolles. Il a aussitôt reconstitué sa fuite par les rues de la Croix-Rousse, et il s'est reproché de s'être réfugié ici, chez Catherine. Si on l'avait suivi, c'était comme s'il l'avait dénoncée.

Il aurait été tout aussi coupable que cet Édouard Mercier qu'il avait abattu.

Assassiné.

Il s'est levé. Il porte un pyjama qu'il ne connaît pas. Sans doute a-t-il appartenu à Paul Peyrolles. Il s'appuie au battant de la porte.

Catherine Peyrolles étant enceinte, Wenticht laissera peut-être naître l'enfant pour le martyriser ensuite sous les yeux de sa mère ?

Il se sent entraîné par le désespoir, l'accablement, un sentiment de défaite et d'impuissance.

Pourquoi l'a-t-on seulement blessé ? Pourquoi la balle n'a-t-elle pas fait exploser sa tête alors qu'il courait dans ces rues en pente du quartier des théâtres romains et qu'il entendait les cris des femmes, ces voix qui hurlaient « *Halt ! Halt !* » ?

Il reste plusieurs secondes l'oreille collée à la porte. Il reconnaît les voix de Pierre Villars et de Jacques Bouvy.

S'ils se trouvent chez Catherine, c'est qu'ils sont persuadés qu'il n'a pas été suivi, que l'adresse est sûre.

Il ouvre la porte. Il s'avance dans le couloir et l'entrée, prenant appui sur les meubles, la cloison.

Il écoute.

Villars déclare que les chefs de Combat — Henri Frenay, notamment — reprochent à Moulin ce qu'ils appellent sa « méconnaissance du travail réel » accompli par les hommes des mouvements. Ils l'accusent de vouloir « fonctionnariser la Résistance ».

Il y a un silence. Peut-être Pierre Villars cherche-t-il dans ses papiers le document dont il souhaite donner lecture.

— Voilà le point essentiel, dit-il. Frenay écrit ceci à Moulin : « Vous semblez méconnaître ce que nous sommes vraiment, c'est-à-dire une force militaire et une expression politique révolutionnaire. Si, sur le premier point, et avec les réserves que j'ai faites, nous nous considérons aux ordres du général de Gaulle, sur le second, nous conservons toute notre indépendance. Nous nous considérons un peu, si vous le voulez, comme un parti qui soutient un gouvernement, mais n'est pas pour autant aux ordres de ce dernier. »

Thorenc a laissé retomber sa tête sur sa poitrine.

Tout à coup, il a le sentiment de l'inutilité de ce qu'il vient de faire — tuer une nouvelle fois un homme —, et de la folie que représentent ces arguties, ces contestations ? Qu'elles surgissent une fois la Libération intervenue, mais, alors que Wenticht connaît presque tous les rouages et les responsables de la Résistance, qu'il frappe à coups redoublés, arrêtant, torturant, forçant les uns ou les autres à trahir, est-ce l'heure de remettre Moulin en cause ?

Thorenc se remémore l'assurance et l'arrogance de Wenticht, la certitude qu'il a exprimée de capturer un jour prochain Jean Moulin.

Au fur et à mesure que les propos de l'officier allemand lui reviennent, il a l'impression que la douleur de son épaule se répand dans tout son corps.

Il se sent d'autant plus vulnérable qu'il a désormais la conviction que Moulin est traqué, le pressentiment qu'il ne réussira pas à échapper à ceux qui le pourchassent, qui veulent sa peau, et peut-être, comme Wenticht l'a dit, ceux-ci ne sont-ils pas tous membres de la Gestapo. Quel nouveau traître va prendre la place d'Édouard Mercier ?

Au moment d'ouvrir la porte, Thorenc entend Pierre Villars qui, à voix basse, mais en détachant chaque mot, est sans doute en train de dicter à Catherine Peyrolles les termes d'une lettre de Moulin à de Gaulle, constituant sa propre réponse aux arguments de Frenay :

« De quoi s'agit-il en dehors de la libération du territoire ? Il s'agit, pour vous, de prendre le pouvoir contre les Allemands, contre Vichy, contre Giraud, et peut-être contre les Alliés. Dans ces conditions, ceux qu'on appelle très justement les gaullistes ne doivent avoir, et n'ont en fait, qu'un chef politique : c'est vous. »

Thorenc reconnaît alors la voix de Jacques Bouvy qui répète :

— Mais qu'est-ce qu'ils imaginent : qu'on en est déjà à se partager le pouvoir ? On se bat, ils le savent, puisqu'ils sont comme nous dans la merde. Alors, qu'est-ce qu'ils veulent ? Qu'est-ce qu'ils craignent ? Qu'on leur prenne les places auxquelles ils ont droit ? Qu'ils se les foutent où je pense !

— Il ne faut pas être naïf, répond Pierre Villars. L'après-guerre se joue dès maintenant, et nous le savons tous ! Chacun prend ses marques. Seulement nous, nous pensons qu'on ne peut rien obtenir pour la France si nous ne sommes pas rassemblés derrière de Gaulle en le reconnaissant pour chef. Et de cela ils ne veulent pas, ou seulement du bout des lèvres...

Alors qu'il tourne la poignée de la porte, Thorenc a encore le temps d'entendre Villars évoquer ces éditions régionales du journal *Combat* où la manchette acceptée depuis plusieurs mois par les publications clandestines — « Un seul chef, de Gaulle ! Un seul combat, pour la Libération ! » — a été remplacée par une autre formule : « Un seul combat : pour la patrie ! »

— Voilà où ils en sont ! s'est exclamé Jacques Bouvy.

Il a d'abord vu Catherine Peyrolles qui s'est mise à balbutier en l'apercevant, sans qu'il perçoive un seul mot échappé de ses lèvres.

Elle s'est levée. Il se rend compte avec surprise qu'elle est déjà grosse. Elle porte une ample blouse blanche dont les pans débordent sur sa jupe et couvrent son ventre. Même son visage est plus rond.

Il faut qu'elle quitte Lyon sur-le-champ ! pense-t-il.

Pierre Villars et Jacques Bouvy se sont levés à leur tour.

Catherine l'a dévisagé d'un regard anxieux, mais c'est lui qui dit en s'asseyant :

— Comment ça va ?

— Bien, très bien ! répond Pierre Villars d'une voix un peu trop enthousiaste.

— Les traîtres sont exécutés et les héros s'évadent ! s'esclaffe Bouvy.

Il s'est approché de Thorenc, s'est penché pour lui entourer d'un bras les épaules.

— Je suis arrivé peu après devant la villa de Mercier. J'ai tout de suite compris quand j'ai vu Sonia Barzine, entourée de deux ou trois putains, qui gesticulait dans le parc. Les voitures de la Gestapo étaient déjà reparties. J'ai interrogé les voisins. Un seul m'a parlé. J'ai su que vous aviez été blessé.

Bouvy s'écarte de Bertrand.

Villars et lui étaient décidés, explique-t-il, à monter une opération pour tenter de le libérer.

— On ne vous aurait pas laissé tomber.

— Comment ça va ? demande à nouveau Thorenc.

Il ne s'est passé que quelques jours, mais il lui semble que des mois se sont écoulés. Il est vrai qu'il n'a plus pris connaissance des rapports d'ensemble depuis plusieurs semaines.

— L'union est faite, expose Pierre Villars sur le même ton enthousiaste, mais sans plus regarder Thorenc. Le Conseil national de la Résistance a été officiellement constitué. Il a déjà exprimé son entier soutien à de Gaulle. Il doit encore tenir sa première réunion, mais la simple annonce de sa naissance a déjà changé la donne à Alger. Toute la Résistance appuyant de Gaulle, les Américains vont devoir s'incliner et accepter qu'il incarne le pouvoir politique légitime. On fera de Giraud le chef militaire. Ça va bien, très bien ! conclut Pierre Villars en lançant un coup d'œil à Bouvy.

— On ne peut mieux ! marmonne ce dernier.

Puis, comme s'il voulait effacer l'impression que le ton ironique qu'il a employé avait pu donner, il énumère, tout en marchant à travers le bureau, les actions de plus en plus nombreuses entreprises par les groupes francs, les FTPF, les cheminots, les maquisards...

— De Gaulle a dit : « Le principe de la nécessité des actions immédiates est admis. » Personne n'a eu besoin qu'on le répète. En Haute-Vienne, les maquisards, qui ont à leur tête un instituteur, Louis Guingoin, attaquent à la grenade les véhicules allemands. Mais ça explose partout ! On ne peut plus tenir les gars. On ne sait plus que faire des réfractaires.

Il secoue la tête.

— Sur le plateau de Dieulevoye, ils sont maintenant près de cent, et on ne dispose d'armes que pour une trentaine d'entre eux... Mais tout va bien : il suffit que le débarquement ne tarde pas trop...

Thorenc écoute, la main droite posée sur son épaule blessée, comme s'il essayait d'empêcher la douleur de se répandre.

Bouvy évoque encore le plan Sabotage-fer, mis en œuvre par Philippe Villars et René Hardy et qui a réussi, en plusieurs points, à immobiliser des trains chargés de troupes pour permettre à l'aviation alliée, alertée, de les bombarder.

— Avec le Conseil national de la Résistance..., reprend Pierre Villars.

Thorenc lève la main et marmonne lugubrement :

— Je crois que la Gestapo sait tout.

Il rapporte les propos de Wenticht. Peut-être certains des résistants arrêtés trahissaient-ils quand ils découvraient que la Gestapo disposait d'informations si précises qu'il leur paraissait vain de se taire et de souffrir sous la torture.

— Trop facile ! proteste Bouvy avec mépris.

Tête baissée, Bertrand répond qu'il a fui, malgré les risques, pour éviter peut-être, quelques heures plus tard, d'adopter une telle attitude. Est-ce qu'on sait comment on va réagir quand un Allemand vous mettra sous les yeux la liste complète des noms, des lieux, le calendrier précis des réunions, la fréquence des voyages à Londres... ?

— Peut-être Mercier a-t-il parlé à cause de cela ? conclut-il.

— Ça ne change rien, réplique Villars. Même si nous sommes tous pris les uns après les autres, nous avons tous ensemble, malgré nos faiblesses et nos divisions, lancé la machine. Personne, ni les Allemands, ni les Alliés s'ils le voulaient, ne pourrait l'arrêter, pas même de Gaulle !

Il répète, pensif :

— Pas même de Gaulle ! Ça nous dépasse tous. C'est comme si la phrase la plus forte, la plus extraordinaire que celui-ci ait prononcée, le 18 juin 1940 — « La flamme de la Résistance française ne doit pas s'éteindre et ne s'éteindra pas... » —, était entrée dans chaque tête. L'incendie a pris, chaque Français brûle ou va s'enflammer. Wenticht peut utiliser tous les traîtres qu'il veut, il peut arrêter, torturer, c'est trop tard ! Le CNR existe et, surtout, le vent souffle sur l'incendie. Les Allemands ont capitulé à Tunis comme à Stalingrad, et il n'est pas une ville du Reich qui ne soit bombardée...

— Plus de quatre cents morts à Boulogne-Billancourt, autant à Rouen, au Havre, et même à Clermont-Ferrand, conteste Bouvy, interrompant Villars.

— Les Français ne changeront pas d'avis pour autant ! riposte Villars. Quand ils entendent Laval dire que l'armée allemande ne sera pas battue, que l'Europe est invincible sur le plan militaire, ou que le mur de l'Atlantique complète Vauban, quand Pétain déclare qu'il sera toujours là, quels que soient les événements, ou bien qu'il exalte la Milice en disant : « Miliciens et légionnaires, aidez-moi à montrer le vrai visage de la France ! » — ces mots-là ne touchent plus personne. Les Français sont passés du désespoir à l'espérance, et Allemands et collabos n'y peuvent plus rien !

— Ils peuvent encore nous faire souffrir, a murmuré Catherine Peyrolles.

Elle a posé les deux mains sur son ventre et elle fixe Thorenc.

— Il faut quitter Lyon, cet appartement, lance ce dernier en s'étonnant lui-même de l'énergie et de la violence avec lesquelles il a parlé.

Catherine sourit, répond d'une voix hésitante, que Bertrand lui découvre, qu'elle songe de plus en plus souvent à partir accoucher chez elle, en Corse. Peut-être l'enfant naîtra-t-il dans une île qui sera entre-temps redevenue libre ?

— Pourquoi pas ? s'exclame Pierre Villars. Lyon n'est plus sûr pour personne.

Il se tourne vers Thorenc et lui tend une feuille arrachée à un carnet, sur laquelle on a griffonné au crayon quelques lignes.

Thorenc parcourt rapidement ces quelques mots signés de Moulin :

« Tous mes compliments pour votre cran et votre présence d'esprit ! Vous avez bien mérité de l'équipe. Malheureusement, je suis obligé, pour votre sécurité d'abord, pour celle de vos camarades ensuite, de vous demander de rentrer au bercail... Encore bravo, et bien affectueusement. Max. »

— Le bercail..., répète Thorenc.

— Londres ou Alger, propose laconiquement Villars.

Thorenc secoue la tête.

Pierre Villars soupire, le visage tout à coup empreint de lassitude. Si même les plus proches compagnons de Max refusent d'exécuter ses ordres, comment imaginer que ceux qui ne partagent pas ses analyses lui obéissent ? s'insurge-t-il.

— Je ne peux pas, murmure Thorenc.

Il regarde longuement Catherine Peyrolles. Il souhaite lui faire comprendre, sans qu'il ait à prononcer un mot, qu'il y a trop de morts couchés sous cette terre-ci pour qu'il l'abandonne.

Il commence à réciter — et il lit l'étonnement dans les yeux de Pierre Villars et de Jacques Bouvy — ces vers de Jean Cayrol :

« *J'appartiens au silence*
à l'ombre de ma voix
aux murs nus de la Foi
au pain dur de la France... »

— 41 —

Thorenc regarde les tourbillons de poussière que le vent pousse d'un bout à l'autre de l'aire.

À l'angle de l'un des bâtiments de la ferme Ambrosini, des draps claquent comme des pavillons hissés en proue. Assis à califourchon sur sa chaise devant la fenêtre ouverte, il ne peut les quitter des yeux, comme s'il attendait de les voir s'envoler, taches blanches sur l'horizon bleu, grands oiseaux enfin libres.

Il cale son menton sur le dossier de la chaise contre lequel il a appuyé sa poitrine. Son bras et son épaule gauches sont toujours douloureux. Il les laisse pendre, et ses doigts effleurent le carrelage de cette pièce où Julia Ambrosini ronchonne que Bertrand doit manger, qu'il ne peut pas rester comme ça, le ventre creux, qu'il devrait avoir honte de ne pas réagir, de se laisser abattre, un homme comme lui, c'est-y possible ?

Elle s'approche, place sur le rebord de la fenêtre un gros bol de terre cuite empli de haricots blancs. Elle attend. Il ne peut pas lever le bras. Il se sent lourd, empêtré, inquiet. Cette odeur de graisse, ce rouge de la sauce tomate dans laquelle les haricots sont comme englués, lui donnent envie de vomir.

Il y a deux jours, en arrivant à la ferme Ambrosini, en voyant Gaston et ses fils courbés sur la terre ocre du champ d'épeautre, levant à tour de rôle leur pioche, si bien que le choc de l'acier contre les mottes évoquait un roulement continu, il avait cru qu'il allait s'arracher à l'angoisse, comme si le mistral avait pu le soulever de terre, l'en extirper.

Il avait serré Julia Ambrosini contre lui, mais, dès cet instant, au lieu d'être rassuré, il avait eu envie de pleurer. Il s'était raidi. Il s'était reproché cette sensiblerie inacceptable. Qu'étaient devenus le cran, la détermination qu'avait vantés Max dans sa brève missive ?

Il avait été d'autant plus ému que Julia Ambrosini avait paru deviner ce qu'il éprouvait, qu'elle l'avait traité comme un fils malade, le précédant dans sa chambre, lui ouvrant le lit, quittant la pièce à regret, secouant la tête, puis revenant sur ses pas, le prenant contre elle, murmurant qu'il devait essayer d'oublier ce qu'il venait de vivre — elle ne voulait pas qu'il le lui raconte, mais il suffisait de le regarder pour savoir que ç'avait été une terrible épreuve.

Thorenc s'était allongé sans même avoir le courage de se déshabiller. L'épreuve, comme avait dit Julia Ambrosini, ce n'avait pas été d'abattre Édouard Mercier. Il avait même constaté avec effroi que ce meurtre, cet assassinat — il se complaisait à employer ces mots même si tous, autour de lui, avaient préféré parler d'exécution, de châtiment infligé à un traître — ne l'obsédait pas.

Oublié, Mercier ! Oubliée même, l'évasion de l'hôpital allemand de la Croix-Rousse !

Ce qui le hantait, c'était ce coup de sonnette qui avait retenti dans l'appartement de Catherine Peyrolles au moment précis où Pierre Villars s'apprêtait à le quitter.

Catherine avait, en marchant sur la pointe des pieds, guidé Villars jusqu'à la salle de bains où il s'était enfermé.

Bouvy était resté dans le bureau, mais avait sorti son revolver et s'était placé derrière la porte de manière à rester invisible si on venait à la pousser.

Thorenc était retourné dans la chambre, prenant lui aussi son arme.

On avait sonné une seconde fois et Catherine Peyrolles était allée ouvrir.

Il n'y avait pas eu, comme Thorenc l'avait craint, d'irruption violente et fracassante de policiers allemands brandissant leur revolver, se répandant dans l'appartement en hurlant, mais un chuchotement qui avait duré plusieurs minutes.

Puis Catherine avait refermé la porte. Mais elle avait, d'un signe, demandé à Thorenc de ne pas quitter sa chambre.

Enfin, elle était retournée dans son bureau où Villars et Thorenc l'avaient rejointe. Bouvy se tenait sur le côté de la fenêtre, caché par les rideaux, scrutant la rue.

Il s'était retourné, faisant une grimace.

— Je ne sais pas, avait-il dit. D'ici, je ne distingue pas son visage.

Une femme s'était présentée, avait dit Catherine Peyrolles. Elle avait prétendu être envoyée par un collègue de lycée, Denis Beaumont, qui avait disparu depuis une semaine et dont tous les professeurs pensaient qu'il avait été arrêté. Beaumont s'en prenait ouvertement, dans ses cours d'histoire, au nazisme, à Pétain, à la Milice. Il distribuait aux autres enseignants des journaux clandestins, une revue, *Les Cahiers politiques*, que dirigeait l'historien Marc Bloch dont il avait été le condisciple. Mais, selon Catherine, Denis Beaumont n'appartenait à aucun réseau, et elle avait toujours pris la précaution de ne jamais se lier d'amitié avec lui, veillant à conserver sa réputation de pétainiste et d'anglophobe.

Cette femme avait donc sollicité Catherine afin qu'elle hébergeât Denis Beaumont qui s'était, à l'entendre, réfugié dans la clandestinité.

Catherine avait refusé. La visiteuse, avait-elle expliqué, ne pouvait être l'amie de Denis Beaumont, un homme austère, puritain. Elle était habillée de manière provocante, comme une prostituée.

— Je me suis demandé si ce n'était pas Sonia Barzine..., avait suggéré Bouvy.

Wenticht avait dû lancer toute une série de vérifications

dans les quartiers proches de la Croix-Rousse, faisant visiter systématiquement les appartements de tous ceux qui avaient été en contact avec des gens repérés pour leurs sympathies envers la Résistance.

Sonia Barzine se livrait-elle à cette tâche ? Pourquoi pas ? Elle pouvait, du fait de sa beauté, de son allure, surprendre, peut-être séduire, en tout cas écarter le soupçon d'une démarche policière. Une femme comme elle, qui, sinon ceux qui étaient avertis, pouvait imaginer qu'elle était au service de la Gestapo et sans doute l'un de ses meilleurs agents ?

— Très belle, en effet, avait concédé Catherine.

Bouvy avait répété qu'il n'avait pu, en la voyant s'éloigner dans la rue, conclure à cent pour cent qu'il s'agissait de Sonia Barzine. Mais c'était sans conteste une femme élégante.

— Je ne dirais pas une prostituée, avait-il ajouté, tourné vers Catherine Peyrolles, mais une excentrique. Est-il si sûr qu'un professeur, même réservé, ne soit pas sensible au charme d'une femme comme celle-là ?

Catherine avait haussé les épaules avec irritation, affirmant qu'elle connaissait bien Denis Beaumont.

— C'est un coup de semonce, avait murmuré Pierre Villars.

Il y avait des dispositions urgentes à prendre. Il fallait évacuer de l'appartement tous les documents, toutes les archives qui s'y trouvaient. On n'y tiendrait plus de réunions. Catherine Peyrolles devait passer dans la clandestinité et quitterait naturellement les lieux aussitôt.

Catherine s'était lentement assise, puis avait pris sa tête à deux mains. Villars s'était approché, expliquant qu'elle ne pouvait prendre le risque d'être arrêtée. Ce n'était peut-être qu'une fausse alerte. Ce Denis Beaumont avait peut-être réellement besoin d'aide. Mais ce n'était pas à Catherine de la lui fournir, et tout donnait d'ailleurs à penser que la démarche de la visiteuse n'avait été qu'un prétexte.

— Il faut partir, avait répété Villars.

— Catherine doit quitter Lyon, avait confirmé Thorenc.

Il avait parlé de François Vivien, l'abbé de Clermont-Ferrand, et de sa mère Laure Vivien, 2, rue du Marché, près de la cathédrale.

Puis, s'étant à son tour approché de Catherine Peyrolles, il lui avait caressé les cheveux, osant enfin, devant Villars et Bouvy, avouer ainsi ce qu'il éprouvait pour elle.

Elle lui avait pris la main et c'est elle qui l'avait rassuré :

— Ça ira très bien, avait-elle dit. J'ai beaucoup de livres à relire. Je vais même peut-être me mettre à écrire, et puis je partirai pour la Corse.

Elle avait demandé à Pierre Villars de lui préparer ce voyage. Les mouvements pouvaient bien faire ça pour elle, non ?

Après, il avait fallu sortir de l'appartement, affronter la rue et commencer à vivre des jours d'errance.

Thorenc avait couché deux nuits dans l'appartement de la rue de la Guillotière, situé en face de l'église Saint-Louis.

Puis ils avaient dû se séparer, se glisser dans la nuit, s'enfoncer sous des porches, pour voir s'entrouvrir une porte.

— Entrez vite ! murmurait une voix de femme.

Bouvy s'en était allé de son côté. Il reviendrait dans trois jours.

— Ne sortez pas, Thorenc !

On dormait dans une chambrette sans fenêtre. On n'échangeait que quelques mots avec les hôtes. Ils savaient que l'hospitalité qu'ils offraient risquait de leur coûter la vie.

Thorenc, lui, s'était senti coupable et s'étonnait de la désinvolture de Jacques Bouvy, du naturel avec lequel il pénétrait dans les appartements de ces inconnus qui avaient souhaité se rendre utiles à la Résistance.

— Ne faites pas cette tête-là, lui avait dit son compagnon. Ils sont comme nous : ils se battent, à leur manière.

Mais, chaque fois, l'émotion avait submergé Thorenc. Il lui avait été insupportable de penser que ces vies pouvaient être bouleversées, détruites du fait de sa présence, comme l'avaient déjà été celles de Léontine Barneron ou de Victor Garel.

Il avait ainsi refusé de dîner avec ceux qui l'accueillaient, restant recroquevillé dans la chambre qu'on lui avait octroyée. Il avait écouté les bruits domestiques, sursautant chaque fois qu'une porte s'ouvrait ou se refermait.

Un médecin, le docteur Étienne, l'avait accueilli dans un grand appartement du cours Gambetta. Thorenc avait tout de suite pensé au docteur Pierre Morlaix, à cette chaîne de dévouements, d'actes de courage et de patriotisme qui lui avaient permis jusque-là de survivre.

Ceux-là — Morlaix, Garel, Ambrosini, Barneron... — ne s'étaient pas souciés de la place qu'ils occuperaient après la Libération. Ils étaient les héros anonymes et désintéressés qui, au sein de la Résistance, ne pouvaient pas même imaginer que d'autres calculaient, se disputaient le pouvoir.

Il avait eu honte. Il avait pensé que, pour ceux-là, les humbles, les obscurs, les soutiers, il devait tout donner de lui-même. Et il avait craint de ne pas être digne de la confiance qu'ils lui faisaient.

Il n'avait pu s'empêcher de balbutier des remerciements au docteur Étienne, lequel s'était insurgé :

— Et moi, je dois aussi vous remercier ? Nous faisons chacun notre devoir, mon cher. Si nous ne nous battons pas en ce moment, alors que la nation a besoin de chaque Français, quand le ferons-nous ? C'est une question de morale et de fidélité. Nous devons cela à la patrie et à la République.

Ces mots qui résonnaient comme un roulement de tambour, le docteur Étienne les avait prononcés sans grandiloquence, sur un ton presque ironique.

— Mais il faudra que la France, après, soit différente, n'est-ce pas ? avait-il poursuivi. Si nous avons subi et fait tout cela pour retrouver nos cancrelats politiciens...

Il s'était interrompu, s'était approché de Thorenc, lui avait tout à coup saisi le poignet, lui prenant le pouls, exigeant d'examiner sa blessure.

— Vous, mon cher, il faut vous sortir de là, prendre du repos. Sinon, vous allez crever, et pour rien !

C'est ce jour-là que Thorenc s'était effondré, tout à coup incapable de masquer son désarroi, en ayant l'impression qu'il ne pourrait plus tenir debout.

Le docteur Étienne l'avait couché, et, après trois jours de repos complet, Bouvy avait décidé de le conduire sur le plateau, chez les Ambrosini.

C'était le printemps, des fleurs blanches et jaunes se balançaient au bord des routes, et parfois un coup de mistral les ployait, faisant voleter les pétales, repoussant loin vers le sud quelques nuages attardés et peignant à grandes rafales le ciel en bleu immaculé.

— 42 —

Thorenc s'est assis sur les éboulis, le dos appuyé à la roche blanche de la falaise. Il sent la chaleur que le soleil, depuis l'aube, a infiltrée peu à peu dans le calcaire, se diffuser dans ses épaules avant de rayonner lentement dans tout son corps.

Il étend ses jambes.

Malgré la douleur qui, par saccades, le transperce, il déplie son bras gauche.

Il veut atteindre ce feuillet qu'il a posé sur ses cuisses et qu'il tient avec sa main droite pour empêcher le vent de l'emporter. Mais il faut que ce soit sa main gauche, celle du bras blessé, qui le touche, le retienne.

Il y parvient enfin et se sent aussitôt plus calme, rassuré, comme s'il avait remporté une grande victoire et que la route qu'il gravissait, souffrant, peinant, s'ouvrait enfin, droite, devant lui.

Peut-être a-t-il une nouvelle fois échappé aux eaux mortes ?

Il l'a pensé, hier, quand il a vu s'avancer sur l'aire Pierre Villars accompagné d'un homme de petite taille, boitillant, dont la silhouette lui a été aussitôt familière.

Il a reconnu Joseph Minaudi, amaigri, le visage creusé de cicatrices comme si sa peau avait été labourée à coups de griffes.

Bertrand est sorti de la ferme Ambrosini, a fait quelques

pas, puis a levé son bras droit, et Minaudi a souri, exhibant ses dents cassées.

Ils sont restés l'un en face de l'autre. Villars a expliqué qu'il avait rencontré Minaudi à Paris, qu'avec l'accord de Moulin ils avaient décidé d'en faire le conseiller militaire du maquis du haut plateau de Dieulevoye dont José Salgado demeurait le chef.

— Vous vous connaissez, je crois, avait souligné Villars.

Minaudi avait fait un pas et Thorenc, de son bras valide, l'avait serré contre lui.

— Je suis sorti du cercueil, avait-il dit.

Thorenc avait tressailli en écoutant ce filet de voix aigu, comme ébréché.

Minaudi avait dénoué l'écharpe qui lui entourait le cou. Et Thorenc avait vu ce bourrelet de chair rosé qui, à la hauteur de la glotte, ressemblait à une cordelette serrée.

— Vous vous souvenez de Marseille ? Les gens de Dossi étaient des amateurs. Quand les nazis m'ont pris en main, j'ai pensé que je ne pourrais pas leur résister. Que mon corps leur parlerait, même si je voulais me taire. Alors...

Il avait effleuré du doigt sa cicatrice.

— Je me suis tranché la gorge, et quand j'ai senti le sang couler, ça a fait un drôle de bruit, comme une bouteille qu'on vide. Je me suis endormi, pareil à un bébé tranquille. Ils ne pouvaient plus rien contre moi. Ils m'ont cru mort. Ils m'ont couché parmi les morts. Mais des médecins m'ont sorti de la morgue, opéré, sauvé. Ils m'ont placé dans un cercueil et c'est ce qui a été le plus dur à supporter. Mais je suis là, encore une fois à vos côtés, capitaine !

Thorenc lui avait à nouveau donné l'accolade. L'arrivée de Joseph Minaudi lui semblait prouver que l'on pouvait même revenir de la mort, et qu'ils iraient ensemble au bout de cette guerre commencée dans la forêt des Ardennes en mai 1940.

Ils s'étaient assis autour de la table. Julia Ambrosini leur avait servi ce ragoût de haricots blancs que, jusqu'alors, Thorenc n'avait pu se résoudre à avaler.

Tout à coup, il avait eu faim.

Gaston Ambrosini avait rempli leurs verres d'un vin âpre dont il disait qu'il brûlait le sang mauvais.

Thorenc avait bu et Pierre Villars, d'une voix de plus en plus sonore, avait raconté qu'il avait assisté à Paris, aux côtés de Max, à la première réunion du Conseil national de la Résistance.

Il avait lui-même accompagné chacun des seize participants à cet appartement du premier étage du 48, rue du Four, où Max les attendait. Les volets étaient tirés et il avait fait chaud, ce jeudi 27 mai 1943.

Les chefs de Combat avait d'abord déclaré qu'ils n'assisteraient pas à la réunion, qu'ils étaient « meurtris et révoltés » par les méthodes de Max, mais, à la fin, ils n'avaient pas osé rompre.

— Max a réussi ! s'était exclamé Pierre Villars.

Rue du Four, ç'avait été un moment solennel, les représentants de tous les mouvements et des différents partis politiques votant à l'unanimité un texte stipulant qu'en ces jours où se jouait le destin du pays, il fallait d'abord faire la guerre, rendre la parole au peuple français, rétablir les libertés républicaines, et naturellement travailler avec les Alliés.

Villars avait frappé la table avec la paume de sa main gauche cependant que sa main droite levait son verre.

Ce n'était plus une fraction de la Résistance, tel ou tel mouvement qui négocierait avec les Américains et les Anglais, comme cela s'était produit au cours des dernières semaines, mais bel et bien la France souveraine, rassemblée derrière de Gaulle, recouvrant sa dignité et son indépendance, voulant être traitée en égale.

— Giraud se soumettra, avait-il conclu. Il faudra bien qu'il accepte, comme tous les autres, de Gaulle pour chef politique.

— Il faut passer à l'offensive ! avait clamé Minaudi.

Et sa voix altérée avait rappelé les souffrances et les périls traversés.

Ils étaient sortis sur l'aire, rejoints par José Salgado que Thorenc n'avait jamais vu aussi joyeux.

L'Espagnol avait entraîné Minaudi, l'obligeant à tourner sur lui-même, à danser, montrant le ciel nocturne si clair, les étoiles si proches...

Il avait entonné plusieurs chansons de la guerre civile, puis avait dit, le poing levé :

— Nous sommes comme un os en travers de leur gorge. Ils vont crever, camarades ! Alors nous serons libres... *¡ No pasarán !*

Ils avaient encore bu, puis Minaudi et Salgado avaient décidé de rejoindre les grottes du haut plateau où étaient maintenant cantonnés une centaine de jeunes hommes.

— Il nous faut des armes ! avait lancé Salgado.

Pierre Villars avait promis.

La tête lourde, Thorenc était rentré dans la ferme et s'était laissé tomber sur le banc, s'appuyant des deux coudes sur la table.

Villars était venu s'asseoir en face de lui.

Il avait semblé à Bertrand qu'il s'agissait déjà d'un autre homme ; le visage préoccupé, il expliqua que la réunion du CNR, le 27 mai, avait constitué une étape décisive, mais que rien, en fait, n'était encore réglé.

Les yeux mi-clos, Thorenc avait haussé les épaules. Il avait des pensées hésitantes. On ne réglait jamais rien, avait-il marmonné.

— Les Allemands sont perdus, avait repris Villars. Mais ils peuvent encore nous écraser.

La Gestapo avait fait parvenir à Berlin, à Kaltenbrunner, chef de la Sicherheitspolizei, un rapport décrivant parfaitement les mouvements de Résistance et identifiant leurs chefs.

— Wenticht ne vous a pas menti, Thorenc, avait ajouté Pierre Villars. Max sait qu'il est en danger. Nous sommes tous à la merci d'une dénonciation, d'un mauvais hasard. Le contre-espionnage allemand a reconstitué, à quelques rouages près, toute notre organisation. Je crois que nous allons payer très cher notre réussite.

Villars s'était levé, s'appuyant des deux mains à la table.

— Et, malgré les apparences, nous ne sommes pas unis. Les communistes jouent leur jeu, tout comme l'Organisation de résistance de l'armée ou les gens de Combat. Il va falloir serrer les dents, Thorenc, je sens cela !

Il avait fouillé dans sa poche, sorti un feuillet qu'il avait posé sur la table, et Thorenc n'avait plus vu que ces lignes noires, ces mots tracés d'une écriture penchée.

Aussitôt, la brume qui lui couvrait les yeux et qui avait envahi son esprit s'était dissipée, comme chassée par le grand vent du souvenir.

Il avait reconnu l'écriture de Catherine Peyrolles.

Il n'avait pas avancé la main pour s'emparer du papier.

Il s'était au contraire tassé sur le banc, et, dévisageant Villars, il avait eu la certitude que celui-ci se taisait à dessein, jouait avec lui, avec son impatience.

— Vous savez qui j'ai rencontré ? avait-il enfin demandé.

Bertrand était demeuré immobile et silencieux.

— Vous n'imaginez pas ?

Villars s'était éloigné de quelques pas.

— Catherine Peyrolles, Thorenc. Mais oui, votre Catherine ! Elle est arrivée sans encombre à Clermont-Ferrand, chez votre prêtre. Elle s'y trouve parfaitement bien. Je crois qu'elle ne veut plus se rendre en Corse.

Villars avait secoué la tête. Décidément, il ne comprendrait jamais rien à certains comportements, à ces changements d'idée, ces brusques revirements.

— Elle dit maintenant qu'elle veut rester ici, à nos côtés.

Il avait souri.

— À vos côtés, plutôt...

Elle avait recopié un poème de Robert Desnos qu'elle avait demandé à Villars de bien vouloir transmettre à Thorenc.

Villars s'était penché et avait poussé le feuillet vers ce dernier.

— Vous ne le lisez pas ? C'est pourtant un beau texte.

Thorenc avait enfin pris le feuillet et il lui avait semblé entendre la voix de Catherine lui murmurer :

Âgé de cent mille ans, j'aurais encore la force
De t'attendre, ô demain pressenti par l'espoir.
Le temps, vieillard souffrant de multiples entorses,
Peut gémir : le matin est neuf, neuf est le soir.

Elle lui disait qu'elle l'attendait.

Bertrand avait alors eu envie de vivre.

Demain matin, il monterait sur le haut plateau, il marcherait le long des rives du lac Noir. Il verrait les jeunes hommes du maquis.

Il leur lirait ces autres mots de Desnos que Catherine avait calligraphiés au dos du feuillet :

Et des millions de Français se préparent dans l'ombre à la besogne que l'aube proche leur imposera

Car ces cœurs qui haïssaient la guerre battaient pour la liberté au rythme même des saisons et des marées, du jour et de la nuit...

— 43 —

Thorenc s'arrête au bord de la falaise.

Il regarde la sombre marée de la nuit sur laquelle glisse parfois une lueur lointaine et fugace.

Il hésite.

Il est tenté de s'asseoir. Sa jambe gauche est encore douloureuse. Il craint d'être tout à coup paralysé par une crampe.

Il marche déjà depuis plusieurs heures sur le haut plateau de Dieulevoye.

Il a quitté la ferme Ambrosini au moment où, une nouvelle fois, Jacques Bouvy, parlant tête baissée, d'une voix hachée où se mêlaient colère et amertume, avait répété :

— Max n'aurait jamais été pris s'il n'avait pas été trahi. Quelqu'un l'a livré !

Bouvy s'était frappé du poing la poitrine.

— L'un des nôtres, Thorenc, un homme ou une femme que nous aimions, pour qui nous aurions donné notre vie...

Il avait secoué la tête, fermé les yeux :

— Max le prévoyait. Si vous l'aviez vu, Thorenc, il était devenu un homme différent, surtout ces dernières semaines. Depuis l'arrestation du général Delestraint. Il a pensé que ça allait être son tour : puisqu'on avait vendu Delestraint, on allait s'attaquer à lui. Parce qu'il ne s'agissait évidemment pas d'une trahison quelconque, du bavardage d'un petit lâche ; non, c'était une opération politique méditée, la contre-offensive de ceux qui avaient accepté seulement du bout des lèvres la création du Conseil national de la Résistance...

Bouvy avait plongé la main dans sa poche d'un geste nerveux.

Il avait murmuré qu'il avait violé toutes les règles de sécurité, mais qu'il avait tenu à conserver le texte de ce message — il avait agité un petit carré de papier — et qu'après tout, au point où on en était, ça n'avait plus guère d'importance...

— Max m'a fait transmettre ça, à Londres, quand il a appris l'arrestation de Delestraint, avait-il expliqué. C'était destiné à de Gaulle personnellement. Si vous ne sentez pas le désespoir suinter à chaque mot, je veux bien être damné !

Il avait commencé à lire :

— « Notre guerre à nous aussi est rude. J'ai le triste devoir de vous annoncer l'arrestation par la Gestapo, à Paris, de notre cher Vidal (Delestraint, bien sûr...). Les circonstances ? Une souricière dans laquelle il est tombé avec quelques-uns de ses nouveaux collaborateurs... Permettez-moi d'exhaler ma mauvaise humeur, l'abandon dans lequel Londres nous a laissés en ce qui concerne l'Armée secrète. Vidal s'est trop exposé, il a trop payé de sa personne... »

Bouvy avait déchiré le papier en menus morceaux, puis s'était levé et était resté longtemps appuyé à la cheminée, à regarder se consumer le message qu'il venait de disperser au-dessus des flammes.

Puis il était retourné s'asseoir en face de Thorenc et du docteur Étienne qui l'avaient suivi des yeux.

— Je ne le reconnaissais plus, avait-il repris. Son visage exprimait la douleur, le désespoir. Ce n'était plus le Max indestructible que nous avions côtoyé. Il avait les traits creusés. Il faisait toujours montre de cette énergie, de cette volonté capables d'entraîner, mais, voulez-vous que je vous dise, c'était comme un dernier spasme... Il m'a confié à plusieurs reprises qu'il avait la certitude que les Allemands et les policiers de Vichy étaient sur ses traces, qu'ils disposaient de sa photo, qu'ils n'ignoraient rien de sa véritable identité, de ses fonctions. Et cela, parce que quelqu'un ou bien un groupe les renseignait, avait peut-être passé avec eux un véritable pacte. Max était persuadé qu'il existait des liens occultes entre certains agents de l'Abwehr et tels ou tels chefs de la Résistance. Des anciens de la Cagoule, proches de Laval et de Pétain, servaient d'intermédiaires. Mais, parfois, c'étaient d'anciens socialistes ralliés à Déat ou à Doriot, ou des gens qui, avant la guerre, étaient d'extrême gauche, mais avaient créé avec l'appui des nazis un Mouvement social révolutionnaire. Tous ces gens-là avaient la hantise d'un complot communiste et étaient persuadés que Max et, derrière lui, de Gaulle allaient le favoriser en laissant les communistes s'emparer des leviers de la Résistance.

Bouvy s'était pris la tête à deux mains. Pendant plusieurs minutes, il avait marmonné des injures entremêlées d'exclamations, de lamentations.

— Moulin communiste ? Les cons ! Il avait limité l'influence du PC partout où il avait pu. Il avait même transmis à Londres un message dans lequel il expliquait que Joseph Darnand, oui, ce salopard, demandait une nouvelle fois à passer à Londres. Max, vous le savez, Thorenc, était un grand politique qui n'avait qu'un seul but : unifier toutes les forces derrière de Gaulle, pour la libération du pays ! Mais allez faire comprendre cela à des esprits médiocres, jaloux, vaniteux, habités d'ambitions étroites, inspirés par l'esprit de clan ! Ces gens-là ne supportaient pas Moulin, sa grandeur, sa largeur de vues, et ils nourrissent la même haine envers de Gaulle !

Il avait tendu l'index vers Thorenc :

— Max détenait la preuve de leur trahison. Il n'avait pas identifié les traîtres, mais je crois qu'il avait des soupçons. Et il savait qu'on cherchait à l'abattre de l'intérieur de la Résistance. Certains ne faisaient le voyage à Londres que pour demander sa tête et celle de Delestraint à de Gaulle, à Passy ou à Brossolette. Ils étaient prêts à tout pour se débarrasser de lui et du chef de l'Armée secrète. Un message que Max avait expédié à Londres avait été déposé quarante-huit heures plus tard, en clair, sur les bureaux de Wenticht et de Barbie ! La Gestapo s'était donc introduite jusqu'au cœur de la Résistance ! Mais on lui avait ouvert les portes. Max, quand il l'avait appris, avait dit : « De toute façon, je suis un mort en sursis depuis le 17 juin 1940. »

Thorenc s'était souvenu de la voix de Wenticht qui, au cours de son interrogatoire, lui avait déjà rapporté ce propos de Moulin.

Il en avait été accablé.

La Gestapo avait donc réussi.

Ils avaient pris le général Delestraint et deux membres de l'état-major de l'Armée secrète, le 9 juin, à Paris.

Et le 21, ils avaient arrêté Max dans la maison du docteur Dugoujon, à Caluire.

Combien de temps pourraient-ils résister aux tortures ?

Thorenc avait d'abord écouté avec effroi les récits croisés de Bouvy et du docteur Étienne, l'un et l'autre arrivés la veille à la ferme Ambrosini.

Le docteur avait été l'un des premiers à apprendre la nouvelle de l'arrestation de Max et de plusieurs chefs de la Résistance.

Il s'était rendu, comme il le faisait chaque lundi, chez son confrère Dugoujon, à Caluire.

Arrivé sur la place Castellane, il avait aperçu des Allemands en veste de cuir poussant à bord de leurs voitures des hommes aux mains menottées dans le dos. Parmi eux, le docteur Dugoujon.

Étienne était entré dans l'hôtel de ville situé non loin de la place, il avait traîné, erré d'un bureau à l'autre, puis, après avoir laissé passer plusieurs minutes, il était revenu vers la maison de Dugoujon.

La place Castellane était à présent déserte. La porte du domicile de son collègue battait. Le docteur Étienne avait remarqué, à la croisée de la montée de Castellane et de la montée Victor-Hugo, un cantonnier qui, immobile, appuyé au manche de sa pelle, paraissait attendre, figé, comme fasciné. Étienne s'était approché de lui, lui avait offert une cigarette et avait entrepris de l'interroger. L'homme s'était tout à coup exprimé avec une sorte de frénésie.

Il avait vu arriver vers quatorze heures quarante-cinq les trois voitures noires, peut-être quatre, il ne savait déjà plus. Des hommes, au moins une dizaine, en avaient bondi. Ils étaient armés de mitraillettes, de revolvers. Ils portaient des vestes de cuir. Il avait tout de suite pensé que c'était la Gestapo. Le docteur Dugoujon avait un frère milicien, mais lui, on savait ce qu'il pensait. Il recevait souvent de drôles de malades.

Soudain, un jeune homme blond était sorti de la villa en courant, bousculant les Allemands. Il n'avait pas de menottes. Il avait réussi à s'enfuir, empruntant la montée de Castellane, puis se cachant dans le fossé, là — le cantonnier avait montré les hautes herbes. Les Allemands l'avaient poursuivi, ouvrant le feu, mais...

— Le cantonnier, avait ajouté le docteur Étienne en fixant Bouvy et Thorenc, vous savez quel a été son commentaire ? « Ils sont bien naïfs, ces Allemands, vraiment, je ne l'aurais pas cru ! Ils sont venus jusque-là. Le type était à leurs pieds, dans le fossé, et ils n'ont même pas regardé. Ils ont tiré sur le mur. Ils ont peut-être cru qu'il était passé de l'autre côté, dans la propriété. Des naïfs ! Pour des gens de la Gestapo, c'est plutôt étonnant, non ? »

Bouvy avait frappé du poing sur la table. Il s'était indigné. Peu auparavant, il avait proposé de protéger la réunion avec quelques hommes des corps francs qui se seraient disposés sur la place ou dans le jardin entourant la maison du docteur Dugoujon. Les Allemands n'étaient qu'une dizaine. Il aurait été facile, à quatre ou cinq, de les repousser. Mais on avait rejeté sa suggestion.

— Pourquoi ? Pourquoi ? avait-il crié.

Il avait d'abord prononcé les mots d'inconscience, de faute lourde, de négligence criminelle, puis, plus bas, ceux de trahison, de piège tendu à Max.

— Vous savez, Thorenc, ce que certains pensaient de Max et du CNR. Vous n'ignorez pas ce qu'ils disaient : que Moulin voulait faire main basse sur l'Armée secrète et la Résistance. Ces petits chefs, ces féodaux, ces giraudistes, ces ennemis de De Gaulle, en fait, ont maintenant le terrain dégagé. Ils ne voulaient pas de Delestraint, ils haïssaient Max : eh bien, les Allemands ont fait le travail !

Bouvy s'était dressé, avait marché à travers la pièce, donnant brusquement un coup de pied dans le tas de bûches empilées à droite de la cheminée.

— Et on les a renseignés pour leur permettre de réussir ce travail-là. Voilà ce que je pense !

Thorenc avait d'abord essayé de raisonner Bouvy. Ces accusations étaient excessives, lui avait-il remontré. Le Conseil national de la Résistance réunissait toutes les tendances et tous les partis. Il avait pris position en faveur de De Gaulle, et celui-ci était arrivé à Alger où Giraud et les Américains avaient bien dû l'accepter. Et Giraud, inéluctablement, même s'il était avec lui coprésident du Comité français de Libération nationale, allait être écrasé par la personnalité du Général qui avait désormais derrière lui toute l'opinion française.

— Max, Delestraint, les autres ont été pris parce que c'est notre destin, dans cette guerre clandestine, d'être un jour arrêté, avait déclaré Thorenc. On ne meurt pas plus qu'en première ligne. C'est simplement un peu plus douloureux...

Bertrand avait essayé de continuer à parler le langage de la raison. La partie entre Allemands et résistants était inégale, avait-il expliqué. La Gestapo et ses complices français agissaient avec toutes les facilités que confèrent la force et la loi, même si celle-ci est contestée et illégitime. Et puis, ils disposaient de l'immense pouvoir de la barbarie. Ils faisaient le Mal, ils l'incarnaient : c'étaient eux, les terroristes, personne ne l'ignorait. On cédait donc à leur chantage parce qu'on les savait sans remords ni scrupule. Ils crevaient les yeux des enfants et noyaient leurs mères dans des baignoires remplies d'excréments. Comment certains auraient-ils pu ne pas céder ?

— Vous l'avez dit vous-même, Bouvy, avait-il souligné.

Ce dernier avait baissé la tête.

Et puis, avait repris Thorenc, il y avait — pourquoi le nier ? — les ambitions des uns, les jalousies des autres, les rivalités pour le pouvoir qui, de tout temps, divisent les hommes.

Il avait écarté les deux mains.

Au fond, avait-il ajouté, mieux valait peut-être ne pas chercher à connaître les responsables de ces arrestations, ne pas s'interroger sur les circonstances, essayer de continuer sans Delestraint, sans Max, comme font les mutilés quand on leur a coupé un bras ; serrer les dents, avancer tout en sachant qu'une partie de l'histoire de la Résistance venait de s'achever, sans doute la plus glorieuse...

— Nous sommes le peuple de la nuit, avait-il ajouté. Laissons-la nous protéger ! Plus tard, après, quand la paix sera revenue, les historiens, s'ils le veulent, chercheront à savoir...

Le docteur Étienne s'était dressé d'un coup, le visage contre celui de Thorenc.

— Inacceptable ! avait-il hurlé. Je connais Dugoujon

depuis vingt ans, depuis la faculté. C'est un homme admirable, aussi modeste qu'héroïque. Je ne peux admettre qu'on ne cherche pas à savoir dès maintenant !

Thorenc avait murmuré qu'il avait rencontré Dugoujon, qu'il avait même participé à une réunion chez lui, à Caluire, avec Philippe Villars et René Hardy.

Il s'était interrompu, interrogeant Bouvy du regard.

— Philippe Villars n'a pas été pris, avait marmonné celui-ci. Et l'on dit que Hardy est l'homme qui a réussi à s'enfuir.

— Si vous ne nettoyez pas une plaie, avait repris Étienne, c'est la gangrène, la septicémie. Vous entendez, Thorenc ? Il faut à coups de scalpel inciser, trancher. Ce René Hardy qui s'est échappé dans ces circonstances, vous trouvez ça normal ?

— Je me suis enfui, moi aussi, avait répondu Thorenc. J'ai réussi plusieurs fois à leur échapper. Ça n'était jamais normal et c'était donc chaque fois suspect.

Bouvy était revenu s'asseoir. Il paraissait avoir recouvré son calme. Les mains posées bien à plat sur la table, il avait commencé à parler d'une voix étouffée, presque dans un chuchotement, racontant qu'avec Max et Pierre Villars, ils avaient souvent comploté pour éliminer certains chefs de la Résistance, des fondateurs de réseaux et de mouvements, certes, mais qui étaient restés englués dans les méthodes et l'état d'esprit des années 40-41, et parce que les choses avaient changé, qu'il fallait des hommes neufs, plus jeunes. Naturellement, ceux qu'on avait cherché à écarter se défendaient de leur mieux...

— Vous savez ce que m'a dit l'un d'eux ? avait interrogé Bouvy. « Au point où nous en sommes arrivés, les représailles sont normales. »

Thorenc n'a plus pu écouter.

Il s'est levé et a traversé l'aire à grands pas. Il ne s'est pas retourné quand Bouvy et le docteur Étienne l'ont rappelé.

Il a marché en enfonçant son talon dans le sol avec hargne comme s'il voulait y enfouir les mots qu'il venait d'entendre.

Il est monté jusqu'au lac Noir. Il a d'abord aperçu, entre des blocs de rochers, au pied des falaises, les flammes des foyers autour desquels les jeunes hommes du maquis du haut plateau de Dieulevoye se rassemblaient chaque nuit.

Il fait doux, en ce dernier jour de juin 1943. Un vent léger, comme une brise de mer, monte de la vallée et des plaines de la Durance.

Puis, se rapprochant des grottes et des feux, Thorenc entend, murmuré, ce chant que, depuis quelques semaines, Radio Londres diffuse et dont, sans qu'il l'ait voulu, il a retenu la mélodie simple et les paroles pétries à pleines mains :

Ami, entends-tu
Le vol noir des corbeaux
Sur nos plaines,
Ami, entends-tu
Le cri sourd du pays
Qu'on enchaîne ?

Il marche encore vers les falaises, et les voix se font plus fortes :

Ohé, partisan,
Ouvrier et paysan
C'est l'alarme

Sortez de la paille
Les fusils, la mitraille,
Les grenades
Ohé, les tueurs
À la balle et au couteau,
Tuez vite...

Puis, au fur et à mesure qu'il gravit le sentier, les voix s'éloignent et s'estompent.

Il a maintenant l'impression d'être seul dans la nuit.

Il essaie de lever son bras gauche et, malgré la douleur, il le tend comme s'il voulait toucher du doigt le ciel clair, constellé.

Il est parvenu au bord de la falaise. Il s'arrête. Il craint, s'il s'assoit face au vide, d'être à nouveau envahi par les eaux mortes, par ces mots de *trahison*, d'*ambition*, qui sont comme le pus infectant toutes les actions humaines. C'est la gangrène noire qui, à la fin, si souvent l'emporte !

Il cherche à ne plus penser à cela. Il ne veut pas imaginer le visage de Max déchiré, son pauvre corps strié de coups, brisé, la mort qui va le prendre dans la douleur la plus lente, comme une crucifixion au cours de laquelle jamais on ne s'arrêterait de planter des clous, où personne ne viendrait interrompre l'agonie.

Il marche.

Il ne veut pas non plus penser à ceux qui ont livré Max, Delestraint et les autres compagnons de lutte, à ceux qui se réjouissent de cette circonstance qui va leur permettre de placer leurs hommes, d'espérer ainsi conquérir le pouvoir.

Il redescend vers le lac Noir.

Les voix surgissent à nouveau de la nuit en même temps que jaillissent les étincelles des foyers, lucioles dorées au-dessus des rochers.

Thorenc entend :

Sifflez, compagnons,
Dans la nuit, la liberté
Nous écoute...

Entre les falaises, l'écho des voix se prolonge.

DANS L'HONNEUR
ET PAR LA VICTOIRE

« Il y a le sang qui commence à peine à couler
il y a la haine et c'est assez pour espérer. »

PIERRE EMMANUEL
sous le pseudonyme de JEAN AMYOT,
in *L'honneur des poètes*,
14 juillet 1943.

« Derrière le nuage si lourd de notre sang et de nos larmes, voici que reparaît le soleil de notre grandeur. »

CHARLES DE GAULLE, 6 juin 1944.

PREMIÈRE PARTIE

— 1 —

Bertrand Renaud de Thorenc n'a d'abord entendu qu'une rumeur lointaine.

Ç'a été durant quelques secondes comme un chant aigu, haché, indistinct.

Il a tourné la tête vers la fenêtre.

La pluie rayait de lignes grises la fin de cet après-midi du mercredi 14 juillet 1943.

Quand Thorenc est arrivé à Clermont-Ferrand, tôt ce matin-là, l'orage s'accrochait encore aux hauteurs ceignant la ville.

Il a eu un moment d'appréhension en apercevant, sur le quai de la gare, les patrouilles de policiers français et de *Feldgendarmen*.

Il a marché vite afin de se trouver en tête du groupe de voyageurs, une vingtaine de personnes à peine, qui étaient descendues du train de nuit en provenance de Paris.

Deux ou trois hommes en veste de cuir se tenaient dans le hall de la gare. Il a senti leurs regards qui le suivaient et imaginé qu'ils allaient s'approcher de lui, l'interpeller, le jeter à terre avant qu'il ait pu faire un seul geste pour se défendre.

Il a éprouvé la tentation de s'élancer et de se mettre à

courir tant son angoisse était forte, tant il avait envie de provoquer l'événement plutôt que de le redouter.

Mais il s'est maîtrisé, marchant d'un pas régulier jusqu'à la place de Jaude, ne se retournant qu'à ce moment-là, comme s'il avait voulu vérifier qu'aucune voiture ne l'empêcherait de traverser.

Il a respiré plus librement.

La place était vide. On ne l'avait pas suivi.

Il a contemplé ce ciel de juillet bordé vers les monts d'Auvergne de nuages menaçants. Il devait déjà pleuvoir sur les collines.

Il s'est hâté de gagner par les petites rues la cathédrale, et, au moment d'y pénétrer, il a eu une nouvelle émotion en voyant plusieurs soldats allemands, qui entouraient un officier, descendre les marches de l'édifice.

Puis il a constaté que certains portaient un missel à la main.

Et il a été à la fois étonné et révolté. Ces hommes-là aussi, il l'avait oublié, priaient, s'agenouillaient, communiaient !

Il s'est figé sur le parvis.

Et ceux qui avaient torturé Jean Moulin, se confessaient-ils après lui avoir martelé le crâne à coups de nerf de bœuf ?

Il en a eu la nausée.

Il avait séjourné à Paris près d'une semaine, cherchant à savoir ce qu'ils avaient fait de Max depuis qu'ils l'avaient arrêté à Caluire, le 21 juin.

De Gaulle, d'Alger, avait demandé que tout fût mis en œuvre pour tenter d'arracher aux Allemands celui qui était son délégué en France et le président du Conseil national de la Résistance.

Jean Moulin, celui qu'on avait vendu.

Avec Jacques Bouvy et le docteur Étienne, Thorenc avait donc quitté la ferme Ambrosini. Ils avaient retrouvé à Lyon Pierre Villars et son frère Philippe qui auraient dû être pris avec Moulin, mais qui avaient été l'un et l'autre, au dernier moment, empêchés de se rendre à Caluire chez le docteur Dugoujon.

Le commandant Pascal était arrivé de Marseille.

On arrêtait dans toutes les villes du Sud, avait-il indiqué.

Dunker, le chef de la Gestapo de Marseille, menait le bal, utilisant des résistants qu'il avait « retournés », lesquels visitaient systématiquement toutes les adresses qu'ils connaissaient, et la Gestapo, à leur suite, montait des souricières où tombaient des camarades par dizaines, agents de liaison qu'on n'avait pas eu le temps de prévenir et qui passaient pour relever le courrier de ces boîtes aux lettres surveillées.

Pascal avait paru amer, désespéré même.

— Sur dix résistants arrêtés, avait-il déclaré, il suffit d'un seul qui parle pour que la Gestapo descende plus profond, démantèle de nouvelles filières, et parfois monte de toutes pièces des opérations afin de récupérer les containers parachutés et les hommes qui arrivent de Londres. Oui, il suffit d'un radio « retourné » et qui continue d'émettre sous leur contrôle..., avait-il soupiré.

Il avait ajouté que la guerre était certes gagnée, que les Alliés allaient à l'évidence débarquer en Sicile et dans la péninsule italienne dans les jours à venir, que les troupes de Mussolini, d'après les informations dont il disposait, se débanderaient, certains hommes étant même disposés à passer à la Résistance, qu'en somme tout aurait dû autoriser, au seuil de cet été 43, à se montrer résolument et définitivement optimiste...

— Mais, chers camarades, mes pauvres compagnons, nous, nous allons être pris les uns après les autres, avait-il conclu.

Pierre et Philippe Villars ainsi que le docteur Étienne s'étaient insurgés : il fallait resserrer les rangs, exécuter les traîtres, renforcer l'organisation des Mouvements unis de Résistance.

— Tout cela se fera, avait murmuré Pascal, mais peut-être pas avec nous. Nous sommes déjà les survivants de la première vague, celle de 40, et c'est un miracle que nous soyons encore en vie. Cela ne peut durer !

Thorenc s'était tu. Il avait jugé inutile d'approuver Pascal dont il partageait l'intuition. Mais il fallait faire comme si la mort n'allait s'abattre que sur les autres. De si nombreux compagnons, déjà, avaient eu la bouche emplie de terre !

Et Moulin, maintenant.

Tout en écoutant Philippe Villars raconter comment René Hardy, son adjoint, avait réussi à s'enfuir de la maison du docteur Dugoujon, puis à s'évader de l'hôpital allemand de la Croix-Rousse, Thorenc s'était souvenu de ses propres évasions.

Il y avait seulement quelques semaines, lui aussi avait sauté sur les toits plats des garages de l'hôpital, puis, de là, dans une ruelle.

— Une évasion n'est pas une preuve de trahison, avait-il maugréé.

Étienne, Pascal, Pierre et Philippe Villars l'avaient regardé, puis, haussant les épaules, Pierre Villars avait conclu que l'on examinerait le cas de Hardy plus tard. Mais les soupçons contre lui s'étaient accumulés. Des camarades avaient déjà essayé de l'empoisonner alors qu'il se trouvait à l'hôpital de l'Antiquaille avant d'être transféré par les Allemands à celui de la Croix-Rousse.

— Ce qui importe au premier chef, avait ajouté Pierre, c'est d'essayer de sauver Max, si cela se peut encore.

Bouvy avait voulu monter une attaque de la prison de Montluc avec des groupes francs. Philippe Villars avait envisagé, si le prisonnier était transporté de Lyon à Paris, d'intercepter le train. Thorenc avait seulement murmuré :

— Nous ne savons pas où il se trouve, nous ignorons même s'il est encore en vie.

Il s'était souvenu de Max, énergique et souriant, dans la galerie de peinture de la rue de France, à Nice. Il avait revu le visage de cette jeune femme, Colette, qui semblait si éprise de lui.

Il s'était efforcé de ne pas imaginer le corps de Moulin, livré dans les locaux de l'École de santé militaire, ou dans une cellule de la prison de Montluc, ou encore dans une chambre de l'hôtel Terminus, aux hommes de Klaus Wenticht et de Barbie. Sans doute ces deux-là auraient-ils d'ailleurs préféré torturer eux-mêmes Moulin afin de s'arroger la gloire — la belle gloire ! — d'avoir fait parler le délégué du général de Gaulle.

Mais Thorenc savait que jamais Max ne desserrerait les dents.

L'homme qui s'était tranché la gorge, le 17 juin 1940, était sans doute prêt à se ruer tête la première contre un mur, pour la faire éclater, plutôt que de prendre le risque de lâcher le moindre mot.

— Il faut réagir, avait déclaré Pierre Villars.

Ils avaient commencé à rédiger un texte que les journaux clandestins publieraient. Il s'agissait d'abord de dissimuler la gravité de la blessure infligée par les Allemands à la Résistance :

« La propagande ennemie ayant exagéré à dessein l'importance de quelques arrestations opérées à Lyon, — avait lu Villars —, le Conseil national de la Résistance informe le pays qu'aucun organisme d'importance décisive n'a été atteint. »

Lecture faite, il avait regardé tour à tour le docteur Étienne, Pascal, Philippe Villars et Thorenc.

Ce dernier avait détourné les yeux.

L'arrestation de Delestraint, le chef de l'Armée secrète, puis celle de Max étaient en fait deux coups de hache portés avec violence au cœur même de la Résistance.

Déjà, ceux qui n'avaient pas accepté la tutelle de Max s'employaient à créer un Comité central de la Résistance afin de dépouiller le CNR de son autorité.

Déjà ils désignaient de nouveaux hommes pour remplacer Delestraint et Max. Le journaliste et universitaire Georges Bidault succédait à Max ; le général Dejussieu (dit Pontcarral), du mouvement Combat, au général Delestraint.

Ce n'était donc plus le délégué de De Gaulle qui commandait la Résistance intérieure, mais celle-ci qui acceptait, à condition de rester autonome, de se ranger derrière de Gaulle en imposant ses conditions.

Thorenc s'était persuadé que Max était la première victime de la lutte pour le pouvoir d'après la Libération, lutte que certains avaient déjà commencé à livrer contre de Gaulle.

Il avait écouté Pierre Villars lire la fin de son texte :

« Le CNR appelle tous les patriotes à redoubler de vigilance contre les agents de l'ennemi qui essaieraient de se glisser dans leurs rangs et qui sont souvent facilement décelables par le fait que, tout en affirmant leur haine de l'Allemand, ils s'efforcent d'opposer entre eux les Français d'opinions différentes, en se servant notamment de l'épouvantail du bolchevisme dont Hitler s'est constamment servi pour affaiblir ses adversaires. »

Pascal avait marmonné qu'il croyait, lui, à la menace bolchevik, qu'il n'avait aucune confiance dans les communistes, lesquels n'étaient entrés dans la Résistance qu'après le 21 juin 1941 et étaient davantage préoccupés par le sort de l'URSS que par celui de la France.

— Il y a des priorités, avait répondu Bouvy. Libérons la France avec eux. Contraignons-les à agir avec nous.

Pascal avait approuvé.

Mais Thorenc avait ressenti un malaise. C'était comme si Max, l'homme qu'il avait connu, se trouvait déjà oublié, sa souffrance physique et sa mort ensevelies sous ces considérations politiques.

Il ne pouvait ni accepter ni regretter cet inéluctable mouvement de la vie.

Les corps, les visages de ceux qui sortaient du jeu disparaissaient en quelques jours dans ces insatiables sables mouvants qu'étaient la succession des jours et des luttes entre vivants. Telle était la loi de la vie, celle aussi de la guerre.

Il s'était levé :

— Je veux savoir ce qu'est devenu Max, avait-il déclaré.

Ils s'étaient récriés. Ils le désiraient tous. Ils étaient prêts à prendre tous les risques pour tenter de le délivrer. Mais il fallait bien faire face aux problèmes que posait sa disparition, il fallait bien rassurer l'opinion et les résistants.

— Ils l'ont sûrement transporté à Paris, avait repris Thorenc.

Il avait donc décidé de s'y rendre.

Ils avaient essayé de le retenir, Pierre Villars lui donnant l'ordre de retourner à la ferme Ambrosini, d'y prendre le commandement du maquis du haut plateau de Dieulevoye qu'on ne pouvait laisser dirigé par José Salgado et Joseph Minaudi, deux communistes qui exécuteraient d'abord les consignes de l'état-major FTPF plutôt que celles de l'Armée secrète.

D'ailleurs, s'ils continuaient à contrôler le maquis, Londres hésiterait à leur parachuter des armes. Et la centaine de jeunes réfractaires qui se cachaient dans les grottes autour du lac Noir seraient à la merci d'une attaque ennemie.

On disait que des unités de la Milice de Darnand, des Groupes mobiles de répression, des SS, qui remplaçaient peu à peu les troupes italiennes en voie de repli sur l'Italie, se rassemblaient dans la vallée de la Durance.

— C'est votre devoir et c'est un ordre, avait répété Villars.

Puis, constatant que Thorenc ne renonçait pas, il lui avait indiqué qu'il le ferait évacuer — de force, si besoin était — par le prochain avion à se poser sur le haut plateau, et qu'on le transporterait à Alger.

Thorenc n'avait prêté que peu d'attention à ces menaces.

Ni le commandant Pascal, ni le docteur Étienne, ni même Philippe Villars ne les approuvaient. Ils craignaient seulement que Thorenc ne fût reconnu en gare de Perrache par l'un de ces mouchards de la Gestapo, anciens résistants qui avaient évité la torture en choisissant de collaborer avec les nazis et qui traînaient sur les quais, désignant aux policiers allemands les voyageurs qu'ils croyaient identifier.

Bouvy avait affirmé que Hardy avait ainsi été repéré par l'un d'eux, un certain Multon, au moment où il partait pour Paris. On l'avait fait descendre du train à Mâcon ; le lieutenant Wenticht et Klaus Barbie, en échange de la vie sauve, avaient obtenu qu'il travaille pour eux.

C'est ainsi, avait assuré Bouvy, que Hardy avait livré la réunion de Caluire, donc Max et ses compagnons.

— Qui, sachant qu'il était resté plusieurs heures entre les mains de la Gestapo, l'a autorisé à participer à cette réunion ? Voilà la question ! avait grommelé Bouvy. Celui qui a pris ce risque est encore plus coupable que Hardy. Ou bien il a été inconscient, léger et naïf, et n'en mérite pas moins le châtiment. Ou bien il a délibérément envoyé Hardy à Caluire comme on lance une grenade, attendant que l'explosion se produise, qu'on ait ramassé le cadavre de Max pour occuper maintenant la position !

— Je veux savoir ce qu'est devenu Max, avait répété Thorenc.

Plus personne ne l'avait contredit.

— 2 —

Thorenc est resté un long moment immobile à regarder les rafales de pluie frapper les vitres.

Leur crépitement rageur a recouvert ce chant qui, un instant, entre deux grondements du tonnerre, a tout à coup retenti comme un cri, envahissant les rues de Clermont-Ferrand.

Il a guetté, tendu, espérant l'entendre à nouveau.

Il a jeté un coup d'œil à Catherine Peyrolles, assise en face de lui, de l'autre côté de la table ronde, dans cette petite salle à manger plongée dans la pénombre.

Puis, au bout de quelques minutes, il a repris le récit de son séjour à Paris.

Il n'a pas voulu décrire à Catherine le visage de Jean Moulin, écrasé sous les coups, une plaie bleuâtre à la tempe, les yeux comme enfoncés.

Il n'a pas parlé du sang qui maculait la chambre du 84, avenue Foch, le siège de la Gestapo. Il n'a pas non plus rapporté ces détails qu'il avait appris : Moulin, le corps brisé, ne pouvant rester debout ; Moulin, les lèvres gonflées, éclatées, incapable de parler, dont seul le regard restait vivant.

On avait dit à Thorenc que Max avait tenté de se suicider en se précipitant de toutes ses forces, tête en avant, contre le mur.

Et c'étaient des Français, ceux de l'équipe de Lafont, Bardet et Marabini, qui étaient venus, avenue Foch, lui infliger tous ces sévices. Les Allemands s'étaient le plus souvent contentés de poser des questions et, constatant que Moulin avait été conduit jusqu'aux lisières de la mort, l'avaient retiré de cette chambre de torture où étaient installés une baignoire, des crochets, des anneaux, des plaques chauffantes, pour le transporter dans une villa de Neuilly où Boemelburg, l'un des chefs de la Gestapo, avait créé une prison spéciale dans laquelle il gardait des personnalités et parfois les soignait pour pouvoir les interroger à nouveau.

Thorenc n'a pas raconté cela, mais peut-être a-t-il suffi qu'il dise à Catherine que Max n'avait pas cédé, qu'il avait gardé le silence malgré ses souffrances, et qu'à la fin les Allemands avaient décidé de le transférer à Berlin, à l'hôpital de Police, dans l'intention de le remettre sur pied, pour qu'elle imagine ce qu'il avait tu.

Thorenc a vu Catherine croiser ses mains sur son ventre, sur l'enfant qu'elle portait et qui devait naître dans deux mois, en septembre 1943, donc, et il a baissé la tête pour ne pas voir son visage se creuser comme si on leur avait fait mal, à elle et à l'enfant.

Et il s'est reproché à cet instant d'avoir, quand elle le lui avait demandé, accepté de lui faire cet enfant.

Folie, folie ! s'est-il répété, incapable de poursuivre et de rassurer Catherine.

Il lui a dit qu'il ne fallait pas qu'elle reste à Clermont-Ferrand ni qu'elle retourne à Lyon. Toutes les villes étaient dangereuses. Elle y était à la merci d'une rafle, d'une dénonciation.

Les campagnes aussi allaient connaître la cruauté.

Allemands et miliciens ne pourraient accepter longtemps la présence de maquis, l'existence de régions échappant à leur contrôle. Ils les attaqueraient. Ils brûleraient les villages et les fermes, comme les SS l'avaient fait en Pologne, en Russie, en Yougoslavie, en Grèce.

Dans les semaines, les mois à venir, il n'y aurait plus moyen d'échapper à la barbarie.

Comment survivre alors avec un nouveau-né, quand on était pourchassé ? La défaite allemande qui approchait allait rendre fous les plus fanatiques dans le camp des nazis et des collaborateurs. Il n'y aurait pas de quartier.

Catherine devait donc quitter la France, gagner l'Algérie ou la Corse. Car elle avait eu autrefois raison de le penser : l'île serait sans doute le premier territoire libéré. Les Italiens allaient être vaincus. Ils capituleraient. Déjà, leur armée, depuis que les Alliés avaient débarqué en Sicile, le 10 juillet, se décomposait. Et en Corse, le Front national, bénéficiant de l'appui des troupes françaises d'Afrique du Nord, pouvait — peut-être même avec l'aide des soldats italiens — contrôler l'île et en chasser les Allemands qui avaient commencé de s'y installer.

Bertrand était à même, lui dit-il, d'organiser son départ.

Des avions s'étaient déjà posés sur le haut plateau de Dieulevoye. Il ne s'agissait plus seulement de Lysander qui ne réussissaient à embarquer qu'une ou deux personnes à leur bord, mais de bimoteurs, Lockheed ou Hudson, capables d'emporter vers l'Algérie une douzaine de passagers.

Ils avaient déjà fait plusieurs rotations, atterrissant la nuit, décollant quelques minutes plus tard, transportant outre-Méditerranée les futurs membres de l'Assemblée consultative que de Gaulle voulait mettre en place en même temps qu'un Gouvernement provisoire de la République française.

— Vous devez partir, lui a répété Thorenc.

Il a hésité, puis a ajouté plus bas :

— Pour notre enfant.

Catherine Peyrolles s'est levée, tenant toujours son ventre à deux mains, et a répondu qu'elle ne lui avait demandé que de faire l'enfant, qu'elle n'avait voulu le charger, lui, d'aucune responsabilité, qu'elle déciderait donc seule.

Elle lui a parlé sèchement, sans le regarder, ajoutant

qu'elle se sentait parfaitement en sécurité ici, chez Laure Vivien.

Qui viendrait la rechercher chez la mère de l'archiprêtre de la cathédrale de Clermont-Ferrand ? Cette vieille femme n'était nullement suspecte.

Catherine a ri. Chaque matin, Laure Vivien priait pour le salut de l'âme du maréchal Pétain. Quant à l'abbé François Vivien, il donnait la communion aux Allemands, aux agents de la Gestapo ou aux miliciens, aussi bien qu'à ses paroissiens — parmi lesquels sans doute des résistants, des gaullistes.

Elle se trouvait à l'abri ici, a-t-elle conclu, dénouant pour la première fois ses mains.

Quand l'enfant naîtrait, elle le confierait jusqu'à la fin de la guerre à Laure Vivien ou à un orphelinat. Elle le retrouverait après, d'ici un an ou deux.

La guerre ne durerait pas plus longtemps, n'est-ce pas ?

Bertrand a voulu lui répondre, mais, tout à coup, le chant a déferlé, tout proche. Non plus une rumeur ni un grondement, mais des mots distincts, lancés comme des pierres :

Aux armes, citoyens !
Formez vos bataillons...

Thorenc a frissonné, la gorge serrée, des larmes plein les yeux.

Il s'est précipité, ouvrant la fenêtre. La pluie de juillet, violente mais tiède, lui a frappé aussitôt le visage.

Il s'est penché au-dessus de la rue du Marché sur laquelle donnaient les fenêtres de l'appartement de Laure Vivien.

Il a regardé vers le bout de la rue et a vu, passant devant la cathédrale, ce cortège couronné de drapeaux tricolores que des jeunes gens agitaient en chantant à pleine voix :

Contre nous de la tyrannie
L'étendard sanglant est levé...

Il s'est senti fier d'appartenir à ce peuple combattant.

C'était comme si toutes les souffrances endurées depuis des années se trouvaient enfin justifiées. Les doutes étaient effacés. Ce chant l'arrachait au marécage où il avait eu tant de fois l'impression de s'enliser.

Il a alors repensé à cette première manifestation à laquelle il avait participé avec Geneviève Villars, le 11 novembre 1940, sur les Champs-Élysées. Qu'était devenu ce jeune homme qui, devant l'Arc de triomphe, avait brandi un drapeau tricolore alors que les motocyclistes allemands fonçaient vers la foule, roulant sur les trottoirs, et qu'on entendait les explosions des grenades et le claquement sec des détonations ? Allait-il survivre jusqu'à cette Libération pour laquelle il avait lutté l'un des premiers ?

Il s'est retourné, la pluie glissant sur ses joues comme des larmes.

Il s'est heurté à Catherine Peyrolles.

— Il ne faut pas y aller, lui a-t-elle dit. Pas vous.

Elle lui a pris les mains, les a posées sur son ventre.

Il a senti l'enfant bouger.

— 3 —

Thorenc a hésité à rejoindre le cortège cependant que le chant noyé par la pluie, emporté par le vent d'orage, s'affaiblissait, malgré de brefs regains, comme si une rafale faisait renaître ces voix qui clamaient :

Aux armes, citoyens !
Formez vos bataillons...

et qui, pour quelques secondes, paraissaient à nouveau proches.

Il s'est rendu aux arguments de Catherine Peyrolles, mais, quand il a voulu la retenir, l'enlacer, sentir contre lui ce corps, l'enfant qu'il abritait, elle s'est dérobée, retournant s'asseoir derrière la table ronde.

À cet instant, la vieille Laure Vivien est entrée, tenant ses mains autour de son cou comme si elle avait voulu desserrer, arracher un lien qui l'étouffait.

Sa tête grise ballant de droite et de gauche, elle a dit :

— Ils vont se faire tuer ! Mon Dieu, faites qu'il ne leur arrive rien !

Elle s'est signée. Elle a regardé Thorenc et Catherine comme pour chercher à se rassurer, mais elle a paru au contraire plus affolée, quittant la pièce à reculons, disant sur le seuil qu'elle sortait, qu'elle allait jusqu'à la cathédrale, qu'elle voulait prier, voir son fils...

Personne n'aurait pu la retenir.

Thorenc s'est penché à la fenêtre. La pluie a frappé sa nuque, glissé le long de son cou.

Il a vu Laure Vivien avancer, courbée sous son grand parapluie noir, remonter la rue du Marché, traverser la place de la Cathédrale, petite silhouette isolée dans le vaste espace vide que battait l'averse.

Il s'est retourné. Catherine Peyrolles a croisé les bras, les coudes appuyés sur la table.

Il y avait entre elle et lui cette large et luisante surface de chêne. Il avait éprouvé à cet instant le douloureux sentiment de sa solitude, un désespoir qu'il avait contenu depuis des jours, que ce chant du 14 Juillet, inattendu, provocant, enthousiaste, lui a même fait oublier, mais qui est à présent revenu le submerger.

Désespéré, il l'avait été dès qu'il était descendu du wagon, il y avait à peine une dizaine de jours, gare de Lyon, à Paris.

Il avait aperçu dans la lumière claire de juillet ce barrage de policiers, ce pointillé d'uniformes noirs, et, derrière cette ligne, des groupes d'inspecteurs, français et allemands mêlés. Les premiers avec quelque chose de veule et de théâtral dans leur tenue, leur comportement, comme s'ils avaient cherché à séduire et convaincre leurs maîtres qui se tenaient un peu à l'écart, arrogants, les mains enfoncées dans les poches de leur manteau de cuir.

Dès ce premier pas sur le quai, il avait éprouvé plus que de la peur ou de l'angoisse. Il avait été désespéré de constater qu'en ce début de juillet 1943 la mécanique barbare ne se relâchait pas : les polices allemande et française continuaient de collaborer et de broyer.

Avaient-elles déjà liquidé Moulin et ses camarades ?

C'était pour savoir qu'il avait décidé de se rendre à Paris et, en s'avançant vers ce barrage, il s'était demandé, comme à chaque fois qu'il accomplissait quelque action dangereuse, l'ayant imposée le plus souvent à ses compagnons, s'il ne cherchait pas lui-même à en finir, à défier le sort, à sauter toujours plus loin dans l'espoir morbide de ne pas atteindre, un jour, l'autre bord de l'abîme.

Avant son départ de Lyon, l'accompagnant gare de Perrache, Bouvy lui avait répété qu'il aurait été plus sage de renoncer.

Le général Delestraint, Jean Moulin et leurs camarades avaient peut-être déjà succombé, et ceux qui avaient survécu à la torture avaient déjà dû être déportés en Allemagne.

Enquêter sur leur sort, comme entendait le faire Thorenc, était à la fois prématuré et périlleux. On ne pouvait les sauver, Bouvy en était maintenant convaincu. Il ne fallait donc pas risquer une vie pour une tentative aussi vaine.

D'autant que, ces derniers jours, les FTPF avaient multiplié les attentats. Ils avaient attaqué à la grenade un autobus rempli d'Allemands dans le quartier de Clichy. Ils avaient même mitraillé des casernes, boulevard Berthier et à Choisy-le-Roi, et lancé une grenade dans un café de Montrouge.

Selon Bouvy, Stephen Luber avait regagné la capitale et était devenu l'un des chefs de la section Main-d'œuvre immigrée (MOI) des FTPF.

— Vous le connaissez, Thorenc : efficace, une détermination à toute épreuve. Mais, naturellement, les rafles, les contrôles, les arrestations vont se succéder. La Gestapo a aussi de pleines valises d'archives des mouvements de Résistance. Vous vous jetez dans la gueule du loup.

Bertrand s'était contenté de tendre la main à Bouvy. Il n'était pas nécessaire que celui-ci allât plus loin. Les gares étaient surveillées, les indicateurs de police et les mouchards y grouillaient comme une vermine vorace.

En attendant le train, Thorenc avait cru reconnaître Sonia Barzine. Cette grande femme brune au chapeau démesuré, dont la jupe courte cachait à peine les genoux, entourée d'officiers allemands qui riaient, ressemblait bien à l'agent de Wenticht, à cette femme qu'il avait aperçue sur le perron de la villa du lieutenant Mercier. C'était sans doute pour cette femme-là que ce dernier avait trahi, et c'était donc à cause d'elle que Thorenc l'avait abattu.

Il avait alors imaginé que, dans la nuit, s'il venait à la croiser dans un couloir du train, il la jetterait sur la voie. Cette idée, qui l'obséda durant les premières heures du voyage, l'avait accablé.

Il était devenu un homme dont l'un des premiers réflexes était de tuer.

Voilà ce que la guerre, l'occupation, la clandestinité avaient fait de lui.

Quels que fussent ses mobiles, il était devenu pareil à tous ceux qui avaient été emportés par cette folie barbare.

On devait abattre l'ennemi, le traître.

Klaus Wenticht avait décidé de la mort de Moulin.

Lui, Thorenc, avait décidé d'abattre le lieutenant Mercier.

La cause de Wenticht était celle du Mal, et Thorenc la combattait. Mais pouvait-on tuer au nom du Bien ?

Il l'avait fait. Il était prêt à le refaire. C'était la logique inéluctable de la guerre qui l'imposait.

Mais il l'avait ainsi ressenti : il avait la mort en lui parce qu'à la donner, à l'infliger à l'autre, on se suicide toujours.

Gare de Lyon, il avait marché, aussi désespéré que résolu, vers le barrage de police.

Il avait des papiers d'identité au nom du docteur Bertrand de Norois, médecin à Antibes, se rendant à Paris chez son père, Alexandre de Norois, ambassadeur de France, 27, avenue de l'Observatoire.

L'homme existait, il avait proposé à la Résistance son nom et son adresse, disant qu'à l'âge où il était parvenu, peu lui importait de mourir, au contraire. C'était l'occasion d'abréger une aventure dont il avait le sentiment d'avoir épuisé tous les charmes. On lui offrait un épilogue inattendu : cela ne se refusait pas.

À quelques pas des policiers, Thorenc avait reconnu parmi eux Richard Maurin, le mari de madame Maurin, la concierge du 216, boulevard Raspail. Il était l'un des rares à porter sa pèlerine, dont il avait rejeté les pans sur ses épaules.

Thorenc l'avait regardé, l'obligeant à le dévisager. Il avait acquis la conviction que l'agent l'avait identifié sur-le-champ.

Cet échange de regards avait suffi à attirer l'attention des inspecteurs. Deux d'entre eux s'étaient approchés, avaient exigé qu'il ouvrît sa valise et montrât ses papiers. Thorenc avait vu Maurin lire, en se penchant par-dessus l'épaule d'un inspecteur, la carte d'identité. L'agent français avait paru hésiter et, durant ces quelques secondes, Thorenc s'était demandé s'il n'allait pas bondir, essayer de se perdre parmi la foule, puis de s'engouffrer dans le métro.

Le visage impassible, Maurin lui avait décoché un coup d'œil avant de reprendre sa place dans le barrage.

Les inspecteurs avaient rendu ses papiers à Thorenc.

Il n'avait pas éprouvé de soulagement. C'était comme s'il était arrivé à l'extrême limite de ses forces, à ce point où l'on souffre toujours, quelle que soit l'issue de la situation.

Il avait eu le sentiment de ne plus pouvoir supporter cette vie clandestine, cette tension de tous les instants, cette angoisse au moment où il fallait présenter une fausse pièce d'identité.

À chaque fois il avait craint de crier : « Je suis Bertrand Renaud de Thorenc ! Le lieutenant Klaus Wenticht, chef de la Gestapo de Lyon, me recherche. J'ai tué l'un de vos agents dans la cathédrale de Clermont-Ferrand. J'ai abattu le traître Mercier dans sa villa de Lyon. Je mène à ma façon ma guerre contre le nazisme depuis son avènement. Je faisais partie des proches de Jean Moulin, vous l'avez pris, prenez-moi, que je sache enfin si moi aussi, je peux résister à la torture, vous défier du fond de la douleur. Tuez-moi, libérez-moi ainsi de l'angoisse et du désespoir ! »

Il était à bout, et, en même temps, il avait la certitude qu'il ne pouvait sortir du jeu. Peut-être même avait-il désormais besoin de cette anxiété, de ce désespoir pour savoir qu'il vivait, de même que ces douleurs qui, parfois, lui tiraient l'épaule et la jambe gauches, lui rappelaient qu'il avait un corps. La souffrance n'en donnait à vivre que plus intensément l'existence.

Peut-être ne savait-il plus se comporter qu'en clandestin, s'arrêtant sous un porche et s'y dissimulant, y attendant plusieurs minutes afin de vérifier que personne n'y pénétrait à sa suite, et se tenant prêt, le cas échéant, à frapper, à tuer, même, celui qui l'aurait suivi ?

Thorenc avait agi ainsi dès qu'il était sorti de la gare de Lyon, vérifiant dans les vitrines qu'il n'était pas l'objet d'une filature, changeant de direction dans le métro, bondissant hors du wagon au dernier moment, arrivant enfin 12, rue Royer-Collard, chez le docteur Pierre Morlaix, lui murmurant aussitôt qu'il était le docteur Bertrand de Norois, d'Antibes, et qu'il venait pour connaître le diagnostic porté par son collègue sur l'état de santé d'Alexandre de Norois, son père.

Morlaix s'était contenté de le faire passer dans la salle d'attente et Thorenc s'était approché de la fenêtre, regardant la rue Royer-Collard, se remémorant la manière dont le médecin l'avait accueilli, la première fois, alors que la police envahissait la rue.

C'était en janvier 1941.

Ils avaient, ce jour-là, arrêté l'imprimeur Maurice Juransson dont l'atelier était situé dans la cour du numéro 10.

Ils l'avaient fusillé en octobre de la même année.

Combien d'autres, depuis ?

— Et maintenant Delestraint et Max, avait murmuré Thorenc lorsqu'il s'était retrouvé seul avec le docteur Morlaix.

Il aurait dû ne rien dévoiler des raisons de son séjour à Paris, mais il avait eu besoin de partager ce sentiment qu'une fatalité pesait sur ceux qui résistaient, comme si, au fur et à mesure que se rapprochait l'heure de la Libération, la répression devenait de plus en plus impitoyable, de plus en plus efficace, frappant les meilleurs : le commandant Villars le général Delestraint, Max... Qui, demain ?

— L'histoire a de plus en plus besoin de sang, avait repris Thorenc. On voit déjà l'autre rive, celle de la paix revenue, de notre victoire, et on devine que beaucoup d'entre nous ne l'atteindront pas, comme si un fleuve noir allait préalablement nous emporter.

— Le Moloch devient fou, avait confirmé Morlaix.

Il ne se passait pas de jour, avait-il exposé, qu'on ne tirât dans les rues. On abattait certes des soldats allemands, on lançait des grenades, mais la Gestapo ripostait, ouvrait le feu parmi la foule ou montait des souricières. La dernière, dans une librairie de la rue Bonaparte, avait conduit à l'arrestation de plusieurs jeunes gens. L'un d'eux avait réussi à fuir, mais des policiers français l'avaient arrêté et remis aux Allemands. Dans les jours qui avaient suivi, Geneviève de Gaulle, la nièce du Général, était tombée dans le piège. Elle avait été livrée aux tortionnaires français de la rue Lauriston, qui lui avaient infligé les pires sévices avant que les Allemands ne la déportent, d'abord au camp de Compiègne, puis, de là, dans l'un des camps du Reich.

— C'est une atmosphère de folie barbare, avait conclu Morlaix. Toutes les limites sont franchies. Les gens ont peur, mais ils écoutent Londres. Ils attendent, ils savent, ils guettent. Ceux qui se battent ne sont encore qu'une infime minorité, mais elle bénéficie de la complicité générale.

Le praticien avait rapproché son fauteuil de celui de Thorenc comme s'il avait craint que, même dans ce salon, chez lui, ses propos ne fussent surpris.

Il avait reçu la visite d'Isabelle Roclore. Est-ce que Thorenc se souvenait d'elle ? Il lui avait donné rendez-vous ici même. Elle s'était rappelé l'adresse. Elle cherchait un médecin. Morlaix avait d'abord feint de ne pas la reconnaître, de ne pas comprendre ce qu'elle voulait. Mais elle avait cité plusieurs fois le nom de Thorenc, et, à la fin, il avait accepté de soigner un des proches de la visiteuse, qui avait été blessé par balle.

— Cet homme m'a tout de suite parlé de vous. Il m'a donné son nom : Stephen Luber.

Luber avait organisé plusieurs attentats, attaquant à la grenade, sur l'avenue de la Grande-Armée, à quelques dizaines de mètres de la place de l'Étoile, un détachement allemand. Il avait assuré la protection des deux lanceurs de grenades, et aucun membre de l'équipe n'avait été pris. Il avait été le seul blessé.

— Voilà quelle est l'atmosphère à Paris, avait conclu Morlaix.

Il s'était levé et avait marché à pas lents à travers le salon.

— Mais peut-être vous et moi, comme tous ceux qui sont pris dans la tourmente, ne voyons-nous qu'un aspect des choses ? avait-il murmuré.

Il s'était arrêté puis avait repris : quand il était jeune interne et qu'il sortait de l'hôpital, il était à chaque fois surpris par l'activité, la joie, l'énergie qui se déployaient dans les rues. Il avait eu du mal à s'habituer à la coexistence de ces univers parallèles : celui de la maladie, celui du désir. Il avait souvent l'impression, en ce moment, que les gens vivaient de même, comme des schizophrènes, et que c'était peut-être la seule manière de survivre, de faire coexister *L'Être et le Néant*. Thorenc avait-il lu ce livre d'un jeune philosophe dont tout Paris parlait ? Car il y avait toujours un Tout-Paris qui continuait de papoter, de se congratuler, de s'entre-déchirer, de s'admirer. Les écrivains publiaient,

Claudel remportait un triomphe avec *Le Soulier de satin* dont Robert Brasillach avait dit, dans *Je suis partout*, qu'il s'agissait d'« une œuvre immortelle où respire au naturel l'un des génies les plus grandioses de notre langue et de l'Europe ». Les Allemands torturaient, fusillaient, déportaient, et dans *Signal*, leur hebdomadaire, un de leurs critiques encensait la pièce du même Sartre, *Les Mouches*. Et les mannequins de Nina Ricci ou de Pierre Lelong défilaient avec des jupes courtes et des bottillons, des écharpes de fourrure qui avaient fait sensation. Les cinémas, les boîtes de nuit, les bordels ne désemplissaient pas. Et Maurice Chevalier chantait *La Symphonie des semelles de bois*.

Morlaix avait eu une mimique exprimant la colère et le dégoût, mais aussi l'impuissance et l'acceptation.

On crevait de faim, on raflait, on égorgeait, on tuait. Dans les wagons des trains qui partaient pour les camps en Allemagne ou en Pologne, on entassait des enfants, des vieillards, ces Juifs que livrait la police française... mais Paris serait toujours Paris !

— Rares sont ceux qui passent d'un univers à l'autre, avait ajouté Morlaix. La plupart d'entre nous restons là où le hasard et les circonstances nous ont placés. Certains, le plus grand nombre, sans doute, ne connaîtront de ce que nous vivons que les restrictions alimentaires, les coupures de courant électrique dans les appartements, l'absence de chauffage ; ils n'imaginent même pas ce qui peut se passer dans les salles de torture du siège de la Gestapo, au 84, avenue Foch.

Là où Moulin avait été transporté par Wenticht et Barbie.

Thorenc ne l'avait appris que trois jours après son arrivée dans la capitale.

Il avait vu Delpierre, qui espérait devenir le représentant du Parti socialiste au sein du Conseil national de la Résistance. Delpierre l'avait pris par le bras et ils avaient marché longuement, lentement sur les quais, puis au Champ-de-Mars.

— Moulin, Moulin..., avait répété Delpierre. Bien sûr qu'il s'agit de tout mettre en œuvre pour le sauver ! C'est un homme courageux, héroïque, et je suis sûr qu'il ne desserrera pas les dents, mais quelle politique ! C'est un autoritaire. Il s'est mis à dos aussi bien les gens de Combat et de Libération que Passy et Brossolette. En somme, il avait contre lui la Résistance intérieure et les chefs du BCRA ! Qu'est-ce qui lui restait ? De Gaulle, mais de Gaulle... Tu comprends, Thorenc ?

Bertrand avait dégagé son bras.

Quand Delpierre s'était brusquement souvenu qu'ils avaient été l'un et l'autre élèves de l'École normale supérieure et qu'ils pouvaient donc se tutoyer, Thorenc avait deviné que l'autre cherchait à faire de lui son complice.

— De Gaulle, de Gaulle, avait repris Delpierre, est-ce qu'on est sûr de ses convictions démocratiques ? Son attelage avec Moulin, mais aussi avec d'autres qui viennent de la Cagoule, peut inquiéter. Quant à l'appui que les communistes lui apportent, ce n'est pas plus rassurant !

Thorenc n'avait pas voulu rappeler l'abdication des socialistes au temps de la guerre d'Espagne, de Munich, de juin 40, ni leur aveuglement pacifiste face au nazisme. La plupart de leurs députés avaient voté les pleins pouvoirs à Pétain en juillet 40. Et ils jouaient maintenant les grandes consciences ! Ils s'inquiétaient de l'après-guerre ! Ils craignaient le dictateur de Gaulle, et, naturellement, comme d'autres résistants, ils se tournaient vers Roosevelt, prêts à une nouvelle abdication au nom de la démocratie !

Thorenc avait écouté Delpierre avec une irritation et un accablement croissants.

— Sais-tu, avait ajouté celui-ci, que Moulin a montré son cul à Brossolette en lui disant : « Voilà ce que vous êtes pour moi ? » Est-ce digne d'un homme responsable ? Il faut que la Résistance se mette à l'abri de tels comportements. Sauvons Moulin si nous le pouvons, et mettons tout en œuvre pour cela, mais si nous le tirons des griffes de la Gestapo, renvoyons-le à Londres ! Et qu'il y reste ! Nous sommes majeurs. Nous n'avons pas besoin d'un préfet autoritaire et caractériel ! Quant à de Gaulle, qu'il soit notre « symbole », comme dit d'Astier, mais qu'il nous obéisse... La démocratie ne peut vivre sans partis politiques, et de Gaulle n'est pas loin d'aspirer à un parti unique ! Or, on sait où ça mène.

Delpierre avait promis de lui fournir toute l'aide nécessaire, mais Thorenc l'avait senti déjà tourné tout entier vers les batailles politiques de l'après-Libération, comme si la présence allemande n'était plus qu'une ombre qui, peu à peu, allait naturellement et comme d'elle-même se dissiper.

Il avait eu la sensation que Delpierre le jugeait avec une condescendance à la fois amusée et méprisante, celle que suscite un amateur sympathique et naïf.

Il avait aussi rencontré Lévy-Marbot, l'un des chefs de l'Organisation civile et militaire.

Et ç'avait été à nouveau une longue promenade dans les parcs, le long des avenues silencieuses où les rares voitures à passer étaient des Citroën noires et basses que la Gestapo et les autres services de police allemands s'étaient appropriées.

Il faisait beau et doux dans le parc Monceau. Des femmes élégantes descendaient les allées. Un soldat allemand lisait, souriant aux enfants, aussi détendu qu'il aurait pu l'être à l'été 40.

Tant d'événements, depuis lors ! Ces fusillés, ces torturés, ces enfants déportés, les défaites de Rommel, le débarquement en Afrique du Nord, les villes du Reich rasées, des généraux par dizaines, des centaines de milliers d'hommes de troupe tués ou faits prisonniers à Stalingrad, et ce soldat qui lisait au parc Monceau comme si la ville lui était toujours aussi accueillante !

Comment ne pas désespérer d'impatience ?

— Ne vous y trompez pas, Thorenc, avait commencé Lévy-Marbot, tous les Allemands ne sont pas nazis, loin de là ! Certains d'entre eux sont entrés en contact avec nous, et savez-vous par l'intermédiaire de qui ? De madame Cécile de Thorenc, oui, votre mère, cher ami !

Elle continuait de recevoir dans son appartement de la place des Vosges tout ce que Paris comptait d'intellectuels allemands, d'Ernst Jünger à Friedrich Sieburg. Elle était l'amie intime — « mais vous le savez sûrement, Thorenc » — de Werner von Ganz, chargé des relations entre le monde culturel français et les milieux allemands. Elle réunissait souvent autour d'elle Alfred Greten, le producteur de cinéma, directeur de la Continental, le capitaine Weber, chargé de la Propagandastaffel, et puis certaines autres personnalités militaires : Alexander von Krentz — « mais vous le connaissez, n'est-ce pas ? On le dit proche de l'amiral Canaris, le chef de l'Abwehr » —, ou bien le général von Brankhensen et ce lieutenant Karl von Ewers, « les deux amants en titre de Lydia Trajani ».

Lévy-Marbot avait souri :

— Vous l'avez quelque peu côtoyée, m'a-t-on dit. Une fort jolie femme, intelligente, diabolique, même, qui est aussi, m'assure-t-on, la maîtresse d'Henry Lafont, mais là, nous touchons à la pègre, même si Lafont est aujourd'hui l'un des hommes les plus courtisés de Paris, tenant table ouverte, et même si l'on retrouve, banquetant avec lui, une bonne partie du gotha...

Il avait soupiré.

— Mais laissons ces gens-là. Les Français de la rue Lauriston sont pires que les Allemands de l'avenue Foch : ce sont des bêtes féroces dont se servent les chefs de la Gestapo comme on le fait de molosses, mais les autres, ceux qui voient votre mère, je vous assure, Thorenc, n'ont au fond d'eux-mêmes qu'une attente, qu'un espoir : la mort de Hitler. Ils le font comprendre à demi-mot. L'attitude du Führer pendant la bataille de Stalingrad, laissant massacrer toute la VIe armée, les a horrifiés. Il faut parler à ces Allemands-là. On le doit, même. Évidemment, ils craignent la victoire du bolchevisme, mais tout autant que nous, n'est-ce pas ?

Lévy-Marbot avait continué de parler et Thorenc ne l'avait plus écouté.

Il lui avait semblé que la voix de son interlocuteur était couverte par les gémissements de Max, par les cris des suppliciés, par ces voix de femmes qui imploraient qu'on épargnât leurs enfants.

Venant après les propos de Delpierre, les raisonnements abstraits de haute politique de Lévy-Marbot lui avaient donné la nausée.

Lui, Thorenc, était irrémédiablement, et jusqu'à ce que

la France fût libérée, du côté de ceux qui lançaient des grenades.

Il s'était souvenu de ce chant que les maquisards du haut plateau de Dieulevoye avaient fredonné, assis autour des feux allumés devant les grottes :

Sortez de la paille
Les fusils, la mitraille
Les grenades !
Ohé, les tueurs,
À la balle et au couteau,
Tuez vite !

Si on voulait lutter contre la barbarie, il n'y avait pas d'autre choix.

À cet instant, tout le reste, y compris les scrupules, les angoisses, les remords qu'il avait lui-même éprouvés lui étaient apparus comme de vaines compromissions, voire pis : des lâchetés.

Tout à coup, il avait sursauté. Lévy-Marbot avait répété le nom de Geneviève Villars, s'étonnant sans doute que Thorenc eût paru ne pas le reconnaître.

— Geneviève Villars..., avait-il répété. Parfois, nous parlons de vous. Vous l'avez croisée avant guerre, quand vous avez obtenu cette interview de Hitler qui a connu un tel écho. Son père, le commandant Joseph Villars...

Thorenc l'avait interrompu avec brutalité. On n'allait pas lui raconter la vie du commandant Villars, qu'il avait connu à Berlin dès 1936 ! D'ailleurs, Lévy-Marbot le savait fort bien.

En revanche, celui-ci ignorait sans doute les circonstances de la mort de Villars, trahi par un officier français, le lieutenant Mercier, en qui il avait toute confiance. Cet homme-là, c'était lui, Thorenc, qui l'avait abattu.

— Il faut faire ça aussi, châtier les traîtres, avait-il ajouté d'une voie sourde. Vous savez ce qu'a dit de Gaulle ? « Le pays, un jour, devra connaître qu'il est vengé. » Celui qui a livré Villars a payé. Il reste à connaître et à punir ceux qui ont dénoncé Delestraint et Moulin.

Lévy-Marbot avait paru étonné par la violence de Thorenc. Bien sûr, avait-il répondu, il partageait son sentiment, mais la justice devait s'exercer dans les formes légales. De Gaulle, puisque Thorenc le citait, avait aussi déclaré : « La justice est une affaire d'État au service exclusif de la France. » Il fallait éviter les règlements de comptes, le désordre. Certains, surtout les communistes, ne parlaient-ils pas déjà d'épuration, de vengeance ?

Thorenc avait baissé la tête. Il s'en était voulu de s'être ainsi abandonné à l'émotion.

Mais le souvenir de Geneviève Villars et de son père avait fait resurgir tout un pan de sa vie, cet amour qu'il avait éprouvé pour Geneviève et dont il mesurait qu'il n'était peut-être qu'un continent englouti, prêt à remonter au grand jour.

Tout en l'interrogeant brusquement, il avait déclaré à Lévy-Marbot qu'il souhaitait revoir Geneviève Villars, qu'il l'attendrait chez Alexandre de Norois. Lévy-Marbot l'avait dévisagé, les yeux remplis d'ironie : ce rendez-vous entrait-il dans le cadre d'une mission précise ? avait-il demandé. Thorenc devait alors savoir que Geneviève Villars n'était au sein de l'OCM qu'un agent de liaison qui, en tant que tel, ne pouvait prendre aucune décision.

— Mais peut-être ne s'agit-il pas de cela, avait-il ajouté en serrant l'avant-bras de Bertrand. Si c'est le cas, croyez-vous, Thorenc, qu'il y ait place aujourd'hui dans nos vies pour des affaires privées ? Vous me surprenez, mon cher : vous parlez comme Saint-Just et je vous découvre éminemment romantique.

Il avait eu un sourire paternel, indulgent :

— Mais Saint-Just et Robespierre étaient peut-être des romantiques, à leur façon...

Puis, d'un ton plus réservé, presque sec :

— Geneviève est une personnalité forte, vous le savez. Je ne peux donc préjuger de ce qu'elle décidera.

En le regardant s'éloigner dans les allées du parc Monceau, du pas d'un promeneur tranquille, Thorenc s'était remémoré que le commandant Villars avait coutume de dire de Geneviève qu'elle était solitaire et dure comme un silex.

— 4 —

Dans la salle à manger de Laure Vivien, Thorenc a tendu la main au-dessus de la table de chêne.

Il espérait que Catherine Peyrolles, assise en face de lui, dénouerait ses bras et avancerait à son tour la main.

Mais elle s'est levée, toujours bras croisés, ignorant son geste.

Elle s'est penchée à la fenêtre, regardant vers la cathédrale, puis elle s'est retournée, disant qu'on n'entendait plus rien, que le cortège avait dû se disperser. Et elle a longuement fixé Thorenc.

Il a eu le sentiment que ce regard le repoussait loin d'elle, qu'elle refusait ainsi une nouvelle fois de partager avec lui cet enfant qu'elle portait et dont elle avait voulu qu'il fût le père.

Il s'est senti humilié et désespéré par cette attitude.

Puis, tout à coup, parlant à voix basse, mais avec une sorte de fureur contenue, sans le quitter des yeux, elle a dit qu'elle ne comprenait pas pourquoi, en revenant de Paris, il avait voulu passer par Clermont-Ferrand. Si c'était pour lui rendre visite, seulement pour cela, elle trouvait son comportement ridicule et dangereux. La gare de Clermont et la cathédrale étaient surveillées. Les Allemands recherchaient toujours l'homme qui avait abattu dans la nef l'un de leurs agents.

— Ils ont votre signalement, a-t-elle ajouté.

Thorenc a baissé la tête, murmurant qu'il n'avait pas été suivi, mais il s'est senti coupable d'avoir agi par instinct, d'avoir cédé à une émotion.

Quand, à Dijon, il avait entendu le haut-parleur de la gare répéter que le train pour Clermont-Ferrand allait entrer en gare, voie 3, il avait sauté de son wagon sur le quai, décidant aussitôt de ne pas rejoindre directement Lyon.

Il avait été poussé par un élan irréfléchi.

Il voulait absolument revoir Catherine Peyrolles, peut-être tout simplement parce qu'à Paris, dans le grand salon d'Alexandre de Norois, il avait vu s'avancer vers lui Geneviève Villars.

Il avait d'abord été ému, puis, au bout de quelques secondes, quand il avait découvert les rides qui striaient le visage de la jeune femme, ses mèches blanches, son regard encore plus fiévreux qu'autrefois, il avait été bouleversé.

Alexandre de Norois n'était resté que quelques minutes dans le salon, ouvrant un meuble, montrant quelques bouteilles et des verres, disant que c'étaient là tous ses trésors.

Puis il avait eu un geste inattendu, s'approchant de Thorenc, lui posant la main sur l'épaule et disant à Geneviève avec un triste sourire :

— C'est mon fils, à ce qu'il paraît, Bertrand de Norois. J'en suis heureux...

Ces quelques mots, prononcés d'un ton si las, avaient encore accru l'émotion de Thorenc.

Il savait que le fils unique d'Alexandre de Norois, engagé dans les Forces françaises libres, avait été tué lors des combats fratricides que s'étaient livrés, durant le printemps 1941, en Syrie, les troupes gaullistes et celles de Pétain. Il avait été abattu d'une rafale dans le dos parce qu'il s'était interdit de désarmer des soldats vichystes qu'il venait de capturer, se contentant d'exiger d'eux le serment de ne plus user de leurs armes.

— Ignominie, trahison, parjure... Quel mot employer ? avait dit Alexandre de Norois. Ils ont agi à la manière de Pétain. Je suis mort ce jour-là. Vous me faites un peu revivre, avait-il ajouté en montrant à Thorenc la chambre de son fils. Vous comprenez pourquoi je ne crains plus rien ? Je ne possède même plus ma vie. On peut donc me la prendre, mais, si je puis être encore utile, utilisons-la.

Dans le salon, avant de se retirer, il avait baisé la main de Geneviève Villars et dit en s'inclinant :

— Vous avez le visage d'une héroïne, mademoiselle. Je vous en prie, ne vous faites pas prendre. La France ne peut plus se permettre qu'on brûle ses femmes courageuses !

Puis il les avait laissés seuls.

Geneviève avait vieilli. Ses traits étaient tirés, sa peau fripée, mais Alexandre de Norois avait trouvé les mots justes. Elle avait le visage un peu émacié d'une héroïne : joues et tempes creusées, pommettes saillantes, et des yeux enfoncés si brillants que Bertrand n'avait pu longtemps les fixer, tournant un peu la tête, puis regardant le corps de Geneviève qu'il avait aimé avec fougue, dans une sordide chambre d'hôtel, rue Delambre, la nuit du 11 novembre 1940, ou bien au Château de l'Anglais, à Nice, avant la guerre.

Mais ce corps plein, musclé et nerveux qu'il avait connu était à présent décharné. La poitrine semblait cave sous la blouse noire dont le col entrouvert laissait deviner les clavicules.

Il avait certes été troublé, mais à aucun moment il n'avait été attiré par Geneviève, alors que, jadis, à chaque fois qu'il l'avait vue, il s'était senti comme précipité vers elle par une pulsion profonde de tous ses sens.

Elle avait tant changé depuis leur dernière rencontre à l'automne 1941, dans cette ferme qui dominait un méandre de la rivière, à quelques kilomètres de Villeneuve-sur-Yonne !

Là, il avait souffert de la passion que Geneviève affichait pour un homme jeune, Marc Nels, le radio du réseau Prométhée qu'elle avait créé et dirigeait.

Savait-elle que Thorenc avait soupçonné Nels de trahison et que ce dernier, pour échapper à cette accusation, s'était suicidé ? Comment avait-elle, seule de son réseau, réussi à se réfugier en Suisse, puis à repasser la frontière avant de devenir maintenant agent de liaison, secrétaire de Lévy-Marbot et de l'OCM ?

Thorenc aurait eu tant de questions à lui poser, mais il s'était d'abord contenté de la regarder, d'éprouver de la compassion pour elle qui paraissait si épuisée, malheureuse. Peut-être ne s'était-elle jamais remise de la disparition de Marc Nels, de ce qui avait dû être son dernier amour ?

Car Thorenc s'était persuadé, en la voyant, qu'elle n'aimait plus. S'il n'y avait eu son regard, vivant et intense, il aurait dit qu'elle était déjà entraînée par le fleuve noir, qu'elle n'atteindrait pas l'autre rive.

Il avait eu honte de concevoir cette pensée, de se dire qu'elle faisait partie de celles et ceux qui allaient mourir dans la dernière bataille, et que c'était trop injuste.

Si elle était restée en Suisse, si elle avait accepté de sortir de scène, de devenir une anonyme qui attend que le rideau tombe, laissant les autres reprendre le rôle, elle aurait eu alors une chance de survivre.

Il n'avait pu s'empêcher de songer à Catherine Peyrolles qui avait voulu un enfant, malgré les risques, en dépit de la folie de cette décision, simplement, sans doute, pour rester accrochée à la vie.

Et, au fond de lui, comme par une réaction instinctive, Thorenc s'était senti rassuré d'avoir été choisi par Catherine pour être le père de cet enfant. Elle avait eu confiance dans son énergie vitale.

À cet instant-là, en regardant Geneviève Villars, il en avait déduit qu'il traverserait le fleuve, qu'il figurerait parmi les survivants, et peut-être le devrait-il à Catherine Peyrolles et à l'enfant qu'elle portait.

— C'est l'avalanche, avait murmuré Geneviève. Les chefs de l'Armée secrète arrêtés, des pertes dans tous les mouvements. Et Max...

Sa voix s'était voilée, étouffée, même, comme si elle n'avait plus eu assez de forces pour parler clair.

Bertrand s'était souvenu de la vigueur et de la détermination de la jeune femme, de son assurance joyeuse et fière quand, dans la ferme de Villeneuve-sur-Yonne, elle regardait Marc Nels.

— Est-ce qu'on sait ce qu'ils ont fait de Max ? avait-elle demandé à Thorenc. Il est ici ? Avenue Foch ?

Il avait répondu qu'il l'ignorait encore, mais qu'il le découvrirait.

Elle l'avait interrompu en levant à demi la main.

On ne pouvait sûrement plus rien pour lui, avait-elle lâché. Il était entre leurs mains depuis plus de dix jours. Et comme il n'avait sûrement pas parlé, il n'existait que deux hypothèses : il était déjà mort ou il agonisait.

Elle avait laissé tomber ces mots d'une voix encore plus lasse.

— Je veux savoir, avait répondu sèchement Thorenc. Je ferai tout pour...

Elle s'était dressée.

— Vous n'obtiendrez rien. On ne sort du 84, avenue Foch que mort ou traître.

Elle avait marché à travers le salon, murmuré qu'elle avait été heureuse de le revoir, mais ce qu'ils avaient vécu ensemble appartenait déjà à une autre vie — un passé mort qu'il ne fallait plus jamais chercher à ranimer.

Elle avait demandé des nouvelles de ses frères Pierre et Philippe Villars, dit que sa sœur Brigitte et son dernier frère Henri faisaient tous deux partie des Forces françaises libres. Ils devaient se trouver à présent en Afrique du Nord.

Thorenc l'avait rejointe devant la fenêtre donnant sur les jardins de l'Observatoire.

Avant qu'il ait pu proférer un seul mot, elle avait ajouté qu'elle ne quitterait jamais la France, qu'elle irait jusqu'au bout du combat qu'elle avait commencé dès l'été 40. Son père avait déjà succombé ; mais ils étaient encore cinq enfants à combattre.

Elle avait souri :

— Il en restera bien un de vivant le jour de la Libération ! Il témoignera pour nous tous de ce que nous aurons fait pour la France.

Elle s'était tout à coup appuyée à Bertrand, les deux mains posées sur ses épaules, et il avait pu examiner de près cette peau du visage jaunie, presque terreuse.

— Je ne crois pas que ce sera moi, avait-elle murmuré.

Thorenc n'avait pas pu, pas su la contredire.

— 5 —

Tête baissée, les avant-bras appuyés au rebord de la table ronde, Thorenc s'est réfugié dans le silence.

Les yeux mi-clos, il a écouté, deviné les gestes, les va-et-vient de Catherine Peyrolles. Elle est d'abord sortie de la salle à manger. Elle a marché dans le couloir du petit appartement de Laure Vivien. Elle a ouvert la porte palière qui — Bertrand s'en souvenait — donnait sur une galerie au bout de laquelle se trouvaient les escaliers et les toilettes.

Elle a échangé quelques mots, sans doute avec les voisins, et au bout de plusieurs minutes, elle est revenue dans la pièce.

Elle a rouvert la fenêtre et, derrière le martèlement régulier de la pluie, il a entendu le bruit des moteurs. Il a distingué la rumeur sourde des camions des pétarades sèches des motocyclettes.

Il a imaginé les manifestants entourés par les soldats, poussés, frappés à coups de crosse, forcés de monter dans les camions que précédaient et suivaient des motos de la *Feldgendarmerie*.

Il voudrait être avec ces hommes, partager leur sort.

Il avait éprouvé le même désir quand, deux jours auparavant, à Paris, alors qu'il se rendait chez Simon Belovitch, au coin de l'avenue Paul-Doumer et de la rue Pétrarque, il avait vu sur la place du Trocadéro des miliciens, des policiers en civil et des soldats en uniforme allemand se jeter sur des passants et les frapper à coups de matraque, leur marteler le visage, puis les traîner vers des voitures et des camions garés sur la place.

Il s'était collé contre un portail. Il en avait empoigné les montants comme pour s'y cramponner, s'empêcher de se ruer en avant, ne pas être tenté de rejoindre ces quelques hommes qui cherchaient à protéger de leurs bras leur visage en sang, et dont les badauds s'écartaient.

Il avait regardé s'éloigner dans l'avenue Kléber ce détachement d'une centaine de soldats portant le casque et l'uniforme allemands, mais qui défilaient derrière un drapeau français. Sans doute les passants qu'on frappait, qu'on arrêtait, avaient-ils dû s'indigner ou ne pas montrer assez d'enthousiasme devant cette parade d'un bataillon de la Légion des volontaires français contre le bolchevisme.

Thorenc avait eu hâte de quitter Paris.

Il avait eu l'impression qu'y survivre était devenu impossible. La collaboration, la lâcheté s'y affichaient avec une impudeur et une insolence exacerbées, presque folles, comme pour susciter des réactions violentes afin de mieux pouvoir les écraser et terroriser ainsi la population.

On était dans un monde dément où le réel et la raison ne comptaient plus.

Marcel Déat écrivait dans *La France socialiste* : « L'armée allemande ne sera pas battue, l'Armée rouge a été saignée à Stalingrad, et elle va se défaire. Nous entendons proclamer que l'Allemagne, quoi qu'il advienne, a mérité de vaincre ! »

En croisant sur les Champs-Élysées des miliciens, des Waffen SS portant sur leur manche un écusson tricolore, Thorenc avait senti que ces hommes s'affichaient avec d'autant plus d'impudence qu'ils savaient au fond d'eux-mêmes que la partie était pour eux perdue. Leurs journaux proclamaient que le Führer était invincible, qu'en Russie la Wehrmacht triomphait grâce à la « défense élastique », ou bien que « l'Italie faisait courageusement face à son destin », mais les villes russes — Orel, Kharkov — étaient l'une après l'autre libérées par l'Armée rouge, et les divisions italiennes capitulaient en Sicile. On pressentait que la chute de Mussolini et la fin du fascisme étaient imminentes.

Alors ces hommes perdus bousculaient les passants, les

insultaient, les provoquaient, guettaient le moindre regard ironique ou hostile pour rouer de coups ceux qui osaient les défier.

Thorenc avait eu honte de s'éloigner sans réagir, de raser les façades comme un lâche qui déguerpit. Contre ceux qui l'humiliaient ainsi, il avait senti monter en lui la haine, le désir de se venger, d'assener des coups de poing, de pied, de crosse, de lyncher, de tuer à son tour.

Et il avait eu peur de cette violence barbare qui le contaminait.

Il avait peu à peu recouvré son calme, mais quand, dans le hall de l'hôtel particulier de Simon Belovitch, deux hommes armés de mitraillettes l'avaient encadré, il avait été de nouveau saisi par l'angoisse. Il s'était efforcé de parler d'une voix paisible, disant qu'il voulait voir Simon Belovitch, qu'il était le docteur Bertrand de Norois, mais qu'il venait — tel était le message qu'il fallait transmettre — de la part d'un autre Bertrand, le « fils de Cécile ».

Simon Belovitch comprendrait. Dans sa vie il n'y avait qu'une seule Cécile, Cécile de Thorenc — sa plus ancienne passion, comme il l'avait tant de fois répété — et un seul Bertrand de Thorenc — dont on avait prétendu qu'il était le père.

Au bout de quelques minutes, Thorenc avait senti qu'on le regardait. Il avait levé la tête.

Sur le premier palier de l'escalier monumental, Simon Belovitch agitait ses bras courts, se dandinait, lui faisait signe de monter rapidement, et, d'un geste, renvoyait ses gardes du corps. Il l'accueillit en marmonnant, le poussa dans un vaste bureau donnant sur cette cour où, quelques mois auparavant, attendait une ambulance qui avait permis à Thorenc de fuir en compagnie de Claire Rethel, libérée grâce à lui, Simon Belovitch.

— Tu es fou ! s'était exclamé le banquier. Tu es franchement inconscient, Bertrand !

Il avait levé ses petits bras, arpentant la pièce, la tête enfoncée dans les épaules, rond et vif, disant que Henry Lafont et les hommes de la rue Lauriston ne lui avaient pas pardonné de leur avoir subtilisé Claire Rethel. Bien sûr, il leur avait payé son évasion rubis sur l'ongle : cinq lingots d'or et deux millions de francs. Mais Lafont l'avait forcé à allonger une somme supplémentaire. En fait, il aurait bien aimé revendre Claire à la Gestapo. Son plan ayant échoué, il était devenu fou furieux.

— Tu ne connais pas Lafont, c'est un tueur.

— Jean Moulin ? avait questionné de but en blanc Thorenc.

Simon Belovitch avait paru affolé, battant des bras comme un homme qui se noie.

— Impossible, impossible ! avait-il balbutié.

— Je veux savoir, avait répondu Bertrand.

Tout à coup, le banquier avait paru se calmer ; il avait pris Thorenc par le bras et l'avait entraîné sur une petite terrasse tout en chuchotant.

C'était Klaus Wenticht lui-même qui avait ramené Moulin de Lyon à Paris. Belovitch le savait, car ses propres bureaux étaient situés au 74 et au 76 de l'avenue Foch.

Il avait hoché la tête. Il était le « service juif ». Il montait les opérations de marché noir pour la Wehrmacht, la Gestapo, notamment pour le général von Brankhensen, chargé des achats — du pillage, plutôt ! — pour le compte du Reich.

— Je prends ce que je peux au passage, j'aide qui je veux avec ce que je leur vole, avait précisé Belovitch.

Il avait ses informateurs au 72 de l'avenue Foch, là où siégeait le docteur Knochen, chef principal de la Gestapo.

— Je suis installé au 74 et au 76, avait-il tenu à répéter.

Au 78 de l'avenue se trouvait Boemelburg, qui disposait aussi d'une villa à Neuilly. C'est là-bas qu'avait été transporté Moulin.

— Le visage en bouillie, en bouillie ! avait marmonné l'homme d'affaires.

Les deux femmes de ménage qui le renseignaient avaient vu Moulin dans les cellules du numéro 84, là où était installé le commandant Kieffer dans un bureau dominant tout Paris.

— Il a une moquette violette, avait indiqué Belovitch en haussant les épaules. C'est sûrement la dernière couleur que voient les prisonniers.

Il s'était tourné vers Thorenc. Ses yeux paraissaient exorbités comme deux énormes globes dans un visage boursouflé.

— Ils ont des salles de torture. C'est là qu'ils ont martyrisé Moulin. Les femmes de ménage l'ont aperçu. Il ne pouvait plus tenir debout. Peut-être a-t-il tenté de se suicider. Il y avait des taches de sang sur les murs.

Belovitch était allé s'asseoir dans un haut fauteuil de cuir noir qu'il avait fait pivoter de manière à se retrouver face à la terrasse sur laquelle Thorenc était resté, appuyé à la rambarde.

Ils savaient que Moulin ne parlerait pas, avait repris Belovitch, mais ils ont tout essayé. Wenticht et Barbie avaient déjà dû commencer à Lyon. Mais, ici, au 84, ce sont les Français, les tueurs d'Henry Lafont, Bardet, Marabini, Ahmed, Douran, qui se sont occupés de lui. Ces messieurs de la Gestapo se contentent souvent d'être spectateurs et d'arrêter les bourreaux quand ils jugent que la victime va mourir trop vite.

Belovitch s'était levé, avait rejoint Bertrand sur la terrasse.

— Je crois qu'ils ont envoyé Moulin à Berlin pour le faire soigner. Il mourra avant, ou bien ils le décapiteront là-bas à la hache. Moulin *kaputt* !

Brusquement, Thorenc avait saisi Belovitch par les revers de sa veste. Ce mot de *kaputt*, c'était trop !

Il l'avait insulté : ce salaud paierait un jour ses compromissions, ses trahisons, son double jeu.

Mais le calme de Belovitch, son sourire ironique, son regard las avaient eu tôt fait de le désarmer. Il avait baissé les bras. Il avait laissé l'homme d'affaires lui poser la main sur l'épaule, lui dire qu'il fallait bien survivre, non ? S'il avait choisi d'être dans la gueule du monstre, c'est parce qu'il ne pouvait faire autrement. Il n'avait plus l'âge de lancer des grenades et il était encore trop jeune pour mourir. Il aimait aussi l'argent et avait quelques dons pour en gagner. Mais il renseignait la Résistance et arrachait au monstre tout ce qu'il pouvait.

— Je t'ai aidé à tirer Claire Rethel hors du camp de Compiègne, et tu n'es pas le seul. Mais Moulin...

Il avait hésité, puis ajouté :

— Je suis sûr qu'il est mort.

Il s'était rassis.

— Je ne suis pas un héros. Lui, oui. Et toi — il avait frappé du poing sur la table qui avait résonné —, tu agis comme un héros, mais tu penses trop pour en être vraiment un. Tu vois les deux côtés des choses, même si tu restes d'un seul côté. Tu t'interroges. Tu n'y peux rien : tu me ressembles, Bertrand !

Il s'était levé, approché de lui.

— Quand tu es né, ta mère avait plusieurs amants, dont moi. Cécile a toujours voulu te garder pour elle seule. Mais je ne sais pas... Imagine que tu sois mon fils, Bertrand Renaud de Thorenc, le fils de Simon Belovitch : tu ne serais pas un pur Aryen, mon cher ! Si la Gestapo le savait, ça ferait pour elle un nouveau motif de te courir après !

Il avait considéré Thorenc.

— D'ailleurs, avait-il repris, la Gestapo s'est intéressée à la question. Alexander von Krentz et Klaus Wenticht m'ont interrogé — amicalement, ont-ils dit — à ton sujet. Étais-tu un petit Belovitch ? J'ai éclaté de rire. J'ai répondu que j'aurais certes été flatté d'être le père d'un « de » Thorenc, mais ils n'avaient qu'à me regarder : ils s'apercevraient qu'il n'y avait aucune chance !

Il s'était encore approché de Bertrand et lui avait pris le menton.

— Après tout, je ne sais pas. Peut-être me ressembles-tu... ? En tout cas, nous avons, toi et moi, autour de nous, des gens qui nous en veulent et qui aboient dès qu'ils entendent prononcer mon nom ou le tien. Ç'a toujours été ainsi pour moi ! Avant guerre, on me reprochait d'être l'amant de Cécile de Thorenc, de la souiller ! Et puis de produire des films à succès ! Aujourd'hui, on m'en veut d'être encore en vie. Demain, on m'accusera d'avoir collaboré, et mes procureurs seront ceux-là mêmes qui lèchent à présent le cul d'Henry Lafont, de Laval, de Déat et naturellement d'Oberg et de Knochen ! Quant à toi, je te l'ai dit, tu joues en solitaire, comme moi, et ça, personne ne le supporte, ni d'un juif ni d'un chrétien !

Belovitch avait poussé Thorenc vers la porte du bureau en lui enjoignant de quitter Paris au plus vite. Lafont était peut-être déjà au courant, par ses mouchards, de sa visite.

— Il va débarquer ici, avait ajouté l'homme d'affaires. Il va me menacer. Mais je ne crains pas les tueurs : ils ne peuvent nous prendre que la vie, et c'est la seule chose dont nous ne sommes pas propriétaires !

Il avait souri.

— Ta mère est toujours aussi folle, avait-il ajouté, elle complote maintenant avec des Allemands qui se disent antinazis comme von Brankhensen, von Ewers, von Ganz, Alexander von Krentz. C'est un peu tard pour ces messieurs... mais pourquoi pas ?

Puis, plus bas, il avait ajouté :

— Ils n'ont aucune chance : la Gestapo connaît chacun de leurs faits et gestes.

Ils étaient parvenus sur le palier ; l'escalier de marbre déroulait devant eux ses spirales blanches.

Une voiture s'était arrêtée devant l'entrée.

— Sauve-toi par la cour, avait murmuré Belovitch. C'est Henry Lafont !

Thorenc s'était souvenu de l'escalier qui se trouvait au bout du palier.

Au moment de s'y engager, il s'était retourné et avait vu Lafont, entouré de trois hommes en armes, traverser le hall à grands pas.

À côté de lui marchait Lydia Trajani, ses cheveux retenus par une voilette noire sur laquelle brillaient des éclats de diamant.

— 6 —

Il a entendu les cris et tourné la tête.

Catherine Peyrolles est toujours debout devant la fenêtre ouverte. Elle a les traits crispés, les mâchoires serrées, les yeux presque clos, comme si elle voulait rendre son regard plus perçant, voir ainsi par-delà la pluie, les façades de la rue du Marché.

Elle tient son ventre à deux mains comme pour soutenir l'enfant.

Thorenc a l'impression qu'elle souffre.

Il s'est levé, s'est approché d'elle. Les cris, venus de loin, lui ont paru plus aigus.

Ils ne composent plus un chant de guerre et d'espoir. Ce sont des appels à l'aide, des hurlements de colère ou de peur.

Ce sont les mêmes qu'il avait cru entendre lorsque, après avoir quitté Simon Belovitch, être sorti de l'hôtel particulier par la cour qui donnait sur la rue longeant le cimetière de Passy, il avait descendu l'avenue Foch.

Il avait marché du pas lent d'un flâneur qui souhaite jouir d'une belle journée de juillet.

Il avait essayé de réprimer l'émotion et l'angoisse qui l'avaient étreint dès qu'il avait aperçu les sentinelles, les voitures noires, ces hommes qui entraient ou sortaient d'un des immeubles que les Allemands avaient réquisitionnés tout au long de l'avenue.

Ils occupaient les bâtiments du numéro 19 et du numéro 72. Là, dans cet immeuble cossu, se trouvaient donc les bureaux de Knochen, le chef de la Gestapo. Il avait regardé à la dérobée cette façade, puis celles des immeubles voisins : les numéros 74, 76, 78, 82, 84, tous réquisitionnés. C'était sous les porches, dans la contre-allée, un va-et-vient permanent d'hommes, de femmes, de voitures.

C'est à ce moment-là, alors qu'il pensait aux chambres de torture, aux cellules aménagées au tout dernier étage, qu'il lui avait semblé entendre des cris, cette complainte des corps brisés, suppliciés.

Il s'était demandé pourquoi il avait choisi de venir là au risque d'être interpellé, conduit dans l'un de ces bureaux aux fins de contrôler son identité, et, qui sait, d'être démasqué, reconnu.

Que cela se produise ! Il l'avait même souhaité !

Mais il avait pu tranquillement se promener dans le soleil de cette fin de journée estivale. Il avait su qu'il ne pourrait rien entreprendre pour sauver Jean Moulin, qui avait dû être en effet transporté dans la villa de Boemelburg, à Neuilly.

Mais il avait tenu à passer devant ces lieux de souffrance, comme pour témoigner de sa fraternité avec Max, avec tous ceux qui avaient été, qui étaient encore emprisonnés, torturés là.

Cela, apparemment, ne servait à rien. Mais c'était comme une offrande, un pèlerinage.

Est-ce que les morts savent qu'on suit leur cercueil, qu'on se rend sur leur tombe ? Puisque Thorenc ne pouvait rien faire de plus pour Max, il devait au moins prendre ce risque-là.

Tout à coup, il avait remarqué, arrêtée devant le numéro 77, la Bentley blanche appartenant à Henry Lafont.

Il n'était plus qu'à une centaine de mètres.

Il avait aperçu, bondissant d'une voiture noire qui s'était garée derrière la Bentley, trois hommes armés de mitraillettes qui, jambes écartées, s'étaient disposés au milieu du trottoir. Il avait reconnu Henry Lafont qui, descendu de sa Bentley, embrassait Lydia Trajani, puis regagnait sa voiture, les gardes du corps remontant dans la leur.

Thorenc avait marché plus vite tout en regardant les véhicules s'éloigner vers le bas de l'avenue Foch.

Il avait rejoint Lydia dans l'entrée de l'immeuble et elle n'avait même pas paru surprise de le voir. S'avançant vers lui, lui prenant le bras, elle avait murmuré que Lafont avait placé des hommes chez elle pour la protéger, la surveiller aussi, et qu'il valait mieux marcher.

Ils avaient emprunté la longue rue de la Faisanderie.

— Tu ne viens pas pour me tuer ? avait-elle dit en pesant sur son bras.

Il n'avait pu lui répondre, troublé par le souvenir de l'intimité qu'il avait eue avec ce corps dont il reconnaissait le parfum, le frémissement.

— Les gens que je vois prétendent que tu es devenu un tueur, un terroriste — elle avait ri. Toi ! Tu as tué un Allemand à Clermont et un Français qui les aidait, à Lyon. Ils te cherchent. Wenticht est enragé. Le Français était un excellent agent, et tu l'as abattu. Wenticht vit avec sa maîtresse, Sonia Barzine. Et tu lui as glissé entre les doigts. Ton évasion l'a rendu fou. Il a fait envoyer sur le front de l'Est toute la section qui était de garde à l'hôpital.

Elle était restée un long moment silencieuse et n'avait recommencé à parler que lorsqu'ils avaient atteint les allées du bois de Boulogne en se promenant au bord du lac inférieur.

— Qu'est-ce que tu veux ? avait-elle murmuré.

Thorenc s'était senti paralysé.

Il savait bien, pourtant, que Lydia Trajani renseignait les services anglais et américains. Il l'avait vue avec Thomas Irving et John Davies, les responsables de l'Intelligence Service et de l'OSS. Elle l'avait aidé, comme Simon Belovitch, à faire libérer Claire Rethel. Mais elle partageait ses nuits avec le général von Brankhensen, le lieutenant Konrad von Ewers, et ce tueur, ce barbare, ce bourreau d'Henry Lafont. Et sans doute avait-elle de nombreux autres amants, peut-être même Simon Belovitch en personne !

Elle vivait dans un appartement que von Brankhensen lui avait offert, qui avait appartenu à une famille juive déportée. Lafont lui avait vendu — donné, plutôt — la villa du cap d'Antibes, propriété du marchand de tableaux Waldstein.

Elle était de l'espèce des rapaces.

— Tu es venu pour Moulin, n'est-ce pas ? avait-elle demandé. C'est un coup superbe, pour eux. Wenticht est aussi fier que s'il avait battu toute l'Armée rouge !

Elle s'était arrêtée, avait fait la moue en hochant la tête.

— Moulin n'a pas desserré les dents. Ils l'ont tellement frappé qu'après...

Lydia s'était tue et ils s'étaient regardés.

Thorenc avait eu le sentiment que le visage de la jeune femme s'était aminci, durci, devenant encore plus volontaire, farouche, comme si tout ce qui avait été sensualité et même tendresse en avait disparu, ne laissant subsister qu'une lame tranchante.

— Ne te laisse pas prendre vivant, avait-elle murmuré. Ils te feront payer très cher ce que tu leur as fait.

— Comment peux-tu... ? avait-il commencé.

Elle avait dégagé son bras et lui avait mis la main sur la bouche non sans brutalité.

— Ne t'occupe pas de ma vie, jamais ! Je me défends. Je ne tue personne. Je ne dénonce personne. Ceux qui sont dans mon lit le font ! Mais ça les regarde. Je profite parfois de leurs saloperies. Tu connais quelqu'un qui, dans cette guerre, reste blanc comme une colombe ? Les Russes... tes héros, non ? Ils ont tué à Katyn des dizaines de milliers d'officiers polonais d'une balle dans la nuque ! Qu'est-ce que tu en dis ? Ça ne te concerne pas ?

Agitant son sac, elle n'avait pas repris le bras de Thorenc, et continuait :

— Tes Anglais, tes Américains tuent à chaque bombardement. Ils tuent des centaines, des milliers d'innocents, ici, à Boulogne-Billancourt. Et tu te souviens sûrement de mon ami Maurice Varenne, ministre de Pétain. Il a changé de camp au bon moment. Il est à Alger, à ce qu'on dit. Tu crois que c'est plus propre ? Je respecte ceux qui acceptent de mourir, comme Moulin, comme ces types qui lancent des grenades avenue de la Grande-Armée. C'est Stephen Luber qui les commande, d'après les Allemands. Si jamais ils le prennent... Tu te rappelles, c'est lui qui nous a présentés à Bucarest...

Elle s'était accrochée de nouveau à son bras.

— S'ils le prennent, ils l'écorcheront tout vif avant de le fusiller. Mais même Luber, ce sont les otages qui paient pour lui, pour son courage. Tu vois, mon chéri, je préfère ne m'occuper que de ma propre vie et essayer de ne pas me laisser dévorer par les uns ou les autres. C'est pour cela que je joue les uns contre les autres.

Elle s'était serrée contre lui.

— Mais, avec Henry Lafont, c'est difficile. Il sent. Il te regarde et tu as l'impression de ne rien pouvoir lui cacher. C'est le seul qui me fasse peur.

Elle avait ricané :

— Un peu..., avait-elle corrigé.

Ils s'étaient éloignés du lac et s'étaient assis sur un banc, dans une allée où jouaient des enfants dont les cris et les rires venaient souvent couvrir la voix de Lydia. La jeune femme s'était penchée, avait posé une main sur le genou de Thorenc.

— Sais-tu ce que l'on m'a demandé ? avait-elle chuchoté. D'insister auprès de Lafont pour qu'il accepte de rencontrer un chef de la Résistance qui voulait négocier avec lui ! Oui, avec Lafont qui se vante d'être capitaine des SS ! On voulait lui demander de passer à la Résistance et de sauver ainsi sa peau.

Elle avait tapoté le genou de Bertrand.

— Lafont a rencontré cet homme à la Boîte-Rose, tu connais, rue Delambre. J'étais là, à une table voisine, avec Françoise Mitry, Fred Stacki, Viviane Ballin et Michel Carlier. La conversation de l'homme avec Lafont a duré plus d'une heure. Lafont a bu trois bouteilles de champagne. À la fin, il s'est levé et a crié : « Merde, je vous emmerde ! », mais il a laissé partir son interlocuteur. C'est le charme de

Lafont : il va jusqu'au bout. Il ne cherche pas à changer de camp, lui. Mais regarde donc autour de toi : ils pensent tous à l'après-guerre. Certains se rapprochent. Ils n'aiment ni les Russes, ni les communistes. Tu connais Alexander von Krentz ? C'est le maître d'œuvre de cette politique. Il dit qu'il faut se respecter, s'entendre entre patriotes allemands et français. Dans tout le Sud-Ouest, je sais que des accords ont été conclus entre des gens de la Gestapo et des résistants. Les uns ont libéré des prisonniers, les autres ont livré des dépôts d'armes. Et les deux camps se sont mis d'accord pour combattre la Résistance communiste. Pauvre Stephen Luber ! S'il est pris, personne ne le défendra. Quant à Moulin, tu sais bien qu'il n'avait pas que des amis dans son propre camp !

— 7 —

Thorenc s'est penché, saisissant à deux mains la barre d'appui de la fenêtre.

Il a frôlé de l'épaule le bras de Catherine Peyrolles qui ne s'est pas écartée. Mais il n'a pas osé la regarder ni lui parler.

Le souvenir de sa rencontre avec Lydia Trajani l'en empêche.

Tout au long de cette promenade avec elle dans le bois de Boulogne, il avait éprouvé une fascination qu'il s'était reprochée.

Il n'avait pu la rompre, comme on le fait d'un maléfice, qu'en fuyant alors qu'il aurait dû s'astreindre à interroger Lydia, lui faire préciser ce qu'elle avait commencé à dire sur les contacts que les Allemands essayaient d'établir avec certains chefs de la Résistance pour mieux la décomposer.

Il y avait repensé durant son voyage de retour, jusqu'à Dijon. Là, il avait quitté le train de Lyon pour prendre celui de Clermont afin de revoir Catherine Peyrolles, de repousser ainsi, aussi loin de lui que faire se pouvait, le souvenir de Geneviève Villars et celui de Lydia Trajani, d'en finir avec ses vies précédentes.

Il avait eu le sentiment que son séjour à Paris sur les traces de Jean Moulin avait marqué pour lui la fin d'une étape.

— Je n'entends plus rien, a-t-il murmuré.

La pluie a cessé tout à coup, mais l'eau ruisselle sur les pavés de la rue du Marché et de la place de la Cathédrale.

Thorenc regarde le ciel encore sombre où s'élargissent les rouges entailles d'un crépuscule d'été.

Brusquement, des bruits de moteurs ont étouffé les gargouillis qui emplissent la rue, l'eau débordant des gouttières et dessinant devant la fenêtre une sorte de rideau lacéré.

Deux voitures se sont arrêtées devant le parvis de la cathédrale et des hommes en sont descendus.

Thorenc les a vus monter rapidement les marches, certains regardant autour d'eux. Il s'est reculé comme s'il avait craint d'être repéré.

Catherine Peyrolles lui a lancé un coup d'œil angoissé, puis elle s'est avancée, et, au bout de quelques minutes, elle a murmuré :

— Ils les emmènent.

Au milieu des hommes en veste de cuir, Thorenc a aperçu deux prêtres aux soutanes soulevées par le vent. Ils ont été poussés chacun dans une des voitures dont les moteurs étaient restés en marche.

Elles ont aussitôt démarré et Catherine et lui n'ont plus entendu que le gargouillement de l'eau dans les gouttières.

Il a refermé la fenêtre et pris la main de Catherine Peyrolles. Elle l'a retirée lentement pour la porter à son ventre.

Ils se sont rassis de part et d'autre de la table ronde.

— Ils ont pris les prêtres comme otages, a murmuré Thorenc. Ils font presque toujours ça. Ils se vengent ainsi de la manifestation.

Il a hésité, puis, pour rassurer Catherine, il a ajouté que, souvent, les gens étaient relâchés au bout de quelques jours, parfois seulement après quelques heures.

— Quand ils ne sont pas déportés ou fusillés, a répondu Catherine Peyrolles.

Elle s'est mise à parler, les mains bien à plat sur la table, sans regarder Bertrand.

Peut-être, a-t-elle dit, l'abbé François Vivien était-il surveillé. Peut-être le soupçonnait-on d'avoir caché l'homme qui avait tué, en pleine cathédrale, cet agent allemand. Peut-être savait-on qu'il accueillait parfois dans sa sacristie des réfractaires, qu'il les accompagnait dans des fermes des environs de Clermont-Ferrand, qu'il était en contact avec le mouvement de Résistance « les Ardents », lequel avait sans doute organisé la manifestation d'aujourd'hui.

Devinant l'étonnement de Thorenc, Catherine a précisé

que c'était François Vivien lui-même qui lui avait appris tout cela.

— Une arrestation, a objecté Bertrand, n'est parfois que le résultat d'une série de hasards. Il ne faut lui attribuer d'autres causes qu'avec prudence.

Catherine a haussé les épaules, elle a croisé les bras et reculé sa chaise.

— Vous croyez qu'ils ont arrêté le général Delestraint et Max par simple hasard ? a-t-elle demandé d'un ton méprisant.

Thorenc a baissé la tête, puis, au moment précis où il s'apprêtait à répondre à Catherine, il a entendu qu'on ouvrait la porte palière. Il a bondi, se plaçant devant Catherine qui s'était levée de table.

Laure Vivien est entrée dans la salle à manger, le chignon défait, la peau terreuse, les lèvres tremblantes, ses longues tresses grises, dénouées, répandues autour de son visage, accentuant son expression hagarde.

Elle dodelinait de la tête, le regard affolé, pareille à un oiseau blessé qui tente en vain de s'envoler.

Thorenc s'est précipité, l'a contrainte à avancer en la prenant aux épaules.

Laure Vivien s'est d'abord laissé conduire jusqu'à la chaise, puis, tout à coup, elle s'est rebellée, repoussant Thorenc.

L'espace de quelques secondes, elle a ainsi semblé hostile, regardant tour à tour Bertrand et Catherine avec défiance et reproche, puis elle s'est mise à pleurer, s'asseyant, posant son visage sur la table, se cachant la tête entre ses deux mains.

Catherine s'est mise à lui caresser les cheveux tout en l'interrogeant à voix basse.

Elle était dans la cathédrale, a-t-elle raconté, elle parlait avec son fils quand ces hommes avaient fait irruption, renversant des prie-Dieu, chassant les fidèles.

Laure Vivien s'est redressée, comme revoyant la scène :

— Quand il les a vus, François m'a embrassée. Il était calme. Il souriait. Il m'a dit : « Il faut prier, maman, pas pour moi, mais pour tous ceux qui souffrent. Prie, prie ! »

Elle s'est signée. Elle a murmuré que François était si bon... Puis, tout à coup, elle a paru se souvenir, redécouvrir la présence de Thorenc et de Catherine.

— Il m'a dit qu'il fallait vous en aller au plus vite, car les Allemands pouvaient venir ici. Il a ajouté que vous pouviez vous cacher chez ma sœur, Victorine Jallez. Elle est directrice d'école à Saint-Rémy, près de Thiers.

Laure Vivien s'est à nouveau signée, puis a répété :

— Victorine Jallez, à Saint-Rémy.

Et, plus bas :

— Elle n'est pas croyante, mais c'est une sainte.

Brusquement, elle les a poussés hors de la salle à manger :

— Allez-vous-en, allez-vous-en ! S'ils vous trouvent ici, ils le fusilleront. Et vous aussi... Mon Dieu, mon Dieu !

Bertrand a attendu Catherine à la porte de la chambre, essayant de calmer Laure Vivien qui allait et venait dans le couloir en se tordant les mains.

Il a placé dans la valise de Catherine sa sacoche, puis tous deux ont embrassé la vieille femme et sont partis.

Dans la rue du Marché où les pavés qui n'ont pas séché brillent dans la lumière encore vive d'un crépuscule maintenant souverain, Catherine Peyrolles a pris le bras de Thorenc.

— 8 —

Thorenc écarte les bras puis lève lentement les mains jusqu'à hauteur des épaules.

Il sait que des hommes sont là, dans la pénombre de la futaie, à l'observer.

Il fait encore quelques pas, puis s'immobilise au milieu de la clairière.

Il se retourne.

Il voit d'abord ce sillon qu'il a tracé parmi les hautes fougères, puis Catherine Peyrolles qui commence à le suivre et se trouve encore à une dizaine de mètres.

Il entend sa respiration haletante. Son visage est empourpré et, à chaque fois qu'elle reprend son souffle, elle ferme les yeux comme si l'effort qu'elle doit fournir pour soulever son ventre et ses seins est si intense qu'il lui faut y consacrer toute son énergie, repliée sur elle-même, le monde autour d'elle n'existant plus.

Depuis qu'ils ont quitté Saint-Rémy, alors que le soleil s'attardait derrière la crête du mont Meynier et que la vallée de la Durolle n'était encore qu'un sillon noir dont l'humidité baignait le village, Thorenc a voulu faire halte à plusieurs reprises pour permettre à Catherine de se reposer au bord du sentier qui s'élevait en pente raide au milieu des sapins.

Mais elle a paru ne pas l'entendre, ne pas voir les gestes

qu'il faisait, ne pas remarquer sa façon de s'adosser au tronc d'un sapin ou de s'asseoir sur un arbre abattu.

Elle a poursuivi sa marche, cette dure montée vers le hameau de Meynier où, selon Victorine Jallez, une trentaine de réfractaires vivaient dans des fermes abandonnées sous le commandement d'un homme qui se faisait appeler le capitaine Marat et dont on savait qu'il avait été représentant de commerce dans la région.

Là, ils pourraient trouver un refuge sûr.

Thorenc voulait que Victorine Jallez et les trois petites filles dont elle s'occupait montent avec eux jusqu'au hameau. Victorine Jallez avait refusé en souriant : si elle fuyait, les miliciens la rechercheraient et il se trouverait toujours quelqu'un pour leur dire qu'elle était partie au maquis, même pas pour la dénoncer ou lui nuire, mais pour le plaisir de parler, par défi, même, ou par lâcheté instinctive.

Elle avait donc décidé de rester à l'école et de les attendre après avoir mis les fillettes à l'abri.

C'était à l'aube, peu après qu'un paysan eut averti qu'un camion chargé de miliciens et une voiture étaient arrivés la veille au Mouchon, le village situé à dix kilomètres en aval, le long de la Durolle. Ils avaient interrogé tout le monde, fouillant les maisons, recherchant les Juifs et les réfractaires. Ils avaient indiqué qu'ils monteraient ensuite à Saint-Rémy, et qu'ils allaient nettoyer toute la région.

Le paysan, un homme encore jeune, avait ajouté :

— Ils ont parlé de vous, madame la directrice. J'ai reconnu un de vos anciens élèves, celui que vous aviez renvoyé, le fils Fougeyrol. Il a paradé en uniforme. C'est lui qui a dit : « On va lui faire apprendre sa leçon, à la directrice ! »

Thorenc s'était senti démuni, impuissant, malheureux et lâche de ne pouvoir protéger Victorine Jallez, d'être lui-même contraint de fuir.

Depuis plus d'un mois qu'il vivait avec Catherine au premier étage du bâtiment rectangulaire de l'école primaire de Saint-Rémy, il s'était attaché à Victorine.

La première fois qu'il l'avait aperçue dans la cour de l'école, elle poussait une sorte de nacelle en métal, suspendue à un portique, dans laquelle avaient pris place trois petites filles. Victorine Jallez riait, donnait de l'élan à la nacelle ou la retenait, s'appuyait parfois aux poutres du portique tout en chantonnant.

Thorenc avait été frappé par sa jeunesse.

Il avait imaginé que la sœur de Laure Vivien ne pouvait être que vieille, et avait découvert une femme d'une quarantaine d'années, énergique, aux cheveux noirs coupés court, à la voix joyeuse. Elle avait lancé un ballon aux enfants, les invitant d'un geste à aller jouer dans le pré qui prolongeait la cour.

Elle avait contemplé Catherine Peyrolles, puis avait diagnostiqué au bout de quelques secondes :

— Sept mois, n'est-ce pas ? Je suis née à sept mois. Ma mère a voulu se débarrasser de moi... — elle avait ri. Elle était veuve, je lui pesais. Son ventre, c'était l'aveu de sa faute. Je suis la demi-sœur de Laure. Elle, c'est l'enfant légitime, bénie ! Moi, je suis le canard noir. Laure est bigote, je suis athée. Elle ne vit que pour son fils dont elle a fait un prêtre ; moi, je suis célibataire et stérile.

Elle les avait installés dans deux chambres voisines, parce que, d'une mimique, Catherine lui avait fait comprendre qu'elle souhaitait être seule. Victorine avait murmuré :

— Ah bon ! C'est comme vous voulez. Il y a de la place.

Le mois avait passé vite. Saint-Rémy paraissait être un bout du monde dans cette vallée de la Durolle qui n'était encore qu'une faille entre des roches noires.

Le soir, Victorine Jallez servait d'abord les fillettes qui chuchotaient entre elles avant de monter silencieusement dans leur chambre, une grande salle de classe que Victorine avait transformée à leur intention en dortoir.

Elle avait simplement expliqué :

— Les petites parlent à peine le français, mais elles apprennent vite. Elles ne m'ont même pas dit leur nom de famille. C'est mon neveu, François Vivien, l'abbé, qui me les a amenées sans me prévenir, sans même me demander mon avis. Il m'a parlé de *Témoignage chrétien*, de parents qui les avaient conduites dans une église, peut-être à Lyon, au Creusot ou à Saint-Étienne. Elles sont là, en tout cas. Toutes les nuits, elles pleurent.

Elle s'était assise devant le poste de radio qui n'était réglé que sur Radio Londres.

— Tout le village sait qu'elles vivent ici. L'inspecteur d'académie et les gendarmes aussi. Je crains une lettre anonyme ou bien un bavardage du genre : « La directrice, elle a recueilli trois petites Allemandes. » Pour les gens d'ici, ce sont des Allemandes. Et peut-être le sont-elles, ou bien autrichiennes : je n'ai pas voulu les interroger.

Thorenc avait tenté de leur parler en allemand, mais elles avaient réagi comme des animaux craintifs, se recroquevillant, jetant des regards apeurés à Victorine qui les avait entraînées vers la rivière.

C'était l'été 43. Les crépuscules s'étiraient.

Radio Londres avait annoncé que Mussolini avait été renversé le 25 juillet. La foule s'était répandue dans les rues de Rome, brisant partout les statues du Duce, les emblèmes fascistes. L'Italie allait sortir de la guerre, ce n'était plus qu'une question de semaines, peut-être de jours.

Ils avaient écouté le message que de Gaulle avait adressé depuis Alger aux combattants de la Résistance :

« Mes camarades,

« Ce que vous faites, ce que vous souffrez dans la Résistance, c'est-à-dire dans le combat, l'honneur et la grandeur de la France en dépendent.

« La fin approche.

« Voici venir la récompense. Bientôt, tous ensemble, nous pourrons pleurer de joie ! »

Ce soir-là, après les derniers mots de De Gaulle, Thorenc avait vu Victorine Jallez et Catherine Peyrolles s'embrasser, en larmes, rester serrées l'une contre l'autre durant plusieurs minutes.

Il était sorti dans la cour, contemplant le ciel étoilé sur lequel se découpaient les formes lourdes des volcans.

Il avait marché seul jusqu'à la rivière impétueuse qui coulait avec un grondement de torrent de montagne.

C'était la première fois depuis des semaines qu'il se sentait calme, presque serein.

Les événements se succédaient de plus en plus rapidement, semblait-il. Les succès militaires remportés en

Russie, en Italie, entraînaient un changement dans l'opinion française. On condamnait les propos de Laval, la rencontre de Pétain avec von Rundstedt. Les sabotages se multipliaient. Les attentats contre les Allemands, tels que les rapportait Radio Londres, étaient désormais quotidiens.

La répression elle aussi s'exacerbait, mais l'ancien ministre de l'Intérieur, Pierre Pucheu, qui s'était réfugié en Afrique du Nord auprès de Giraud, venait d'être arrêté et allait être jugé. Alger annonçait que, la Libération venue, Pétain lui aussi serait jugé.

De Gaulle, à l'évidence, l'avait emporté sur Giraud. Jean Moulin, Delestraint ne s'étaient pas sacrifiés en vain.

Retournant lentement vers le village, Thorenc avait aperçu la fenêtre éclairée de la chambre qu'occupait Catherine Peyrolles.

Il s'était arrêté, imaginant qu'il pourrait, après la Libération, vivre avec elle et l'enfant.

Il lui avait semblé que, depuis qu'ils étaient établis à Saint-Rémy, l'attitude de Catherine à son égard avait changé.

Elle lui avait pris plusieurs fois la main alors qu'ils se promenaient aux abords du village. Le soir, sur le palier, au moment de se séparer, elle l'embrassait, et il avait été à chaque fois ému par le geste du bras qu'elle faisait, lui enlaçant le cou, l'obligeant ainsi à se pencher sur elle qui lui tendait ses joues.

Elle avait même accepté l'idée de gagner la Corse, d'y accoucher, d'y laisser l'enfant à l'une de ses tantes avant de s'en revenir sur le continent.

Il avait été si heureux de ce projet qu'il avait observé que ce ne serait peut-être même pas nécessaire : la guerre allait si vite finir...

Catherine Peyrolles s'était étonnée de l'optimisme de Bertrand qui semblait oublier les arrestations, les déportations, peut-être même celle de Laure Vivien — car la sœur de Victorine Jallez n'avait donné aucune nouvelle depuis un mois, ne cherchant même pas à savoir si Bertrand et Catherine avaient réussi à se rendre sans encombre jusqu'à Saint-Rémy.

Le voyage entre Clermont et Mouchon, terminus du car, avait d'ailleurs été sans histoires. Des miliciens et des Allemands avaient arrêté le véhicule sur la route, quelques kilomètres après Clermont, mais ils n'avaient contrôlé les papiers que des hommes jeunes, les forçant à descendre du car, les alignant sous la menace de leurs armes le long du fossé, puis donnant l'ordre au car de repartir.

Thorenc avait regardé ces cinq silhouettes aux bras levés.

Il avait imaginé leur destin — la déportation en Allemagne. Et il avait pensé que la présence de ces réfractaires dans le car avait évité aux autres voyageurs un contrôle rigoureux.

C'était ainsi : les uns protégeaient les autres. Le hasard ou le destin faisait le tri, répartissait les rôles.

En passant devant la chambre de Catherine Peyrolles, il avait écouté sa respiration régulière et en avait été ému et rassuré. Il avait passé une nuit paisible.

Puis, à l'aube, ces coups contre la porte : Victorine Jallez disait qu'un paysan venait de l'avertir que les miliciens étaient au Mouchon, qu'ils allaient rappliquer sous peu ici, à Saint-Rémy.

— Réveillez Catherine ! avait-elle dit. Je m'occupe des petites.

Il avait fait irruption dans la chambre de Catherine et avait été saisi d'angoisse en la voyant si vulnérable, le haut de sa chemise de nuit ouvert laissant voir ses seins gonflés, ses épaules, et, parce qu'elle avait, en dormant, repoussé le drap, il avait aperçu ses jambes nues.

Il s'était penché sur le visage de Catherine, avait murmuré son nom.

Elle s'était aussitôt dressée, sortant d'un coup du sommeil, ne paraissant pas même étonnée, disant qu'elle serait prête en quelques minutes.

Elle avait eu le temps de lancer d'une voix ironique qu'elle avait cru que la guerre était terminée.

Victorine Jallez les attendait dans l'entrée de l'école. Elle avait expliqué à voix basse qu'elle allait cacher les petites dans une ferme isolée, à quelques centaines de mètres de Saint-Rémy.

Personne au village ne pourrait se le figurer.

Elle avait certes confiance en tout un chacun, avait-elle ajouté, mais il convenait aussi bien de se défier de tous.

Depuis plusieurs semaines, elle avait aménagé cette retraite, les petites en étaient averties, elles l'avaient plusieurs fois visitée. Elles savaient où étaient entassées les quelques provisions, les couvertures. Elles ne devaient à aucun prix sortir de la cave creusée sous le bâtiment.

— S'ils m'arrêtent, avait ajouté Victorine Jallez, ne les oubliez pas — elle avait indiqué l'emplacement de la ferme. À Meynier, je ne sais pas ce qu'elles deviendraient. Si, un jour, le maquis était attaqué, qu'est-ce qu'ils feraient des petites ? Mais vous, vous pourrez éventuellement vous y cacher quelques jours.

Elle avait montré le sentier au-delà du pont étroit qui franchissait la gorge de la Durolle, et Thorenc et Catherine avaient commencé à monter vers le hameau du Meynier.

Du regard, il fait le tour de la clairière, cherchant à découvrir entre les arbres les hommes du maquis.

Qu'attendent-ils pour se montrer ?

Il sent monter en lui plus que de la colère, de la rage, mais il ne baisse pas les bras.

Il attend que Catherine Peyrolles l'ait rejoint et il lui murmure que les hommes sont cachés là, dans la futaie.

Elle le regarde avec étonnement : qu'a-t-il à rester ainsi les mains en l'air, comme s'il avait quelque chose à redouter de ces maquisards ?

— Marat..., répond-il.

Instinctivement, il ne fait aucune confiance à un homme qui s'est choisi un tel nom de guerre.

— Révolutionnaire, lâche Catherine. Pourquoi pas ?

Tout à coup, elle lance d'une voix claire dont la force le laisse surpris, lui qui a imaginé Catherine épuisée par l'ascension :

— Capitaine Marat ! Capitaine Marat ! Nous venons de la part de Victorine Jallez, de Saint-Rémy.

Elle s'avance, les hautes fougères montant jusqu'à ses cuisses, s'écartant puis revenant. Elle clame encore qu'ils sont des patriotes, que des miliciens viennent d'arriver au Mouchon et qu'ils sont déjà en route pour Saint-Rémy.

Thorenc se sent ridicule. Il baisse les bras, irrité.

Il voit, sortant de la sapinière, un homme de grande taille, un béret de chasseur enfoncé profondément sur le crâne, le visage encadré d'une barbe. L'autre s'approche. Il porte une sorte d'uniforme composé d'un blouson et de golfs en laine noire. Un ceinturon, auquel sont accrochés des cartouchières et un étui de revolver, serre sa taille, et il tient sous son aisselle droite une mitraillette Sten.

Derrière lui, une dizaine de jeunes hommes aux tenues dépareillées sont à leur tour sortis de la forêt, la plupart armés de vieux fusils de chasse.

— Les miliciens ? a repris Marat.

Sa voix est rocailleuse. Il serre la main de Catherine et de Thorenc.

— Qu'est-ce qu'elle a fait, madame Jallez, de ses petites Juives ? Ici c'est un maquis, pas une maison de repos.

Il dévisage Catherine avec insistance.

— Vous n'allez pas accoucher ici ? grogne-t-il. Il n'y a ni sage-femme ni médecin.

Thorenc s'avance, se plante devant Catherine. Marat le toise.

— Le maquis de Meynier n'est pas un camp de réfugiés, poursuit Marat, mais un détachement de combat.

Il pourra les accueillir deux ou trois jours, mais, si les miliciens passent à l'attaque, il faudra peut-être se replier, grimper vers le sommet du mont Meynier.

— Est-ce que vous êtes prêts à vous battre ? interroge-t-il.

Thorenc le regarde avec tant de mépris que Marat finit par baisser la tête, marmonnant qu'il est le chef du maquis et qu'il a la responsabilité des hommes placés sous ses ordres.

Thorenc détourne les yeux et découvre, au-delà des cimes des sapins, la chaîne de volcans qui émerge de la brume.

Il s'est calmé.

Que représentent la vanité et les accès de colère des hommes, comparés au feu de l'univers ?

Puis il songe avec désespoir aux trois petites filles blotties en silence, seules et abandonnées au fond d'une cave.

Il s'approche de Catherine, lui pose un bras sur l'épaule.

Elle s'appuie à lui.

— 9 —

Thorenc s'agenouille. Il porte ses poings fermés à ses lèvres comme pour étouffer cette lamentation qui l'envahit et qu'il doit taire.

Il ferme les yeux.

Il a l'impression que deux mains énormes, puissantes et impitoyables l'écrasent, pesant sur ses épaules.

Il se laisse tomber en avant, le visage contre l'herbe couverte de rosée.

Il ne veut plus bouger. Il ne veut plus respirer. Il ne veut plus voir.

Il se souvient de Victorine Jallez qui chantonnait, appuyée aux poutres du portique. De temps à autre, elle donnait une poussée à la nacelle dans laquelle les trois petites filles se tenaient debout.

La peau mate, elles étaient très brunes et leurs cheveux tombaient en longues boucles jusqu'à leurs épaules.

Apeurées, graves, elles semblaient incapables de rire, jetant sans relâche autour d'elles des regards inquiets.

Thorenc se redresse. Il est à nouveau à genoux. Il presse jusqu'à la douleur ses poings sur ses lèvres.

Devant lui, sur l'un des côtés de la cour de l'école, le portique apparaît dans la pleine lueur lunaire.

En s'appuyant des deux mains à la terre, il se relève et avance.

Non, il n'avait pas imaginé cela quand il avait expliqué au capitaine Marat qu'il voulait redescendre au village.

Depuis la lisière de la forêt, à mi-pente, ils avaient vu les miliciens grimper en chantant à bord de leur camion.

Ils paraissaient ivres et leur chant hurlé, recommencé, avait envahi la vallée, courant le long de la Durolle comme une vague violente et aveugle, boueuse, heurtant les parois, saccageant tout sur son passage. Ils avaient répété :

> « *Pour les hommes de notre défaite,*
> *Il n'est pas d'assez dur châtiment*
> *Nous voulons qu'on nous livre les têtes*
> *Nous voulons le poteau infamant !* »

Leur voiture avait suivi le camion, et le silence était tombé en même temps que la nuit.

Des aboiements plaintifs s'étaient élevés, parfois pareils à des appels.

Marat avait hésité à accorder à Thorenc l'autorisation de quitter le hameau de Meynier. Les miliciens avaient pu laisser quelques hommes cachés dans les maisons de Saint-Rémy. Le chef maquisard avait même laissé entendre à demi-mot qu'il n'avait guère confiance en Thorenc. Peut-être celui-ci allait-il dévoiler aux miliciens l'emplacement du maquis, l'état de ses forces ?

— Je vous laisse ma femme enceinte, lui avait dit Thorenc.

Il avait prononcé ces mots sans réfléchir, comme si d'avoir vécu plus d'un mois aux côtés de Catherine, et bien qu'ils n'eussent jamais recouché ensemble durant tout ce temps, lui avait rendu naturelle cette idée qu'étant le père de l'enfant, Catherine était sa femme.

Mais, une fois prononcée, la phrase l'avait gêné et il avait eu la tentation de se reprendre, commençant même à murmurer :

— Ma femme, enfin...

Il s'était tourné vers Catherine pour, d'un regard, lui demander de l'excuser, mais elle avait semblé ne pas avoir entendu, se bornant à lancer à Marat :

— Laissez-le faire, il faut qu'on sache. Et donnez-lui une arme.

Le ton était si déterminé que Marat avait tendu son revolver à Thorenc.

Mais il avait ajouté d'une voix de commandement que si, dans quatre heures, Bertrand n'était pas de retour au hameau, il le considérerait comme déserteur, passé à l'ennemi, et en tirerait toutes les conclusions qui s'imposeraient.

Thorenc avait passé l'arme dans sa ceinture et, comme pour oublier plus vite ce personnage ridicule, il avait dévalé la pente, zigzaguant entre les arbres, se souvenant de sa fuite en compagnie de Joseph Minaudi, en mai 40, dans la forêt des Ardennes, à l'ouest de la croix de Vermanges.

Durant toute la descente jusqu'à la rivière, il s'était

montré si attentif aux obstacles qui se dressaient devant lui — rochers, torrents, troncs couchés, buissons — qu'il avait éprouvé une sorte d'exaltation. Dans cet effort physique, ce défi à relever, se fondaient tout ensemble l'instinct, la perception, l'énergie, et la pensée, tout entière mobilisée par l'acte, avait paru se dissoudre.

Il avait atteint les prés qui s'étendaient entre le cours de la Durolle et les premières maisons de Saint-Rémy.

Il avait d'emblée reconnu la ferme isolée où Victorine Jallez avait eu l'intention de cacher les fillettes.

Il s'en était approché, guettant les bruits, espérant entendre des voix.

Il avait tout à coup aperçu les meubles jetés en vrac devant la ferme.

La porte était béante.

La pièce était éclairée par la lune.

Il avait distingué l'ouverture dans le sol, la trappe censée conduire à la cave.

Le panneau avait été arraché.

Il avait tâtonné, trouvé une lampe à pétrole, et quand la flamme avait répandu sa lueur jaunâtre, il avait découvert dans la cave les étagères renversées, les trois matelas gisant sur le sol de terre battue.

Ils avaient donc trouvé la cachette où se terraient les petites.

Thorenc était ressorti et avait gagné le village en courant, oubliant toute prudence, le revolver au poing.

Au fur et à mesure qu'il avait avancé, les chiens s'étaient mis à aboyer. Mais les maisons étaient restées closes, les volets tirés, les portails des cours fermés.

Il avait enfin atteint le bâtiment de l'école dont toutes les portes et les fenêtres étaient ouvertes.

Il avait deviné, à l'intérieur des salles de classe au rez-de-chaussée, les pupitres renversés. Il avait cherché à ne pas imaginer, essayant de chasser de son esprit les images qui venaient l'obscurcir.

Les miliciens devaient avoir agi sur dénonciation. Ils s'étaient peut-être rendus directement jusqu'à la ferme pour s'emparer des trois fillettes. Ou bien ils avaient torturé Victorine Jallez jusqu'à ce qu'elle leur indiquât où elle les avait cachées.

Thorenc a contourné le bâtiment, traversé le pré qui prolonge la cour, et il a vu le portique.

Il a alors été contraint de s'agenouiller, écrasé contre le sol par cette pression insoutenable qui s'exerce sur ses épaules.

Il s'avance vers le portique. Il est exténué. Il ne ressent plus que cette fatigue qui lui donne envie de se coucher là, sur le ciment de la cour, et de s'endormir.

Le revolver lui pèse.

Il pourrait le porter à sa bouche.

Mais les assassins ne seraient pas châtiés, ni les victimes vengées.

Il glisse l'arme dans sa ceinture.

Il regarde.

Ils ont pendu Victorine Jallez par les pieds. Ses doigts frôlent le sol, ses bras inertes dépassent de sa robe retournée comme une corolle étiolée.

Le ventre et les jambes sont nus.

Il s'agenouille, soulève la robe.

Le visage est noir, comme ceux des fusillés de Badajoz, mais c'est le sang coagulé qui colle à la peau.

Les mouches ne viendront qu'à l'aube, avec le soleil.

Il monte sur la nacelle, dénoue lentement la corde attachée à la poutre horizontale. Il prend contre lui le corps de Victorine Jallez et le porte jusqu'à l'école.

Il le monte au premier étage et s'immobilise sur le palier. Les portes des chambres sont enfoncées.

Il pose le corps sur l'un des lits.

Il hésite à étendre la main, à tourner l'interrupteur.

Il s'avance. La lumière de l'ampoule qui éclaire le palier déborde dans la salle de classe que Victorine Jallez avait transformée en dortoir à l'intention des trois petites filles.

Il voudrait pouvoir hurler.

Il aperçoit entre les lits ces mollets maigres, ces socquettes blanches, ces chaussures noires.

Il recule. Il ne peut aller plus loin.

Il s'assied dans l'escalier, la tête sur les genoux.

Il sait qu'il ne doit pas rester là, qu'il devrait regagner le hameau de Meynier ou bien courir jusqu'à l'église du village, avertir le prêtre que quatre corps attendent une sépulture.

Et cependant il ne bouge pas.

Plus tard, il comprend que des heures se sont écoulées, puisqu'il fait jour.

Il entend des voix dans la cour.

Il descend, il aperçoit deux gendarmes qui viennent à lui en hésitant.

— On nous a dit..., commence l'un d'eux tout en faisant glisser sa sacoche dans son dos comme pour mieux accéder à l'étui de son revolver.

— Les miliciens, murmure Thorenc. Les corps sont au premier.

Il s'éloigne.

Il ne se retourne même pas quand les gendarmes lui demandent de ne pas bouger. Ils ont besoin de son témoignage. Il continue à marcher vers le petit pont qui enjambe la rivière.

Si on le tue, il n'aura pas choisi de mourir. Et cette paix, cet armistice qu'il trouvera, c'est Dieu qui, en l'occurrence, les lui aura accordés.

Mais personne ne l'empêche de franchir la rivière et de s'enfoncer dans la forêt de sapins.

Dans la clairière, les hommes l'entourent. Ils rient, se bousculent, s'esclaffent.

Le capitaine Marat entoure de son bras les épaules de Thorenc.

— Ça fait plus de six heures que vous êtes parti, dit-il en riant. Mais, pour autant, je n'ai pas fusillé votre femme.

Il lui étreint l'épaule.

— C'est un jour faste, poursuit-il, l'Italie a capitulé et le nouveau gouvernement de Rome est entré en guerre aux côtés des Alliés !

— Ceux-là, ajoute-t-il avec mépris, toujours capables de donner un coup de poignard dans le dos : en 40, c'était à nous ; maintenant, c'est aux Allemands.

Ils sont arrivés dans le hameau de Meynier. Thorenc voit s'avancer Catherine Peyrolles.

Elle pourra rejoindre la Corse, pense-t-il aussitôt. Maintenant que les Italiens ont changé de camp, l'île va être libérée dans les jours à venir.

Il a peur pour l'enfant.

— La guerre, ce n'est plus qu'une question de semaines,

déclare Marat. Nous allons engager des opérations offensives, peut-être avec tous les maquis d'Auvergne, attaquer Clermont-Ferrand, Vichy...

Marat pérore. On entend une radio qui répète un communiqué du général Eisenhower :

« Le gouvernement de Rome a capitulé sans conditions... Je lui ai accordé un armistice dont les termes ont été acceptés à Londres, à Washington et à Moscou... Les Italiens contribueront à chasser les Allemands de la péninsule... »

Les maquisards sifflent, se moquent, chantent.

Thorenc reconnaît la voix de Marcel Déat, aiguë, déclarant que le gouvernement allemand s'attendait à cette trahison italienne. Il a pris toutes les mesures nécessaires. Déat ajoute : « Le rouge de la honte est monté au front de tous les Italiens bien nés. »

Quelqu'un, dans l'une des fermes, chante :

« *Radio Paris ment*
Radio Paris est allemand ! »

Thorenc est en face de Catherine. Elle le dévisage. Il baisse la tête, ferme les yeux.

— Il faut partir, murmure-t-il. Il faut mettre cet enfant à l'abri.

Il a envie de crier afin qu'on coupe cette radio.

Il lui semble que tous les mots qu'elle profère, les événements qu'elle rapporte ne sont qu'une façon de faire oublier la mort, à l'œuvre partout.

Il voudrait tomber à genoux devant Catherine, la supplier de ne penser qu'à l'enfant qu'elle porte.

Il dit :

— Ils ne respectent rien.

Elle demande :

— Ils les ont trouvées ?

Il ne bouge pas.

Peut-être valait-il mieux qu'elles soient tuées dans cette école plutôt que de souffrir encore des mois avant de mourir ?

Il rouvre les yeux.

— Mortes, murmure-t-il.

Catherine Peyrolles écarquille les yeux, entrouvre la bouche, ses lèvres tremblent, expriment l'effroi.

— Victorine, murmure-t-elle, les petites filles... ?

Il fait oui.

Il regarde loin derrière elle, au-delà du vert sombre des sapins, les feuilles mordorées des arbres saisis par l'automne qui vient.

DEUXIÈME PARTIE

— 10 —

Thorenc lève les yeux. Dès qu'il aperçoit son visage dans le miroir, il éprouve un sentiment de panique.

Il n'imaginait pas qu'il pouvait à ce point ressembler à un homme traqué, presque hagard. D'un geste instinctif, il effleure rapidement cette barbe qu'il vient de découvrir grise.

Il regarde avec inquiétude autour de lui comme si les patients qui attendent d'être reçus par le docteur Étienne pouvaient deviner ce qu'il ressent.

Mais le couple et la vieille dame qui feuillettent des revues l'ignorent.

Il fixe un instant Catherine Peyrolles, entrée dans ce salon une dizaine de minutes après lui comme ils en étaient convenus quand, arrivant à Lyon, ne sachant où aller, n'osant retourner à son appartement à elle, rue du Plâtre, ils avaient décidé de se rendre chez le docteur Étienne, cours Gambetta.

Mais peut-être lui aussi, comme tant d'autres au cours de ces dernières semaines, avait-il été arrêté et son cabinet était-il devenu une souricière ?

Thorenc s'était donc présenté le premier et avait lu l'étonnement sur le visage de la bonne. Elle ne s'était pas effacée pour le laisser entrer, lui disant même que le docteur ne recevait que sur rendez-vous. Il avait dû insister, demander qu'elle avertisse le praticien que son confrère, le docteur Bertrand de Norois, désirait le voir. La bonne avait fini par céder et lui avait ouvert la porte du salon d'attente.

Il s'était assis, tête baissée, puis, se redressant, il avait découvert dans le miroir au cadre doré, placé sur le manteau de marbre de la cheminée, cet homme amaigri au visage grisâtre, des cernes bistre paraissant creuser ses joues, avec ce col de chemise froissé et douteux.

Il avait longuement scruté son image avec, après un premier instant de panique, de l'étonnement mêlé de désarroi.

C'était comme s'il avait retrouvé sur ses traits toutes les traces de ce qu'il avait vu, subi, accompli, éprouvé depuis ce mois de mai 1940.

Mais c'était d'abord ce qu'il avait découvert cinq jours auparavant dans l'école de Saint-Rémy — le corps de Victorine Jallez qu'il avait porté, les jambes d'enfants qu'il avait aperçues entre les lits, dans la pénombre — qui l'avait à ce point marqué.

Il avait même eu l'impression qu'il n'avait plus pu se tenir droit, que ce souvenir le forçait à avancer courbé, regardant le sol comme pour cacher la honte qu'il ressentait de n'avoir pu empêcher ces crimes, ou tout simplement d'appartenir à une espèce, l'espèce humaine, capable de perpétrer de tels actes.

Thorenc avait pensé qu'ils seraient davantage en sécurité dans une grande ville que dans un village ou un maquis dirigé par un personnage comme le capitaine Marat.

Au hameau de Meynier, Catherine ne l'avait pas questionné, mais, dans le car qui les ramenait à Clermont-

Ferrand, elle avait, sans le regarder, murmuré qu'elle souhaitait lui réciter un poème, l'un des derniers qu'elle avait lus dans une revue clandestine, *L'Honneur des poètes*.

Il était signé Jean Amyot, mais ce n'était sûrement qu'un pseudonyme rappelant Jacques Amyot, l'humaniste du XVIe siècle, le traducteur de Plutarque.

Thorenc connaissait-il ?

Ce n'était pour lui qu'un nom, avait-il répondu.

Elle avait hoché la tête. Elle était professeur de lettres, n'est-ce pas ? avait-elle ajouté comme pour s'excuser.

Ces quelques phrases, qui lui avaient rappelé qu'il existait autre chose que la barbarie, l'assassinat, la délation, qu'il y avait des gens dont la profession avait été, était encore d'enseigner les œuvres humaines, avait désespéré Thorenc au lieu de le rassurer.

Il avait eu le sentiment qu'il s'agissait là des vestiges d'un monde à jamais englouti.

Comment cela pourrait-il renaître après ce que des hommes avaient infligé aux autres hommes ?

Il s'était penché vers Catherine Peyrolles et elle s'était mise à réciter d'une voix sourde, tendue, non pas celle d'une prière ou d'une confession, mais d'une proclamation, d'un appel aux armes :

> « *Je hais. Ne me demandez pas ce que je hais*
> *il y a des mondes de mutisme entre les hommes*
> *et le ciel veule sur l'abîme, et le mépris*
> *des morts. Il y a des mots entrechoqués, des lèvres*
> *sans visage, se parjurant dans les ténèbres.*
> *Il y a l'air prostitué au mensonge, et la Voix*
> *souillant jusqu'au secret de l'âme*
>
> *mais il y a*

le feu sanglant, la soif rageuse d'être libre
il y a des millions de sourds les dents serrées
il y a le sang qui commence à peine à couler
il y a la haine et c'est assez pour espérer. »

Elle lui avait serré le poignet en répétant :

« *Il y a la haine et c'est assez pour espérer.* »

La force contenue qu'elle avait mise dans sa voix avait laissé Thorenc étonné.

Il avait pensé qu'elle lui donnait ainsi la réponse aux questions qu'il pouvait se poser après les meurtres de Victorine Jallez et des trois petites filles.

Haïr, tuer si nécessaire pour maintenir l'espérance : il n'y avait pas d'autre issue.

Pour se rendre de la place de Jaude, où le car les avait déposés, à la cathédrale, ils avaient emprunté les ruelles du vieux Clermont et s'étaient engagés dans la rue du Marché.

Il bruinait. Il faisait froid et gris.

Les volets de l'appartement de Laure Vivien étaient clos.

Thorenc avait interrogé Catherine du regard. Ils avaient fait quelques pas, tourné le coin de la rue, puis s'étaient séparés, Catherine allant attendre Bertrand à l'intérieur de la cathédrale.

Thorenc avait gravi l'escalier et parcouru la galerie.

Il avait frappé à la porte de Laure Vivien et avait eu l'impression que le bruit de ses doigts heurtant le battant résonnait dans un appartement vide.

Tout à coup, la porte voisine avait été entrebâillée, puis ouverte.

Il avait aperçu une silhouette qui lui faisait signe d'entrer.

Le couloir dans l'appartement était sombre. Il avait senti le corps d'une jeune femme contre le sien, mais sans équivoque, comme l'affirmation d'une fraternité confiante. Elle avait chuchoté :

— Ils ont emmené madame Vivien il y a plus de deux mois. Au début, ils avaient laissé des policiers dans l'appartement, puis ils l'ont vidé. Ils ont tout laissé ouvert et c'est moi qui ai fermé les volets. J'ai la clé, si vous la voulez.

Il avait fait oui et elle lui avait glissé la clé dans la main.

On ne sait pas ce que madame Vivien est devenue, avait-elle repris. On n'a pas eu le courage d'aller demander chez les Allemands ou à la police. Quand on pénètre chez eux, on ne sait pas si on va en ressortir. Ils sont comme fous, à Clermont. Ils ont arrêté des dizaines d'étudiants et des professeurs alsaciens, de l'université de Strasbourg, qui étaient repliés ici. Ils en ont tué plusieurs. Les autres, ils les ont mis dans un train et les ont expédiés on ne sait où. Ils se vengent. Le 14 Juillet, il y a eu cette manifestation, et puis on a tué des officiers allemands, des dépôts de munitions ont sauté, il y a eu des locomotives sabotées...

Elle avait parlé avec fébrilité, ajoutant qu'elle avait reconnu Thorenc, qu'elle l'avait aperçu plusieurs fois sur la galerie quand il habitait chez madame Vivien.

— Mon mari est cheminot, avait-elle précisé.

Il l'avait interrogée sur le sort de l'abbé Vivien.

— Je sais, je sais, avait-elle répété. Il est à la prison du

Puy avec des camarades de mon mari. Il y en a qui ont été condamnés à mort, mais pas l'abbé.

Puis elle s'était appuyée à Bertrand :

— Quand est-ce que cela finira ? Mon mari... Le jour où ils sont venus pour madame Vivien, j'ai cru que c'était pour nous. Ils m'ont interrogée, je tremblais.

Thorenc l'avait prise aux épaules.

— Il faut m'aider, avait-il dit.

Elle s'était écartée et avait allumé.

Il avait été surpris par la juvénile beauté de son visage, la fragilité émouvante de son corps maigre.

Elle l'avait fixé, une ride partageant son front, les sourcils froncés.

Il s'était aussitôt reproché de l'avoir sollicitée. Il l'avait remerciée, la main sur la poignée de la porte, murmurant qu'il allait garder la clé, mais qu'il valait mieux qu'elle oublie leur rencontre.

Elle avait saisi son poignet.

— Qu'est-ce que je dois faire ? avait-elle demandé d'une voix un peu tremblante.

Thorenc avait détourné la tête pour cacher son émotion.

— Vous n'avez pas confiance ? avait-elle poursuivi.

Son mari, Gabriel Morand, elle était sûre qu'il serait d'accord pour l'aider. Au dépôt de Clermont, il faisait ce qu'il pouvait pour retarder les convois allemands.

— Vous ne devez pas parler, avait-il dit en l'interrompant.

Elle avait paru affolée, répétant à voix basse :

— Mais je vous connais, je vous ai vu avec madame Vivien.

— Ça ne signifie rien. Si vous n'êtes pas prudente...

Elle avait secoué la tête, murmuré qu'il y avait des

risques qu'on devait savoir prendre, qu'on ne pouvait laisser les autres arrêter, tuer indéfiniment les gens.

— Mon père était cheminot. On s'est toujours battus pour la justice, dans ma famille. On est patriotes.

Elle avait répété d'une voix résolue :

— Dites-moi ce que je dois faire !

La gorge serrée, il était resté silencieux à regarder cette jeune femme qui, comme tant d'autres dont personne ne connaîtrait le nom, dont on ignorerait toujours le courage, résistaient, ouvrant leur porte, tendant leurs mains à ceux qu'on pourchassait.

Il avait hésité encore, repensant à Laure Vivien et à Victorine Jallez, et avant elles à Victor Garel, à Léontine Barneron, à ces humbles héros anonymes qui avaient offert leurs vies.

D'un geste impulsif, il avait serré la jeune femme contre lui, l'avait embrassée sur les deux joues.

Elle avait paru gênée, mais pouvait-elle imaginer qu'elle venait de lui rendre un peu d'espoir ?

Il lui avait décrit Catherine Peyrolles, la chargeant d'aller jusqu'à la cathédrale afin de l'y retrouver et de la conduire ici. Ils allaient passer un jour ou deux dans l'appartement de Laure Vivien, puisque la Gestapo ne le surveillait plus.

Elle avait rapidement enfilé un manteau aux manches élimées, au col râpé, puis elle avait caché ses cheveux blonds sous un béret tricoté de laine bleue.

Au moment où il poussait la porte de l'appartement de Laure Vivien, elle lui avait dit s'appeler Martine.

— 11 —

Les mains croisées devant la bouche, les bras appuyés aux accoudoirs du fauteuil, la tête un peu penchée, Bertrand ne peut quitter des yeux Catherine Peyrolles.

Elle semble s'être assoupie dans l'atmosphère confinée de ce salon d'attente où les patients du docteur Étienne chuchotent et sourient en la regardant.

Comme elle le fait souvent, elle a posé ses mains sur son ventre. Elle donne le sentiment, même dans son abandon, de soutenir et protéger l'enfant qu'elle porte.

Thorenc en est ému. Durant les cinq jours qu'a duré leur voyage entre le hameau de Meynier et Lyon, il n'a cessé d'observer la jeune femme.

Jamais elle ne s'est plainte.

Quand elle a découvert l'appartement de Laure Vivien, sale et glacé, les pièces encombrées de meubles brisés, le parquet rugueux couvert de morceaux de verre, elle s'est mise aussitôt à nettoyer et remettre en état les chambres avec l'aide de Martine Morand qui avait apporté un balai, puis deux édredons.

Thorenc avait été bouleversé par le spectacle de cette vie saccagée dont ne subsistaient que des photos déchirées. Comme des pillards, les tueurs, les barbares avaient voulu effacer jusqu'à la mémoire de Laure Vivien.

Il s'était recroquevillé dans le coin d'une des deux chambres et n'avait même pas répondu à Catherine

Peyrolles qui lui avait dit s'installer dans l'autre pièce, ajoutant qu'elle pensait qu'il faudrait quitter Clermont au plus vite. Elle n'aimait pas du tout cette ville, avait-elle expliqué.

Telle avait été la seule expression de ce qu'elle était censée ressentir.

Il avait eu froid. Il avait entendu les couinements des rats dans le petit couloir, puis leurs courses parmi les débris accumulés dans la salle à manger.

Au milieu de la nuit, on avait frappé à la porte.

Il avait bondi, pensant qu'il n'avait même pas d'arme pour se défendre ou en finir avec la vie s'il ne pouvait fuir.

Catherine était déjà dans le couloir, ouvrant à Martine Morand et à son mari.

Ils apportaient des bols de soupe chaude, du pain.

Ils expliquèrent qu'ils avaient attendu, car on ne pouvait faire confiance aux voisins du premier dont le fils aîné venait de s'engager dans la Milice.

Ils s'étaient adossés aux cloisons, dans l'obscurité.

Gabriel Morand avait déclaré que l'appartement n'était pas un refuge sûr à cause de ces voisins qui entendraient sûrement marcher, parler, mais surtout parce que de nombreux policiers allemands de la Gestapo, des *Feldgendarmen*, étaient arrivés ce soir à Clermont. Les camarades de la gare en avaient averti les cheminots du dépôt. Demain matin ou les jours suivants, il y aurait sûrement des rafles, des perquisitions. Les Allemands voulaient reprendre la ville en main. Ils avaient déjà arrêté plusieurs cheminots, ce qui avait entraîné un mouvement de grève sur la ligne Paris-Lyon.

Thorenc s'était avancé. En regagnant cet appartement, cette ville, il avait craint de s'être rué dans une nasse.

— Je peux essayer de vous sortir de là, avait chuchoté Morand.

Il s'était approché de Thorenc, puis avait allumé une bougie, la posant sur le parquet. Martine était sortie sur la pointe des pieds, puis était revenue, portant des verres et une bouteille de vin.

Bertrand l'avait vue jeter un châle sur les épaules de Catherine, puis il l'avait entendue l'interroger sur la date prévue pour la naissance de l'enfant, et il avait été ému par la complicité qui s'était nouée entre ces deux femmes d'origine si différente.

Mais il s'était aussi senti proche de Gabriel Morand qui lui servait à boire, trinquait avec lui en disant :

— Il faudrait partir dès cette nuit. Il y a un train de marchandises.

Des cheminots pouvaient les prendre en charge jusqu'à Lyon. Ce serait long, peut-être plusieurs jours, car le convoi n'était pas prioritaire, mais le voyage se ferait sans contrôle de la Gestapo ni de la police française, et les camarades, dans toutes les gares, seraient prévenus.

Thorenc avait bu lentement, regardant Catherine qui, adossée à la cloison, paraissait ne pas avoir écouté. Mais c'était elle qui, avant même qu'il eût répondu, avait déclaré qu'ils étaient prêts à partir sur-le-champ, s'il le fallait.

— Alors on y va, avait décidé Morand.

Martine les avait embrassés.

Thorenc observe Catherine Peyrolles. Il a le sentiment de l'avoir pour de bon découverte au cours de ces journées, quand ils attendaient, cachés dans un wagon de marchandises, qu'un cheminot vienne les guider vers une autre voie.

Il avait fallu gravir dans la nuit les ballasts. Chaque fois qu'il avait voulu lui tendre la main, Catherine, d'un mouvement de tête, avec une expression butée, avait refusé.

Il l'avait regardée cependant qu'elle descendait lentement d'un quai, franchissant les rails, tentant de grimper seule dans un wagon.

Là, il fallait bien qu'elle accepte de l'aide, mais, alors qu'elle devait souffrir, qu'à chaque secousse, à l'intérieur du wagon, elle grimaçait, fière, courageuse, parfois arrogante et brutale, méprisante, même, jamais elle ne s'était plainte.

Au fil de ces jours et de ces nuits, dans le froid qui glissait entre les planches des wagons, Thorenc avait repensé à ces femmes qu'il avait connues : Geneviève Villars, Isabelle Roclore, Claire Rethel, et même Lydia Trajani, la sauvage, la rapace, et toutes lui étaient apparues courageuses. Oui, même Lydia, corrompue et cynique, mais affrontant la vie avec témérité. Il s'était interrogé sur les sentiments qu'il éprouvait à l'égard de chacune d'elles. C'était le souvenir de Geneviève Villars qui le troublait le plus, peut-être parce qu'ils s'étaient aimés après s'être longuement cherchés ; qu'elle s'était finalement détournée de lui et qu'il en souffrait encore.

Il avait ressenti de l'attirance et de la tendresse pour Claire Rethel dont la jeunesse et l'enthousiasme l'avaient touché. Il avait tout tenté pour l'arracher à la Gestapo et il n'avait été rassuré que du jour où il avait pu la faire monter dans un Lysander qui l'avait conduite à Londres. Mais était-ce de l'amour ?

Aimait-il Catherine Peyrolles ?

Il l'admirait. Il se sentait plus faible qu'elle.

Mais c'était aussi cette force-là qu'il avait trouvée chez Geneviève Villars dont le père aimait à dire qu'elle était pareille à un éclat de silex.

N'éprouvait-il pas aussi la même admiration pour Isabelle Roclore qu'il avait longtemps traitée comme une secrétaire efficace, un corps généreux et complaisant, mais qui s'était révélée héroïque, le cachant dans son appartement, y accueillant Stephen Luber et sa sœur Karen que la Gestapo recherchait, acceptant d'être la maîtresse du collaborateur Michel Carlier, directeur de *Paris-Soir*, afin de glaner des renseignements qu'elle transmettait à la Résistance ?

Oui, il avait eu bien de la chance de rencontrer ces femmes-là.

Par-dessus tout, il avait été fier que Catherine ait voulu un enfant de lui.

Elle se redresse. Il lui sourit.

Ce sont tous ces courages accumulés — celui de Martine Morand, de Geneviève, d'Isabelle, de Claire, de Catherine... — qui l'aident à survivre.

Que serait-il, que serait la France sans la résistance de ces femmes-là qui, au cœur de l'angoisse et du désespoir, maintiennent l'élan de la vie ?

Il sursaute. Il entend la voix de la bonne du docteur Étienne. Il est à nouveau sur ses gardes.

La porte du salon d'attente s'ouvre. Une femme apparaît, souriante, portant un turban de tissu rouge qui lui emprisonne les cheveux.

Elle s'immobilise sur le seuil. Elle dévisage chaque

patient. Ses yeux s'arrêtent longuement sur Catherine Peyrolles.

Au moment où elle tourne la tête vers lui, Thorenc la reconnaît.

— 12 —

Thorenc serre les poings et ne bouge plus. Il ne baisse pas les yeux. Il est fasciné.

Il oublie qu'il se trouve dans le salon d'attente du docteur Étienne.

En regardant Sonia Barzine qui continue de le dévisager, il pense qu'il est en train de fixer sa propre mort.

Elle était là quand il a tué Mercier.

Elle était descendue de voiture en même temps que Klaus Wenticht. Il la revoit sur le perron de la villa du traître.

Wenticht doit l'utiliser pour visiter les lieux suspects, ou, comme fait souvent la Gestapo avec ses agents, pour lui demander de se promener au hasard dans les quartiers des villes où la police allemande soupçonne les résistants de se rencontrer. Sonia Barzine doit entrer dans les restaurants, les bars, les églises. Qui peut se méfier d'une jeune femme à l'élégance aussi extravagante, dont la beauté attire tous les regards ?

Mais Wenticht lui communique les signalements des hommes et des femmes qu'il recherche.

C'est la fonction de cette femme de repérer, désigner, dénoncer, séduire, comme elle l'a fait avec Mercier, poussant le lieutenant à la trahison.

Elle a accompagné Wenticht à Paris quand il a conduit Jean Moulin, pantelant, jusqu'au siège de la Gestapo, au 84, avenue Foch.

C'est la mort.

Elle jette un coup d'œil sur Catherine Peyrolles. Elle l'a donc reconnue, elle aussi.

Et si elle est là, chez le docteur Étienne, c'est que la Gestapo sait que le praticien est en liaison avec des résistants.

Thorenc se penche pour prendre un magazine sur la petite table placée au centre du salon. Il devine que Sonia Barzine l'observe, hésite.

Il l'entend questionner le couple de patients : Attendent-ils depuis longtemps ?

Elle s'étonne : Mon Dieu, dit-elle, mais à quelle heure le docteur la recevra-t-il ?

Elle se dirige vers la porte. Elle reviendra, ajoute-t-elle.

Elle a quitté le salon. Thorenc se lève, incline un peu la tête pour que Catherine comprenne.

La bonne est en train de refermer la porte palière.

Thorenc la bouscule. Il aperçoit la silhouette de Sonia Barzine qui commence à redescendre l'escalier.

Il bondit, la bâillonne avec sa main gauche, lui serre le cou dans le creux de son bras droit. Elle se débat. Elle a un corps nerveux. Il la tire sur le palier.

Catherine surgit, aide Thorenc à pousser Sonia Barzine à l'intérieur de l'appartement.

Elle ouvre une porte. C'est une chambre.

Thorenc jette la délatrice sur le lit.

Catherine lui attache les chevilles avec un foulard tandis que Thorenc lui plaque un coussin sur le visage. Sonia Barzine se débat. Il lui assène un violent coup de poing dans l'estomac. Elle s'immobilise.

Il retire lentement le coussin. Elle paraît évanouie. Thorenc lui enfonce un mouchoir dans la bouche, lui ôte son turban, le déchire pour en faire un bâillon, puis lui lie les poignets dans le dos.

Elle rouvre les yeux.

Thorenc ne peut supporter ce regard affolé.

Il détourne la tête, fouille dans le sac de Sonia Barzine.

Il jette sur une coiffeuse une carte marquée de l'aigle hitlérienne et où se détache en lettres noires le mot GESTAPO.

Il montre à Catherine plusieurs photographies au dos desquelles sont écrits les noms de Jacques Bouvy, du docteur Étienne, de Catherine Peyrolles, de Philippe et Pierre Villars, de Bertrand Renaud de Thorenc, du commandant Pascal.

Il y a aussi un revolver à la crosse nacrée.

— Il faut faire vite, murmure-t-il.

Catherine regarde encore une fois Sonia Barzine, puis quitte la chambre.

Thorenc s'approche du lit. La prisonnière geint. Il s'oblige à penser à tous ses compagnons morts, à ces femmes dont on a maltraité les enfants pour qu'elles parlent, à celles qu'on a arrêtées alors qu'elles allaitaient, les forçant à abandonner leur nouveau-né.

Il se souvient des trois petites filles à la peau mate, et de Victorine Jallez qui poussait la balancelle. Il pense à Jean

Moulin, dénoncé, martyrisé, que Sonia Barzine a peut-être elle-même torturé.

Il y a en effet une femme, au 84, avenue Foch, qui couvre d'un drap humide les prisonniers qui refusent de parler avant de les frapper à coups de nerf de bœuf et de les plonger dans une baignoire, cinq ou six fois, jusqu'à ce qu'ils étouffent.

Sonia Barzine est peut-être cette tortionnaire.

Elle sent la mort.

Mais il ne voit qu'un corps lié, que des yeux hagards. Il n'entend que des gémissements. Il ne supporte pas cette souffrance qu'il inflige.

Il a envie de vomir.

Catherine rentre dans la chambre avec le docteur Étienne.

Thorenc lui tend les photos.

— Nous sommes tous identifiés, dit-il.

— L'escalier de service ne doit pas être surveillé, murmure le praticien.

— On ne peut la laisser là, observe Catherine Peyrolles.

Thorenc recule. Le docteur Étienne secoue la tête.

— Je ne peux pas, je ne peux pas, je suis médecin, répète-t-il en quittant de la pièce.

Catherine saisit le coussin.

— Attendez-moi dans l'entrée, ajoute-t-elle, tournée vers Bertrand.

Il hésite. Elle se tourne vers lui, le pousse violemment hors de la chambre où elle reste seule.

Catherine Peyrolles rejoint Thorenc au bout de quelques minutes.

Elle lui tend la carte de la Gestapo, le revolver, les photos. Le docteur Étienne les entraîne vers l'escalier de service. Il les regarde l'un et l'autre avec des yeux effrayés.

Il va jusqu'à la chambre, entrouvre la porte.

Il voit le corps inerte de Sonia Barzine étendu sur le lit, le coussin écrasé sur le visage de la jeune femme.

— 13 —

Thorenc entend les cris de l'enfant et s'immobilise au pied de l'escalier.

Il saisit la rampe.

À chaque cri, il se penche un peu en avant comme s'il voulait résister à une poussée ou s'élancer au contraire vers cette chambre du premier étage où Catherine Peyrolles s'est couchée, hier soir, dès leur arrivée à la ferme Ambrosini.

Le docteur Étienne et Julia Ambrosini l'avaient soutenue, l'aidant à monter chaque marche.

Thorenc était resté à l'écart dans la cour de la ferme, tête baissée.

Depuis qu'ils avaient quitté Lyon, il n'avait pas une seule fois croisé son regard.

Elle s'était assise sur la banquette arrière de la voiture que conduisait le docteur.

Lui n'avait cessé de se retourner, l'interrogeant à chaque

cahot : souffrait-elle ? sentait-elle des contractions ? Étienne s'était excusé, à chaque fois qu'il freinait, d'avoir choisi ces routes départementales, ces chemins vicinaux aux chaussées souvent creusées d'ornières, mais qui, avait-il assuré à leur sortie de Lyon, étaient moins surveillés.

Et puis, peu après Crest, ils avaient été arrêtés par un premier barrage de miliciens. Les hommes, jeunes, s'étaient montrés suspicieux, les forçant à descendre de voiture, mais, voyant l'état de Catherine, ils s'étaient détendus, devenant presque amicaux. Leur chef s'était présenté comme étant le lieutenant Legal, des francs-gardes de la Milice.

Il avait montré les collines et les massifs qui s'étendaient de part et d'autre de la route et fermaient l'horizon. Ils servaient de refuge aux bandits et aux terroristes, avait-il dit, ajoutant :

— Ils pillent, volent, sabotent, tuent. Même si ce sont des Français — des chômeurs, il est vrai, ou des repris de justice, des déserteurs — qui commettent des crimes, ce sont toujours des étrangers qui les commandent, des assassins professionnels, des Juifs, des communistes...

Alors qu'Étienne s'apprêtait à remettre le moteur en marche, il s'était penché pour recommander la prudence :

— C'est l'armée du crime, docteur ! Ils ne respectent rien.

Puis, il avait frappé du plat de la main le toit de la voiture, et fait signe aux miliciens qu'ils pouvaient écarter les branches qu'ils avaient entassées en travers de la route.

Le docteur Étienne avait accéléré, d'abord silencieux, puis recommençant à parler, observant que le choix des routes de campagne avait peut-être constitué une erreur.

Depuis quelques jours, sur Radio Paris et dans les journaux collaborationnistes, on avait relevé une succession de déclarations contre les maquis. On avait annoncé que Darnand serait sans doute chargé, au sein du gouvernement, du maintien de l'ordre au moment où, selon Radio Londres, le chef de la Milice venait d'être admis dans les SS, ainsi que quatorze de ses proches qui composaient son état-major.

Tous avaient prêté serment à Hitler, « Führer germanique et réformateur de l'Europe », auquel ils avaient juré « d'obéir jusqu'à la mort, avec l'aide de Dieu ! »

C'était cet homme-là qui allait devenir ministre sous les ordres de Laval qui, lui, avait invité les procureurs généraux à condamner à mort tous les « terroristes ».

Étienne s'était brusquement tu comme si l'évocation de la mort lui avait tout à coup rappelé qu'ils avaient laissé sans vie, ligotée sur un lit, une femme étouffée.

— Cette fin de guerre, avait-il repris, ces quelques mois, un an peut-être, vont être impitoyables.

Les sabotages s'étaient multipliés, les exécutions aussi. Thorenc et Catherine Peyrolles ne l'ignoraient sans doute pas.

Les actions des groupes francs de la Résistance, des maquis, des FTPF étaient de plus en plus audacieuses. À Toulouse, des partisans avaient exécuté le procureur général Lespinasse, qui avait condamné à mort l'un des leurs. Puis ç'avait été le tour de l'intendant de police aux ordres de la Gestapo d'être abattu.

— Cela donne à réfléchir à tous les autres collabos, avait-il murmuré.

Mais les plus engagés parmi ces derniers allaient devenir aussi dangereux que des bêtes traquées qui n'ont plus rien à perdre. Étienne avait entendu, sur Radio Paris, un éditorial de Jean-Hérold Paquis ; Philippe Henriot et lui étaient les porte-parole les plus talentueux, les plus pervers de la collaboration, et il avait eu le sentiment d'entendre parler des « délirants ».

— Savez-vous ce qu'a dit Jean-Hérold Paquis ? avait-il questionné.

Thorenc avait eu envie de hurler qu'il souhaitait le silence, qu'il ne pouvait plus supporter ce bavardage qui réduisait la mort, la barbarie à de simples mots, à n'être que ce bruit échappé des lèvres, rien que des phrases parmi d'autres que le docteur Étienne interrompit d'ailleurs pour, jetant un coup d'œil en direction de Catherine, lui redemander si elle ne souffrait pas trop.

Elle n'avait encore jamais répondu et Bertrand ne s'était à aucun moment tourné vers elle, comme s'il avait craint, en voyant son visage et ses mains, de l'imaginer courbée au-dessus du lit où gisait Sonia Barzine.

Le médecin avait repris :

— Il a dit, écoutez bien : « J'ai rêvé d'écrire le poème de la SS. Ceux de Radio Journal de Paris, dont les noms vous sont familiers, ont demandé l'honneur d'être de ceux-là qui portent l'écusson noir frappé des deux lettres stylisées SS. Le drapeau noir aux lettres blanches attire à lui, mystérieux aimant d'une révolution européenne, toute la jeunesse d'un monde vieux. C'est cela, le miracle de cette guerre... » Dément, n'est-ce pas ?

Étienne n'avait pu se taire que quelques minutes, affirmant bientôt que la situation était comparable à celle qu'affrontaient les médecins. À la veille de la guérison, il y avait comme un regain de vigueur du mal — quelle que fût sa source : virus, microbe, tumeur, lésion... —, comme s'il cherchait à frapper une dernière fois, dans un élan suicidaire, tel un scorpion qui mord encore avant de finir écrasé. C'était le moment crucial, celui où il ne fallait surtout pas lâcher.

— Nous oublions cela parce que nous sommes un peu euphoriques...

Il avait énuméré les victoires à l'Est, la libération de la Corse qui, selon les derniers communiqués de Radio Londres, avait commencé, le Front national ayant déclenché l'insurrection et les résistants occupant Ajaccio, combattant les Allemands à Bastia, soutenus par des unités italiennes qui s'étaient rangées à leurs côtés, et recevant l'aide de troupes françaises venues d'Afrique du Nord.

— Tout va bien, avait-il ajouté, mais c'est maintenant que nous allons vraiment souffrir.

— *Il* ne naîtra pas en Corse, avait murmuré la future mère.

Sa voix avait paru à Bertrand chargée d'amertume, et il s'en était voulu de ne pas avoir eu le courage de pousser hors de la chambre Catherine et le docteur Étienne afin de tuer lui-même Sonia Barzine, puisqu'il avait pensé qu'elle était la mort, et qu'elle la méritait.

Il avait laissé à Catherine le soin d'exécuter la sentence. Et maintenant il n'osait la regarder, comme si elle avait été coupable, elle qui avait sans doute agi d'abord pour protéger son enfant, se souvenant aussi de Victorine Jallez et des trois petites filles de Saint-Rémy, du sort que leur avaient réservé ces miliciens qui venaient de traiter d'« armée du crime » les maquisards !

Thorenc avait fermé les yeux, essayant de ne plus penser, espérant s'endormir. Et il avait dû y parvenir, puisqu'il avait été surpris quand la voiture s'était arrêtée dans la cour de la ferme Ambrosini.

Il s'était aussitôt éloigné du groupe qu'avaient formé autour de Catherine Julia Ambrosini, Gaston, Régis et Aldo.

Il avait entendu Julia répéter qu'un enfant qui naît dans une maison, c'est la vie, la prospérité, que cela faisait vingt ans, depuis qu'elle avait accouché d'Aldo, son cadet, qu'il n'y avait plus eu de naissance à la ferme.

— Bienvenue à vous ! avait-elle dit en embrassant Catherine Peyrolles.

Elle l'avait prise par la taille ; le docteur Étienne lui donnait le bras et Thorenc les avait vus se diriger tous trois vers la ferme.

Le vent s'était levé, soufflant du sud, chargé d'humidité, poussant vers le haut plateau ces vagues noires qui avaient commencé à submerger l'immense plage bleue.

Au moment de pénétrer dans la ferme, Catherine s'était arrêtée et Bertrand avait pensé qu'elle allait se retourner, l'appeler auprès d'elle.

N'était-il pas le père de cet enfant ?

Il avait fait un pas. Mais elle s'était contentée de chuchoter, penchée vers Julia Ambrosini, puis elle avait disparu à l'intérieur du bâtiment.

Peu après, Julia était ressortie, criant qu'elle avait besoin de bois, qu'il fallait préparer pour le docteur des bassines d'eau bouillante et des serviettes chaudes.

Thorenc s'était retrouvé seul dans la cour. Il avait eu froid alors que commençaient à tomber les premières gouttes de l'averse.

Mais, au lieu de rentrer se mettre à l'abri dans la ferme, il avait traversé la cour et pris le sentier qui montait vers le lac Noir et le haut plateau.

Il avait reçu les rafales de pluie, violentes et glacées, comme un châtiment mérité, une façon de payer ce qu'il avait appelé sa lâcheté, le fait d'avoir laissé Catherine perpétrer un acte barbare et nécessaire, puis d'avoir fui son regard et de n'être même pas capable de l'accompagner à présent jusqu'à sa chambre.

Il est vrai qu'elle n'avait même pas tourné la tête vers lui.

Sans doute ne voulait-elle pas partager cet enfant.

Thorenc s'était immobilisé.

Peut-être se comportait-elle ainsi parce qu'elle avait senti qu'il n'était pas assez fort pour prendre en charge une autre vie que la sienne ?

Il s'était remis en marche sous le ciel que la foudre fendait.

— 14 —

Thorenc étend les mains au-dessus des flammes et regarde au fond de la grotte ces corps enveloppés dans des couvertures, serrés les uns contre les autres.

Joseph Minaudi et José Salgado sont assis en face de lui, de l'autre côté du foyer. L'Espagnol porte une barbe encore plus touffue qu'à leur dernière rencontre, et ses yeux, sous les sourcils broussailleux, sont comme deux points clairs dans une boule noire.

Minaudi, au contraire, est rasé de près, ce qui fait ressortir les angles de son visage, les cicatrices pareilles à des balafres rougeâtres, celle marquant le cou attirant toujours le regard de Bertrand.

Il imagine le courage qu'il a fallu à son compagnon pour se sectionner ainsi la gorge. Il se demande une fois encore si lui-même saurait résister à la torture. Il a subi les coups du commissaire Dossi, Klaus Wenticht lui a serré son épaule blessée, mais il n'a pas vraiment été torturé comme l'ont été Minaudi, Moulin et même Claire Rethel, entre des milliers d'autres.

Il craint de céder à la douleur, de se leurrer aussi, et peut-être est-ce ainsi que Mercier a commencé à parler, en croyant ruser avec ses tortionnaires, en pensant ne leur dévoiler que l'accessoire, et, peu à peu, fil après fil, tout ce que l'on sait finit par se dévider. Il y a une seule loi, et il fait le serment de la respecter : ne pas même livrer son nom, se taire à tout prix, et, dès qu'on le peut, dans la première minute, si c'est possible, se tuer, fût-ce en se précipitant, comme a sans doute essayé de le faire Moulin, tête la première contre le mur de sa cellule.

Lentement, Joseph Minaudi verse dans un quart un peu d'alcool, puis tend le gobelet à Thorenc qui hume l'odeur de prune.

Il lève le quart, boit une gorgée.

— Gaston Ambrosini nous donne ce qu'il peut, dit Minaudi de sa voix érodée, mais il est vrai que nous sommes une centaine.

Il désigne les maquisards couchés contre les parois de la grotte que la fumée a noircies.

— Ils mangent peu, poursuit-il. Ils ont froid. Ils veulent se battre et on ne leur en donne pas les moyens. Il n'y a qu'une arme pour six ou sept !

Salgado approuve en baissant la tête, puis il reste ainsi

immobile, les yeux braqués sur les flammes, murmurant comme s'il craignait d'être entendu par les autres maquisards :

— Nous n'avons pas eu de parachutage depuis des mois, pourquoi ? Les SS, les miliciens, les francs-gardes, les groupes mobiles de répression commencent à encercler les maquis dans le Vercors, aux Glières, dans l'Ain.

Il se redresse, fixe Bertrand.

— Vous êtes près du bon Dieu, vous, Thorenc : dites, pourquoi ne nous envoie-t-on pas des armes ? Qu'est-ce qu'on imagine, là-haut, à Londres, Alger, Washington : que nous voulons faire la révolution, reprendre en France la guerre civile que nous avons perdue en Espagne ? Là-bas, c'est Franco qui a choisi de la commencer. Nous, nous n'avons fait que nous défendre. Vous le savez bien !

Il a haussé la voix puis, parce qu'il se rend compte qu'elle résonne dans la grotte, il se tait, tendant son quart à Minaudi pour qu'il y verse à nouveau une rasade d'alcool.

— S'ils nous attaquent, dit Minaudi en montrant les maquisards, vous retrouverez des corps allongés, comme ça, côte à côte, mais ils seront morts. Et défigurés. Les miliciens crèvent les yeux des « terroristes » — des « bandits », comme ils disent — avant de les fusiller. Si c'est ce qu'on veut à Londres...

Thorenc s'indigne. Il a déjà tant de fois abordé cette question avec Pierre Villars, avec le commandant Pascal... Les Anglais ont sans doute une préférence pour les réseaux qu'ils contrôlent, ceux qu'encadrent les officiers et les agents du Special Operations Executive, mais, surtout, tous leurs avions sont utilisés pour les bombardements de l'Allemagne et de nombreuses villes françaises afin de préparer le débarquement, le jour J.

Minaudi hausse les épaules :

— Un seul avion pourrait parachuter plusieurs dizaines de tonnes d'armes ! Il n'y a donc pas un seul bombardier disponible ?

Salgado vide son quart d'un trait, s'essuie la bouche du revers de la main. La guerre, la clandestinité, le maquis ont rudement transformé le professeur que Thorenc a rencontré à Madrid il y a maintenant plus de cinq ans.

— En fait, il y a deux stratégies, Thorenc, dit-il, et nous ne l'ignorons pas. Les uns, ceux de Londres et d'Alger, veulent que nous attendions le jour J pour agir. Nous, nous voulons harceler l'ennemi, lui abattre des hommes chaque jour, faire sauter ses dépôts de munitions, peut-être même nous emparer de régions, de villages, de villes — pourquoi pas ? C'est ça, la guerre de partisans, mais en veut-on ? Ou bien ne serait-ce pas qu'on a peur des maquisards ? Je me le demande, Thorenc, je me le demande...

Bertrand les écoute. Minaudi égrène les victoires de l'Armée rouge. Ces deux derniers mots remplissent sa bouche, font briller ses yeux. Il les prononce avec emphase. L'Armée rouge a libéré Jitomir, Smolensk, Kiev...

— Nos camarades...

Sa voix, souvent éraillée, est pleine de ferveur quand il parle de même des FTPF et de la MOI.

À Paris, presque chaque jour, dit-il, nos camarades tuent des Allemands. Ils viennent même d'abattre Julius Ritter, l'adjoint de Sauckhel, l'homme chargé d'organiser la traite des ouvriers français envoyés travailler en Allemagne.

— Ritter, vous vous rendez compte, Thorenc ? Voilà comment il faut se battre ! Ici, on désespère, on se sent inutile.

Minaudi se penche au-dessus des flammes.

— Racontez-nous un peu, demande-t-il.

Thorenc hausse les épaules. Que leur dire ? Que Catherine Peyrolles a tué Sonia Barzine, la maîtresse de Wenticht, une délatrice ?

— La Gestapo, les Allemands, répond-il, savent beaucoup de choses. Presque tout. Ils ont identifié la plupart d'entre nous. Ils doivent connaître l'emplacement des maquis.

Salgado croise les bras.

— Il y a une guerre dans la guerre, ricane-t-il. Voilà, comme en Espagne ! Et parfois on se sert de l'ennemi pour se débarrasser d'un adversaire aux côtés de qui on combat ce même ennemi...

Thorenc se lève. Il ne veut plus entendre. Il se demande si Catherine Peyrolles n'a pas déjà accouché.

Il sort de la grotte.

Le vent a tourné. Il hurle entre les falaises. Il a repoussé à coups de rafales glacées venues du nord l'humidité et les nuages du sud.

Le ciel est si clair qu'il ressemble à une plaque métallique dans laquelle on aurait serti des éclats de diamant et cet énorme disque blanc aux reflets bleutés qui éclaire le lac Noir et les falaises d'une lueur blafarde.

Minaudi sort de la grotte, le rejoint.

— Et Stephen Luber ? interroge Thorenc. Il était l'un des dirigeants de la MOI.

— Arrêté, condamné à mort, en prison au Puy, répond l'ancien sergent. Exécution d'un jour à l'autre. Peut-être l'ont-ils déjà tué, peut-être pas.

Il palpe son cou et éclate de rire :

— Mais, même déclaré mort, on peut encore s'évader !

Stephen Luber est coriace. C'est un Allemand. Si on ne le tue pas deux ou trois fois, il survivra !

Minaudi fait signe à Bertrand de s'approcher.

Il lui explique à voix basse que les camarades vont tenter de faire évader Luber. Et il est prévu que, si l'opération réussit, il se réfugiera ici.

Thorenc voudrait aussi parler de l'abbé François Vivien, emprisonné au Puy, mais il n'en a pas le temps.

Minaudi lui empoigne le bras.

— Il y a cette femme, celle qui est arrivée avec vous, et puis le docteur, dit-il. Nous avons besoin d'un médecin ici, il peut donc rester avec nous. Mais elle et surtout l'enfant : impossible ! Elle nous affaiblira. Si les Allemands nous attaquent, ils commenceront par brûler la ferme. Les Ambrosini le savent. Ils monteront ici ; Julia Ambrosini aussi : c'est une paysanne. Et les fils, Régis et Aldo, se battront comme leur père à nos côtés. Mais qu'est-ce que vous voulez que devienne une femme avec un nourrisson sur les bras ? Emmenez-les loin, Thorenc !

Minaudi fait quelques pas et s'écarte ainsi de Bertrand.

— Mais peut-être que les Allemands ou les miliciens n'attaqueront pas, peut-être est-ce nous qui descendrons dans la vallée et les harcèlerons.

Il secoue la tête.

— En tout cas, croyez-moi, Thorenc : personne n'est en sécurité ici. Il faut faire la guerre de partisans, c'est-à-dire de mouvement, ou bien choisir la dispersion.

Thorenc a envie de crier qu'il n'est pas un lieu de France où l'on puisse éviter le danger.

— Essayez de faire sortir l'enfant du pays, reprend Minaudi, ou bien confiez-le à des gens qui ne savent même pas qu'on se bat autour d'eux.

Il sourit.

— Ça existe... Ces gens-là sont même sûrement plus nombreux que nous !

Minaudi revient sur ses pas. Trapu, il se dégage de lui une telle énergie qu'on l'imagine tout d'un bloc, sans faille ; il inspire à Thorenc un sentiment de sécurité et le désir d'agir.

L'ancien sergent pose ses deux mains sur les épaules de Bertrand :

— Capitaine, dit-il comme s'il voulait que ce dernier se souvienne du printemps 40, quand ils combattaient côte à côte dans les Ardennes, puis qu'ils avaient, comme deux solitaires, conduit leur propre guerre pour éviter d'être faits prisonniers. Capitaine, il faut qu'on ait des armes, sinon on va se faire égorger. Et ces jeunes qui sont venus jusqu'ici ne méritent pas de finir comme ça.

Thorenc lui donne l'accolade.

— Je ferai tout ce que je pourrai, répond-il.

Il faut qu'il voie Pierre Villars, le commandant Pascal. Il s'engage à obtenir un parachutage pour le maquis du lac Noir.

Il commence à descendre le sentier. Minaudi, en s'éloignant, siffle *La Marseillaise*, puis *L'Internationale*.

C'est déjà l'aube quand Thorenc pénètre dans la cour de la ferme Ambrosini.

À part le piétinement des moutons dans la bergerie, tout paraît silencieux.

Il pousse la porte, et, tout à coup, ces cris, ces pleurs d'enfant qui le font frissonner de la tête aux pieds...

— 15 —

Thorenc regarde les feuillets posés au centre de la table. Il lui semble que les mots noirs séparés par des intervalles blancs sont comme autant de dalles funéraires, et les phrases dactylographiées des alignements de tombes.

— Ils nous font très mal, murmure Pierre Villars. Des arrestations, des exécutions par centaines. En un seul jour, soixante-trois en Corrèze dans une opération des SS contre un maquis.

Thorenc tend la main, prend les feuillets.

— Ils ont pénétré tous les réseaux, tous les mouvements, poursuit Villars. Ils veulent nous écraser avant le débarquement. Laval, Pétain, Darnand tiennent tous le même discours : il faut tuer !

Il parle avec une grimace de colère et de dégoût comme si les phrases qu'il rapporte le salissaient.

Pétain, explique-t-il, a incité les procureurs généraux à la sévérité : « Vous avez les honnêtes gens avec vous, vous devez agir avec autorité », a-t-il déclaré.

— Ce qui signifie : condamnez à mort, messieurs !

Pierre Villars secoue la tête et poursuit :

— Laval a été plus cynique en apostrophant les magistrats : « Si moi, je défends la France, vous avez le devoir de la défendre avec moi... Si j'ai du courage, ayez-en : quand un terroriste tue, il doit être condamné à mort ! »

Villars frappe du poing sur la table.

— En fait, il suffit d'être pris pour être exécuté — ou déporté, ce qui revient à peu près au même.

Quant à Darnand, il a été encore plus précis : « Je ne vous demande pas d'amener des gens — a-t-il précisé aux chefs de la Milice —, je vous demande de dire : Nous avons abattu des terroristes. » Et il va chercher dans les prisons nos camarades qui ont échappé au peloton, afin de les faire exécuter ou de les livrer aux Allemands. Pour ce qui concerne ces derniers, ils fusillent par dizaines presque chaque jour à Bordeaux, au Havre, à Lille, au mont Valérien.

Villars se prend la tête à deux mains.

— Une hécatombe ! murmure-t-il.

Thorenc commence à lire et trébuche aussitôt sur ce nom, cette dalle de papier : Karen Luber, la sœur de Stephen.

Il se souvient de la nuit passée avec elle dans l'appartement d'Isabelle Roclore où ils s'étaient tous deux réfugiés.

Elle a été arrêtée à Paris en même temps que Manouchian qui avait succédé à Stephen Luber à la tête des FTPF de la Main-d'œuvre immigrée. Elle s'est défendue. Elle a blessé quatre policiers français qui l'avaient poursuivie après qu'elle eut abattu un colonel allemand. On l'a cernée dans une cave où elle s'était cachée, atteinte de plusieurs balles.

Depuis plusieurs minutes, Thorenc a l'impression qu'il n'est plus assis autour de la même table que Pierre Villars, le docteur Étienne et le commandant Pascal.

Il les entend. Ils parlent de l'avenir, des comités de Libération qu'il faut créer dans chaque département, des futurs commissaires de la République qu'on va devoir choisir, des oppositions qui existent au sein du Conseil national de la Résistance, du Front national dont Pascal dit que c'est une création communiste, un paravent derrière lequel manœuvre le Parti.

Il voudrait écouter. Mais tout cela, si important, pour lequel des hommes courageux, engagés dans le même combat, se passionnent, se divisent, le laisse indifférent comme si s'interposait entre eux et lui une épaisse plaque de verre.

Il est avec Karen Luber par cette nuit de novembre 1940. Il ressent à nouveau le trouble qu'il avait éprouvé devant cette jeune femme blonde et mince, aux yeux noirs.

Il doit maintenant imaginer son corps souffrant, aux poignets serrés dans le dos malgré les blessures, les coups qu'on assène sur ses plaies pour qu'elle livre les noms de ses camarades.

Mais elle se tait.

Alors on la martyrisera encore jusqu'à ce qu'elle ne soit plus qu'une dépouille sanglante qu'on jettera dans une fosse afin qu'elle n'ait pour toute sépulture que son nom sur une feuille de papier.

Bertrand relève la tête.

Par les étroites fenêtres, il aperçoit la cour de la ferme Ambrosini.

Le soleil d'hiver étend sa lumière pâle, cet or dilué sur le bâtiment de la bergerie.

Il voit Catherine Peyrolles adossée au mur.

Elle berce son fils.

Elle ne le lui a jamais confié, se tenant à distance comme si elle avait craint qu'il ne s'en empare. Quand elle laisse l'enfant endormi dans sa chambre, elle reste assise sur une des marches de l'escalier comme pour empêcher qui que ce soit de monter.

Elle a seulement dit à Thorenc, mais sans le regarder :

— Je l'ai appelé Max.

Le nom de guerre de Jean Moulin.

Bertrand en a été paralysé, mais, à l'instant où il aurait voulu lui confier ce qu'il avait ressenti en entendant les premiers vagissements de l'enfant, puis ce qu'il éprouvait à chaque fois qu'il le voyait, elle s'était déjà éloignée de lui.

— Il faudrait, suggère le commandant Pascal, que les journaux des différents mouvements publient les dernières lettres de nos compagnons, leurs déclarations devant les juges.

Il fouille dans ses poches, sort un calepin qu'il feuillette :

— Martial Brigouleix, chef départemental de l'Armée secrète de Corrèze, fusillé au mont Valérien avec cinquante autres otages. Voici ce qu'il écrit : « Conservez un moral à la hauteur du nôtre. Que la vie sera plus belle après !... Vive la France ! »

Pascal est ému.

— Ce sont des mots qui font trembler, murmure-t-il. Même des juges allemands en sont bouleversés. Tony Ricou, de Combat Nord, a déclaré face au tribunal de Sarrebrück : « Je n'ai aucune haine contre l'Allemagne... Mais n'est-ce pas votre grand poète Schiller qui a dit : "Avant la vie, il y a l'honneur" ? » Et André Morel, le même jour, a cité Fichte : « "Devant l'occupant, restez digne et résistez..." C'est simplement ce que nous avons fait. »

Pascal tousse pour s'éclaircir la voix. Il dit qu'il a bien connu ces compagnons, et qu'il pourrait citer des dizaines d'autres phrases analogues.

— Il faut que le pays les connaisse, martèle-t-il, elles lui appartiennent. C'est notre patrimoine commun !

Thorenc reprend sa lecture. L'Organisation civile et militaire a été décimée. Lévy-Marbot se terre. C'est miracle qu'il n'ait pas été arrêté. Geneviève Villars a disparu. Delpierre a réussi à échapper aux policiers allemands, mais a été grièvement blessé.

— Nous sommes tous traqués, commente Villars. Mon frère Philippe a dû quitter Lyon. Il se cache dans un village de la Drôme. La Gestapo dispose de nos signalements, et sans la réaction immédiate, efficace de...

Il montre Thorenc, puis le docteur Étienne.

Bertrand lève la main. Il regarde Catherine Peyrolles qui va et vient maintenant dans la cour, passant et repassant devant les fenêtres, la tête de l'enfant posée sur son épaule.

— Il ne faut pas que Catherine et son fils restent ici, indique-t-il. Il faut leur trouver une cachette afin que l'enfant soit en sécurité.

Pierre Villars écarte les bras. Le docteur Étienne souligne que la ferme Ambrosini est isolée, que les chemins qui permettent de l'atteindre sont gardés par des hommes du maquis du lac Noir.

— Vous croyez qu'avec quelques fusils de chasse, une dizaine de mitraillettes et autant de revolvers, ils pourraient refouler un bataillon de SS ou plusieurs centaines de miliciens ? objecte Thorenc.

Les autres ne lui répondent pas.

Il sent que cette vérité les gêne. Ils préfèrent une fois encore évoquer avec enthousiasme le défilé, le 11 novembre, des maquisards de l'Ain qui ont pour quelques heures isolé la ville d'Oyonnax, puis parcouru les rues en uniforme, drapeau en tête, avec sa garde d'honneur. Le colonel Romans, qui les commande, a déposé une gerbe au monument aux morts. Elle avait la forme d'une croix de Lorraine et portait la mention : « Les vainqueurs de demain à ceux de 14-18. » Toute la population s'est rassemblée, a chanté *La Marseillaise* et a applaudi les maquisards.

Le commandant Pascal se lève, marche autour de la table, puis va se camper devant la cheminée.

Bien sûr, dit-il, qu'il faut mettre l'enfant de Catherine Peyrolles à l'abri, mais le maquis du lac Noir a les moyens de se défendre. Encore faut-il qu'il soit commandé par un chef militaire, et non par deux hommes courageux mais techniquement insuffisants.

Il se rapproche de la table.

— Nous sommes entre nous, reprend-il plus bas. Salgado et Minaudi sont tous deux communistes. Autant j'étais pour la collaboration loyale avec les cocos, autant je me refuse à être dirigé par eux et à leur abandonner la direction des opérations militaires, ce qui est le cas ici.

Pierre Villars se dresse, le visage empourpré.

— Vous savez ce que dit Darnand ? s'emporte-t-il avec véhémence. « Pour moi, il n'y a pas de différence, que ce soient d'anciens officiers, des communistes, des anarchistes, car dans toutes ces organisations on retrouve l'emprise communiste. Il n'y a pas de bons et de mauvais maquis. » C'est Darnand qui parle ! Que vous le vouliez ou non, pour Darnand, vous êtes aussi communiste que Salgado et Minaudi. Vous êtes un bandit, un terroriste. Mais je le sais bien : certains pensent comme vous, et la Gestapo joue là-dessus.

Le commandant se précipite sur lui en hurlant. Thorenc et Étienne s'interposent.

— Dans la région de Bordeaux, reprend Villars, ils ont promis à l'un des chefs de l'OCM de ménager certains groupes non communistes à la condition qu'on livre à la Gestapo les armes parachutées et qu'on la laisse détruire les maquis communistes. Les Allemands ont même libéré des résistants emprisonnés en échange des stocks d'armes qui avaient été constitués en vue de l'insurrection. Voilà le piège, Pascal !

Celui-ci s'avance, tend le bras. Il frémit de colère.

— Vous, Pierre Villars, je respecte votre courage. Je ne doute pas de votre patriotisme, mais je ne connais pas vos idées politiques. Vous avez été proche des communistes. Moi, j'ai été cagoulard. On le sait. Je l'affiche. Mais vous, Villars ? Nous connaissons les méthodes des communistes : on se camoufle derrière le Front national, on entre dans les mouvements, on les noyaute. Vous êtes peut-être un sous-marin du Parti, Villars ? Mais moi, si je suis pour une coopération loyale, je veux savoir où l'on va ! Je ne veux pas, demain, après la Libération, vivre dans un pays gouverné par les soviets. Car je n'oublie rien, Villars, ni le pacte germano-soviétique, ni le long sommeil des communistes — pour ne pas dire plus ! — entre 1939 et 1941.

Pascal laisse retomber son bras.

— Depuis, le sang des martyrs a recouvert tout cela, mais je vous le dis : je reste sur mes gardes, et je ne suis pas le seul. Et je vous en prie : ne me parlez pas de *pacte* avec la Gestapo !

Thorenc observe Pierre Villars dont les lèvres tremblent. Il est blême. Il dit qu'il ne répondra pas, que l'unité de la Résistance est depuis 1940 son seul objectif et qu'il se bat pour libérer la nation. Après, quand les Allemands auront été chassés, le peuple décidera du régime politique qu'il souhaite. C'est la pensée, le programme de De Gaulle auxquels Villars est fidèle. Il n'est pas de ceux qui ont choisi Giraud, les Américains, ou qui ont rendu visite aux ministres de Pétain.

— Moi non plus ! réplique le commandant.

Thorenc suit des yeux Catherine Peyrolles qui caresse, embrasse le visage de Max.

Il ne veut penser qu'à elle, qu'à cet enfant. Il n'entend pas répondre à Villars qui n'a donc pas renoncé à utiliser contre lui cette vieille calomnie, répandue par Vichy, selon laquelle il aurait négocié avec Cocherel, le plus proche collaborateur du ministre de l'Intérieur, Pucheu.

Il éprouve de la commisération, voire du mépris pour Villars et le commandant Pascal. Ce qu'ils évoquent est déjà si loin ! Ils veulent se partager l'avenir et parlent encore du début des années 40 ! Staline n'est plus l'allié de Hitler, mais le vainqueur de Stalingrad ! Pucheu ne choisit plus les otages que les Allemands vont fusiller, mais attend dans une prison d'Algérie d'être jugé. Un corps expéditionnaire français se bat aux côtés des Anglais et des Américains en Italie. Les officiers qui le commandent étaient vichystes jusqu'en novembre 1942. Et certains d'entre eux ont fait naguère ouvrir le feu sur les Américains qui débarquaient au Maroc et en Algérie.

Qui peut prévoir ce qui se passera au lendemain du jour J ? Peut-être de Gaulle, qui a réussi à évincer Giraud et à créer à Alger une Assemblée consultative, une ébauche de gouvernement, réussira-t-il à empêcher les Américains d'administrer directement la France ? Mais peut-être certains souhaiteront-ils alors l'écarter ? Et l'on pourra craindre aussi un affrontement entre résistants « rouges » et « blancs », les Français se déchirant entre eux, comme viennent de le faire devant lui Villars et Pascal. Folie ! Folie !

Thorenc baisse la tête.

— Il faut trouver un refuge pour le fils de Catherine, répète-t-il.

Il y a un long silence.

Pascal et Villars reprennent leur place autour de la table.

Le docteur Étienne murmure d'une voix accablée qu'il n'imaginait pas de telles oppositions entre des Français qui ont le même ennemi.

Puis il indique qu'en ce qui concerne Catherine et l'enfant...

Bertrand l'interrompt : nul ne veut connaître l'adresse, dit-il. Qu'il conduise en personne Catherine et Max jusqu'à ce refuge.

Villars et Pascal approuvent.

Ils se taisent longuement.

La lumière s'est retirée de la cour et la pénombre a envahi la pièce.

Les jours sont courts comme la vie en ce mois de décembre 1943.

Thorenc pense à cette lettre de Pierre Brossolette dont Villars leur a lu quelques phrases.

Il se souvient de ce journaliste qu'il a jadis côtoyé avec Delpierre dans les conférences de presse. Tous trois étaient des anciens de la rue d'Ulm. Sarcastique, rejetant souvent en arrière d'un geste prompt la mèche blanche qui partageait ses cheveux, Brossolette était sans doute le plus brillant. Il a gagné Londres, est devenu l'un des chefs du BCRA et, une nouvelle fois, est en mission à Paris.

Thorenc a le sentiment que ce qu'il écrit vaut pour tous les clandestins :

« Je te signale, pour terminer, que je suis depuis huit

jours en état de "grande alerte". Nos amis qui sont bien avec la Gestapo m'ont prévenu que celle-ci manifeste pour moi en ce moment une considération toute spéciale, comportant souricières de luxe et surveillance avec palme de vermeil. Je fais très attention. Et puis, la nuit tombe tôt. C'est d'ailleurs ce qui nous sauve tous. Si nous étions en août, nous serions tous en taule, ou contraints à l'inaction. Vive la nuit, par conséquent ! »

La porte s'ouvre.

Thorenc voit Catherine entrer, portant son fils appuyé contre sa poitrine.

Quand elle passe devant la cheminée, il a l'impression qu'elle avance au milieu des flammes.

— 16 —

Thorenc se penche en avant, rentre la tête dans les épaules comme s'il voulait que le froid qui le recouvre depuis qu'il s'est assis au bord du lit ne s'attarde pas, mais glisse vite sur sa nuque et son dos.

Il frissonne. Il s'en veut de s'être dressé d'un bond, d'avoir rejeté les couvertures. Mais il lui a semblé qu'on l'appelait.

Il écoute.

Il n'entend que le froissement feutré de la neige qui continue de tomber.

Peut-être a-t-il rêvé ? Il cherche à se souvenir.

La voix venait de la cour de la ferme Ambrosini. Elle était étouffée, comme si on voulait être entendu sans oser crier pour l'être. C'était plus une plainte, une supplication qu'un appel.

Et pourtant il a bondi, empoignant son arme posée sous le lit.

Et puis plus rien, si ce n'est cette impression que le silence s'épaissit, qu'il en devient consistant, comme si les flocons chuchotaient avant de s'entasser et d'étouffer tous les bruits.

Il ne bouge pas.

Chaque nuit, depuis que Catherine Peyrolles a quitté la ferme, il est ainsi réveillé en sursaut.

Parfois, il a cru percevoir la rumeur d'un moteur, ou bien des bruits de pas et des voix.

Il a imaginé que les SS et les miliciens encerclaient la ferme, et il a sauté hors du lit. Et puis il s'est assis, constatant une nouvelle fois qu'il avait rêvé. Il a somnolé. Il n'a pu enrayer en lui l'enchaînement des images et des pensées.

C'est à chaque fois le même déroulement.

Il se souvient d'abord des derniers communiqués entendus à la BBC, tard dans la nuit, car il monte le dernier se coucher, parfois deux ou trois heures après que Gaston Ambrosini, Régis, Aldo et enfin Julia ont quitté la pièce.

Il se lève quand le feu est éteint et que le froid le saisit.

Il se couche en n'ôtant que ses chaussures. Il cache son visage sous les couvertures. Il a l'impression qu'à manquer ainsi d'air, il réussira mieux à s'endormir, entre évanouissement et sommeil. Mais, au bout de quelques minutes, d'un geste instinctif, il rejette les couvertures et respire à fond.

Il voudrait dormir, mais ne peut chasser de son esprit ces informations, chaque jour plus inattendues : Mussolini libéré par les SS de Skorzeny, créant une République sociale dans le nord de l'Italie, ordonnant l'exécution de son propre gendre, le comte Ciano. C'est le temps des retournements des proches de Pétain, les généraux Laure et de La Porte du Theil, arrêtés, déportés, cependant que le Maréchal, impavide, continue à se promener dans les jardins de Vichy.

Puis viennent les souvenirs — toujours la même scène : Julia Ambrosini, portant le fils de Catherine Peyrolles, qui s'approche et dit :

— Vous ne l'avez jamais embrassé, notre petit Max, vous avez peur des enfants ?

Elle lui tend Max, il hésite à le saisir.

Et, tout à coup, la voix de Catherine, sèche :

— On s'en va, le docteur Étienne attend.

Elle se place entre Thorenc et Julia, prend l'enfant et s'éloigne.

— Catherine, elle sait ce qu'elle veut, souligne Julia. Est-ce qu'on les reverra ?

Julia se précipite dans la cour, serre contre elle la jeune femme et l'enfant.

Thorenc s'est avancé. Il voudrait au moins croiser le regard de Catherine, entrevoir le visage joufflu de Max, mais ils sont déjà dans la voiture qui démarre, quitte la cour.

C'est ce jour-là qu'il s'est mis à neiger.

Pierre Villars et le commandant Pascal sont partis à la

fin de l'après-midi : l'un devait regagner Paris, l'autre Marseille.

Ils ne se sont pas serré la main, Pascal s'éloignant le premier, Villars attendant qu'il ait disparu pour s'engager à son tour sur la route.

Les cimes ont blanchi, mais la terre autour de la ferme est restée d'un rouge sombre, et il a fallu plusieurs jours avant que la neige finisse de la recouvrir.

Thorenc attend le retour du docteur Étienne. Il ne peut s'empêcher d'entrer au moins une fois par jour dans la chambre qu'occupait Catherine. Il regarde ce berceau fait d'un tonneau coupé dans le sens de la longueur, dans lequel on a disposé de la paille. Il n'y a jamais vu dormir Max. Il songe que depuis la naissance de l'enfant, Catherine ne lui a pas parlé, comme si elle avait voulu nier sa présence, jusqu'à son existence même. Sur la petite table placée devant la fenêtre, il a découvert un carnet où, sur la première page, elle a écrit — recopié, sans doute — six vers :

Il y a dans chaque visage
tout le bonheur indéchiffrable
Il y a sur toutes les neiges
des mains qui s'arment de leur sang.
Il y a comme un sortilège
dans un nom de femme ou d'enfant.

Il tourne les autres pages, vierges. Et c'est comme s'il y voyait l'absence.

Il prend le carnet, le glisse dans sa poche.

Il sort comme un voleur qui s'enfuit dans la campagne enneigée.

Sur le haut plateau, autour du lac Noir, les maquisards ne quittent les grottes que pour aller chercher du bois, ou bien descendre à la ferme acheter de la farine et, de temps à autre, un mouton.

— Les gens qui ont faim, remarque Gaston Ambrosini, ils perdent la tête, ils ne savent plus ce qu'ils font.

Il dit que des fermes, sur l'autre versant du haut plateau, ont été pillées, des troupeaux décimés. Les paysans accusent les maquisards du lac Noir de les rançonner. Certains racontent qu'ils ont été taxés, qu'en échange de sacs de grain et d'animaux, on leur a donné des bons de réquisition.

Gaston Ambrosini baisse la tête.

— Il y a toujours un paysan qui pensera que c'est trop injuste, dit-il. Il voudra se venger. Et vous savez comment il le fera.

Les miliciens, les gendarmes mobiles, les GMR, les SS sillonnent les routes de la région. Ils veulent effacer le souvenir des manifestations qui, ici et là, ont eu lieu le 11 novembre 1943, et laisser partout une traînée sanglante.

Il faut que la terreur règne.

Ils disposent de renseignements précis. En cela réside la vengeance de ceux qu'on dépouille.

Allemands et miliciens attaquent les maquis à plusieurs centaines. Ils crèvent les yeux de ceux qu'ils prennent vivants, puis fusillent les maquisards, mais aussi les paysans, et, parmi ces derniers, peut-être même leur informateur.

Une nuit, un camion s'est arrêté à l'entrée de la cour. Thorenc s'est précipité dans l'escalier afin de tenter de résister, l'arme au poing, de permettre ainsi aux Ambrosini de fuir la ferme et d'aller prévenir les maquisards du lac Noir.

Puis il a entendu des voix joyeuses qui criaient les noms de Salgado et de Minaudi. Il a ouvert la porte, vu ces silhouettes s'avancer sous la neige, cependant que déjà le camion repartait.

Ils étaient une quinzaine d'hommes qui entrèrent dans la ferme. L'un d'eux s'avança vers Thorenc, s'immobilisa devant lui et dit :

— Je suis toujours vivant, et vous aussi !

Julia Ambrosini jeta des bûches dans la cheminée et les flammes éclairèrent le visage de Stephen Luber, puis celui de l'abbé François Vivien, de tous ces hommes qui s'étaient évadés deux jours auparavant de la prison du Puy.

— Soixante-dix ! s'exclama Luber.

Mais la plus grande partie avait déjà rejoint les maquis d'Auvergne, celui du mont Meynier.

Les hommes racontèrent comment l'un des gardiens de la prison était entré en contact avec la Résistance et avait fait pénétrer dans les bâtiments un groupe de sept francs-tireurs qui avaient neutralisé les GMR de garde.

Thorenc observa Stephen Luber dont le visage exprimait une violence contenue mais inquiétante. Ses cheveux rasés ne formaient plus qu'une mince pellicule blonde, presque blanche. Ses sourcils aussi avaient été rasés, si bien que ses arcades sourcilières dessinaient deux arêtes vives.

Thorenc fut d'abord surpris par le mutisme de Luber. Il essaya d'échanger quelques mots avec lui, mais l'autre détourna la tête, montrant l'abbé François Vivien.

— Vous vous portez garant de cet homme ? demanda-t-il.

— Il était emprisonné avec vous, n'est-ce pas ? répondit Thorenc avant de rappeler comment l'abbé l'avait caché chez sa propre mère.

Laure Vivien avait été arrêtée par les Allemands. Vivien avait aussi sauvé trois petites filles juives qui s'étaient réfugiées chez sa tante, Victorine Jallez.

Puis il se tut, laissant sa phrase en suspens, n'osant raconter ce qui était advenu.

— Être en prison ne prouve rien, répliqua Luber. La Gestapo introduit souvent des agents à elle dans les cellules. Ils écoutent. Ils suscitent des confidences. Parfois même, on les torture un peu pour qu'ils inspirent confiance. Les Allemands peuvent même laisser faire une évasion pour repérer les résistants, les maquis, identifier des réseaux et remonter des filières.

Bras croisés, Vivien avait écouté sans chercher à interrompre Luber ni à s'indigner des soupçons qui pesaient sur lui.

Thorenc eut un mouvement de colère. La vieille animosité qu'il nourrissait envers l'Allemand se réveillait.

Il lui tourna le dos, serra les mains de la dizaine d'hommes qui se réchauffaient devant la cheminée, buvant à petites gorgées la soupe brûlante que Julia Ambrosini leur avait servie.

Il pensa à la sœur de Stephen Luber, Karen, morte. Et il se reprocha son attitude, se souvenant de tout ce que Luber avait lui-même subi, traversé depuis une dizaine d'années, de la force qu'il lui avait fallu pour survivre, toujours pourchassé, devant se méfier de tous, n'échappant à la mort que grâce à cette vigilance, à cette dureté. Cette vie-là expliquait son cynisme, cette suspicion qu'il nourrissait en permanence à l'égard de tous.

— Votre camarade Catherine Destra, demanda-t-il en s'asseyant près de Luber, celle qui avait tiré sur le commissaire Dossi, rue de la Joliette, à Marseille, qu'est-elle devenue ?

Luber le regarda fixement :

— Nous avons finalement tué Dossi, répondit-il. Chez lui.

— Et Catherine Destra ? interrogea de nouveau Thorenc.

Luber se leva sans répondre, mais sans non plus quitter des yeux le journaliste.

Il frappa dans ses mains pour obtenir silence, dit qu'il remerciait au nom du Front national pour l'accueil qui avait été réservé aux FTPF. Ils allaient maintenant monter au maquis. Ils étaient des combattants sans uniforme, mais se montreraient encore plus disciplinés qu'une troupe régulière, et plus combatifs.

Il écarta les bras comme s'il avait voulu pousser dehors les hommes qui s'attardaient encore devant la cheminée.

Des flocons avaient été poussés par le vent à l'intérieur de la pièce.

Les hommes s'étaient agglutinés devant la porte, hésitant à sortir, mais Stephen Luber lança un « Allons, camarades ! » qui était un ordre, et tous s'enfoncèrent dans la nuit que rayait la neige.

François Vivien avait hésité. Thorenc le saisit par le bras, le tirant en arrière.

L'abbé le considéra avec étonnement.

— Vous, restez ici, murmura Bertrand.

C'était une intuition qu'il ne pouvait expliquer, mais il était sûr de devoir agir ainsi.

Luber s'était retourné. Il avait tour à tour regardé Vivien, puis Thorenc, et s'était avancé :

— Le prêtre s'est évadé avec nous. Il reste avec nous.

Vivien dégagea lentement son bras.

— Naturellement, naturellement, répéta-t-il en se dirigeant vers la porte.

Thorenc le vit s'éloigner derrière les silhouettes que la neige effaçait rapidement.

— 17 —

Thorenc se redresse. Cette fois, il n'a pas rêvé. Quelqu'un vient de l'appeler.

Il se lève, va à la fenêtre, l'ouvre.

La neige tombe dru, conférant une épaisseur grisâtre à la nuit.

Il se penche. Et, à nouveau, cette voix.

Il aperçoit enfin la silhouette devant la porte de la ferme. C'est comme un épouvantail noir qui agite les bras.

Il reconnaît l'abbé Vivien. Il lui fait signe, puis rapidement se chausse et descend.

Il veut ouvrir la porte, mais se rend compte qu'il a son revolver serré dans sa main droite. Il l'enfonce dans sa ceinture, sous son pull-over.

L'abbé entre. Il s'ébroue. Son béret et sa canadienne sont couverts de flocons. Le bas de sa soutane est boueux.

Thorenc tisonne le feu ; les braises éclairent tout à coup la pièce d'une lumière rougeâtre, puis les premières flammes jaillissent.

Vivien rejoint Bertrand devant la cheminée.

Il sourit, mais son visage est blanc ; parfois, il ferme les yeux comme s'il voulait ne plus voir.

— Ils m'ont jugé, murmure-t-il.

Thorenc le prend aux épaules, le secoue, le force à rouvrir les yeux.

— Ils m'ont condamné à mort, reprend l'abbé. Ils voulaient me fusiller. Ils m'ont finalement laissé dans une grotte. Je me suis enfui.

Vivien baisse la tête.

— Ce n'est pas pour moi ni pour ma vie..., reprend-il.

Il s'appuie des deux mains au mur surplombant la cheminée et reste ainsi, comme s'il voulait absorber toute la chaleur.

— Certains ont raconté à Stephen Luber que j'avais conduit les Allemands jusqu'à la clinique Boullier. Ils m'ont vu sur les lieux.

Il se relève, se tourne vers Thorenc.

— Ma vie est à Dieu, dit-il. Mais il y a cet autre homme, un Italien, Tornari, un maçon de Clermont-Ferrand dont ils ont dit que c'était un espion, un provocateur trotskiste.

Il écarte les mains, secoue la tête, répète, les yeux écarquillés, d'une voix effarée :

— Trotskiste ! Stephen Luber a répété que les trotskistes étaient depuis toujours les alliés des hitlériens.

Vivien s'assied lourdement sur le rebord de la cheminée et se laisse aller en avant, le front touchant presque ses genoux.

— Ils étaient trois à nous juger. Des hommes sont venus faire part de leurs soupçons. En 36 ou 37, Tornari a présidé un comité pour la défense des victimes de Staline. Tornari ne l'a pas nié, il s'est débattu, disant qu'il avait combattu les fascistes en Italie dès 1920, qu'il s'était exilé pour cela, qu'il avait été condamné à mort par contumace par un tribunal fasciste en 1926. Mais Luber a affirmé qu'on ne pouvait faire confiance à un trotskiste qui, en 1939, avait appelé les communistes à s'opposer à Staline et à l'URSS. Les trois juges ont voté la mort à main levée. Quant à moi, il y a eu une abstention, mais Luber a dit qu'un communiste ne s'abstenait jamais : c'était l'acquittement ou la condamnation. Celui qui s'était abstenu s'est donc ravisé et a voté la mort, lui aussi.

Il se lève tout à coup.

— Ils vont fusiller l'Italien, dit-il en s'accrochant à Thorenc. Il faut que nous remontions là-haut. Il faut essayer de le sauver.

Il secoue Bertrand qui l'écarte.

— S'il meurt..., murmure l'abbé.

Il se signe.

— Je ne me suis enfui que pour vous avertir, ajoute-t-il.

Thorenc ouvre la porte et se trouve face à Stephen Luber et à deux hommes armés de mitraillettes.

— Il a été jugé, dit l'Allemand en désignant le prêtre.

Bertrand hurle, bondit, prend Luber à la gorge, lui enfonce le canon de son arme dans le dos.

Il le tire vers le centre de la pièce cependant que les deux maquisards le regardent, effarés.

— Il fallait entendre mon témoignage, dit-il. Vous allez le laisser tranquille ici.

Il y a des bruits de pas. Thorenc devine que Gaston

Ambrosini et ses fils viennent de redescendre. Il leur donne l'ordre de désarmer les deux maquisards. Il menace d'abattre Stephen Luber.

Il voit Régis poser sur la table, hors de portée des deux hommes, les mitraillettes.

— Vous êtes fou ! lance-t-il à Luber. Je veux qu'on remette en liberté cet Italien. Vous n'avez pas le droit de vie ou de mort !

Stephen Luber se tourne légèrement vers lui.

Thorenc le repousse violemment, le force à s'asseoir.

L'Allemand le regarde ; son visage exprime le mépris.

— Vous êtes un aristocrate, Thorenc, lui dit-il, mais vous pensez comme un petit bourgeois. Vous ne comprenez rien à la lutte politique, aux enjeux de cette guerre.

— Libérez cet homme ! répète Thorenc.

Luber hausse les épaules.

— La sentence a été exécutée, répond-il.

C'est comme si Thorenc avait reçu un coup de dague en pleine poitrine. Il lui semble qu'il connaît tout de la vie de Tornari, qu'il peut en imaginer chaque épisode : la lutte contre les fascistes dans la plaine du Pô, les *squadristi* qui le pourchassent, l'exil, l'indignation devant les crimes de Staline et l'alliance de l'URSS avec Hitler, l'assassinat par les Soviétiques de Trotski, puis le choix de la Résistance aux nazis, l'emprisonnement au Puy, peut-être la torture, enfin l'évasion, cette bouffée d'espoir, et, brusquement, ces camarades qui deviennent des bourreaux, qui achèvent la besogne que les juges fascistes n'avaient fait qu'entamer...

Un sentiment d'injustice lui serre la gorge.

Il assène un violent coup de crosse sur la nuque de Stephen Luber qui s'affale sur la table.

Il fait signe aux deux hommes qui ont assisté à la scène, et dont les visages expriment le désarroi, qu'ils peuvent reprendre leurs armes et repartir. Ils hésitent, l'un d'eux murmure qu'ils n'ont fait qu'obéir aux ordres, mais que tout ça — de la tête, il désigne Stephen Luber — le dégoûte.

Thorenc reste un instant accablé. Il a envie de s'enfuir loin de cette barbarie.

Il regarde autour de lui. Gaston, Régis, Aldo, les deux maquisards, l'abbé Vivien ont tous les yeux rivés sur lui. Il doit agir. Il faut qu'il parle.

Il montre Luber. Qu'on le remonte au maquis, ordonne-t-il.

— Gardons nos balles pour les SS et les miliciens, ajoute-t-il. Nous en aurons grand besoin.

Il a honte de prononcer de telles évidences, mais il est surpris de l'approbation bruyante et enthousiaste qu'elles rencontrent.

Les deux maquisards s'approchent et, avant de soulever Luber, donnent l'accolade à Thorenc.

Gaston Ambrosini, puis Régis et Aldo s'approchent à leur tour, le félicitent. L'abbé Vivien, les mains croisées, prie.

Les maquisards emportent Luber.

Thorenc les suit, fait quelques pas dans la cour, regarde la neige tomber.

TROISIÈME PARTIE

— 18 —

Thorenc marche lentement dans la neige vierge qui couvre le haut plateau.

Le soleil éclaire déjà l'ellipse du lac Noir, mais n'a pas encore franchi la crête des falaises. La pénombre s'accroche à leurs parois ; cependant, Bertrand devine que les hommes sont là, devant les grottes. Ils ont allumé des feux. Les flammes éclairent leurs silhouettes et des éclats de voix roulent vers le lac, amplifiés par l'écho.

Thorenc s'arrête. Ils ne l'ont pas encore vu. Il a la tentation de rebrousser chemin, de retrouver la ferme Ambrosini, la chaleur de la grande pièce.

Ce matin, Gaston Ambrosini et l'abbé Vivien ont essayé de le convaincre de ne pas monter au lac Noir.

— Luber, c'est un Boche, a grommelé Gaston. Communiste, en plus. Il va vous tirer dessus. Ce type vous en veut, ça se sent.

L'abbé a ajouté qu'il fallait laisser à ces hommes, qui avaient jugé et tué, le temps du remords, celui qui donne conscience de la faute.

— Si vous les provoquez par votre présence, ils s'enfermeront dans leur acte.

— Ils vous tueront, a renchéri Julia Ambrosini. Et du

jour où vous n'êtes plus là, qu'est-ce qu'ils feront ? Ils deviendront des bandits !

Jacques Bouvy, qui venait d'arriver de Lyon, avait d'abord écouté en silence, puis, quand Thorenc avait quitté la ferme, il était sorti avec lui, marchant à ses côtés, imaginant de le persuader que l'exécution de cet Italien était en effet une tragédie, un scandale, mais qu'en même temps le grand fleuve des événements l'emporterait, qu'il ne fallait donc pas lui attacher trop d'importance.

Bouvy avait raconté qu'ici et là des actes semblables s'étaient produits. Dans le maquis de Saint-Rémy, le capitaine Marat avait lui aussi exécuté trois trotskistes qui s'étaient enfuis avec Luber de la prison du Puy. À Marseille, au cours d'une évasion, les communistes espagnols des FTPF avaient laissé dans leur cellule deux anarchistes, pourtant emprisonnés pour faits de Résistance. Ces comportements identiques révélaient la réalité des communistes, ils rappelaient qu'il fallait certes les surveiller, les contenir, mais, pour autant, il convenait de ne pas se laisser obnubiler par de tels actes, en définitive peu nombreux. Ils étaient douloureux, mais ne changeaient pas le sens de la guerre. De Gaulle l'avait dit : « L'enjeu est la condition humaine. »

— Et l'on commence par des meurtres ! avait objecté Thorenc.

Bouvy s'était arrêté, donnant dans un mouvement de colère un coup de pied dans le mur.

Après bientôt quatre ans de combats, s'était-il exclamé, il lui était insupportable d'entendre de tels propos !

— C'est la guerre, Thorenc ! C'est eux ou nous ! Et nous, c'est aussi Stephen Luber, Minaudi, Salgado. Nous, c'est tous ceux qui ne veulent plus des nazis, qui luttent pour la Libération, voilà ! Vous m'emmerdez, Thorenc !

Bertrand avait continué de marcher et Bouvy avait crié que si Luber l'abattait, lui, Bouvy, n'avait plus de larmes pour pleurer les morts inutiles. Il les gardait pour pleurer les vrais martyrs.

Puis il avait couru derrière Bertrand, l'empoignant par les épaules, lui demandant de réfléchir, de ne pas envenimer les relations avec les communistes.

Il y avait trop de gens à l'affût, qui n'espéraient qu'une fragmentation de la Résistance, son éclatement même. La Gestapo avait déjà habilement joué dans le Sud-Ouest avec certains chefs de l'OCM. Il fallait donc rester unis au moment même où la répression devenait plus féroce.

Bouvy avait continué de marcher, essoufflé, aux côtés de Thorenc.

Darnand, avait-il poursuivi, était devenu secrétaire d'État au Maintien de l'ordre. Il nommait les préfets, créait des cours martiales. Ses hommes venaient d'assassiner deux vieillards, Victor Basch et sa femme Hélène, parce que ce savant de quatre-vingts ans avait été président de la Ligue des droits de l'homme. Même les Allemands avaient hésité à l'abattre. Les miliciens, eux, l'avaient fait, laissant les corps des deux vieillards au bord d'une route.

Bouvy avait répété :

— Ils ont prêté serment à Hitler. Ils sont même pires que les SS !

Ils avaient commencé à encercler le maquis des Glières, celui du Vercors. Darnand avait rassemblé des centaines de miliciens, de GMR. Ils assassinaient les paysans soupçonnés d'aider les maquisards, brûlaient les fermes, tuaient les enfants, les femmes.

— Et vous voulez vous attarder sur le sort d'un trotskiste ?

Bouvy avait ricané, puis, enveloppant d'un bras les épaules de Thorenc, avait ajouté qu'il était cependant prêt à l'accompagner. Il parlerait aux maquisards du lac Noir, leur rappellerait qu'ils faisaient partie de l'armée de la Libération, qu'il y avait donc une stratégie d'ensemble, des règles à respecter.

— Si je suis avec vous, Luber n'osera pas vous abattre. Si vous êtes seul, personne ne vous défendra, et plus tard, quand on le jugera — si on le juge... —, ils seront tous solidaires ou complices, comme vous voudrez. Je vais donc avec vous, mais c'est idiot.

Thorenc s'était arrêté. Il voulait monter seul, avait-il répondu. Il entendait s'adresser seul aux maquisards.

Bouvy l'avait dévisagé :

— Après tout, s'il vous tue, c'est une autre façon de clore l'incident. Allez-y donc, Thorenc !

Il avait ajouté :

— Mais, s'il ne vous exécute pas, vous prendrez la tête du maquis du lac Noir. Au fond — son rire avait résonné dans l'aube qui se levait —, votre stratégie est risquée, mais habile.

Il avait répété :

— Allez-y, Thorenc !

Bertrand longe à présent les berges du lac Noir.

La pénombre qui dissimulait les grottes s'effondre d'un seul coup et les hommes apparaissent dans la lumière, comme brusquement entrés en scène.

Il reconnaît Salgado et Minaudi, puis, seul, en avant, Stephen Luber dont le crâne est enveloppé dans un pansement blanc.

Il devine que les hommes l'ont vu. Ils se rapprochent de Luber, l'entourent, et les éclats de voix tombent en avalanche, rebondissant sur la neige, enveloppant Thorenc.

Il s'arrête. Il distingue, partant des grottes, ce large sillon : une trace brune qui conduit à un carré de terre rouge sombre. La neige, autour, est grise et piétinée.

Ils l'ont donc tué et enfoui là.

La neige qui est tombée si dru, dans la nuit, sur la ferme Ambrosini, a épargné le haut plateau, laissant cette terre nue, ce sillon durci.

Thorenc le rejoint.

Il peut reconstituer la scène en suivant les traces de pas.

Deux hommes ont encadré, peut-être traîné l'Italien. Derrière a suivi la meute.

Il s'arrête au bord du carré de terre et reste longuement immobile, essayant d'imaginer le visage et les pensées de cet homme. L'Italien était pourtant averti des crimes perpétrés sur ordre de Staline, que ce soit en Russie ou en Espagne. Il savait quel sort avait été réservé partout aux trotskistes, y compris à leur chef, massacré à coups de piolet dans le crâne. Mais, dans les pires de ses cauchemars, il n'avait sans doute pu concevoir cette fin-là : sitôt après une évasion, avec ceux qu'il avait dû appeler ses camarades.

Thorenc les entend s'approcher. Ils ne parlent pas, mais leurs pas sont lourds dans la neige.

Il sait qu'ils sont derrière lui.

Il se retourne.

Salgado et Joseph Minaudi se tiennent au premier rang de cette trentaine d'hommes aux visages tannés.

Il aperçoit Luber à quelques pas, en retrait. Il porte à l'épaule sa mitraillette. Il peut tirer. Ils se sont si souvent opposés, depuis des années ! Qu'est-ce qu'un mort de plus ou de moins dans une guerre ?

Thorenc fait un pas en avant. Il ne voit plus les hommes.

C'est comme si le soleil avait éclaté en une myriade de facettes au milieu desquelles s'allonge l'émeraude du lac Noir.

— Ici, c'est notre maquis, commence Salgado. Nous décidons...

Thorenc lève la main puis l'abaisse lentement, montre la terre, la neige grise. Salgado s'est tu.

— Quels que soient ceux qui ont abattu cet homme, dit Bertrand, quelles que soient les circonstances de sa mort ici, et les raisons qui ont été invoquées pour le condamner, l'histoire dira qu'il est tombé victime de notre ennemi, le fascisme.

Sa voix tremble, mais les mots surgissent seuls. Ils s'ordonnent sans qu'il ait à réfléchir.

— Le fascisme, reprend-il, notre ennemi, celui que nous devons combattre ensemble, partout, y compris en nous. Il nous faut chasser le fascisme, le chasser de France et de nos têtes !

Il ne voit pas les visages.

Il recule d'un pas. Il n'est plus ébloui. Il les aperçoit, tendus vers lui, anxieux, sans hostilité.

Des mots maintenant s'entrechoquent, mais il les retient.

Il n'ose pas réciter ces vers que Catherine Peyrolles lui a lus :

Par-dessus les tyrans enroués de mutisme
Il y a la nef silencieuse de vos mains
Par-dessus l'ordre dérisoire des tyrans
Il y a l'ordre des nuées et des cieux vastes.

Il est si ému, au souvenir de la voix de Catherine, que ses lèvres tremblent.

Il répète :

— Cet homme est tombé victime de notre ennemi, le fascisme.

Il se souvient de cette phrase de De Gaulle, entendue à la BBC il y a quelques jours :

« La Résistance française, dans la nuit de son cachot, dans les ténèbres de la clandestinité, peut dire ce que disait le martyr devant le tyran : Ma nuit n'a pas d'ombre. »

Mais il y a cette terre remuée, ce corps enfoui, l'ombre de cette victime assassinée.

Cette ombre qu'il faut chasser.

Il fait un pas en avant et la lumière l'éblouit à nouveau. Il commence à chanter :

« Aux armes, citoyens !
Formez vos bataillons !... »

Rugueuses, les voix des hommes heurtent les falaises et reviennent vers lui, plus fortes.

— 19 —

Thorenc frissonne, recule d'un pas vers la paroi de la grotte, s'y appuie enfin, serre les doigts sur les aspérités de la roche comme s'il voulait s'y accrocher, s'empêcher de glisser, de tomber à genoux sur cette terre noire.

Il baisse la tête.

Régis Ambrosini est assis sur le sol près du foyer où, entre quatre grosses pierres, les bûches achèvent de se consumer ; parfois, dans un craquement, certaines se brisent, laissant apparaître une brusque et brève incandescence.

De temps à autre, Régis est secoué par un tremblement qu'il essaie de maîtriser. Il prend sa tête à deux mains, bras et jambes repliés, serrés, comprimant sa poitrine.

Puis, tout à coup, il se redresse et reprend son récit. Parfois il s'interrompt pour se recroqueviller à nouveau, étouffer le sanglot qui lui a envahi la gorge, réduisant les mots à un cri, un hoquet.

Il se calme.

Il regarde à nouveau Thorenc, puis Minaudi, Bouvy, Salgado, Stephen Luber qui forment cercle autour de lui.

Il dit :

— Ils vont tous nous tuer. Ils vont tous nous massacrer.

Il raconte une nouvelle fois, comme s'il ne pouvait supporter le silence de ceux qui l'entourent :

— On ne les a pas entendus arriver. Après, j'ai vu les deux camions au bas du chemin. Ils sont montés à pied.

Ils ont encerclé la ferme et c'est alors qu'on a entendu quelqu'un crier. On s'est levés, avec Aldo. On a reconnu la voix du docteur Étienne. Il appelait, demandait qu'on lui ouvre. On a regardé dans la cour depuis notre chambre. C'était la pleine lune. Le docteur était debout, seul. Il nous a vus et il s'est mis brusquement à gesticuler, à hurler : « C'est la Milice, c'est la Milice ! »

Régis s'interrompt, les yeux hagards. Il donne l'impression de voir le docteur Étienne, de l'entendre encore. Il ajoute qu'ils ont été si surpris, lui et son frère Aldo, qu'ils sont restés à la fenêtre et se sont penchés.

Il secoue la tête et murmure :

— Ça n'aurait servi à rien de tenter quelque chose. Le docteur, en criant, a surtout soulagé sa conscience, parce que c'est lui qui les avait conduits jusqu'ici.

Il grimace, au bord des larmes. Il ajoute :

— Je ne lui reproche rien. J'aurais peut-être même pas eu ce courage. Et puis il est mort, maintenant.

Il renifle, s'essuie les yeux avec le dos de sa main.

— Quand il a crié, il y a eu aussitôt des rafales. Ça venait du bout de la cour, de la bergerie. Le docteur Étienne est tombé. Ils se sont mis à tirer sur la façade. Ils ont crié qu'ils allaient mettre le feu à la ferme. Notre père et notre mère s'étaient levés. Mon père a dit à ma mère de se cacher à la cave. Et lui, il a ouvert la porte. Ils l'ont frappé au visage, sur les jambes, et il a dû s'agenouiller. Nous, ils nous ont poussés contre le mur, avec l'abbé Vivien. Puis ils ont trouvé ma mère et ils ont dit qu'ils allaient nous tuer si l'un d'entre nous ne montait pas au maquis dire que vous deviez vous rendre, qu'on vous laisserait la vie sauve, qu'autrement ils nous abattraient, ils brûleraient toutes les fermes, les villages qui nourrissent le maquis, et que ce seraient les SS qui donneraient l'assaut avec eux, que ça allait finir comme aux Glières : par un massacre. Ils m'ont désigné. Il faut que je sois rentré dans cinq heures. Autrement, ils les tuent. Ils m'ont dit qu'ils commenceraient par l'abbé, puis ce serait mon frère, et ensuite notre père, et la mère en dernier, pour qu'elle souffre. Ils se sont installés, ils ont commencé à tout dévaliser, à égorger les moutons...

Il parle encore, recommence comme s'il voulait n'omettre aucun détail, précisant qu'il a vu le visage du docteur Étienne couvert de plaies : ils avaient dû le torturer.

— Il a crié, je n'oublierai jamais sa voix, marmonne Régis Ambrosini.

Thorenc s'agrippe à la roche.

Étienne a-t-il aussi livré Catherine Peyrolles et Max ? Et, s'ils sont encore vivants, où se cachent-ils ? Le médecin était le seul à connaître leur refuge.

Durant quelques minutes, Bertrand n'écoute plus, ne sait plus où il se trouve.

Il se souvient que, durant ces dernières semaines, il a souvent quitté le maquis du lac Noir pour descendre à la ferme Ambrosini, espérant apercevoir dans la cour la voiture du docteur Étienne.

À chaque fois il s'est attardé, prétextant qu'il voulait écouter les communiqués de la BBC afin d'informer les maquisards de l'évolution de la guerre.

De fait, lorsqu'il rentrait au lac Noir, les hommes se rassemblaient autour de lui.

Quand il annonçait les bombardements sur Berlin, Hambourg, la Ruhr par plus de deux mille avions, ou bien l'entrée des troupes soviétiques en Pologne, en Roumanie, ou encore les sabotages, les déraillements que les cheminots avaient réalisés à Saint-Étienne, à Clermont, à Béziers, ou bien le bombardement de la prison d'Amiens qui avait permis à des dizaines de condamnés à mort de s'évader, ou la révolte des résistants emprisonnés à Eysses, il était interrompu par des cris. Les maquisards brandissaient leurs armes. Quand il évoquait les exécutions, les rafles, le suicide de Pierre Brossolette, les révoltés d'Eysses fusillés par dizaines, les assauts de la Milice et des SS contre le maquis des Glières, c'était un grondement sourd qui s'élevait ; poing levé, les hommes chantaient « *Aux armes, citoyens !* », et quelques-uns entonnaient « *C'est la lutte finale...* »

Puis ils se serraient autour de lui et disaient :

— On veut se battre, on ne peut pas laisser nos camarades se faire ainsi massacrer !

Thorenc entrait dans la grotte qui servait de poste de commandement, suivi par Luber, Salgado, Minaudi, Bouvy. Il répétait que le déséquilibre des forces était trop grand pour qu'on pût mener des opérations offensives. Il fallait même envisager de se disperser par petits groupes d'une trentaine d'hommes. Le plus souvent, Luber approuvait avec une affectation un peu méprisante.

— Le capitaine a raison, disait-il.

Minaudi se rangeait lui aussi à cet avis. Il racontait leurs combats dans la forêt des Ardennes en mai 1940. Ils n'étaient que deux, le capitaine de Thorenc et lui, mais ils en avaient tué beaucoup.

Thorenc l'interrompait, interrogeait Salgado et Bouvy qui, pour leur part, se montraient réticents.

Il fallait, disaient-ils, maintenir sur les arrières de l'ennemi des places fortes de la Résistance, obtenir des Alliés des parachutages d'armes et peut-être même de troupes, lancer un appel à la mobilisation afin que les hommes de la région affluent sur le haut plateau, puis attaquer l'ennemi qui n'oserait jamais s'aventurer sur les sentiers conduisant au plateau.

Les SS, les miliciens, les GMR l'avaient pourtant fait aux Glières, objectait Luber avec l'approbation de Thorenc.

Les jours passaient ainsi. La neige avait fondu. Le docteur Étienne ne revenait toujours pas.

Quand il avait appris l'exécution de Manouchian, le suicide de Brossolette — qui s'était précipité du cinquième étage du 84, avenue Foch, pour ne pas parler —, Bertrand s'était persuadé que le médecin avait lui aussi été pris.

Et il tentait comme il pouvait — sans y réussir — d'échapper à cette obsession, à ces images de miliciens entourant la voiture du docteur et en faisant sortir, sous la menace de leurs mitraillettes, Catherine Peyrolles avec le petit Max dans ses bras.

Il lui semblait que Philippe Henriot parlait d'eux et de lui, du maquis du lac Noir, de Pierre et de Philippe Villars quand il martelait de sa voix emphatique :

« Et maintenant, ricanez, messieurs les membres de la Résistance, messieurs les chefs de bande, messieurs les communistes, ricanez, mais vite ! Car le temps vous est mesuré. Vous êtes pris à la gorge. Nous avons en main la preuve de votre affolement et de votre désarroi. Votre capitale, Lyon, vient de voir poser, sur la patiente fourmilière du crime bolchevik, le talon de Joseph Darnand. Vos plans sont entre nos mains. Nous savons les noms de vos complices, des lâches qui jouaient sur les deux tableaux ! »

Ces mots étaient comme des éclats de métal qui blessaient Thorenc.

Chaque jour davantage il avait la certitude que les tueurs, au fur et à mesure que leur défaite approchait, qu'ils en prenaient conscience, multipliaient les crimes. C'était comme si toute l'atmosphère, jusque sur ce haut plateau balayé par le mistral et au-dessus duquel le ciel était aussi bleu que celui des fresques de la Sixtine, était empuantie par la mort.

On crevait les yeux, on arrachait les doigts rue Lauriston ; Lafont organisait des expéditions en province en compagnie de Bardet et Marabini, avec quelques dizaines de tueurs recrutés parmi les Arabes du « milieu » parisien.

À quelques rues de là, un docteur Petiot brûlait les Juifs après les avoir dévalisés, cependant que le chef de la Gestapo en France, Knochen, offrait des primes à ceux qui les dénonceraient, précisant qu'il fallait se saisir de toute la parentèle : « Les parents, les enfants, les enfants mariés, les frères et les sœurs, les frères et les sœurs mariés, les enfants en bas âge qui se trouvent dans les foyers. Pour venir les chercher dans les foyers, il est recommandé d'y emmener un parent... Il faut se servir du plus grand nombre de personnes faisant partie de la population si on veut vraiment que le territoire soit nettoyé des Juifs. »

Thorenc ressentait de l'effroi et du dégoût devant cette folie barbare qui s'était emparée du pays, de l'Europe entière, et les milliers d'êtres humains ainsi sacrifiés : mille deux cents dans les seuls bombardements de Nantes, des centaines à Rouen, à Boulogne-Billancourt...

— Si nous avions des explosifs en quantité suffisante, disait Bouvy, nous détruirions mieux et plus, et nous serions soucieux des vies françaises, alors qu'à cinq mille mètres d'altitude on lâche ses bombes n'importe où...

Pétain et Henriot tentaient d'exploiter le désespoir des victimes contre les « Anglo-Américains, les judéo-bolcheviks. » Et le dernier de proclamer : « Si tu veux que la France vive, tu combattras dans la Waffen SS ! »

Une nouvelle fois, Régis Ambrosini répète que le lieutenant de la Milice a promis la vie sauve aux maquisards qui se rendront ; sinon, les SS et les francs-gardes brûleront les fermes et les villages avant de donner l'assaut au haut plateau.

— Ils nous tueront tous ! répète-t-il.

Thorenc se détache de la paroi de la grotte. Il marche vers cette arche de ciel bleu. Il sort, regarde le lac Noir entouré de hautes herbes.

Peut-être, en descendant, apprendra-t-il ce que sont devenus Catherine et Max ?

Il se tourne. Ils sont tous là derrière lui à le dévisager, à attendre qu'il parle.

Il dit qu'il va descendre à la ferme en compagnie de Régis.

Il leur faudra mettre à profit ce temps pour organiser le repli et la dispersion du maquis. Salgado, Minaudi, Bouvy, Luber prendront chacun le commandement d'un groupe.

Il parlementera aussi longuement qu'il le pourra avec le chef de la Milice, explique-t-il, afin de permettre aux maquisards de s'éloigner le plus possible.

— Et vous ? demande Stephen Luber en s'approchant. Vous n'imaginez tout de même pas qu'ils vont tenir parole ! ajoute-t-il avec mépris.

Bertrand hausse les épaules.

Il cherche des yeux la tombe de l'Italien. Mais, à présent, la terre est partout recouverte de jeunes pousses.

Il murmure en regardant Luber :

— Qu'est-ce qu'un mort de plus dans cette guerre ?

Puis, d'un geste du bras, il montre les crêtes des falaises que dominent les cimes enneigées.

C'est vers elles que les hommes doivent marcher.

Lui commence à descendre en compagnie de Régis Ambrosini.

Arrivé au bord du haut plateau, il a l'impression que le sentier qui surplombe la vallée est suspendu en plein ciel.

— 20 —

Thorenc a croisé les bras.

Les miliciens qui l'entourent l'insultent, lui assènent des coups de crosse, enfoncent le canon de leurs armes dans son dos, ses flancs. Leurs voix sont comme des aboiements.

Il avance dans la cour.

Il découvre d'abord le corps du docteur Étienne, que flairent les chiens, puis il aperçoit Julia Ambrosini debout contre le mur de la bergerie. Son mari s'est affaissé, le visage en sang ; son fils Aldo est accroupi, les mains croisées sur la tête. L'abbé Vivien s'est appuyé au mur et prie.

Il s'arrête.

Les miliciens le bousculent, mais il ne bouge pas.

Il dit qu'il est venu pour négocier avec leur chef, qu'il ne peut accepter que des Français innocents soient maltraités. Si un accord n'est pas conclu, les forces qu'il commande attaqueront la Milice.

Il a parlé fort, comme s'il s'adressait à une foule.

Des miliciens sortent de la ferme. Certains titubent, débraillés, leur blouson noir déboutonné.

Ils s'approchent, menacent. Ils sentent le vin et l'alcool de prune. Ils disent qu'il faut pendre ce salopard par les couilles et lui faire pisser tout ce qu'il sait. L'un d'eux ajoute qu'on va d'abord lui faire rôtir les pieds.

Thorenc est calme. Il lui semble qu'il pourra résister aux coups et à la souffrance.

S'il ne lui fallait gagner le plus de temps possible, il s'élancerait vers la mort en se précipitant sur l'un des miliciens, en l'étranglant, et il faudrait le tuer pour qu'il relâche son étreinte.

Il répète sur un ton de commandement qu'il veut voir l'officier qui a souhaité le rencontrer.

On l'injurie. L'un des miliciens lui décoche un violent coup de pied dans la cheville gauche. Déséquilibré, il réussit à ne pas tomber.

Il a la certitude que, sitôt à terre, on le tuera.

Il s'indigne : les miliciens auront à rendre compte de tous leurs actes devant la justice française ! reprend-il.

Ils hurlent, le visage déformé par la fureur.

On le prend par les épaules, on le pousse vers le corps du docteur Étienne : voilà ce que vous devenez, charognes !

Il voit le visage tuméfié d'Étienne, ses arcades sourcilières ouvertes, ses lèvres tuméfiées. La mort chez lui a figé la souffrance.

Bertrand ne peut imaginer qu'Étienne ait pu livrer l'adresse de Catherine Peyrolles et de l'enfant. S'il a été arrêté, c'est après les avoir conduits à leur refuge. On l'a alors torturé. Il a résisté autant qu'il a pu, puis il a cédé et conduit les miliciens jusqu'ici.

Les miliciens essaient de forcer Thorenc à s'agenouiller près du cadavre du médecin. Il se débat et crie :

— Qui commande ici ?

Il parvient à se dégager.

Il pense que les maquisards ont dû quitter désormais le lac Noir. Ceux qui sont partis les premiers ont déjà dû atteindre le sommet des falaises et s'engager sur les sentiers conduisant vers les cimes.

Il hésite. Il pourrait bondir, essayer de désarmer l'un de ces braillards ivres, ouvrir le feu ; peut-être même Régis et Aldo pourraient-ils profiter de la fusillade pour fuir.

Il voit sortir de la ferme un homme jeune, tête nue.

Il le reconnaît : c'est le lieutenant des francs-gardes de la Milice qui les a arrêtés sur la route, près de Crest, après l'exécution de Sonia Barzine. Le milicien était presque devenu amical après voir constaté que Catherine était enceinte. Il avait même conseillé au docteur Étienne de se montrer prudent, la région, avait-il dit, étant infestée de bandits, de terroristes appartenant à la racaille judéo-bolchevik...

Il s'avance vers Thorenc :

— Je vous retrouve donc les uns après les autres !

Du bout du pied, il touche la dépouille du médecin.

— D'abord le docteur, puis vous ! Il me reste la femme, mais vous allez m'en parler. Elle est en haut, sur le plateau, avec les bandits ?

Il tourne autour de Thorenc.

— Vous vous souvenez ? Lieutenant Legal. Vous avez dû bien vous foutre de moi, non ? Mais celui-là — il donne un coup de pied au cadavre d'Étienne — a bien vite cessé de rire !

Legal approche son visage de celui de Thorenc à le toucher. L'officier empeste l'alcool.

— Vous, vous ne riez pas.

Il secoue la tête.

— Mais je ne sais pas encore si vous êtes plus intelligent que le docteur.

Legal saisit Thorenc par le col de sa canadienne. Il dit qu'il a proposé la vie sauve à tous les hommes qui se rendraient ; qu'il n'exercerait plus aucune représaille contre les habitants des villages et des fermes. Mais il exige qu'on rende les armes, qu'on révèle les caches où les containers sont entreposés, et qu'on livre le code de liaison radio avec Londres.

Thorenc demeure impassible. L'intention de Legal est claire : s'il possède le code, il pourra tenter d'obtenir des parachutages à son profit, s'approvisionner en armes, rafler l'argent et prendre au piège les éventuels envoyés de Londres. La Gestapo, ces dernières semaines, a réussi de nombreuses opérations de ce type.

— Il ne s'agit pas d'un marché, poursuit Legal d'une voix mal assurée, mais d'une capitulation.

Thorenc se dégage d'un brusque mouvement qui laisse le jeune officier surpris. Celui-ci ricane, rit, se moque de la nervosité du prisonnier :

— Si vous refusez, je vous fusille avec les autres — il montre la famille Ambrosini et l'abbé Vivien —, et demain les renforts que j'attends seront à pied d'œuvre, appuyés par la Luftwaffe.

— Et si j'accepte ? interroge Bertrand.

— Bien, bien ! répète Legal.

Thorenc devra rédiger un ordre de reddition, continue-t-il. On enverra le prêtre, escorté de deux miliciens, le porter au maquis.

— Vous, vous resterez avec ceux-là.

— Quelles garanties pour mes hommes ? demande encore Thorenc.

Il se sent si calme, maintenant. Il sait que Catherine et Max sont toujours libres.

À cette idée, il en vient à sourire. Il peut mourir ici. Il n'aura pas à se soucier de les retrouver. C'est Catherine qui, un jour, viendra dans cette ferme, avec son fils, pour lui faire découvrir les lieux de sa naissance. Et peut-être parlera-t-elle alors à Max de son père.

— Garanties, garanties..., marmonne Legal en souriant. Mais je suis français comme vous, et entre Français, on se comprend, non ?

On pousse Thorenc à l'intérieur de la grande pièce. Les meubles, le vaisselier ont été brisés. La table est encombrée de bouteilles.

On le force à s'asseoir : il faut qu'il écrive cet ordre de reddition.

Ils se pressent autour de lui.

Et tout à coup ces explosions, ces lueurs d'incendie : les deux camions garés dans la cour brûlent.

Les miliciens hurlent, se précipitent à l'extérieur. Thorenc bondit, bouscule Legal, gravit l'escalier quatre à quatre cependant qu'on lui tire dessus.

Il heurte un milicien, lui arrache son arme, le renverse, le tue. De la fenêtre de la chambre où il s'est réfugié, il tire sur les autres, les prenant à revers.

Il voit Julie et Gaston allongés côte à côte, l'abbé Vivien resté debout. Régis et Aldo luttent avec des miliciens.

Il aperçoit à l'entrée de la cour Stephen Luber et une vingtaine de maquisards qui avancent en tiraillant cependant que les miliciens qui lèvent les mains sont aussitôt abattus.

Legal crie qu'il est officier français.

Thorenc entend Luber donner l'ordre de cesser le feu.

Il descend dans la cour. Legal échappe à ses gardiens, se précipite vers lui :

— Vous êtes officier français comme moi, nous avions conclu un accord ! hurle-t-il.

Bertrand détourne la tête.

Il aperçoit l'abbé qui bénit chaque mort.

Il voit Régis et Aldo agenouillés près des corps de leurs parents.

Il regarde Stephen Luber.

— Les camarades de mon groupe n'ont pas voulu vous abandonner, explique ce dernier.

Il sourit et ajoute :

— Je ne vous aime pas. Mais vous êtes un bon officier, et les hommes vous estiment.

Thorenc désigne trois hommes, et, d'un mouvement de tête, montre le lieutenant Legal.

Il s'avance vers lui.

— Pour trahison et assassinat, vous êtes condamné à mort. La sentence sera immédiatement exécutée.

Le visage de Legal s'est vidé de son sang. Il fait effort

pour rester debout, puis s'affaisse. On le traîne dans un coin de la cour.

La salve déchire d'un claquement bref le ciel impassiblement bleu.

— 21 —

Thorenc s'est approché du bord de la falaise et a contemplé les bouquets jaunes et rouges des incendies qui jalonnent les chemins et sentiers conduisant de la vallée au plateau et au lac Noir.

Cette faible lueur déjà fanée que la fumée et la nuit étouffent, c'est la ferme Ambrosini qui achève de brûler.

Ces grandes gerbes couronnées d'étincelles qui montent jusqu'aux étoiles comme des pétales poussés par le vent, ce sont les villages de Foucasse et de Balmas, et ces flammes torsadées qui grimpent le long des versants, ce sont les mas Ardisson et Malaussène, les bastides Gaubert et Panis.

Il ferme les yeux, accablé par un sentiment d'impuissance et presque de honte. Ils n'ont pu empêcher que toutes ces vies soient réduites en cendres. Combien de corps d'enfants, de femmes, de vieillards dans ces bâtiments en proie aux flammes ? Combien de jeunes hommes pendus, crucifiés, martyrisés, enfermés dans les bergeries qu'on allait arroser d'essence avant d'y lancer une grenade ?

Toute la journée, il a entendu les explosions. Parfois, un coup de vent les rendait si proches que tous les hommes se retournaient, mais, le plus souvent, ce n'était qu'un chapelet de rumeurs sourdes et lointaines, et il était difficile de repérer les fumées qui se mêlaient aux brumes de la journée. Et puis la nuit était venue et ils avaient découvert ces brasiers qui incendiaient tout l'horizon.

Thorenc n'avait pas osé regarder Régis et Aldo Ambrosini.

Ils avaient déjà dû ensevelir les corps de leurs parents dans une fosse creusée à la hâte au bord du sentier. L'abbé Vivien s'était agenouillé auprès d'eux, mais Luber avait donné l'ordre de reprendre la marche alors que les fils continuaient de poser de grosses pierres sur la mince couche de terre.

Thorenc avait incité les deux frères et l'abbé à suivre Luber, et il avait marché en queue de colonne, se retournant vers ce tumulus sur lequel on n'avait même pas eu le temps de dresser une croix.

Car les SS et les miliciens étaient à quelques centaines de mètres en contrebas. On entendait leurs voix, allemandes et françaises mêlées, et les moteurs qui peinaient sur les chemins raides creusés d'ornières.

— Ils vont brûler la ferme, avait murmuré Régis.

— On aurait dû libérer les moutons, avait ajouté Aldo.

Il s'était arrêté, puis retourné comme s'il avait voulu rebrousser chemin, mais Thorenc l'avait poussé, demandant aux deux frères de prendre la tête de la colonne, de la guider au-delà du lac Noir, vers les crêtes des falaises, et plus loin encore, là où SS et miliciens ne pourraient s'aventurer.

Disant cela, il avait recommencé à avoir honte.

Ils allaient abandonner à la fureur des barbares ces paysans qui les avaient accueillis, nourris, et même ceux qui avaient refusé de leur venir en aide seraient emportés. Lorsqu'ils découvriraient dans la cour de la ferme Ambrosini leurs camarades morts, les miliciens, aveuglés par la haine, massacreraient tout ce qui vivait alentour, bêtes et gens. C'est la vie, tout simplement la vie qu'ils voudraient annihiler.

Quand donc cela se terminerait-il, quand donc cesserait-il d'être réduit à l'impuissance ?

Ces questions, comme une fatigue pernicieuse, n'avaient cessé de tourmenter Thorenc pendant la marche.

Plusieurs fois il avait laissé la colonne de maquisards le distancer pour rester seul à regarder ce paysage où, comme de gros blocs quadrangulaires, se détachaient les fermes et les bastides, et, sur des ressauts de terrain, pareils à une accumulation de rochers, quelques villages haut perchés.

Peut-être fallait-il, pour empêcher leur destruction et sauver ainsi leurs habitants, attirer les SS, les affronter afin que leur fureur se dirigeât contre des combattants ?

Il s'était mis à courir et avait rejoint Luber qui marchait derrière les frères Ambrosini.

Haletant, il avait commencé à argumenter : on ne pouvait abandonner les paysans, avait-il répété. On devait attaquer les SS et la Milice.

Luber lui avait jeté un bref regard, puis avait montré le ciel.

Depuis quelques minutes, un avion d'observation de la Luftwaffe survolait le haut plateau à basse altitude.

Luber avait fait non de la tête. Déséquilibre des forces, avait-il dit, reprenant l'expression même qu'avait souvent employée Thorenc dans ses discussions avec Bouvy et Salgado.

Puis il s'était arrêté, laissant passer la colonne, et avait fait face à Thorenc qui s'était immobilisé près de lui sur le bord du sentier.

— Ce sont mes hommes, avait-il dit. Je les commande. Ils m'obéissent. Si quelqu'un, quel qu'il soit, conteste mes ordres, je l'abats. Et mes ordres sont de se replier au plus vite, sans se faire repérer.

Luber s'était remis à marcher, lançant encore à Thorenc qu'on avait déjà perdu beaucoup de temps et pris des risques excessifs en attaquant la ferme Ambrosini.

— On vous en a sorti, avait-il ajouté. On leur a tué une vingtaine d'hommes, on a récupéré des armes : action utile, donc, mais maintenant on décroche !

Il s'était retourné pour expliquer :

— Vous ne comprendrez jamais, Thorenc, que l'homme seul ne pèse pas. Il n'est jamais que la pièce d'une machine, et c'est la machine qui doit compter au premier chef. Il faut qu'elle tourne. Et s'il faut pour cela briser une pièce qui grippe, je n'hésite jamais. J'ai fait fusiller l'Italien, je n'en ai aucun regret. Le prêtre s'est enfui, mais il marche maintenant avec nous. Il ne me dérange plus. La machine tourne. Je n'ai pas de haine personnelle, Thorenc. Je ne vous aime pas, vous le savez. Et ce, depuis longtemps. Mais je vous ai sauvé la vie. La machine, la machine, Thorenc ! Mais, si vous faites le con, si vous nous retardez, si vous risquez de nous faire repérer — il avait à nouveau montré l'avion qui passait au-dessus d'eux avec un bruit de crécelle —, je vous tue.

Il s'était éloigné et Bertrand l'avait suivi.

Ils avaient marché jusqu'à ce que la nuit tombe et qu'apparaissent les lueurs des incendies.

— 22 —

Thorenc aperçoit derrière les rideaux de fine dentelle blanche les branches bourgeonnantes des platanes.

Durant quelques secondes, il n'écoute plus Pierre Villars, comme si toute son attention était retenue par le mouvement léger de ces feuilles vert pâle au-delà desquelles on devine, telle une tenture de fond de scène, le rose et l'ocre des façades de Vaison-la-Romaine.

Il est surpris : Villars vient de s'interrompre. Il tourne la tête. L'autre le fixe, murmure qu'il souhaiterait qu'on mesure l'importance que revêt cette période décisive, où, à quelques mois de la Libération de la France, alors même que la Gestapo porte des coups effroyables à la Résistance — « Oui, je dis effroyables, et j'y reviendrai » —, le Conseil national adopte un programme d'action qui engage tous les mouvements et tous les partis.

Villars étend les mains au-dessus des feuillets placés devant lui sur cette table au plateau de marbre et aux pieds en fer forgé.

Il reprend sa lecture :

— « Née de la volonté ardente des Français de refuser la défaite, la Résistance n'a pas d'autre raison d'être que la lutte quotidienne sans cesse intensifiée... »

Il s'arrête, interroge du regard Thorenc, Jacques Bouvy, le commandant Pascal, puis, face à leur silence, secoue la tête.

— Cette mission de combat ne doit pas prendre fin à la Libération, dit-il.

Tout à coup, Thorenc ne peut plus écouter, rester assis dans cette pièce exiguë. Il se lève, va jusqu'à la porte-fenêtre, écarte les rideaux.

L'étroite terrasse donne sur la place de Montfort où les platanes commencent à se couvrir de bourgeons.

Il hésite, puis ouvre les deux battants et va s'appuyer entre deux jarres, à la rambarde.

Sur le gravier jaune des bords de la place, des hommes jouent aux boules.

D'autres, la casquette baissée sur les yeux, sont attablés à la terrasse d'un café.

Thorenc a un sentiment de vertige.

Il se retourne, voit Villars ranger ses papiers, Bouvy et le commandant Pascal chuchoter, assis dans un coin de la pièce, penchés l'un vers l'autre.

Pascal doit raconter ce qu'il a vu à Nîmes en traversant la ville à bicyclette, alors qu'il se rendait chez le camarade qui devait le conduire jusqu'ici, à ce rendez-vous de Vaison-la-Romaine.

Lorsqu'il est arrivé dans l'appartement, Thorenc était seul et le commandant s'est mis aussitôt à parler, et il doit maintenant décrire à nouveau cette route à la sortie de

Nîmes, ces grands arbres auxquels les Allemands avaient pendu plusieurs résistants ; plus loin, six autres patriotes avaient été précipités dans le vide du haut d'un viaduc, leur cou serré dans une corde attachée au parapet.

Leurs cadavres se balançaient sur le tablier du pont, heurtés par les toits des camions ou des cars qui passaient.

Thorenc étreint la rambarde comme pour se maintenir en équilibre.

Il a l'impression que, depuis qu'il a quitté le groupe de Luber, se faufilant, guidé par Régis Ambrosini, entre les patrouilles allemandes, il titube, comme quelqu'un qui sort des ténèbres et se retrouve brusquement face à une lumière aveuglante.

La nuit enveloppe le récit de ce paysan chez qui ils se sont cachés.

Il a vu ce qui s'était passé au village de Balmas. Les hommes de Lafont avaient encerclé le hameau, puis rassemblé les hommes, les rouant de coups, tuant tous ceux qui protestaient. Ils avaient violé les femmes et même les plus jeunes des filles. Ils avaient saccagé, pillé, puis incendié certaines maisons. Lafont était en uniforme allemand, il paradait devant ses hommes, des Français et des Arabes. Quand la bande de la rue Lauriston était partie, des Russes étaient arrivés. Ils avaient paru dépités de ne pas être les premiers à violer, à voler, à torturer et à tuer. Ils avaient vidé les caves oubliées par les hommes de Lafont, puis avaient achevé de brûler le village.

C'était cela, la nuit, et toutes ces journées passées sur les cimes, dans les grottes, pour échapper à l'encerclement.

La nuit, c'était encore la souffrance de Régis et d'Aldo,

la manière dont ils s'appuyaient l'un sur l'autre comme deux blessés qui se soutiennent.

Puis, le pont sur l'Ouvèze passé, Thorenc avait eu le sentiment qu'il perdait pied dans cette campagne paisible, sur ces routes désertes, blanches, au milieu des alignements verdoyants du vignoble.

La nuit qu'il venait de vivre, longue de près de deux semaines, à franchir des crêtes, à s'enfoncer dans des gorges, à s'arracher la peau des mains aux aspérités du calcaire, lui avait semblé appartenir à un autre univers, aussi éloigné de la campagne de Vaison-la-Romaine que la Vistule peut l'être de l'Ouvèze.

Et qui se souciait ici du sort des Polonais, des Juifs, de Julia et Gaston Ambrosini ? Il s'était senti étranger à cette vie qu'il découvrait si normale, si terriblement tranquille.

Dans Vaison-la-Romaine, en gagnant la place de Montfort, il avait aperçu des miliciens qui ne semblaient être que des jeunes gens dévoyés, turbulents, qui avaient endossé cet uniforme pour commettre sans danger quelques délits, mais que la menace d'une paire de claques aurait suffi à faire trembler.

Et pourtant, leurs semblables avaient assassiné Victor et Hélène Basch, Julia et Gaston Ambrosini, les mêmes avaient brûlé fermes et villages.

Place de Montfort, ils bavardaient sous les platanes en bourgeons, le regard un brin insolent, suivant d'un œil méprisant Thorenc qui, d'un pas lent, s'était dirigé vers cette maison où il devait retrouver Pierre Villars, Jacques Bouvy et le commandant Pascal.

Il quitte la terrasse, rentre à l'intérieur de la pièce.

Pierre Villars a croisé les bras. Il se lève en repoussant

brusquement sa chaise et va refermer la porte-fenêtre. Il se rassied.

— J'ai dit que les Allemands nous ont porté des coups effroyables.

Il se tourne vers Thorenc, puis Bouvy :

— Il y a d'abord les maquisards des Glières qui n'ont pas pu se dégager à temps. Ils ont tenu neuf jours : deux cents morts, cent soixante prisonniers. On imagine quel sort leur a été réservé.

Il frappe du poing sur la table.

— C'est une leçon à la fois héroïque et tragique. Vous avez eu raison de vous disperser.

Tout en se dirigeant à nouveau vers la porte-fenêtre, Thorenc murmure que les paysans, les villageois de Balmas ont payé cher pour les hommes du maquis du lac Noir.

— Aux Glières, ils ont payé aussi, réplique Pierre Villars. Mais, de surcroît, nous avons perdu de jeunes combattants, des chefs exemplaires : le lieutenant Tom Morel, le capitaine Anjot, sans compter les tonnes d'armes parachutées trop tard et dont les Allemands se sont emparés.

— Il ne faut plus..., commence Thorenc.

Il voudrait dire que la stratégie des places fortes ne peut conduire qu'à l'échec, mais il se tait.

Est-ce qu'on est jamais maître du sens des événements ? Ils s'enchaînent. Comment mesurer à l'avance leurs conséquences ?

Le chef du maquis de l'Ain, dont Pierre Villars rapporte l'analyse, estime que les combats des Glières ont été « une défaite des armes et une victoire des âmes ».

Peut-être est-on en effet parvenu à ce moment où la mort aide à faire naître la vie ?

Thorenc s'appuie à la porte-fenêtre, écoute à nouveau Pierre Villars selon qui le déchaînement des Allemands et de la Milice s'explique par la proximité même du débarquement allié en France.

Le commandant de la police militaire allemande, poursuit-il, a déjà fait diffuser à toutes ses unités des instructions prévoyant, en cas d'opérations militaires sur le sol français, l'arrestation de tous les suspects, la mobilisation de la Milice, l'interdiction pour la population civile de quitter son domicile sans l'ordre des autorités allemandes.

— L'heure de l'affrontement général approche. C'est pourquoi ils frappent à coups redoublés, ajoute-t-il.

Il se tait longuement, ferme à demi les yeux, puis, d'une voix calme, énumère les noms de tous les résistants arrêtés, certains torturés, morts ; d'autres déportés, comme Brigitte Friang, Claude Bourdet...

Il s'interrompt à nouveau, ajoute :

— Ils ont aussi pris Philippe.

Et, comme s'il avait craint de n'être pas compris, il reprend :

— Mon frère, Philippe Villars.

Il se lève et, d'une voix raffermie :

— Mais les sabotages du réseau ferré continuent.

Il montre sa sacoche :

— J'ai ici la liste des dizaines de déraillements qui ont provoqué des centaines de morts parmi les troupes allemandes. Ils frappent, mais nous frappons désormais aussi fort. À Clermont-Ferrand...

Thorenc se souvient de Martine et Gabriel Morand. Ont-ils survécu ?

— À la suite de l'attaque d'un détachement de troupes allemandes, place de la Poterne, continue Villars, la Gestapo et la Milice ont procédé à plus de trois cents arrestations. Plusieurs de ces personnes ont été fusillées.

— Qui ? interroge Bertrand.

Villars le regarde avec étonnement, hausse les épaules sans répondre.

Il se dirige vers la porte.

— Nous avons exécuté Cocherel, qui fut l'adjoint de Pucheu, ajoute-t-il sur le seuil. Pucheu a été condamné à mort et fusillé à Alger.

Il fait signe à Thorenc de le rejoindre dans l'entrée. Il le prend aux épaules.

Thorenc ne veut pas écouter. Il secoue la tête. Il fait un pas en arrière pour se dégager cependant que Pierre Villars laisse lentement retomber ses bras.

— Ils l'ont arrêtée à Lyon, murmure-t-il. Nous savons qu'elle a été interrogée par Wenticht à l'École de santé militaire. Elle a commis l'imprudence de retourner chez elle, rue du Plâtre. Ils continuaient à surveiller l'appartement.

Thorenc a l'impression d'entendre la voix de Catherine Peyrolles. Il écrase ses tempes entre ses paumes.

— Vous tenez le coup, n'est-ce pas ? demande Villars.

Thorenc le regarde.

— Son fils ? murmure-t-il.

Villars fait une grimace :

— Elle était seule.

Max vit !

— Ils l'ont gardée quelques jours à la prison de Montluc, poursuit Pierre Villars. Elle a été déportée il y a trois jours.

Il faut que Catherine vive !

Thorenc a quitté le premier la maison de la place de Montfort.

Les joueurs de boules continuent de s'interpeller en riant sous le regard des jeunes miliciens qui commentent la partie.

Il passe près d'eux. Il est armé. Il pourrait les abattre.

Mais il s'éloigne.

Il longe les ruines du forum et des thermes.

Il s'arrête, regarde les pavés usés de la voie romaine qui va, droite, entre les colonnes renversées, vers le soleil inchangé.

QUATRIÈME PARTIE

— 23 —

Thorenc s'était assis dans la partie la plus sombre de la salle et avait cherché à lire sur le visage et dans le regard des hommes et des femmes attablés l'annonce de sa propre mort.

La nuit avait commencé à ensevelir la place Saint-Jean et le café n'était éclairé que par quelques appliques qui diffusaient une lumière bleutée.

Il s'était courbé, les poignets appuyés au rebord de la table, puis, cachant sa main droite, il avait pris son arme dans la poche de son imperméable et l'avait glissée sous sa ceinture, laissant sa main plaquée contre la crosse.

Mais le contact du métal contre sa paume, le poids et la rigidité du revolver qui s'enfonçait contre son ventre ne l'avaient pas pour autant rassuré.

Il avait peur depuis qu'il était arrivé à Lyon.

Trop d'ombres, dans cette ville, et comment aurait-il pu ne pas les rejoindre alors que Klaus Wenticht avait doublé le montant de la prime versée à tous ceux qui fourniraient des renseignements sur le dénommé Bertrand Renaud de Thorenc, assassin, terroriste, condamné à mort par contumace ?

Jacques Bouvy, qui l'avait accueilli en gare de Perrache, lui avait appris cela. Bertrand n'avait émis aucun commentaire, mais il avait eu aussitôt l'impression qu'il s'était sciemment précipité dans la nasse.

Il avait écouté Bouvy tout en scrutant les visages.

C'était une cour martiale qui avait prononcé le jugement, l'une de celles qu'avait créées le secrétaire d'État au Maintien de l'ordre, Darnand, le Waffen SS, avait expliqué Bouvy.

Ce jour-là, en moins d'une heure, elle avait envoyé à la mort une dizaine de jeunes maquisards faits prisonniers dans les massifs au-dessus de Clermont-Ferrand.

Thorenc avait pensé au maquis de Meynier, au capitaine Marat, aux petites filles, à Catherine et donc à Max.

Max, Max...

Les maquisards, avait continué Bouvy, avaient refusé qu'on leur bande les yeux. Ils avaient entonné *La Marseillaise* et avaient été fusillés deux par deux, en se tenant par la main.

C'étaient les gardes mobiles qui avaient fourni le peloton d'exécution. Une centaine de miliciens avaient assisté à cet assassinat collectif. Certains s'étaient évanouis.

— La racaille est lâche, avait murmuré Bouvy.

Puis, alors qu'ils longeaient le cours Charlemagne, se dirigeant vers l'appartement où Thorenc devait se cacher, cours Suchet, Bouvy avait ajouté :

— Ils vous cherchent, Thorenc. Des hommes de la rue Lauriston sont à Lyon. Ils vous connaissent. Ne sortez pas. Et, dès que vous le pourrez, partez pour Alger. Vous reviendrez dans quelques semaines, au moment du débarquement.

Mais c'étaient des ombres qui l'appelaient à Lyon : le souvenir des Villars, du docteur Étienne, de Catherine Peyrolles et de Max...

Il avait imaginé que Catherine et le docteur Étienne avaient trouvé dans cette ville un refuge pour l'enfant. Et il avait cru qu'il pourrait l'y retrouver.

Il avait rôdé cours Gambetta et rue du Plâtre. Il avait interrogé les dominicains du couvent Fra Angelico.

Il avait pris des risques, mais entendait forcer le hasard.

Alors il avait arpenté la ville, bafouant les conseils de prudence que Bouvy lui avait prodigués.

Il ne devait sortir qu'à la nuit tombée, éviter les quartiers du centre, se méfier des passants, lui avait répété ce dernier.

Wenticht avait en effet encore perfectionné sa méthode. Ses indicateurs, souvent des physionomistes, ne recherchaient qu'un nombre limité de résistants, pas plus de cinq par agent.

Il fallait se méfier des femmes qui, en vous voyant, sortaient leur poudrier : elles pouvaient y avoir dissimulé des photos.

Il fallait surveiller les hommes qui se découvraient et regardaient à l'intérieur de leur chapeau : souvent, ils y avaient collé les portraits des suspects qu'ils étaient chargés de repérer.

Les premiers jours, Thorenc avait réussi à contenir son angoisse. La volonté de trouver une piste susceptible de le conduire jusqu'à Max l'obsédait. Puis la peur, se nourrissant de la déception et du désespoir, avait été la plus forte.

Max était perdu, peut-être même l'avait-on tué sous les yeux de Catherine.

Car les SS et les miliciens étaient capables de cela.

Il ne se passait pas de jours qu'on ne retrouvât des résistants assassinés, le plus souvent par les francs-gardes de Darnand.

Certains avaient le visage emporté : leurs tortionnaires accrochaient à leur cou une grenade, et l'on découvrait leurs corps mutilés au bord des routes, sur les places ou en pleine rue.

Apprenant ces faits, Thorenc avait le sentiment d'être écartelé.

Chaque nuit, dans l'appartement du cours Suchet, il écoutait la BBC. Aussitôt, c'était l'espoir qui s'avançait. Le débarquement était officiellement annoncé pour les semaines à venir.

« Préparez-vous à servir de guides aux troupes alliées après le débarquement », répétait à chaque émission le speaker.

« Observez les mouvements de l'ennemi, ajoutait-il, et soyez prêts à nous les faire connaître. »

Les messages personnels à l'intention des mouvements de Résistance se succédaient par dizaines avant même que l'on donnât lecture des informations. Et cela, expliquait-on, « en raison des événements capitaux qui se préparent ».

Le débarquement, ce rêve, ce mirage était donc à portée de regard, mais survivrait-il, lui, Thorenc, jusqu'à ce jour-là ?

Il essayait de repousser cette peur qui était aussi l'intuition qu'il ne saurait échapper au sort de ceux qu'il avait côtoyés et qui avaient déjà disparu : les Villars, Étienne, Catherine...

Il ne voulait plus entendre leurs noms.

Il se penchait sur le poste de radio.

Le général Kœnig, annonçait-on, celui de Bir Hakeim, prenait la tête des Forces françaises de l'intérieur. Les sabotages se multipliaient.

De Gaulle, chef du Gouvernement provisoire de la République française, parlait avec une assurance, une flamme qui faisaient oublier à Thorenc l'odeur de moisi, la poussière, les murs suintants, les vitres couvertes de suie de cette chambre où il ne réussissait pas à dormir.

Ces mots entendus chassaient même la peur. Ils claquaient comme un drapeau.

Était-il concevable que la nuit finisse, qu'on puisse dire : « Le 1er mai 1944, dernier 1er mai célébré dans la honte de l'invasion » ? Et que de Gaulle donne « rendez-vous au peuple de France sur la Canebière, à Marseille, sur la place Bellecour, à Lyon, sur la Grand-Place, à Lille, sur la place de Broglie, à Strasbourg, ou dans n'importe lequel de nos villages une fois délivré, ou enfin quelque part entre l'Arc de triomphe de l'Étoile et Notre-Dame de Paris » ?

Ces mots le faisaient trembler d'émotion.

Il jugeait dérisoires et méprisables les piètres chevrotements d'un Pétain qui s'en allait, sous la protection allemande, parler à Paris, à Rouen, à Dijon, afin de répandre ses larmes hypocrites sur les victimes des bombardements anglais et américains.

Le Maréchal qui osait dire :

« Quand la tragédie actuelle aura pris fin et que, grâce à la défense du continent par l'Allemagne, et aux efforts unis de l'Europe, notre civilisation sera définitivement à l'abri du danger que fait peser sur elle le bolchevisme, l'heure viendra où la France retrouvera sa place. »

Thorenc s'indignait : « la défense du continent par l'Allemagne » ! Et Pétain tenait ces propos au moment où, chaque jour, des patriotes étaient fusillés, où, pour se venger du déraillement d'un train, les SS tuaient des dizaines d'otages à Ascq !

Il aurait aimé pouvoir marcher de long en large dans cette chambre, augmenter le volume de l'émission, crier de joie ou de colère. Mais il devait se contenter, pour ne pas être entendu des voisins, de rester assis, l'oreille collée au haut-parleur. Il levait les bras de joie quand la BBC annonçait la victoire du corps expéditionnaire français en Italie, sur le Garigliano, ou bien les actions des maquisards, et qu'elle invitait à préparer l'« insurrection nationale ». Il brandissait les poings lorsque, écoutant Radio Paris, il entendait Philippe Henriot dire que « la bataille qui se déroule dans le monde se joue entre deux formes de gouvernement, le bolchevisme et le fascisme, et [que] la démocratie n'est que l'antichambre du bolchevisme » ; ou rendre compte de la constitution d'un « Comité français des Waffen SS, animé par Marcel Déat, Paul Marion, Jacques Doriot et Philippe Henriot »...

Parfois, à l'aube, alors qu'il somnolait devant la radio, Bouvy arrivait, apportant un projet de communiqué des Mouvements unis de Résistance, du Front national, de la CGT, du Parti communiste, qu'il s'agissait de transmettre à l'imprimeur.

« Les patriotes doivent s'unir, s'armer et se battre ! » lisait Thorenc.

Bouvy déposait sur la table des courriers qu'il fallait faire parvenir aux différents responsables afin qu'ils approuvent les plans Vert, Bleu, Violet, Bibendum, organisant le sabotage des voies ferrées, des lignes électriques et téléphoniques, et prévoyant des actions de retardement des divisions allemandes de panzers qui ne manqueraient pas de se porter sur les lieux du débarquement.

DÉBARQUEMENT !

Ce mot, Thorenc le répétait, et Bouvy le murmurait en hochant la tête.

— Il y a quatre ans..., commençait-il.

Ils s'entre-regardaient : si longues, ces années, et si rapide, le renversement des choses, de la défaite et de l'isolement à la victoire et au retournement de tous ces hauts fonctionnaires, policiers et magistrats, qui se découvraient du jour au lendemain résistants !

Ils en riaient.

Puis Bouvy baissait la tête et, d'une voix tout à coup monocorde, chuchotait les noms de ceux qui étaient tombés, ces derniers jours, dénoncés le plus souvent.

Il ajoutait que les Allemands avaient commencé à attaquer le maquis du Vercors et celui du mont Mouchet, dans le Massif central. Si on ne les aidait pas, les maquisards seraient exterminés comme l'avaient été ceux des Glières.

Thorenc se sentait à nouveau entraîné par l'angoisse vers cette intuition, cette certitude, même : qu'il allait lui aussi ne pas tarder à rejoindre les ombres.

— Ils ont pris Pontcarral, l'un des principaux responsables militaires de l'Armée secrète, avait poursuivi Bouvy.

Il avait relevé la tête et ajouté :

— Jacques Bingen, le délégué général de Londres, s'est suicidé.

Thorenc s'était assis près de Bouvy sur le bord du lit.

Après Delestraint, après Moulin, après Brossolette, c'était comme si une malédiction s'abattait sur ceux qui exerçaient les responsabilités les plus hautes.

Bouvy avait sorti de sa poche deux feuillets qu'il avait déposés sur les genoux de Thorenc.

Il avait murmuré :

— Lisez, puis détruisez. J'en ai pris copie. C'est le testament de Bingen. Les conditions de son arrestation sont aussi troubles que dans le cas de Max. Lisez !

Bouvy s'était levé, rappelant que le rendez-vous avec le

commandant Pascal était fixé au café de l'Église, place Saint-Jean.

Thorenc prend les deux feuillets. Oui, il a bel et bien basculé déjà du côté des ombres.

Il commence à lire :

« *Le 14 avril 1944*. J'écris ce soir ces quelques pages parce que, pour la première fois, je me sens réellement menacé, et qu'en tout cas les semaines à venir vont apporter sans doute au pays tout entier, et certainement à nous, une grande, sanglante et, je l'espère, merveilleuse aventure...

« Au cas où, après la Libération, je ne pourrais me faire entendre, je veux que ce papier apporte à quelques-uns le "point" de certaines de mes réflexions récentes ou actuelles... »

Thorenc est si ému qu'il interrompt sa lecture.

Il n'a pas connu Jacques Bingen. Il sait seulement ce qu'a été le courage de cet homme, choisissant, comme l'ont fait Moulin, Passy, Brossolette et tant d'autres, d'être parachuté en France, tissant la trame entre les mouvements afin de constituer cette Résistance unie, présente en chaque point du territoire, observant et harcelant l'ennemi, prête à tous les sacrifices pour le chasser hors de France.

« Aucune souffrance, poursuit Bingen, ne pourra jamais retirer l'acquis de la joie de vivre que je viens d'éprouver si longtemps. »

Bertrand cesse à nouveau de lire.

Il imagine Jacques Bingen, interpellé à cinq heures trente, ce matin du 13 mai 1944, alors qu'il sortait de la gare de Clermont-Ferrand où il avait passé la nuit dans un de ces wagons-lits que la SNCF louait aux voyageurs comme des chambres d'hôtel.

Les quatre agents allemands l'ont conduit au siège de la Gestapo, avenue de Royat, à Chamalières, et l'ont laissé avec deux gardiens. Bingen a assommé l'un d'eux, réussi à s'enfuir, et c'est une Française qui, le voyant courir, a donné l'alerte, arrêtant un camion allemand, désignant le fuyard.

Et Bingen, repris, a avalé sa capsule de cyanure.

Thorenc replie lentement le premier feuillet.

« Joie de vivre », a écrit Bingen.

Bertrand ne ressent certes pas cela, mais, depuis quatre ans, l'impérieux devoir de vivre, assorti le plus souvent de la tentation de mourir, tant l'angoisse est forte, le désespoir profond.

Il pense à cette Française pour qui Bingen se bat et qui le dénonce alors qu'elle passe par hasard dans cette rue de Chamalières, et devient ainsi pour lui l'agent du destin.

Thorenc déplie le second feuillet. C'est la copie d'une lettre adressée en novembre 1943 au colonel Passy, chef du BCRA :

« Cette lettre est simplement... pour faire part, tout à fait secrètement, d'un doute inquiétant qui me vient à l'esprit, écrit Jacques Bingen.

« C'est qu'il doit y avoir à Londres, chez vous ou chez les Anglais, un agent allemand bien place et communiquant avec la Gestapo.

« J'énumère simplement un certain nombre de faits inquiétants... »

Thorenc parcourt les quelques lignes qui suivent, puis brûle au-dessus d'une soucoupe les deux feuillets.

Il se sent cerné par les ombres.

Il se lève, glisse son arme dans la poche de son imperméable. Il rassemble les enveloppes que Jacques Bouvy lui a remises et qu'il doit porter au commandant Pascal. Il sent déjà qu'il lui faudra à chaque pas, entre le cours Suchet et le café de l'Église, place Saint-Jean, maîtriser sa peur.

Il va craindre de rencontrer Ahmed et Douran, car ce sont eux qui ont dû être envoyés par Henry Lafont à Wenticht pour l'identifier.

Il va penser que cet homme qui pénètre après lui dans le café et s'assied non loin de lui, qui pose son chapeau à l'envers sur la table et semble en scruter l'intérieur, est un indicateur qui compare la photo de ce Bertrand Renaud de Thorenc, collée au feutre, au visage de l'homme qu'il a suivi jusqu'ici.

La porte du café s'ouvre. Le commandant Pascal entre, jette un regard rapide à Thorenc, puis, au lieu de se diriger vers lui, s'appuie au comptoir.

Thorenc est sur ses gardes. Il se passe quelque chose d'inattendu pour que Pascal se comporte ainsi.

Tout à coup, il aperçoit deux silhouettes qui se dessinent derrière les rideaux.

Elles bondissent à l'intérieur du café, ceinturent Pascal qui proteste, crie qu'il ne comprend pas, qu'il y a erreur, qu'il veut leur montrer ses papiers.

Thorenc sent que les deux hommes hésitent. L'un d'eux s'écarte : peut-être va-t-il téléphoner ?

Thorenc ne réfléchit plus.

Il a tiré sur le premier homme. Pascal a blessé le second.

À présent, Thorenc traverse en courant la place Saint-Jean.

Il connaît le quartier. Il monte vers Notre-Dame de Fourvière.

Il va passer la nuit dans les jardins qui entourent la basilique. Il franchit des grilles, court dans des allées, s'allonge derrière un buisson, le visage contre terre.

Cela fait tant de fois déjà, depuis mai 1940, qu'il éprouve, durant quelques fugaces instants, la joie intense de celui qui a échappé à la mort et que le contact de la terre réconforte.

Peut-être est-ce de ces émotions-là que Bingen a voulu se faire l'interprète quand il évoquait la « merveilleuse aventure », la « joie de vivre », et parlait d'une « paradisiaque période d'enfer ».

Thorenc se tourne, croise ses mains sous sa nuque.

Il aperçoit, à travers les frondaisons, le ciel clair de cette nuit de mai.

Il fait doux. La terre meuble est à peine humide.

C'est le silence.

Il respire calmement.

Il a l'impression que l'ombre autour de lui est devenue fraternelle.

— 24 —

Thorenc détourne la tête pour ne plus voir les visages de ces deux hommes assis en face de lui.

Il aperçoit par l'une des étroites fenêtres à linteau les cyprès du parc.

Le mistral les secoue, les ploie. Il fait trembler les portes, s'infiltre, glisse sur les dalles grises de ce vaste salon au plafond bas soutenu par des poutres noircies. Il tourbillonne dans la cheminée qui porte sur son tablier le blason des Peyrière.

Parfois, la rumeur est si forte que Paul de Peyrière et son fils Charles s'interrompent quelques instants, comme si le vent avait emporté leurs voix.

Thorenc les considère à nouveau et éprouve aussitôt de la colère et du dégoût ; il craint alors de céder à un mouvement de fureur et de haine. Il pourrait tuer ces deux hommes : tant d'autres sont morts dont ils devraient être comptables, eux qui étaient, avant guerre, les proches d'Abetz et d'Alexander von Krentz, qui fréquentaient le cercle Europa, chez Cécile de Thorenc, place des Vosges.

Eux qui ont été parmi les soutiens les plus résolus de Pétain : Paul de Peyrière, l'un des chefs de la Légion des combattants, et l'ambassadeur Charles de Peyrière, conseiller diplomatique du Maréchal.

Ils n'ont pas changé.

Paul de Peyrière est toujours ce vieil homme élégant et autoritaire, sûr de lui, tel que Thorenc l'avait rencontré aux soirées de la place des Vosges.

Charles de Peyrière arbore le même dédain distant qu'il affectait autrefois lorsqu'il était en poste à Varsovie et qu'il approuvait la politique nazie.

Thorenc les observe. Leur attitude est arrogante, comme une provocation. Nulle trace de remords ou de doute dans leurs propos. C'est comme si ces quatre années de barbarie n'avaient pas existé, comme s'ils n'avaient pas préparé la défaite, favorisé la capitulation, soutenu la collaboration.

S'ils plastronnent, c'est comme si Moulin, Brossolette, Bingen, le docteur Étienne, les milliers de fusillés, les déportés s'étaient sacrifiés en vain.

Thorenc approche les doigts de la crosse de son arme.

— Nous avons souhaité vous rencontrer, vous personnellement, Thorenc, dit Paul de Peyrière, parce que, par vos origines familiales...

Il baisse la voix :

— Vous savez quels liens m'ont uni à votre mère Cécile de Thorenc, je n'insiste pas...

Il jette un coup d'œil à son fils, puis reprend :

— Vous ne pouvez pas, vous, Thorenc, être devenu l'un de ces fanatiques, pour ne pas dire de ces criminels dont l'objectif n'est pas la libération du pays, mais bien la révolution.

Il tend le bras vers Bertrand et souligne chacun de ses mots d'un mouvement de la main.

— Car ne vous y trompez pas, l'enjeu est là, le même que celui qui se présentait à nous dès 1936 : voulons-nous la révolution, ou bien sommes-nous décidés à sauver la civilisation européenne du bolchevisme ? En 1940, notre choix a été dicté par cette unique préoccupation, et aujourd'hui comme à ce moment-là, il faut choisir.

Il se tourne vers son fils.

— C'est de cela que nous devons parler entre Français raisonnables. Et l'heure n'est plus aux oppositions subalternes.

Il hoche la tête et reprend :

— Je suis heureux que vos amis vous aient envoyé ici,

comme nous le souhaitions, afin de nous écouter, Charles et moi, parce que, bien évidemment, notre initiative n'est pas personnelle. Elle émane des plus hautes autorités de l'État...

Thorenc pense qu'il pourrait et devrait les abattre, car ces deux hommes-là, s'ils survivent, sauront bien entendu échapper au châtiment. Ils se réfugieront quelques mois ou quelques années en Suisse, laisseront l'oubli faire son œuvre et les divisions entre résistants s'aggraver, puis ils reviendront reprendre possession de leurs biens, de leurs postes, de leur rang.

Il se reproche d'avoir accepté de les rencontrer. Il a eu tort d'écouter Pascal.

— Vous devez quitter Lyon, et moi aussi, lui avait dit le commandant. Paul de Peyrière souhaite entrer en contact avec nous et désire que vous soyez notre représentant. Pourquoi pas ?

Bouvy s'était montré réticent. Pierre Villars, avait-il assuré, n'était pas averti de la démarche des Peyrière. Mais Pascal avait pris sur lui de répondre favorablement à la proposition de ces deux collaborateurs avérés de Pétain et de Laval qui auraient dû finir leurs jours, comme Pucheu, dans un fossé, les mains liées, les yeux bandés.

— Mais Pascal renoue avec ses amis d'avant-guerre parce qu'il a peur de l'après-guerre ! avait conclu Bouvy.

Le commandant ne l'avait pas nié :

— Je ne veux pas mourir comme les officiers polonais, tués d'une balle dans la nuque à Katyn par les hommes de la police secrète bolchevik, le NKVD, avait-il dit. Et les Peyrière n'ont pas personnellement commis de crimes. Ils n'ont dénoncé personne. Ils n'ont pas été ministres de l'Intérieur. On ne peut les comparer ni à Pucheu, ni à Darnand, ni à Cocherel ou Henriot. Ce sont des mondains. Et, après tout, mon cher Thorenc, nous combattons aux côtés de gens qui, jusqu'au mois de juin 1941, trouvaient à Hitler bien des vertus, tout simplement parce que Staline était son allié. Croyez-vous que ce soit un hasard si nos communistes tentent de s'emparer actuellement, à la veille du débarquement, de tous les postes clés de la Résistance ? Croyez-vous que l'appui que leur a apporté Giraud en Corse, la proposition des Anglais d'armer cent mille FTPF soient dus au hasard ? Il s'agit chaque fois de saper l'autorité de De Gaulle. Je n'ai pas confiance dans nos sous-marins communistes, Thorenc. Je crois qu'il nous faut prendre nos précautions. Et, de toute manière, ce sont les Peyrière qui sont demandeurs. Il faut savoir ce qu'ils ont derrière la tête.

— Sauver leur peau, avait répondu Bertrand.

— Pourquoi pas ? s'était exclamé Pascal. Si leur désir et leur peur rencontrent les intérêts du pays, alors il faut les entendre !

Le commandant avait appris à Thorenc que le général Xavier de Peyrière, qui avait été l'un des chefs de l'armée de l'armistice parmi les plus dévoués à Pétain, venait d'être arrêté par la Gestapo et déporté en Allemagne.

Pascal avait ajouté en le prenant par le bras :

— Et puis, Thorenc, tout le monde en est d'accord, nous ne pouvons rester un jour de plus à Lyon après notre aventure de la place Saint-Jean. Wenticht a mobilisé tous ses agents : alors, joignons l'utile au nécessaire ! Vous resterez maître du jeu, puisque vous serez l'interlocuteur des Peyrière. Vous déciderez.

Ils avaient quitté Lyon ensemble, faisant de petites étapes, empruntant les routes départementales comme l'avait fait naguère le docteur Étienne.

Mais mort, Étienne. Déportée et peut-être morte, Catherine Peyrolles. Et Max, son fils, disparu !

Ces souvenirs avaient obsédé Thorenc tout au long du trajet. Il avait présenté avec indifférence ses papiers aux miliciens et aux *Feldgendarmen* qui les avaient plusieurs fois arrêtés.

Les routes, même secondaires, étaient en effet parcourues par des convois de troupes allemandes. Mais c'étaient souvent d'étranges soldats, parlant russe et dépenaillés. Et cette armée peuplée de contingents étrangers ne ressemblait plus guère à celle que Thorenc avait vue défiler en juillet 1940 sur les Champs-Élysées ou rue de Rivoli. Elle avait le visage de la déroute. Cependant, fréquemment, dans les camions de la Milice qui suivaient les véhicules de la Wehrmacht, il apercevait des hommes ensanglantés, enchaînés, que gardaient de jeunes miliciens.

Et cette seule vue l'avait fait sortir de son détachement, lui rendant tout à coup et en même temps sa rage et sa peur.

Il avait parcouru seul à bicyclette les derniers kilomètres.

Il devait retrouver le commandant Pascal à l'abbaye de Sénanque, non loin du château des Peyrière. Il avait reconnu ces routes qu'il avait autrefois sillonnées quand il se rendait au mas Barneron.

Et il s'était alors souvenu de Léontine, de Gisèle, de leurs corps jetés au fond du puits. Et du radio Marc Nels, peut-être innocent, qu'ils avaient enfoui à la lisière d'un bois de pins.

Alors, quand il avait aperçu sur le perron du château, au bout de la large allée bordée de platanes, Paul et Charles de Peyrière tels qu'il les avait toujours connus, sûrs d'eux-mêmes, de leur bon droit, de la justesse de leurs choix et de leurs idées, il s'était demandé pourquoi il avait accepté cette entrevue.

Peut-être avait-il d'abord succombé à la curiosité, ce réflexe professionnel du journaliste, peut-être avait-il été tenté de connaître tous les aspects de ce temps qu'il vivait, peut-être aussi avait-il tout simplement voulu s'assurer qu'il haïssait toujours autant ceux qui avaient trahi ?

Il avait roulé vers les Peyrière, les mâchoires crispées, se souvenant que le poème que lui avait jadis récité Catherine Peyrolles s'intitulait précisément « Les dents serrées ». Il en avait murmuré les deux derniers vers :

« *Il y a le sang qui commence à peine à couler*
Il y a la haine et c'est assez pour espérer... »

— 25 —

Thorenc croise et serre ses bras. Il a froid. Il s'évertue à retenir ses mains, à les empêcher de frapper, de prendre l'arme qu'il sent peser dans sa poche. Du même geste, il se protège de ces phrases qui le blessent et le souillent :

— Le président Laval n'est pas l'homme que l'on décrit, pérore Paul de Peyrière. Cela fait trente ans que je le côtoie à la Chambre. C'est un homme d'État — un peu retors, il est vrai, mais qui a d'abord le souci de l'intérêt national. Je vous assure, Thorenc, qu'il mène contre les Allemands une guerre d'usure, et qu'il ne leur a rien abandonné d'essentiel. Lorsqu'il a cédé sur un point, par exemple sur les Juifs ou sur le Service du travail obligatoire, c'était pour reprendre de l'autre main ce qu'il avait paru accorder.

Paul de Peyrière se rengorge, sourit.

— C'est un Auvergnat, Thorenc ! Et aucun Allemand, même Hitler, ne saurait avoir raison d'un Auvergnat. Il est de la bonne race des Arvernes : on marchande, et à la fin on gagne. Je vous renvoie les Juifs étrangers, mais vous ne touchez pas aux Juifs français. Je veux bien que de jeunes Français partent travailler en Allemagne, mais vous me renvoyez des prisonniers. Voilà comment il a négocié !

Le châtelain se lève et va jusqu'à la fenêtre.

— Mais, poursuit-il, allez faire comprendre cela à une opinion qui ne voit pas plus loin que ses tickets d'alimentation, et qui a oublié que les Allemands nous ont vaincus, nous occupent ! Naturellement, il y a aussi ceux qui ne pardonnent pas à Laval d'avoir vu juste dès 1934, car c'est lui qui a négocié avec Mussolini, et même avec Staline, pour contenir Hitler. Seulement, les Juifs voulaient la guerre et les communistes ont rejeté cette politique d'équilibre européen parce que, dès ce moment-là, ils cherchaient à favoriser l'expansion du bolchevisme à n'importe quel prix. Et nous y sommes à nouveau. Et le président Laval est encore une fois l'obstacle qu'ils doivent supprimer s'ils veulent parvenir à leurs fins.

Thorenc contemple les cyprès du parc. Le mistral souffle

plus fort et les arbres, comme agenouillés pour toujours, ne se redressent plus.

— Nul ne peut contester cette analyse, acquiesce Charles de Peyrière cependant que son père se rassied. Nous savons que de nombreux patriotes se sont engagés dans la Résistance. Cela pouvait apparaître à certains comme un choix honorable, j'en conviens, mais ils sont aujourd'hui fort inquiets de ce qui se passe. L'Armée rouge avance, les communistes s'emparent des leviers de commande partout en Europe. Où allons-nous, Thorenc ? C'est un moment crucial pour notre civilisation, pour notre pays. Or, nous pouvons encore retourner la situation !

Charles de Peyrière se penche en avant. Thorenc recule ; il a l'impression qu'à écouter ces phrases, il se compromet, s'enlise. Il ne voudrait plus rien entendre. Il se souvient des deux premiers vers du poème :

Je hais. Ne me demandez pas ce que je hais
il y a des mondes de mutisme entre les hommes...

— Il faut aller plus loin que le Maréchal, poursuit le diplomate. Il sent les choses, mais, il faut le reconnaître, il est d'abord — c'est aussi une question d'artères — l'homme de la prudence. Vous avez lu les discours qu'il a prononcés à Paris, à Rouen, à Nancy surtout ?

Charles de Peyrière se redresse, déclame d'une voix plus solennelle :

— « Aucun Français ne doit se mêler à ce conflit, a dit le Maréchal. Il faut rester bien tranquille, regarder les gens se battre et ne pas se mettre dans un parti ou dans un autre, parce que vous subiriez des représailles épouvantables. Par conséquent, il s'agit d'être sages. »

Il reste un long moment silencieux, comme s'il voulait laisser à Thorenc le temps de la réflexion, puis reprend :

— Cette position est estimable, mais nous pensons, mon père et moi, avec beaucoup d'autres et naturellement avec le président Laval, qu'elle n'est pas adaptée à la situation. Le péril est en effet immense.

— Vous connaissez François Pietri ? demande Paul de Peyrière. C'est notre ambassadeur à Madrid. Il est en contact quotidien avec les Américains, et aussi avec les Anglais. Mais Londres ne pèse plus, c'est Washington qui mène le train. Il faut que vous le sachiez, Thorenc, et que les éléments raisonnables de la Résistance en soient avertis : des pourparlers sont en cours, pour...

Il regarde son fils, lui fait un signe de la main pour l'inciter à continuer.

— Une paix de compromis à l'Ouest, reprend Charles de Peyrière, et peut-être — la presse espagnole, qui a eu vent de ces contacts, va jusque-là — un renversement d'alliance pour faire barrage au bolchevisme. Vous voyez quelles cartes majeures détient la France, dans cette perspective, si elle joue vite et avec discernement ! Nous pouvons être les intermédiaires — nous sommes les seuls à pouvoir tenir ce rôle — entre Berlin et Washington. Les États-Unis ont toujours soutenu le Maréchal. Quant au président Laval, il a des relations personnelles — par sa femme qui, vous ne l'ignorez pas, est une Chambrun, une famille qui s'est illustrée pendant la guerre d'Indépendance — avec les milieux politiques américains. Qui d'autre dans le monde peut se targuer d'avoir ainsi à la fois l'oreille de Washington et celle de Berlin ? Le président Laval est le seul à pouvoir être entendu. C'est une chance unique pour sortir la France du bourbier où elle risque de sombrer.

Paul de Peyrière interrompt son fils :

— Vous nous comprenez, Thorenc ? La situation est grave. Il s'agit de sauver une civilisation millénaire, notre civilisation chrétienne, et de rendre sa place à la France. Alors, les petites susceptibilités ne doivent plus compter. C'est pour cela qu'au-delà de ce qui nous oppose, nous avons tenu à vous rencontrer.

Thorenc se sent observé, jaugé. Il s'efforce de se maîtriser, alors qu'il voudrait crier.

— Nous savons par l'ambassadeur Pietri, reprend le châtelain, que Roosevelt craint une révolution en France si de Gaulle vient à prendre le pouvoir. Churchill, pour sa part, est conscient de la menace bolchevik qui pèse sur toute l'Europe. Les communistes, eux, misent sur de Gaulle et sur l'exacerbation des passions.

Il se lève et s'approche de Thorenc.

— Nous avons souhaité vous rencontrer afin que certains, au sein de la Résistance, favorisent une solution politique à la hauteur des périls. Si nous réussissons en France à unir les hommes raisonnables, à quelque camp qu'ils appartiennent, en excluant les fanatiques, les extrémistes... » — il hésite, écarte les mains d'un air conciliant —, si vous voulez, les miliciens d'un côté, les communistes de l'autre —, nous donnerions l'exemple à toute l'Europe. Un Allemand — je ne dis pas Hitler : vous voyez que nous allons très loin, et je ne parle pas à la légère quand j'évoque une personnalité allemande autre que le Führer —, un Allemand, donc, un soldat honorable pourrait favoriser ce mouvement. Nous rassemblerions les députés de la Chambre de juillet 1940, nous désignerions ainsi un gouvernement de transition, reconnu par les Américains, et ce serait l'amorce d'un armistice à l'Ouest, et, pourquoi pas, celle de ce grand et indispensable retournement historique : l'Occident contre la barbarie !

— Après tout, murmure Charles de Peyrière, nous rendrions à Staline la monnaie de sa pièce, de son pacte avec Hitler d'août 1939 !

— Mais, reprend le père, il faut pour cela de l'audace, mon cher Thorenc, du courage ! Le président Laval n'en manque pas. Le Maréchal, en fait, est déjà sur cette ligne. Et le pays aussi. Le Maréchal a été acclamé partout au cours de son voyage. Les Français veulent la paix, non la guerre civile qui, ils le savent bien, conduirait à un gouvernement des soviets.

Paul de Peyrière pose la main sur l'épaule de Bertrand.

— Votre rôle peut se révéler décisif, Thorenc. Il faudrait que quelque chose soit amorcé avant que les Américains et les Anglais ne débarquent. Si j'en crois les rumeurs, il s'agit d'une question de jours. Des Allemands que vous connaissez comme moi sont favorables à cette évolution. Ils y travaillent de leur côté, mais risquent leur vie. Il faut les aider.

— Collaborer, résume Thorenc en se levant brusquement.

Il recule en hurlant les noms des fusillés, en évoquant les ombres, tous ces déportés, ces enfants juifs livrés.

— Laval, c'est la Milice ! lance-t-il. Les cours martiales composées de trois miliciens, juges et tueurs à la fois ! Qui jugent et exécutent dans l'heure !

Il s'arrête sur le seuil du salon.

— Ils m'ont d'ailleurs condamné à mort, ajoute-t-il.

Il tend le bras vers Paul et Charles de Peyrière figés devant la cheminée.

— *Vous êtes* la Milice ! leur crie-t-il. Mais, en plus, vous êtes lâches !

Le châtelain fait un pas en avant :

— Mon fils Xavier a été arrêté par la Gestapo, proteste-t-il. Vous êtes bête et borné, Thorenc. Et vos gesticulations ne m'effraient pas.

À cet instant, Bertrand se rend compte qu'il a brandi son arme.

Il ouvre la porte. Le vent le repousse.

Il doit traverser le perron, fendre, tête baissée, cette houle froide et sifflante.

— 26 —

Thorenc avance, courbé, dans la grande allée bordée de platanes comme s'il voulait lutter à coups de tête et d'épaule contre le vent, le faire reculer.

Il jure, s'emporte, protégeant son visage de la poussière, son bras gauche replié devant ses yeux.

Et, tout à coup, il aperçoit, marchant vers lui, comme poussés par le vent, un groupe d'hommes.

Certains longent les talus qui bordent l'allée, d'autres progressent au milieu, enveloppés par les tourbillons qui mêlent la terre et les feuilles.

Ils sont armés.

Thorenc s'arrête, mais il doit s'arc-bouter pour ne pas être rejeté en arrière par le mistral.

Il reconnaît Stephen Luber qui, levant la main, a ordonné à ses hommes de s'immobiliser.

Il marche seul vers Thorenc.

— Vous les avez exécutés ? demande-t-il.

Sa voix est déformée par le vent, noyée dans les sifflements des rafales qui ploient les branches, étirent et arrachent les feuilles, les projettent contre le sol, certaines se plaquant au corps des hommes qui se sont rapprochés, entourant Thorenc et Luber.

Bertrand sent le poids de son arme qu'il tient toujours à la main droite. Il la glisse dans sa poche, secoue la tête.

— Qu'est-ce que vous faites là ? murmure-t-il.

D'un geste, Luber a signifié à ses hommes d'avancer vers le château.

— Devinez ! dit-il.

Il tend le bras pour écarter Thorenc du milieu de l'allée.

Bertrand résiste, sort son arme, en menace Stephen Luber qui sourit :

— Vous voulez mourir avec eux ? Vous croyez qu'ils en valent la peine ?

— Oui..., commence Thorenc.

— On a appris qu'ils étaient là, l'interrompt Luber. Vous n'allez pas les défendre !

Thorenc baisse son arme.

— Oui..., répète-t-il machinalement.

Il craint d'avoir joué le rôle d'appât pour attirer les Peyrière ici, dans ce château isolé. Qui les a poussés dans ce piège et s'est servi de lui ?

Ce ne peut être le commandant Pascal. Mais Jacques Bouvy a dû avertir Pierre Villars, et celui-ci alerter à son tour Stephen Luber. Villars, comme Pascal l'a soupçonné, est peut-être un sous-marin communiste.

— Ils ne sont pas jugés, murmure Thorenc.

Luber a un mouvement de colère et le bouscule.

— Il vous faut encore un jugement ? s'écrie-t-il. Vous

savez ce que font les miliciens, les SS, vous vous souvenez du village de Balmas, et du docteur Étienne, de Julia et Gaston Ambrosini ! Vous vous en souvenez, oui ou non ?

Luber se dirige à grands pas vers le château. Thorenc le suit tout en criant à son tour :

— Nous ne sommes pas comme eux, vous entendez, Luber ? Nous ne pouvons pas agir comme eux ! Ces gens-là voulaient discuter avec nous, vous ne l'ignorez pas. Le général Xavier de Peyrière a été arrêté par la Gestapo et déporté...

— On ne parle pas, on ne négocie pas, décrète Luber en montant les marches du perron.

Thorenc le retient par la manche.

On entend des éclats de voix.

— J'ai reçu mission de les rencontrer, de les écouter, proteste Thorenc, et non pas de les tuer ou de les attirer dans un piège !

— Et moi, j'ai ordre de les abattre, riposte Luber.

— Comme l'Italien ? hurle Thorenc.

D'un coup sec sur son poignet, Stephen Luber se dégage, repousse Thorenc que deux hommes immobilisent en le maintenant chacun par un bras.

Bertrand se débat. Luber se tourne vers lui.

— Ne faites pas l'idiot, lui dit-il. J'ai cru que vous les aviez tués : vous aviez votre revolver à la main. Vous les avez menacés, vous avez eu envie de les abattre. Vous savez ce qu'ils ont fait, ce qu'ils ont couvert, de quoi ils sont encore capables si on les laisse vivre. Ce sont des animaux nuisibles.

Thorenc essaie de bondir en avant. On le retient.

— Vous parlez comme un SS ! vocifère-t-il.

Luber hausse les épaules.

— Vous voulez garder votre conscience immaculée,

Thorenc. Vous n'allez jamais jusqu'au bout. Vous agitez votre revolver...

Il ricane avec une expression méprisante.

— ... et, au dernier moment, vous ne vous en servez pas. Il s'enraye, n'est-ce pas ? Comme rue de la Joliette ! Mais moi, je finis le travail. On a exécuté Dossi, on va liquider les Peyrière.

Luber fait irruption à l'intérieur du château.

Des portes claquent, des cris se brisent.

Brusquement, Paul et Charles de Peyrière apparaissent, les mains liées dans le dos, le visage tuméfié, entourés par plusieurs hommes armés de mitraillettes.

Charles de Peyrière regarde droit devant lui, puis il aperçoit Thorenc et détourne la tête avec une expression de dégoût.

Son père crie :

— Vous êtes des criminels ! Vous aussi, Thorenc ! C'est ça, la France que vous voulez ? Ils vous fusilleront comme nous ! Thorenc, Thorenc, ne laissez pas faire ça !

D'un geste, Stephen Luber ordonne à ses hommes de s'écarter, puis il prend la mitraillette de l'un d'eux et ouvre le feu.

Charles de Peyrière tombe le premier.

Il faut une autre rafale pour que son père, Paul de Peyrière, s'effondre à son tour.

Luber tire à nouveau sur les deux corps qui sont comme soulevés par un dernier spasme. Le sang commence à se répandre sur les dalles du perron et des feuilles de platane poussées par le vent viennent ici et là le recouvrir.

— 27 —

Thorenc avait aperçu les silhouettes noires qui se glissaient le long des haies de part et d'autre de l'allée bordée de platanes.

Il avait eu l'impression qu'on lui arrachait le sexe, qu'on lui piétinait le ventre afin que son sang s'écoule, tiède, par la déchirure, glissant le long de ses cuisses, se répandant sur le perron, allant se mêler à celui des Peyrière qui n'était déjà plus qu'une tache noirâtre que le vent avait séchée.

Il avait pensé : voilà le châtiment !

Il avait fermé les yeux.

Il avait eu le sentiment de se retrouver enfermé dans cette pièce sombre où, enfant, sa mère le poussait, le forçant à s'agenouiller. Plusieurs fois, la peur avait été si intense, lui martelant les tempes au rythme des vagues qui heurtaient les remparts d'Antibes contre lesquels était construite la maison des Thorenc — qu'il s'était pissé dessus, l'urine lui brûlant les cuisses.

Il avait rouvert les yeux, s'était débattu, essayant d'échapper aux hommes qui le maintenaient toujours par les bras. Il avait hurlé :

— La Milice, c'est la Milice !

Sa voix avait été recouverte par les premiers coups de feu dont le vent prolongeait l'écho. On l'avait lâché.

Il avait aussitôt bondi par-dessus les corps des Peyrière et s'était précipité à l'intérieur du château, grimpant dans les étages, poussant les portes, s'enfonçant dans la pénombre de ces pièces innombrables cependant que des cris, des détonations, le bruit d'un moteur se superposaient, déformés, proches puis lointains.

Il avait atteint les combles.

Il s'était glissé jusqu'au bord du toit, là où il avait à peine la place de s'allonger entre les tuiles et le plancher.

Il était resté immobile, vérifiant que le chargeur de son arme était en place, une balle engagée dans le canon.

À chaque cri, à chaque détonation que le vent propageait par les interstices du toit, il s'était recroquevillé, se souvenant de ce maquisard qui appartenait au groupe de Jacques Bouvy et qui, pour retarder l'avance des SS, s'était réfugié dans le grenier d'une ferme, avait soulevé les tuiles du toit et résisté plusieurs heures aux assauts, avant de se suicider avec sa dernière balle. On l'avait retrouvé plus tard, une fois les Allemands repartis, le corps à demi calciné dans la ferme incendiée.

Thorenc avait soulevé une, puis deux tuiles, recevant le vent de plein fouet, les yeux aussitôt remplis de larmes.

Il avait d'abord aperçu ces jeunes miliciens qui entouraient un platane, se donnant des bourrades, puis s'écartant parfois et laissant l'un d'eux se rapprocher et lever le bras. À l'éclat brillant qui traversait l'espace, Thorenc avait deviné que le milicien lançait un poignard.

Il avait alors distingué les deux hommes ligotés l'un contre l'autre au tronc de l'arbre par des cordes qui faisaient le tour du platane, enserrant leur cou et leurs chevilles.

Leurs mains aussi étaient attachées.

Bertrand s'était redressé.

Il avait reconnu Stephen Luber et le commandant Pascal. La tête tombant sur sa poitrine, sa chemise déchirée, couverte de sang, Luber paraissait blessé.

Pascal se tenait au contraire la tête droite, et c'est lui que visaient à présent les lanceurs de poignard.

Thorenc crut entendre le choc sourd de la lame pénétrant dans le corps de l'officier.

Il avait eu plusieurs fois la tentation de fermer les yeux, de replacer les tuiles l'une contre l'autre afin que la pénombre revenue le protège de ces voix, de ces rires, de ces injures et aussi de ces plaintes.

Mais il avait au contraire soulevé une troisième tuile, passant son bras dans l'ouverture et essayant de viser. Peut-être, s'il ouvrait le feu, pourrait-il favoriser la fuite de Luber et de Pascal, ou simplement réussirait-il à abréger leurs souffrances ?

Mais c'était aussi vain que de vouloir, enfant, s'échapper de ce cachot où Cécile de Thorenc le condamnait à rester enfermé.

Il avait donc regardé, écouté comme pour partager la souffrance des deux suppliciés, cherchant à comprendre comment Pascal avait pu être pris.

Avait-il été victime, lui aussi, de cet « agent allemand bien placé et communiquant avec la Gestapo » dont avait parlé Jacques Bingen dans sa lettre posthume au colonel Passy ?

Ou bien avait-il été arrêté sur la route menant au château des Peyrière ?

Peut-être Pascal avait-il eu vent de l'expédition de Luber et avait-il voulu la prévenir, empêcher cette exécution sommaire et aussi le protéger, lui, Thorenc ?

Les miliciens, pour leur part, avaient dû être alertés par les Peyrière alors que les deux hommes avaient déjà compris que leur tentative de négociation avec la Résistance échouerait. Ils avaient dû craindre que le bruit ne s'en répande auprès de Darnand et des SS, et ils avaient pris les devants, appelant les miliciens à la rescousse, espérant qu'ils sauraient réduire au silence le témoin de leur trahison.

Le lendemain, ils auraient discrètement gagné la Suisse où les proches de Laval avaient déjà trouvé refuge.

Après tout, Charles de Peyrière, ambassadeur de France, disposait de toutes les autorisations pour passer à l'étranger en compagnie de son père.

Une fois à Genève ou à Berne, il aurait noué des relations amicales avec Thomas Irving, John Davies ou leurs successeurs...

Thorenc avait eu la bouche emplie d'une salive âcre. Il avait serré la crosse de son arme si fort que ses doigts en étaient devenus douloureux.

S'il avait eu à cet instant Paul et Charles de Peyrière devant lui, il les aurait abattus sans l'ombre d'une hésitation.

On disait que les Allemands, depuis 1940, avaient fusillé plus de soixante mille personnes, otages et résistants, qu'ils en avaient déporté au moins deux cent mille. Parmi ces dernières, combien survivraient ? Les Peyrière méritaient cent fois la mort, eux qui, dans cette guerre, avaient choisi le camp de la barbarie.

Thorenc avait songé à l'imprimeur de la rue Royer-Collard, Maurice Juransson, l'un des tout premiers, parmi les résistants qu'il avait côtoyés, à avoir été fusillés, et tant de noms lui étaient revenus, se donnant l'un à l'autre la main, jusqu'à celui de Catherine Peyrolles.

Un sanglot d'impuissance et de rage l'avait fait suffoquer.

Il avait murmuré le prénom de Max sans être capable d'imaginer le visage de ce fils qui, s'il était encore vivant, devait aujourd'hui commencer à marcher.

Vivant... mais si Catherine Peyrolles était morte ou venait à disparaître, cet enfant serait pour lui à jamais perdu.

Il avait posé le front sur le rebord d'une tuile et, brusquement, avait pris conscience que le vent était tombé d'un coup.

Il s'était soulevé, étonné par le silence.

Il avait observé les miliciens qui s'étaient regroupés à quelques pas du platane.

Il s'était dit qu'il s'agissait peut-être de ceux qui, à Vaison-la-Romaine, place de Montfort, suivaient et commentaient les parties de boules.

— Il faut qu'ils crèvent à petit feu ! avait lancé une voix. Visez les couilles et le ventre. Il faut que ces ordures baignent dans leur merde !

Tout à coup, une voix, celle de Pascal, avait commencé à chanter, les mots chargés de douleur se fissurant et se recomposant :

« *Allons, enfants de la patrie...* »

Puis une autre voix hésitante avait enchaîné :

« *Aux armes, citoyens...* »

Luber avait redressé la tête et s'était mis à chanter avec Pascal.

Un milicien avait hurlé, répétant :

— Mais crevez-les, crevez-les, nom de Dieu !

Les rafales s'étaient succédé, si nombreuses qu'elles avaient dû tuer sur le coup les deux hommes.

Les corps, attachés, restés droits, s'étaient couverts de sang, leur tête retombée sur leur poitrine écarlate.

Thorenc avait vu les miliciens sauter, comme s'ils voulaient fuir, sur la plate-forme d'un camion qui, suivi par une voiture, s'était éloigné dans l'allée.

Il avait écouté le silence, regardé ces deux corps que l'ombre enveloppait peu à peu, puis il s'était allongé sur le plancher que couvrait une épaisse couche de poussière.

Et il avait pleuré à chaudes larmes comme, jadis, l'enfant puni, abandonné par sa mère.

— 28 —

Thorenc lève les poings puis les abaisse comme s'il cognait contre un mur.

Il ouvre la bouche, voudrait pousser un cri de joie et de colère mêlées.

Il a le sentiment que ce mur contre lequel il s'acharne depuis quatre ans cède enfin.

Mais, sous les gravats, il y a tant de corps, tant de souffrances enfouies, tant de visages mutilés — dont ces deux derniers, ceux de Luber et du commandant Pascal —, que la rage l'emporte sur l'enthousiasme.

Il se tourne vers Jacques Bouvy, assis devant le poste de radio, qui vient d'égrener une dizaine de messages personnels codés.

Ils annoncent que le débarquement a commencé, qu'il faut absolument multiplier les sabotages, les actions contre l'ennemi pour retarder la marche des divisions de panzers vers les plages où les premiers camarades ont dû, à l'heure qu'il est, dans cette nuit du 5 au 6 juin 1944, prendre pied.

Bouvy se lève, brandit lui aussi ses poings mais se tait, comme Thorenc, parce que les voisins imaginent toujours que cet appartement du cours Suchet est inoccupé, et l'un d'eux pourrait, s'il entend des pas, des voix, alerter la concierge ou la police.

Même si celle-ci est désormais prudente, laissant souvent s'échapper les résistants qu'elle surprend, il suffit encore d'un mot d'un seul délateur pour mourir.

Or, il ne faut plus mourir !

Bouvy s'approche, ouvre les bras, et Bertrand le serre contre lui.

Ils restent ainsi longtemps cependant que la voix du speaker répète : « Les sanglots longs des violons de l'automne blessent mon cœur d'une langueur monotone... Le coq redresse la tête... »

Mais le volume de l'appareil est réglé si bas qu'ils doivent se rapprocher — se tenant par l'épaule, se penchant ensemble — pour entendre.

Tout à coup, Bouvy s'écarte, se cache les yeux de la main gauche, tout en écrasant la droite contre ses lèvres pour tenter d'étouffer ses sanglots.

Thorenc se détourne. Il va sur la pointe des pieds jusqu'à la fenêtre. Mais les volets sont clos et on ne peut les ouvrir.

En cet instant, il aurait voulu voir le ciel de juin, échapper ainsi au souvenir de tous ces camarades tombés avant cette nuit, ne pas avoir la tête pleine à craquer de tous leurs noms. Il éprouve un sentiment de vertige, comme penché sur un abîme aussi noir que le sang séché sur les dalles du perron du château des Peyrière, sur une fosse aussi écarlate que la traînée de sang couvrant les corps criblés de Luber et de Pascal.

Bouvy s'essuie les yeux du revers de la main. Il garde la tête baissée, comme s'il avait honte de ne pas avoir su résister à l'émotion.

— Nous y sommes parvenus ! murmure-t-il.

Thorenc hoche la tête, le prend à nouveau par les épaules.

La pièce n'est pas encore commencée, lui dit-il. Le rideau se lève. Jusqu'alors, ils n'ont fait que préparer une représentation qui débute cette nuit même.

Il ne parle plus. Il ne souhaite pas confier à Bouvy qu'il redoute de ne pas assister à la dernière scène. Même s'il survit, il n'y aura sûrement pas d'applaudissements ni de rappels. Le théâtre sera envahi par la foule des nouveaux arrivants, les résistants des derniers jours, qui porteront tous le brassard bleu, blanc, rouge marqué des lettres FFI et de la croix de Lorraine. Et il apparaîtra indécent de rappeler le souvenir de cet étudiant qui, le 11 novembre 1940, agitait un drapeau tricolore place de l'Étoile.

— Il ne faut plus mourir, répète Thorenc d'une voix qu'il veut joyeuse.

Il va et vient sans faire de bruit à travers la chambre.

Il ne supporte plus d'être ainsi enfermé. Il pressent que ces prochaines semaines seront les plus difficiles à vivre.

À chaque instant, la tentation sera grande de se battre à visage découvert, de vouloir défier l'ennemi, de libérer des villages, d'arborer les brassards, de brandir les drapeaux, d'oublier ainsi que les armes manquent, que les hommes sont valeureux mais peu aguerris, et qu'avec un revolver ou un fusil de chasse on ne peut arrêter un tank. Il faudra donc continuer à être un clandestin, un combattant de l'ombre, alors que le désir de s'élancer se fera de plus en plus fort, que l'attente deviendra insupportable. C'est à ce moment-là, au milieu des gravats du mur effondré, qu'on risquera le plus de mourir.

Thorenc se fige devant Bouvy.

— Mais pourquoi pas ? murmure-t-il.

Il lit dans le regard de son compagnon l'étonnement, les questions. Il se remet à arpenter la pièce.

Il ne peut lui dire qu'il trouverait normal, presque juste de mourir alors que tant d'autres sont tombés sans même connaître la joie de cette nuit.

Et, cependant, son corps se rebiffe à cette idée. Il veut vivre.

Il pose ses deux mains sur les épaules de Jacques Bouvy.

— On ne mourra pas, lui dit-il.

Ils ont écouté, poings tendus vers le haut-parleur, la voix de Laval qui, grasseyante, en appelle à la lâcheté :

« Vous ne devez pas prendre part au combat, dit le chef

du gouvernement. Ceux qui vous demandent de cesser le travail ou vous incitent à la révolte sont des ennemis de votre patrie. Vous vous refuserez à aggraver la guerre étrangère sur notre sol par l'horreur de la guerre civile... »

— Salaud ! murmure Jacques Bouvy, les dents serrées.

Quelle guerre civile ? s'indigne-t-il. Le peuple n'est pas partagé en deux factions hostiles. La nation est occupée par l'étranger, et le peuple a dû courber la tête tandis que quelques dizaines de milliers d'hommes se sont mis au service de l'ennemi pour torturer, piller, dans l'espoir de demeurer au pouvoir sous la protection du vainqueur.

Thorenc se tait. Il se souvient tout à coup de sa concierge du boulevard Raspail, de son mari agent de police, qu'elle appelait « Maurin ». Combien de Juifs a-t-il poussés dans un autobus pour qu'on les conduise au vélodrome d'Hiver ? Combien de résistants, de suspects a-t-il arrêtés ? Maintenant, il a sûrement son brassard de FFI caché dans l'une de ses poches.

Guerre civile ?

Peut-être l'histoire passe-t-elle sur les peuples comme la vague sur les galets. Elle les façonne, les entraîne. Ils la subissent. Ils vont là où les pousse le plus fort courant.

Tous deux se penchent vers le poste de radio. Ils entendent le général Eisenhower déclarer qu'il ne faut pas de soulèvement prématuré ; il insiste pour que les Français obéissent aux ordres qu'il sera amené à donner.

Bouvy regarde Thorenc.

Cela fait quatre ans qu'on donne des ordres à ce peuple ! On ne s'est tout de même pas battus pour continuer à obéir !

— Les Américains sont comme ça, commente Bouvy.

C'est lui qui marche à présent dans la chambre en veillant à ne pas marteler le plancher.

Il rappelle la politique des Américains à Vichy où ils ont conservé un ambassadeur jusqu'à ces derniers mois. Il décrit le soutien qu'ils ont apporté ainsi à Pétain, puis à Giraud, espérant faire d'Alger un autre Vichy.

— De Gaulle les emmerde ! murmure-t-il. Et nous plus encore !

Thorenc se souvient des propos de Paul et Charles de Peyrière.

Il faudrait donc simplement changer de maître ? L'un barbare, l'autre généreux et bienveillant ?

Ils parlent à voix basse, s'indignent. Puis ils essaient de dormir, mais comment y parvenir quand ce mur qui les enfermait vient de tomber ?

Ils restent l'oreille collée au haut-parleur.

Ils entendent Pétain pleurnicher :

« N'écoutez pas ceux qui, cherchant à exploiter notre détresse, conduiraient le pays au désastre ! »

Puis, tout à coup, une voix résonne. Elle fait frissonner Thorenc. C'est la première voix qu'il entend aujourd'hui s'exprimer au nom et avec la force de tous ceux qui sont morts :

« La bataille suprême est engagée, lance de Gaulle. Après tant de combats, de fureur, de douleurs, voici venu le choc décisif, le choc tant espéré. Bien entendu, c'est la bataille de France et c'est la bataille de la France ! »

Thorenc regarde Bouvy. Il devine les larmes qui emplissent ses yeux. Les siens brûlent.

« Pour les fils de France, poursuit le Général, le devoir est simple et sacré : il s'agit de détruire l'ennemi qui écrase et souille la patrie... Cette bataille, la France va la mener avec fureur... Il n'y a plus dans la nation, dans l'Empire, dans les armées, qu'une seule et même volonté, qu'une seule et même espérance. Derrière le nuage si lourd de notre sang et de nos larmes, voici que reparaît le soleil de notre grandeur ! »

Thorenc retourne à la fenêtre.

Il doit faire si clair, derrière les volets.

Il pense à cet enfant, Max, qui, s'il vit encore, vivra libre.

Il voudrait réentendre ces mots de De Gaulle, les mêmes qu'il porte en lui depuis quatre ans : fureur, douleur, larmes.

Et puis le dernier : sang.

Celui-ci n'a pas encore fini de couler.

CINQUIÈME PARTIE

— 29 —

Thorenc baisse la tête et ferme les yeux.

Il sent les gouttes de sueur glisser le long de ses tempes et de sa nuque.

Il tire à lui la machine à écrire, l'entoure de ses avant-bras, de ses mains croisées. Il la serre contre sa poitrine comme si elle était la nef de ses souffrances, comme si c'était elle qui avait recueilli les terreurs, les cris, les corps de toutes ces victimes dont il vient de commencer à raconter l'agonie.

— C'est vous qui devez écrire cela, Thorenc, lui a dit Bouvy en lui remettant une liasse de feuillets.

Il les a parcourus.

Il a lu une page ici, une autre là.

Il a eu l'impression de voir des corps couchés côte à côte.

Le premier, celui d'un homme de vingt ans que les SS de la division Das Reich ont fait grimper au sommet d'une échelle. Il a les mains liées, les jambes entravées. Il est maladroit.

Les SS le poussent afin qu'il atteigne la même hauteur que le balcon de l'immeuble, à l'angle de la rue du Pont-Neuf et de la rue du Quatre-Septembre, à Tulle.

Un soldat allemand se penche au-dessus de la rambarde,

passe un nœud coulant autour du cou du jeune homme aux yeux hagards, qui balbutie.

Les SS retirent l'échelle et le corps se balance contre la façade, au bout de la corde accrochée au balcon.

Ce jeune homme est l'un des quatre-vingt-dix-neuf pendus de Tulle, le 8 juin 1944.

Sur la deuxième page, le deuxième corps est celui d'un enfant qui hurle, s'accroche à sa mère, et celle-ci se jette en avant, essaie de briser les vitres de la sacristie de cette église d'Oradour-sur-Glane pour que l'air pénètre dans la nef où les SS de la division Das Reich ont enfermé toutes les femmes et tous les enfants du village, avant de déposer une caisse sur le maître autel. Lorsque celle-ci a explosé, une fumée noire a envahi l'église ; les femmes et les enfants ont commencé à escalader les bancs pour atteindre les vitraux, échapper à l'asphyxie en les brisant.

La femme a réussi ; l'air doux de juin repousse la fumée. Mais les soldats font irruption dans l'église, installent une mitrailleuse, tirent sur ce magma de plusieurs centaines de corps, et la mère meurt la première, protégeant son enfant, jusqu'à ce que les flammes du brasier allumé par les SS le dévorent.

Mais Dieu a peut-être voulu qu'il succombe avant, terrorisé, asphyxié ?

L'un des mille morts d'Oradour-sur-Glane, le 10 juin 1944.

Thorenc a rendu les feuillets à Jacques Bouvy en secouant la tête et en murmurant :

— Je ne peux pas.

Il veut se battre, ajoute-t-il, pour tuer ceux qui ont tué, pour exposer son propre corps afin d'être solidaire des autres corps, oublier par l'action et l'angoisse le corps mort de cet enfant qui pourrait être celui de Max.

Car Catherine Peyrolles a peut-être caché son fils non pas à Lyon, mais dans quelque village, imaginant qu'il serait ainsi à l'abri.

Et tant de réfugiés s'étaient crus loin de tout danger, à Oradour-sur-Glane !

Mais il suffit de la proximité d'un maquis, du passage d'une colonne de SS ou de la Milice, pour que le village ou la ferme — Balmas et celle des Ambrosini, hier ; Oradour, aujourd'hui — se retrouve au centre de la tourmente, broyé, brûlé par la barbarie.

Partout le vent de la révolte s'est levé, des dizaines de milliers d'hommes ont quitté les villes, les bourgs pour monter vers les maquis. C'est la mobilisation générale, l'insurrection nationale. Pour mettre le feu à toute la France, affoler l'ennemi, ne pas lui permettre de comprendre où se situait l'attaque principale, la BBC a diffusé en une seule nuit tous les messages appelant à la guérilla.

Par deux fois, Thorenc a entendu les speakers répéter « L'acide rougit le tournesol ». Et les jeunes sont partis vers les forêts, le Vercors, le mont Mouchet, le maquis de Meynier.

Le capitaine Marat leur a dit qu'il fallait libérer les villages, que Lyon, Saint-Étienne, Clermont-Ferrand, Grenoble avaient déjà chassé les Allemands. Et les chants ont éclaté, *La Marseillaise* a fait frissonner les âmes. Allons enfants de la patrie, allons, formez vos bataillons !

Ils ont occupé les villages. Puisque « l'acide rougit le tournesol », puisque les Alliés avaient pris pied en Normandie, que la bataille de France avait commencé et que c'était la bataille *de la France*, ils ont cru qu'ils pouvaient hisser le drapeau tricolore au fronton des mairies, défiler dans les rues, tuer les collaborateurs et les miliciens, attaquer les voitures allemandes.

Mais les SS et les francs-gardes de Darnand sont revenus avec des tanks et des canons, les avions ont commencé à bombarder le Vercors et le maquis du mont Mouchet.

Thorenc a écouté, le 7 juin, la voix fluette et les paroles de sang de Darnand :

« Les ordres sont clairs, a dit le secrétaire d'État à l'Intérieur. Considérez comme des ennemis de la France les francs-tireurs et les partisans, les membres de la prétendue Armée secrète et ceux des groupements de Résistance. Attaquez-vous aux saboteurs, qu'ils soient ou non parachutés. Traquez les traîtres qui essaient de saper le moral de nos formations. Faites-leur face comme les GMR en Haute-Savoie, comme la garde dans les maquis limousins... À partir de ce soir, je mobilise la Franc-Garde et la Milice française. J'appelle tous mes hommes à quitter leur métier, à rassembler leurs familles dans des lieux sûrs, puis à rejoindre leurs cohortes... Il ne faut pas craindre aujourd'hui de vivre dangereusement, pour ne pas subir le sort des esclaves qu'on égorge... »

Et, dans *Je suis partout*, Pierre-Antoine Cousteau, ce journaliste que Thorenc a autrefois croisé — il lui semble que c'était en un siècle éloigné —, écrit :

« Nous voici au terme de l'attentisme, à l'heure de la décision. Voici sur la terre de France la guerre totale. C'est-à-dire très exactement ce que les matamores de la Résistance appellent de leurs vœux depuis quatre ans. La guerre totale avec ses fleuves de sang... »

Mais ces tueurs français ne sont que les chiens courants

des SS, des Russes et Ukrainiens qui combattent, égorgent, pendent et fusillent sous l'uniforme allemand.

Ils ont incendié les villages et les fermes qui entourent le massif du Vercors. Ils ont massacré dans le Lot, en Corrèze, dans le Morbihan, en Provence. Pas une région qui n'échappe à leurs sévices.

Thorenc pense à nouveau à Max.

Il répète à Bouvy :

— Je ne peux pas.

Il veut rejoindre un maquis. N'est-ce pas de Gaulle qui, retrouvant le 14 juin la terre de France, quatre ans jour pour jour après l'entrée des Allemands dans Paris, a dit à Bayeux, devant la petite foule qui s'était rassemblée : « Notre cri maintenant, comme toujours, est un cri de combat, parce que le chemin est aussi le chemin de la liberté et le chemin de l'honneur ! »

— Je veux me battre, répète Thorenc.

Il désire sortir de ces chambres obscures dont les volets doivent toujours être tirés, où l'on doit marcher sur la pointe des pieds, ne parler qu'à voix basse.

Il ne veut plus craindre, à chaque pas qu'il fait dans la rue, d'être reconnu, ceinturé.

Il veut tenir une mitraillette, un bazooka, enfoncer dans un pain de plastic un détonateur puis le lancer comme une grenade.

Il veut enfin, après quatre années de lutte clandestine, tuer et mourir à visage découvert, participer à l'insurrection nationale.

— Il y a trop d'hommes et pas assez d'armes, lui répond Bouvy, et vous le savez.

Il tend à Thorenc les messages que Pierre Villars a réussi à faire parvenir à Lyon afin qu'on tente de les diffuser.

Thorenc lit le premier, qu'il faut communiquer à tous les chefs de réseau de maquis :

« Ordre du général Kœnig. Freinez au maximum activité guérilla — stop. Impossible actuellement vous ravitailler en armes et en munitions en quantité suffisante — stop. Rompre partout contact dans mesure du possible pour permettre phase réorganisation — stop. Évitez gros rassemblements — constituez petits groupes isolés. »

Thorenc jure.

Il oublie qu'il leur faut chuchoter dans cet appartement du cours Suchet.

Il crie.

Mais alors, pourquoi avoir déclenché l'insurrection ? Pourquoi tous ces messages ? Pourquoi avoir diffusé le signal « L'acide rougit le tournesol » ?

Des milliers, des dizaines de milliers d'hommes ont rejoint les maquis. Des villes et des villages ont été occupés. Et maintenant, c'est l'ordre de repli ? Presque de démobilisation ?

En somme, dans les heures qui précédaient et suivaient le débarquement, il fallait donner l'impression aux Allemands que toute la France se soulevait, afin de fixer les forces ennemies. On continuait donc, sous une autre forme, la politique des bombardements sur toutes les villes, les nœuds de communications, de Nice à Cherbourg, de Calais à Bordeaux. Des milliers de morts ont ainsi été enfouis sous les décombres. On a sacrifié ces civils puis, pour continuer à semer le trouble, on a fait sortir de leurs forêts les maquisards. Et maintenant, on leur dit : « Rentrez chez vous ! »

D'un geste, sans répondre, Bouvy invite Thorenc à lire le deuxième message qu'il convient d'essayer de transmettre à Alger et à Londres :

« Sommes attaqués dans Vercors par forces importantes venant de Grenoble. Ne pouvons songer à abandonner sans défense population entièrement compromise. Situation dramatique en raison manque armes et munitions. Nous supplions nous venir en aide par parachutage massif sur tous terrains Vercors. Bataillon parachutiste nous aiderait sauver situation. »

— Ils n'enverront rien, murmure Bouvy. Ils ne peuvent en ce moment distraire un seul homme, un seul avion.

— Il faut y être, répond Thorenc.

Dans le Vercors, ou avec Salgado et Minaudi, et même, s'il le faut, avec le capitaine Marat, au mont Meynier.

Si les uns et les autres sont encore vivants.

Bouvy tend à nouveau les feuillets à Thorenc qui refuse de s'en saisir, puis les repose sur le lit en répétant :

— Il faut que ces crimes soient connus. Il le faut...

Il s'interrompt, puis reprend :

— La bataille peut se prolonger en France durant des mois. Le pays doit savoir !

— Il sait, grommelle Thorenc en haussant les épaules. Maintenant, il n'est plus temps d'en faire savoir davantage. Il s'agit de combattre, de sortir les armes.

Bouvy reprend les feuillets.

On ignore d'une région à l'autre ce qui se passe, objecte-t-il. Les gens des villages ont cru que Lyon était libre. À Paris, on a prétendu que tout le sud de la France était insurgé. Philippe Henriot, sur Radio Paris, continue de dénoncer les crimes des « terroristes », des « bandits ». Est-ce qu'on peut laisser le pays dans l'ignorance ?

— Il faut tuer Philippe Henriot, réplique Thorenc.

Bouvy reste un instant silencieux, le regard étonné.

— Vous êtes le seul, Thorenc, l'un des seuls à pouvoir faire de cette souffrance — il lui présente à nouveau les feuillets — une arme, un récit, une œuvre que nous diffuserons partout, même après la Libération, et que personne n'oubliera.

Il agite les pages devant le visage de Bertrand.

— À Tulle, poursuit-il, les SS riaient en pendant leurs victimes aux balcons et aux crocs des bouchers. À Oradour, ils ont tiré sur les quelques enfants qui s'enfuyaient à travers les blés, avant de tous les abattre. Partout, ils refusent aux corps une sépulture décente. À Tulle, ils les ont fait enterrer tous ensemble dans une décharge. À Oradour, ils les ont brûlés. Ils ont mis le feu aux granges où ils avaient fusillé les hommes. Ils ont incendié l'église où s'entassaient les corps des femmes et des enfants. Ils ne veulent pas seulement tuer, ils veulent aussi empêcher qu'on se souvienne. C'est pour cela qu'ils enfouissent les corps dans des fosses communes : afin que les noms disparaissent de la terre et des mémoires. C'est aussi pour cela qu'ils brûlent.

Il pose la main sur l'épaule de Thorenc.

— Vous, vous devez rendre à ces morts leur identité, faire entendre leur cri, faire revivre leur souffrance. Vous devez écrire. C'est votre combat. Après, vous rejoindrez le maquis, vous liquiderez Philippe Henriot, vous vous ferez tuer si vous voulez. Mais, d'abord, donnez à ces Français la sépulture de mots à laquelle ils ont droit.

Thorenc reprend les feuillets.

Ils ont quitté l'appartement du cours Suchet pour se rendre rue Vauban. Dans trois petites pièces en sous-sol, aérées et éclairées seulement par des vasistas ouvrant sur la rue, les Mouvements unis de Résistance ont réussi à installer un atelier de photogravure où l'on établit de faux papiers et où l'on compose journaux clandestins et tracts.

Thorenc écrit là, puisqu'il est impossible de taper des textes à la machine dans l'appartement du cours Suchet, le cliquetis de la frappe risquant d'attirer l'attention des voisins.

Ils se sont séparés dès la sortie de l'immeuble du cours Suchet.

Jacques Bouvy marche à une centaine de mètres devant lui.

Il fait beau, en ce mois de juin 1944. La lumière matinale est déjà chaude. Elle glisse le long des façades, recouvre la chaussée, illumine le Rhône et la Saône ; les deux fleuves sont comme deux parures brillantes entre lesquelles la presqu'île est sertie.

Bertrand a le sentiment d'avancer dans un décor dressé pour une fête printanière qui n'aura pas lieu.

Les rues qui longent le Rhône sont vides. Bouvy est seul sur le pont Lafayette. Thorenc se retourne, saisi par l'angoisse. Il a entendu un bruit de moteur, et c'est comme si la rumeur de la tragédie roulait déjà vers lui.

Il voit apparaître une voiture noire, de celles qu'utilisent la Gestapo ou les miliciens. Il s'efforce de ne pas modifier son allure. Il serre la crosse de son revolver. Il ne se laissera pas prendre vivant.

Le bruit emplit sa tête. La voiture le dépasse.

Il lui semble qu'elle ralentit à la hauteur de Jacques

Bouvy qui s'est maintenant engagé dans les rues du quartier des Brotteaux.

Mais elle s'éloigne, et Thorenc peut s'appuyer à la rambarde du pont.

Il a le souffle coupé. Tout à coup, il ressent la luminosité du ciel et la chaleur comme une menace.

Il voudrait un temps gris, une nuit et un brouillard protecteurs.

La lumière lui paraît par trop cruelle, accordée à ce temps des assassins.

Car les miliciens, les SS ne veulent plus que tuer. Les francs-gardes de Darnand, quand ils s'emparent d'un maquisard, le martyrisent, lui crèvent les yeux, lui tailladent le corps, mais c'est moins pour le faire parler, désormais, que pour jouir de sa souffrance, le punir de vivre.

L'ennemi doit hurler de douleur avant de mourir.

Les miliciens ont extrait de sa prison de Riom Jean Zay, l'ancien ministre de l'Éducation nationale du Front populaire. Ils l'ont sûrement abattu sur une route du Cher, mais ils ont prétendu que des terroristes avaient enlevé leur prisonnier.

Ils tuent sans même avoir le courage de revendiquer leurs crimes, mais sans chercher pour autant à faire croire à leurs mensonges.

Thorenc rejoint Bouvy qui est entré dans un jardin fermé par une grille rouillée.

Ils descendent une dizaine de marches qui conduisent au sous-sol d'un pavillon dont la façade est écaillée.

Avant de pénétrer dans les trois pièces de l'atelier, Bouvy montre les issues qui permettent de gagner des terrasses à partir desquelles, en sautant de jardin en jardin, on peut fuir.

Dans l'atelier d'impression, la chaleur est étouffante, mais on ne peut ouvrir les soupiraux quand on y travaille.

Thorenc s'installe à une petite table. Il dispose la liasse de feuillets à droite de la machine à écrire. Il commence à les lire.

Il ne sait s'il pourra écrire.

Il faudrait dire chacune de ces vies.

Celle de l'homme traversé de balles, mais encore vivant, dans cette grange d'Oradour-sur-Glane, protégé par les cadavres de ses camarades abattus à la mitraillette par les SS. L'homme devine que les bourreaux entassent des branches sur les corps pour allumer un brasier.

Et l'homme ensanglanté se traîne hors de ce feu.

Quand les explosions retentissent, il comprend que les Allemands sont en train d'assassiner sa femme et ses deux fils, enfermés dans l'église.

Bertrand pense à nouveau à Max.

Il écrit, frappe sur les touches de plus en plus vite, de plus en plus fort.

Il recopie le témoignage du colonel FTP Georges qui raconte ce qu'il a vu dans une ferme du Lot où s'étaient réfugiés des jeunes gens sans armes qui voulaient, comme ils l'avaient annoncé, « monter au maquis ».

Ils avaient été surpris par des SS de la division Das Reich qui disposaient de trois chars et de seize chenillettes.

Que faire quand on n'a que ses mains et qu'on rouvre les yeux au milieu des cris de ceux qui déjà agonisent ?

Thorenc pose ses avant-bras sur la table de part et d'autre de la machine.

Qu'ajouter à ce témoignage ?

« Les murs fument encore : poutres calcinées, charpentes effondrées. Là, derrière le genièvre, le corps allongé d'une jeune fille, sanglant, les yeux au ciel. Et, plus loin, des corps, encore des corps. Les poules se promènent et picorent les entrailles des cadavres broyés, déchiquetés, écrasés plusieurs fois par les chenillettes. »

Cette machine à écrire que Thorenc serre contre lui est comme un enfant mort au corps déjà raidi.

— 30 —

Thorenc ouvre les yeux et redresse lentement la tête.

Il lui semble qu'il a entendu des pas, des chuchotements.

Il est aux aguets. Il regarde autour de lui, lève les yeux.

Devant les soupiraux qui éclairent la pièce, il voit des ombres.

Elles s'éloignent comme si elles étaient celles de passants, puis reviennent, s'immobilisent ; d'autres les rejoignent.

Thorenc a saisi les feuillets. Il les enfouit dans sa chemise. L'angoisse l'étreint. Il voudrait hurler, bondir.

Il est l'un de ces hommes encore vivants sous les cadavres de ses camarades.

Ces ombres, ce sont celles des bourreaux qui approchent. Ils vont tirer, lancer une grenade, allumer un brasier.

Il repousse la machine à écrire.

Il se met debout tout en veillant à ne pas heurter la chaise.

Il est sûr que, depuis la rue, à travers les vitres dépolies, on doit le guetter. Il se colle contre la cloison opposée aux soupiraux. Dans la pénombre, il glisse contre le mur.

Il aperçoit dans la dernière pièce une silhouette de femme. Elle est penchée au-dessus de la table de photogravure à laquelle elle s'appuie, bras tendus. Elle a dû entrer pendant que Thorenc écrivait.

Il s'immobilise.

Il lui semble reconnaître ces cheveux noirs qui tombent en longues mèches raides jusqu'aux épaules. Ces bras nus, la courbe de ces épaules lui paraissent familiers. Il s'efforce de ne pas céder à l'émotion.

Il ne peut s'agir de Catherine Peyrolles, puisqu'elle a été arrêtée et déportée. Et cependant, cette façon de bouger les bras, de rejeter les cheveux en arrière, ce profil qu'il découvre sont ceux de Catherine.

Elle se tourne vers lui.

Le visage est plus rond, le regard différent, mais la ressemblance est si grande qu'il ne peut chasser son trouble.

Cela ne dure que le temps d'un regard.

Les ombres sont toujours massées devant les vasistas.

Il adresse des signes à la jeune femme. Elle paraît ne pas comprendre.

Elle appelle Jacques Bouvy d'une voix claire.

En Bertrand, l'émotion se mêle à l'angoisse. Elle a le même léger accent que Catherine, ces intonations graves...

Elle demande à Thorenc s'il a terminé de dactylographier son article. Elle va pouvoir le mettre en pages.

Bouvy s'est avancé. Il plaisante. Il dévisage Thorenc, lui fait remarquer qu'il est en sueur. Il se dirige vers les soupiraux. On peut les entrouvrir, dit-il, maintenant que Bertrand a fini de taper à la machine.

Les ombres, cependant, se sont retirées.

Thorenc recule, saisit le bras de la jeune femme.

Il a le temps de penser qu'elle porte une robe taillée dans un imprimé à fleurs et à manches courtes, comme l'une de celles qu'aimait à revêtir Catherine Peyrolles.

Il secoue la tête, veut dire non, empêcher Bouvy de lever la main vers la poignée du soupirail.

Il crie :

— N'ouvre pas !

Bouvy suspend son geste, pivote pour dévisager Thorenc d'un air surpris. En même temps que ce dernier découvre son expression, il y a un fracas de verre brisé, des détonations assourdissantes ricochent sur les cloisons, faisant gicler des morceaux de plâtre, cependant que des voix hurlent et que Thorenc voit les traits de Bouvy se crisper, sa bouche s'ouvrir, rouge de sang, ses yeux seuls conservant le même regard étonné tandis que son corps bascule et s'effondre.

Thorenc a tiré à lui la jeune femme et court vers la porte. Il faut y parvenir avant eux. Tout se joue en quelques secondes.

Il retrouve les issues que Bouvy lui a indiquées au moment où ils sont entrés.

Alors qu'il s'y engage, il distingue les ombres en haut de

l'escalier. Le bruit aigu des balles devient un choc sourd quand elles frappent la porte métallique ou le ciment.

Il pousse maintenant la jeune femme, la soulève afin qu'elle puisse atteindre une première terrasse, puis une seconde un peu plus haute.

Maintenant, au contraire, il faut sauter, courir le long d'un balcon. Les cris résonnent, voix françaises et allemandes mêlées que ponctuent des rafales qui paraissent déjà lointaines.

Ils traversent un jardin, se couchent derrière une haie qui borde la rue.

Une voiture passe, roulant lentement, vitres baissées, des hommes armés de mitraillettes penchés aux portières.

Peut-être cette voiture est-elle celle qui a ralenti sur le pont Lafayette quand elle était arrivée à la hauteur de Jacques Bouvy ?

Les hommes de Wenticht et de la Milice avaient dû choisir de ne refermer la nasse qu'au moment où ils l'auraient jugée pleine.

Peut-être auraient-ils encore attendu si Thorenc n'avait crié.

Il a posé le bras sur le dos de la jeune femme et lui appuie la main sur la nuque pour qu'elle ne redresse pas la tête.

La voiture rôde. Des voix se rapprochent.

Thorenc a pris son arme.

Il sent que la jeune femme veut se dégager. Il retire sa main. Elle lève un peu le visage. Elle le regarde et murmure :

— Tuez-moi avant.

Il écarte son bras comme s'il avait soudain peur de la toucher.

— Je vous en supplie, dit-elle.

Elle secoue la tête.

— Je ne veux pas qu'ils...

Elle enfonce son visage dans la terre.

Il lui caresse les cheveux. Il chuchote qu'ils ne seront pas pris, il en est convaincu.

Il connaît les gens de la Gestapo et de la Milice. Ils se découragent. L'époque n'est plus où ils avaient des jours devant eux. Ils veulent tuer, mais vite. Ils ne cherchent plus à arrêter ni même à obtenir des renseignements. Ils n'ont plus suffisamment de forces pour pouvoir les exploiter. Alors ils agissent au coup par coup. Ils veulent avant tout éliminer, massacrer.

— Ils ne réussiront pas à tous nous tuer, murmure-t-il. Ils le savent. C'est pour cela qu'ils sont enragés, qu'ils abattent à la mitrailleuse femmes et enfants. En fait, c'est la vie qu'ils veulent tuer.

Thorenc appuie son front contre la terre sèche et grumeleuse du jardin.

Il s'en veut d'avoir parlé. Cette femme n'a nul besoin de mots.

Il la serre contre lui pour tenter de la rassurer.

Elle répète en secouant la tête, comme pour signifier qu'elle refuse d'admettre ce qui s'est passé :

— Jacques, Jacques...

Thorenc revoit les yeux étonnés de Bouvy et cette fleur rouge qui lui a si vite dévoré la bouche.

— 31 —

Debout près du lit, Thorenc regarde la jeune femme qui dort, nue, ses cheveux noirs répandus sur l'oreiller blanc.

Le jour vient à peine de se lever, mais la lumière qui s'infiltre par les fentes des volets est déjà vive.

Elle hachure le corps de la jeune femme de raies jaune pâle.

Thorenc se penche et tend le bras. Il n'ose toucher ce visage, ce corps. Il faut qu'elle continue à dormir, qu'il sorte de la chambre sans la réveiller. Il demandera au vieil homme qui les a accueillis d'essayer de la convaincre de rester plusieurs jours chez lui. Elle doit se garder de retourner dans aucun des lieux qu'elle fréquentait, chaque « boîte aux lettres » étant sans doute devenue une souricière. Quelqu'un a dû livrer le réseau, puisque la Gestapo connaissait l'adresse de l'atelier d'impression des publications clandestines, rue Vauban.

Il avait commencé d'expliquer cela à la jeune femme pendant qu'ils étaient couchés, le visage contre terre, dans le jardin où ils s'étaient réfugiés au terme de leur fuite.

Mais elle avait murmuré plusieurs fois :

— Non, non...

Elle avait refusé de croire que l'un de ceux qu'elle avait côtoyés avait pu parler, donner leurs noms et leurs adresses aux hommes de Klaus Wenticht.

Elle avait dit :

— Je les connais tous, j'étais l'un des courriers.

Elle s'était un peu redressée, s'appuyant sur ses avant-bras :

— J'ai remplacé ma sœur quand ils l'ont arrêtée.

Thorenc avait ressenti une joie inattendue, comme si le destin s'était tout à coup montré prodigue avec lui. Il avait ri silencieusement, et elle avait paru effrayée par son accès de gaieté, si étrange après ce qu'ils avaient vécu et dans la situation où ils se trouvaient. Elle s'était écartée de lui, regardant autour d'elle comme si elle avait quêté de l'aide, puisqu'il paraissait avoir perdu la raison.

Il avait retenu la jeune femme par l'épaule, l'obligeant à se coller contre lui.

Mais il avait d'abord dû se taire : la voiture de la Gestapo passait à nouveau dans la rue. Les voix hargneuses s'étaient rapprochées. Plus tenaces que Thorenc ne l'avait imaginé, les Allemands devaient à présent fouiller les maisons du voisinage.

Il avait forcé la jeune femme à ramper, à se glisser sous la haie, puis il l'avait rejointe. Leurs corps collés l'un à l'autre, elle avait ses lèvres contre son cou. Elle n'avait pas bougé lorsqu'il lui avait avoué pourquoi, en l'apercevant penchée sur la table de photogravure, quelques minutes avant que les hommes de la Gestapo ne tirent, il avait eu l'impression de voir Catherine. Car c'était bien de Catherine Peyrolles, n'est-ce pas, qu'elle était la sœur ? Il avait simplement senti que le corps de la jeune femme se détendait, qu'elle était devenue cette présence chaude et confiante. Il lui avait alors caressé le dos, sa main glissant jusqu'à ses reins sur le tissu imprimé, soyeux et frais.

Cela faisait si longtemps qu'il ne serrait plus une femme contre lui.

Ils étaient restés ainsi sous cette haie de cyprès taillés dont les branchettes leur avaient griffé les joues et s'étaient accrochées à la chevelure de la jeune femme.

Vers la fin de l'après-midi, alors qu'éclataient encore, mais dans le lointain, des détonations sèches et sporadiques, il avait entendu le martèlement léger d'un pas sur la terre.

Une voix un peu tremblante avait chuchoté que les Allemands et les miliciens patrouillaient encore dans le quartier, mais qu'ils avaient déjà perquisitionné la maison, au bout du jardin.

— Je vous ai vus dès que vous vous êtes dissimulés là. Je vous ai guettés. J'ai eu peur quand les Allemands sont venus fouiller. Ils ont regardé dans le jardin, mais vous étiez déjà sous la haie. Ma femme m'a dit : « Il faut les cacher. »

Ils avaient suivi le vieil homme jusqu'à sa maison. Dans l'entrée, la jeune femme avait murmuré qu'elle s'appelait Laetizia.

Thorenc lui avait saisi la main.

Les deux vieillards avaient expliqué que la chambre de leur fils, au premier étage, était vide. Le pauvre garçon était prisonnier outre-Rhin ; depuis plus d'un mois, ils n'avaient plus reçu aucune lettre de lui. Avec les bombardements d'un bout à l'autre de l'Allemagne, ils étaient inquiets. Mais, avait ajouté le vieil homme, il était content qu'on les écrase sous les bombes, ces salauds !

Pendant que la vieille dame leur servait une assiette de soupe tout en continuant de parler de celui qu'elle appelait « mon petit Julien, mon fils », Thorenc avait murmuré :

— Et le fils de Catherine ?

Laetizia n'avait pas répondu, et il lui avait serré la main à la broyer. Elle s'était tournée vers lui, chuchotant que Catherine avait réussi à faire passer un message lorsqu'elle avait été emprisonnée à Montluc.

Elle avait caché son fils dans le village de Berson, près de Vaison-la-Romaine.

Laetizia avait paru surprise que Thorenc murmure « Max », et c'est elle qui lui avait alors longuement étreint la main.

Dans la pénombre, comme si l'obscurité étouffait les voix, le vieil homme avait précautionneusement allumé la radio.

Les Allemands étaient encerclés à Cherbourg. Les troupes françaises du général de Lattre de Tassigny avaient occupé l'île d'Elbe.

Après chaque information, le speaker répétait :

« C'est la bataille de France et c'est la bataille de la France ! »

En écoutant, Thorenc avait enveloppé de son bras les épaules de Laetizia. Il l'avait sentie si frêle, si angoissée. Derrière l'enthousiasme qu'elle avait manifesté lorsque la radio avait annoncé que la Résistance avait réussi à faire sauter dans les carrières de Jonzac, en Charente, cent vingt trains de munitions dont les explosions en chapelets s'étaient poursuivies plusieurs jours durant, il avait senti en elle tant d'effroi qu'il avait voulu la rassurer.

Et à la sentir se pelotonner contre lui, il avait éprouvé à son tour un sentiment de force et de paix.

Cependant, quand il avait regardé autour de lui cette petite salle à manger dont les meubles vernis dessinaient des surfaces claires dans l'obscurité de plus en plus dense, il s'était senti lui aussi désemparé.

Il était là, traqué, avec Laetizia et ces deux vieux, dans une maison d'un quartier de Lyon sillonné par les voitures allemandes, et il entendait cette voix lointaine que les parasites souvent couvraient lancer un « ordre du jour de mobilisation » :

« À tous les officiers, sous-officiers et soldats des Forces françaises de l'intérieur, combattants des groupes francs, francs-tireurs et partisans, corps francs de la Libération, hommes du maquis et des milices patriotiques... le Comité d'action militaire ordonne d'intensifier partout la guérilla mobile ; en cas d'attaque par des forces ennemies supérieures, de ne pas vous accrocher au terrain... Mort à l'envahisseur ! Vive la France ! »

C'étaient des mots de grand-place et de grand vent. Ils retentissaient, héroïques et glorieux :

« Le Comité d'action militaire (COMAC) du Conseil national de la Résistance, organe suprême du commandement des FFI, vous félicite des actions accomplies depuis le débarquement des armées alliées ! »

Dans la salle à manger plongée dans l'obscurité, la vieille femme murmurait :

— Vous devez être épuisés par cette journée. Je vais vous montrer la chambre de mon petit Julien, de mon fils adoré. Que Dieu le protège !

Le vieil homme chuchotait qu'il valait mieux ne pas allumer. Il était sûr que les Allemands guettaient encore.

— Je les connais, les Chleuhs, ajoutait-il. Je les ai eus en face de moi pendant quatre ans. Ce sont des hommes comme les autres, ils pissent le sang comme nous, mais ils s'accrochent des ongles et des dents, et pour leur faire lâcher prise, c'est dur. On y est quand même arrivés, et on va y arriver encore une fois !

— On vous laisse, avait murmuré la vieille femme.

Thorenc était resté adossé à la porte qu'elle venait de refermer. Cette vieille n'avait même pas imaginé qu'ils puissent ne pas coucher ensemble.

Il avait oublié un instant où il était. Il avait pensé à ce village de Berson qui domine, sur la route de Vaison-la-Romaine, un paysage de douces collines couvertes de vignes. Il avait imaginé Max y faisant ses premiers pas.

Puis il avait entendu Laetizia tâtonner dans la pénombre, heurter une table ou une chaise, s'éloigner vers la fenêtre.

Elle avait entrebâillé les volets. Et cela avait suffi pour qu'un peu de clarté pénètre dans la chambre.

Il avait deviné qu'elle levait les bras. Les lents mouvements de la jeune femme avaient déplacé l'ombre, la repoussant de part et d'autre de son corps comme une nageuse fait de l'eau qui pourtant l'enveloppe.

Il avait entendu le froissement du tissu de la robe à fleurs glissant contre sa peau. Il s'était avancé, bras tendus, comme un aveugle, et avait enfin rencontré ce corps nu.

Laetizia avait murmuré :

— Il le faut, il le faut.

Il avait éprouvé le même sentiment de nécessité.

Le lit étendait sa tache étroite mais plus claire.

Après, Laetizia s'était aussitôt endormie.

Bertrand s'était levé, avait tiré les volets, puis s'était recouché près d'elle, et elle s'était aussitôt blottie contre lui.

Cet élan, cet abandon l'avaient ému, rassuré, apaisé. Il s'était à son tour assoupi.

Il avait rêvé d'un enfant courant entre les cratères de bombes.

— 32 —

Les hommes s'étaient écartés et il avait d'abord vu les deux moignons sanglants, les mains aux doigts coupés, posées sur le tissu noir.

La soutane de l'abbé Vivien était ensanglantée. Comme on avait rapproché ses mains sur sa poitrine, on aurait pu croire qu'elles étaient jointes pour une prière.

Bertrand s'était avancé, il avait découvert le visage du prêtre. C'était une plaie noirâtre avec, en son centre, les cavités encores plus noires des orbites.

Il avait détourné les yeux.

Il avait regardé ces hommes aux bras nus, manches de chemise retroussées, le brassard bleu, blanc, rouge marqué des trois lettres FFI enserrant leur biceps.

Ils se tenaient tête baissée, les mains sur leur arme.

De l'autre côté de l'abbé étendu sur une couverture grise se trouvaient Salgado et Minaudi.

— Il faut l'enterrer, avait dit ce dernier.

L'Espagnol avait ajouté qu'il fallait creuser la tombe au

sommet de la colline ; on y dresserait une croix, puis on le vengerait.

Salgado avait brandi le poing. Son visage, enfoui sous une barbe hirsute, et son bras levé donnaient une impression d'inébranlable détermination.

— L'abbé n'aurait pas voulu qu'on parle de vengeance, avait-il repris. Il est descendu jusqu'à Berson, sans arme, parce qu'il voulait administrer les sacrements à une femme. Vous voyez ce que les miliciens ont fait de lui. Dieu, l'Église et ses commandements, ce ne sont pas nos affaires, camarades ; mais notre devoir, c'est de tuer ceux qui l'ont martyrisé. Nous ne sommes pas de ceux qui tendent l'autre joue. Ils vont payer !

Les hommes s'étaient rapprochés du corps de Vivien, et Thorenc les avait vus dresser eux aussi le poing à hauteur de leur visage.

Puis, quatre d'entre eux avaient saisi la couverture, chacun la prenant par un coin, et ils s'étaient dirigés vers le bois de pins couronnant la colline.

C'est par ce lambeau de forêt que Thorenc était arrivé.

Il avait réussi à atteindre Bollène en utilisant les quelques trains qui roulaient encore, surchargés. Ceux-ci s'arrêtaient au milieu des vignes et il fallait quitter en vitesse les wagons que mitraillaient des chasseurs volant en rase-mottes, si bas qu'on discernait la silhouette du pilote. Si le train ou la voie étaient atteints, on marchait le long des rails jusqu'à la gare suivante.

Puis Thorenc avait acheté un vélo pour trois ou quatre fois son prix, et il avait commencé à pédaler dans ce paysage qui lui était familier et qui semblait pacifique.

Il souhaitait atteindre le village de Berson avant la nuit.

En quittant Lyon, il avait imaginé de s'adresser au médecin ou au prêtre du village. L'un ou l'autre devait connaître les familles de l'endroit et leurs enfants.

Il s'était persuadé qu'il retrouverait ainsi la trace de Max. Il voulait rencontrer ceux qui l'avaient recueilli. Il prendrait date et, si Catherine Peyrolles ne revenait pas de déportation, si...

Il avait pédalé plus vite, pensant qu'il pourrait élever l'enfant avec Laetizia Bucchi, et, dans la douceur de cette fin d'après-midi, il s'était senti presque joyeux.

Après, il remonterait jusqu'au maquis de Minaudi et de Salgado qui occupait, lui avait-on dit à Lyon, l'une des collines voisines du village.

Tout à coup, devant lui, sur la route qui conduisait à Berson en serpentant à flanc de colline, au-dessus du vignoble, il avait repéré deux camions. Les hommes formaient entre les ridelles une masse noire. C'étaient des miliciens, des GMR ou des francs-gardes.

Ils se dirigeaient vers Berson, sans doute dans l'intention d'attaquer le maquis.

Levant les yeux, Thorenc avait distingué, plus haut sur la route, masquées le plus souvent par les pins, des automitrailleuses allemandes.

Il avait pensé aux enfants d'Oradour-sur-Glane.

Et il avait eu peur que le destin, cet enchaînement de circonstances aussi imprévisible qu'implacable, lui ait d'abord donné la joie de savoir où Catherine avait caché son enfant, pour le frapper ensuite d'autant plus cruellement en lui faisant découvrir que ce dernier courait un péril mortel.

Il avait abandonné la route, pris des chemins de terre, mais aucun ne menait directement jusqu'au village. Après maints détours dans le vignoble, ils rejoignaient la route où les véhicules allemands et ceux de la Milice progressaient lentement.

Ils arriveraient cependant à Berson avant que Thorenc ne l'eût atteint, et tenter de les dépasser, c'était prendre le risque de se faire arrêter, torturer, fusiller. Un homme encore jeune sur ces routes conduisant au maquis était un suspect auquel les miliciens, plus encore que les Allemands, ne laisseraient aucune chance.

Thorenc avait dissimulé son vélo sous les vignes, puis, comprenant qu'il ne pourrait accéder au village par le bas, il avait continué à pied. Berson était perché sur un éperon rocheux qui surplombait le vignoble du haut de ces remparts naturels.

Il avait donc contourné le village, s'enfonçant dans les forêts de pins qui longeaient la route. Il avait aperçu les camions des miliciens arrêtés devant la poterne de Berson. Les hommes sautaient à terre, s'engageaient dans les ruelles tandis que les automitrailleuses allemandes continuaient de rouler vers le sommet de la colline.

Haletant, il avait marché le plus vite qu'il pouvait, pressentant, une fois atteinte la futaie la plus dense, que le maquis devait se trouver là. Et il avait en effet aperçu, en contrebas de la forêt de pins, ces hommes rassemblés autour d'un corps allongé sur le sol.

Il avait descendu la pente en courant, étonné de ne rencontrer aucune sentinelle. Les Allemands pouvaient donc, comme lui, gagner le faîte de la colline et, cachés par la forêt, attaquer le maquis par surprise en le prenant sous leur feu depuis le sommet ?

Il s'était dirigé vers ce groupe d'hommes serrés les uns

contre les autres. Quand Minaudi et Salgado, qui se tenaient à l'écart, l'avaient aperçu, ils avaient d'un signe demandé qu'on le laissât passer.

C'est à cet instant qu'il avait vu les mains mutilées de l'abbé Vivien.

À présent, Thorenc est assis dans une remise aux murs de grosses pierres blanches. Le toit de tuiles disjointes laisse passer la lumière et le vent qui s'est levé.

Salgado explique qu'une semaine auparavant, une dizaine de miliciens s'étaient installés dans la mairie de Berson. Ils avaient terrorisé le village, accusant les habitants d'aider les maquisards.

L'un des villageois était monté jusqu'ici raconter ce qu'ils subissaient ; il avait aussi parlé de l'agonie de sa mère, une femme pieuse qui réclamait la présence d'un prêtre. Mais celui de Berson avait quitté le village.

Vivien avait aussitôt décidé de descendre à Berson.

— Courageux, ce prêtre, murmure Salgado. On n'a pas pu le faire changer d'avis. Il disait que les miliciens étaient des enfants de Dieu comme les autres hommes. Et que, s'ils le tuaient, il leur avait déjà pardonné.

D'une mimique, plissant les yeux, Salgado exprime son incompréhension :

— Un peu fou, non ?

Minaudi secoue la tête.

— Quand on croit à quelque chose de plus grand que sa petite vie, dit-il de sa voix éraillée, les gens pensent aussitôt qu'on est fou. Pour les autres, les communistes aussi sont des fous.

Puis, fermant à demi les yeux, il ajoute :

— Ils ont jeté le corps de l'abbé sur la route, à cinq cents mètres d'ici, pour bien montrer qu'ils savent où on est.

— Ils vont apprendre à nous connaître ! lance Salgado en brandissant le poing.

Il répète qu'il est décidé à attaquer les miliciens de Berson durant la nuit. Et il n'écoute pas Thorenc lui parler des renforts de miliciens qui sont arrivés au village, des automitrailleuses allemandes qui se dirigent vers le sommet de la colline.

— Je les ai vus ! répète Bertrand.

— On passe à l'attaque, réplique l'Espagnol.

Thorenc se penche et insiste : il a vu deux camions remplis de miliciens, il a compté trois automitrailleuses. Le maquis regroupe une cinquantaine d'hommes. Les forces sont par trop inégales. Le communiqué du COMAC a ordonné de se replier devant l'ennemi, de ne pas s'accrocher au terrain, de conduire une guérilla mobile. C'est ce qu'aurait fait Stephen Luber.

— Vous avez vu les mains de l'abbé ? s'insurge Salgado. On ne peut pas laisser faire ça sans réagir. On se replie depuis huit ans, depuis 1936 ! Vous, vous le savez : vous y étiez, en Espagne...

Il serre son cou entre son index et son pouce droits.

— Je ne veux plus reculer, je ne veux plus m'enfuir, je veux attaquer, Thorenc. C'est le moment. Si on doit mourir, au moins qu'on en crève d'abord le plus grand nombre !

— Vous n'avez pas le droit, murmure Thorenc. Ils vont brûler Berson, assassiner tous les habitants. C'est ce qu'ils ont fait à Balmas, à Brantôme, à Oradour. Il faut être habile et prudent, pour vaincre.

— Foutez le camp ! rugit Salgado en se levant. L'abbé, c'était un ami à vous, pas à nous ! Nous, on l'avait condamné. On voulait le fusiller. Il s'est réfugié dans la ferme Ambrosini auprès de vous. Vous avez même frappé Luber pour le défendre... Et quand on veut le venger, vous invoquez Luber, vous nous faites encore une fois la leçon ! Ça suffit, Thorenc ! J'étais professeur, maintenant je fais la guerre. Vous, vous étiez journaliste, et vous pensez encore comme si vous étiez assis derrière une machine à écrire, à hésiter avant de choisir un mot !

Il pose sa main sur l'épaule de Thorenc :

— Dans quelques mois, vous la retrouverez, votre machine. Jusque-là...

Il ne peut terminer sa phrase.

Tout à coup Thorenc lui saisit le bras, le tord, repousse l'Espagnol tout en le menaçant de son arme.

— Salgado, vous n'attaquerez pas Berson ! crie-t-il. Vous allez donner l'ordre de repli immédiat. Sinon, je vous abats !

L'autre essaie de résister. Thorenc l'entraîne dans l'un des coins de la remise, puis s'adosse au mur, le tenant par le cou, lui enfonçant le canon de son arme dans le dos.

Minaudi a reculé jusqu'à la porte et hésite.

— Capitaine ! Capitaine ! ne sait-il que répéter.

Il faut le convaincre, lui rappeler les combats menés en commun dans la forêt des Ardennes, la cellule de Marseille...

Salgado, lui, ne bouge plus.

— Donnez l'ordre, Minaudi, vous savez que j'ai raison ! lance Thorenc. Il faut rompre le combat. On les attaquera dans quelques jours. La guerre n'est pas terminée.

Minaudi se balance d'un pied sur l'autre.

Thorenc appuie son arme plus violemment dans le dos de Salgado qui baisse la tête.

Minaudi sort en courant.

Thorenc l'entend crier qu'on se replie en forêt, qu'on n'attaque plus Berson, que les Allemands et les miliciens ont reçu des renforts, des automitrailleuses, qu'il faut décrocher.

La remise se remplit de tous ces bruits de course, de ces exclamations : « Dépêchez-vous ! Dépêchez-vous ! »

Thorenc fouille Salgado, lui prend son revolver tout en continuant à lui serrer le cou.

— Vous et moi, on s'en va, lui dit-il. Pas un geste ou je vous tue.

Il sort avec l'Espagnol.

Il voit les hommes qui remontent en courant vers la forêt. Il entraîne Salgado dans l'autre direction, du côté du vignoble.

Ses pas s'enfoncent dans la terre labourée, puis, tout à coup, il oblige Salgado à s'accroupir. Il le lâche et tend le bras vers la route.

Les automitrailleuses allemandes se sont arrêtées. Les soldats qui les accompagnent commencent à se déployer en direction de la remise.

L'Espagnol ne bouge pas.

— Bonne chance ! lui murmure Thorenc.

Lorsqu'il est à quelques pas, il lui lance son arme.

Il s'éloigne, le dos courbé, puis se redresse.

Il pense qu'il a sauvé le petit Max, peut-être aussi quelques autres vies.

Il regarde, en descendant vers la vallée, le paysage du vignoble.

Il ne lui déplairait pas de mourir sur cette vision d'une nature maîtrisée, ordonnée par la pensée et le travail humains.

— 33 —

Thorenc ouvre la fenêtre, se penche et regarde le ciel, aussi bleu qu'il l'était en juin 1940.

Cette lumière vive, presque étincelante, l'éblouit. Il s'agrippe à la balustrade de l'étroit balcon qui domine les jardins de l'Observatoire.

Il a l'impression d'osciller, comme ivre, comme s'il risquait de s'abîmer dans ce gouffre de quatre années où tant ont été précipités, ont disparu.

Sous ce bleu du ciel inimitable.

Souvent, depuis qu'il est de retour à Paris, il a éprouvé cette sensation de vertige.

Il est passé lentement devant chez lui, boulevard Raspail, et a aperçu madame Maurin qui balayait le hall de l'immeuble. Elle était ensuite rentrée dans sa loge et avait commencé à lever son store, faisant apparaître sur le rebord de la fenêtre les quatre pots de géraniums que Bertrand y avait toujours vus.

Il s'était éloigné avant que le store n'eût dévoilé la physionomie de cette femme dont quatre années ne semblaient avoir changé aucune des habitudes.

Il s'était dit qu'il ne pourrait jamais faire comprendre à madame Maurin, non plus sans doute qu'au plus grand nombre de Français, ce qu'il avait vécu, éprouvé depuis juin 1940. Lui et ceux qui avaient risqué leur vie dès le jour de la défaite seraient peu à peu oubliés, toujours incompris.

Il s'était retourné. Madame Maurin avait posé sur le trottoir ses pots de géraniums et les arrosait. Saurait-elle jamais ce qu'avait subi Catherine Peyrolles ? Pouvait-elle imaginer ce qu'il avait fallu de courage à Victorine Jallez pour accueillir les trois petites filles juives ? Comment, puisqu'elle ignorerait toujours ce qu'avaient été, ce qu'étaient encore l'angoisse, la peur, l'héroïsme, la révolte, le désespoir et l'enthousiasme des combattants, se serait-elle souvenu de Pascal, de Stephen Luber, du commandant Villars, et même de Jean Moulin ? Et, qui sait, sans doute oublierait-elle de Gaulle comme elle s'apprêtait déjà à oublier Pétain.

Il n'avait pas éprouvé d'amertume. Il avait le sentiment que lui-même n'aurait pu se comporter autrement qu'il ne l'avait fait. Il ne se reconnaissait aucun mérite. Il avait souvent eu peur. Il n'avait jamais pensé qu'on pût lui témoigner une quelconque gratitude pour ce qu'il avait fait. Et cependant, en longeant le boulevard Raspail, il avait eu comme une nausée.

Mais l'air était si léger, les arbres d'un vert si clair ; les femmes portaient des jupes plissées qui laissaient voir leurs mollets, et même leurs genoux. Aussi, en redécouvrant cette ville — la sienne, s'était-il répété —, s'était-il laissé peu à peu envahir par une joyeuse euphorie.

Il avait continué d'avoir la sensation de tituber, mais comme après une nuit de fête, quand l'ivresse est encore gaie.

Il y avait ces pancartes au carrefour du boulevard Raspail et du boulevard Montparnasse, signalant en grosses lettres noires sur fond blanc :

ZUR NORMANDIE FRONT

Ce n'étaient plus les inscriptions arrogantes de l'été 40, mais l'aveu honteux d'une humiliation.

Il lui avait semblé que toute la ville hésitait entre une attitude narquoise, goguenarde, et une sourde colère encore refoulée par la peur.

Il s'était assis à la terrasse des Deux-Magots, à Saint-Germain-des-Prés.

Il avait reconnu les visages de journalistes et d'écrivains qui parlaient avec la même assurance qu'autrefois, leur nœud papillon toujours de guingois.

L'un d'eux s'était appuyé à sa table :

— On ne vous lit plus depuis des années, mon cher. Mais vous refaites surface avec le printemps ! Un beau, un magnifique printemps, n'est-ce pas ?

L'homme avait cligné de l'œil, puis avait chuchoté :

— Soyez prudent, vous êtes sur la liste noire de la Milice.

Thorenc avait souri. Il avait le sentiment qu'il ne pouvait plus rien pour son destin, que la pièce s'achevait. Les dernières répliques étaient écrites.

Il avait cependant quitté le café où il apercevait des acteurs — peut-être Jean Marais ? — qui entouraient Sartre, et il s'était éloigné : de fait, il était raisonnable de ne point traîner dans ces lieux surveillés, alors que rôdaient encore dans les rues les voitures noires de la Milice et de la Gestapo.

Mais c'était la fin, chacun le savait.

Sous les frondaisons du rond-point des Champs-Élysées, les badauds, assis à l'ombre, regardaient passer les camions de la Wehrmacht qui roulaient vers la Normandie, camouflés par des branchages. Des ambulances les croisaient ; des groupes de soldats âgés, de longs fusils suspendus à leur épaule, traversaient dans les passages cloutés.

Thorenc avait eu le sentiment que ces hommes, cette armée avaient été comme engloutis par la ville, le pays, qu'ils n'étaient plus que des naufragés s'accrochant à des épaves au milieu d'un océan hostile qui attendait qu'ils lâchent prise.

Et puis, tout à coup, débouchant de la rue de Rivoli, ces masses d'acier bariolé, grinçantes, cette colonne de chars Tigre qui manœuvraient sur la place de la Concorde entre des rangées de chevaux de frise.

Il avait observé les passants dont le regard semblait refuser de voir ces panzers, les effleurant à peine d'un coup d'œil chargé d'une indifférence méprisante.

Il était rentré à pas lents au domicile d'Alexandre de Norois qui l'hébergeait à nouveau.

Il avait longé les grilles du jardin du Luxembourg.

Il avait aperçu les sentinelles casquées qui arpentaient les allées devant le palais du Sénat.

Des blockhaus, comme de gros bulbes gris, avaient surgi au milieu des carrés de terre noire où ne poussait plus aucune fleur et sur lesquels s'étendait çà et là l'ombre naissante des marronniers.

Thorenc s'était arrêté. Quatre ans auparavant, la présence de ces soldats, de ces drapeaux à croix gammée l'avait humilié, révolté.

À présent, il était surpris d'éprouver par-dessus tout un sentiment d'impatience à la vue de ces hommes et de ces symboles qui lui semblaient prisonniers derrière les grilles ou les murs de béton élevés devant les hôtels réquisitionnés.

Ils pouvaient certes encore tuer, mais ils étaient encerclés, et le savaient.

Il fallait que la pièce s'achève au plus vite. Elle était jouée, mais il fallait empêcher que les vaincus ne détruisent le théâtre.

— Ils disposent de plusieurs milliers d'hommes, dit Pierre Villars. Peut-être aussi d'une centaine de chars.

Il va et vient, les mains nouées derrière le dos, s'arrêtant souvent, levant la tête pour regarder la fresque bleutée du plafond.

Le salon de l'appartement d'Alexandre de Norois, dont les fenêtres s'ouvrent sur les jardins de l'Observatoire, est clair. Le soleil projette sur le parquet roux de grandes plages dorées.

— Hélas ! pour nous, commence Lévy-Marbot, Paris est un nœud de communications essentiel pour les armées allemandes. S'ils le perdent, ils sont coupés du front. Ils le tiendront donc tant qu'ils résisteront à la poussée alliée. Si le front de Normandie cède, Paris cesse d'être un enjeu stratégique, mais devient un symbole politique. Pour nous comme pour les Allemands. Les nazis voudront en faire un champ de ruines, à l'instar des villes russes ou allemandes. D'autres Allemands penseront à leur avenir et ne voudront pas être responsables de la destruction de Paris. Quant à nous...

— Une insurrection à Paris, le coupe Pierre Villars, prouvera que la France reprend son destin en main. Paris, la ville des barricades et des révolutions ! Elle doit se libérer elle-même. En Europe, elle sera la seule à le faire. Ici, nous ne sommes pas à Rome !

Lévy-Marbot hoche la tête.

— Qui tient Paris tient la France, murmure-t-il. Si les communistes, qui contrôlent en fait tous les rouages du COMAC et du Comité parisien de Libération...

— Voilà des propos scandaleux ! s'insurge Villars. Je ne connais que des Français qui se battent !

— Allons donc ! s'exclame Delpierre.

Il est enfoncé dans le canapé, jambes allongées. Depuis qu'il a été blessé au cours d'une évasion, il boite et ne se déplace qu'avec deux cannes, ce qui le rend aisément identifiable. Il répète qu'il s'en moque. Il est persuadé que les Allemands le croient mort ou réfugié en Angleterre ou à Alger. Il a d'ailleurs fait annoncer par la BBC qu'il y avait participé à des entretiens diplomatiques entre Anglais et Français.

Il se hisse en s'appuyant sur ses cannes. Thorenc fait mine de l'aider, mais il l'écarte.

— Voulez-vous que je les énumère ? dit-il. Rol-Tanguy, Kriegel-Valrimont, André Tollet, Pierre Villon...

Il marche difficilement, courbé, s'immobilise devant Pierre Villars, se redresse.

— Et je ne compte pas les sous-marins qui se sont infiltrés partout ! ajoute-t-il.

Thorenc quitte le salon. Il connaît par cœur les tirades des uns et des autres. Chaque acteur tient son rôle, attend que le rideau tombe sur la dernière scène pour que commence une autre pièce, celle de la lutte pour le pouvoir au lendemain de la Libération.

C'est cette pièce-là qu'on répète déjà.

Thorenc aperçoit, assis seul à son bureau, Alexandre de Norois. Le diplomate lui demande d'approcher.

— Vous n'imaginez pas, mon cher, dit-il, ce jaillissement de poésie...

Il montre des revues éparpillées devant lui.

— Les poètes ont repris la parole et écrivent partout : dans les maquis, en prison, devant les pelotons d'exécution... C'est extraordinaire : il y a entre eux tous une sorte de communion, comme s'ils composaient instinctivement un chœur, le chœur national ! C'est aussi bouleversant que fascinant. Ils retrouvent là la plus ancienne tradition qui soit. J'ai parfois l'impression de lire Du Bellay ou Charles d'Orléans, ou Hugo, oui, notre Hugo !

Il se lève, prend quelques feuillets.

— Drieu et Brasillach sont des hommes seuls. Ils sont intelligents, ils doivent donc se rendre compte qu'ils se sont placés hors du courant majeur de notre tradition. Ils ne sont pas du côté de Jeanne, mais de l'évêque Cauchon.

Il s'approche de Bertrand, lui montre un feuillet, commence à le lire, s'interrompt et précise :

— Jean Cayrol, déporté, admirable... Écoutez, Thorenc, écoutez :

« *Nous porterons la France au-delà de la mort*
au-delà du visage mourant du premier preux
au-delà de la haine, au-delà de nos corps
qui n'attendent plus rien que de passer à Dieu... »

Il regarde Bertrand, hoche la tête :

— Mon fils est mort, reprend-il, mais ce sont des mots comme ceux-là qui me consolent. Écoutez encore...

« *Le jour de la colère a sonné dans les bois*
Nous porterons la France au vieux pas du cheval

La couronne de ronces a suffi pour sa Foi
L'écume des cuirasses suive les eaux du val... »

— Quel qu'ait été leur talent, Drieu et Brasillach, et une poignée d'autres encore, ajoute-t-il, mais d'abord ces deux-là resteront comme une tache noire sur l'histoire des lettres françaises.

Il lève les bras.

— Céline aussi, bien sûr, et tous les médiocres dans leur sillage. Vous connaissez ce texte de Claudel, *La France parle* ?

Il ferme les yeux, sa voix tremble :

« *Je suis vieille, dit-elle, on m'en a fait de toutes*
sortes, jadis, mais je n'étais pas habituée à la honte
On n'a pas seulement livré mon corps,
on a installé quelqu'un dans mon âme.
Quelqu'un a dit au monstre : Prends-la !
C'est elle, cette chose consentante et infâme ! »

Alexandre de Norois se rassied derrière son bureau.

— Voilà ce qu'ils ont dit aux Allemands : *Prends-la !* C'est cela, Thorenc, l'essence de la collaboration. Pétain, Laval, Drieu, Brasillach, et naturellement ces juges serviles, ces hauts fonctionnaires, les gens comme Charles de Peyrière, que j'ai connu au Quai, voilà ce qu'ils ont fait !

Le visage du diplomate semble tout à coup vieillir. Des rides de lassitude et de tristesse plissent les coins de sa bouche. Il récite d'une voix sourde :

« *On s'est assis sur mon cœur*
et j'entends quelqu'un qui parle à ma place... »

Thorenc traverse la pièce et va ouvrir la fenêtre pour voir sous le ciel bleu les marronniers en fleur.

— 34 —

Thorenc avait cru entendre une nouvelle fois le hurlement de cette femme.

Il lui avait semblé plus aigu, plus long que les nuits précédentes.

Il s'était levé et, dans la salle de bains attenante à la chambre, il s'était aspergé d'eau le visage, mais, pour autant, la voix ne s'était pas tue.

C'était comme une lueur écarlate qui explosait dans sa tête et nimbait chacun de ses souvenirs.

Il y avait cinq jours déjà, il avait attendu la voiture, dissimulé sous une porte cochère, au coin du boulevard Saint-Michel et de la rue Soufflot.

Elle avait ralenti et l'un des passagers avait ouvert la portière. Thorenc avait bondi à l'intérieur.

Puis la voiture avait accéléré.

Il n'avait pas voulu regarder le visage des deux hommes assis près de lui sur la banquette arrière. Son voisin lui avait posé une mitraillette sur les genoux.

— Je souhaite l'enlever, avait dit l'homme placé à côté du chauffeur — Thorenc avait alors reconnu Morlot —, mais, en cas de résistance ou de difficulté, l'ordre est de l'exécuter.

Puis, sans se tourner vers Thorenc, Morlot avait ajouté un ton plus bas :

— J'étais hostile à votre présence, vous le savez. Je n'aime pas les reporters. Vous ne faites pas partie des groupes francs. Une seule hésitation, et l'opération peut rater. Nous devons la réussir sans mettre en péril la vie de seize hommes, et la vôtre en sus.

C'était la veille que Thorenc avait arraché à Pierre Villars et à Lévy-Marbot le droit de participer à l'action.

Il s'était dirigé vers le salon où se trouvaient assis les deux hommes.

Thorenc venait d'écouter le dernier bulletin de la BBC.

Chaque mot avait été pour lui une blessure.

Le speaker avait annoncé que les miliciens et les SS avaient attaqué plusieurs maquis dans la région du Ventoux et des dentelles de Montmirail. Les FFI avaient résisté et infligé de lourdes pertes aux traîtres et aux nazis. Puis les maquisards avaient réussi à décrocher, emportant leurs blessés. Les miliciens s'étaient vengés de leur échec en brûlant plusieurs maisons, notamment dans le village de Berson. Là, ils avaient torturé plusieurs hommes avant de les fusiller, et avaient massacré des femmes et des enfants.

« En face des traîtres, soutenus par ce qu'on appelle la force publique, par la Gestapo comme par la police vichyssoise, l'exécution sommaire devient le plus sacré des droits, la seule forme de justice », avait ajouté le chroniqueur.

Thorenc avait eu le sentiment que tout son sang, son énergie, sa pensée même s'étaient répandus par les plaies que le récit de ces événements avait ouvertes en lui.

Il s'était donc dirigé vers le salon.

Il avait poussé la porte et était resté sur le seuil.

Villars et Lévy-Marbot avaient interrompu leur conversation, l'avaient regardé, puis étaient venus à lui, et, constatant sa lividité, l'avaient interrogé à mi-voix.

Thorenc avait murmuré :

— Ils ont tué Max.

Il avait surpris les regards étonnés et inquiets que Villars et Lévy-Marbot avaient échangés. Peut-être avaient-ils pensé qu'il était devenu fou, annonçant près d'un an après sa disparition le décès de Jean Moulin.

— Max, le fils de Catherine Peyrolles, avait-il repris. Ils ont massacré des enfants à Berson, le village où elle l'avait caché.

Villars lui avait serré les épaules en essayant de le rassurer. Peut-être y avait-il des survivants, avait-il chuchoté, et le fils de Catherine Peyrolles pouvait en faire partie.

— Mon fils, avait expliqué Thorenc.

Villars et Lévy-Marbot avaient paru désemparés, puis avaient tenté de le réconforter, de le questionner.

La BBC avait-elle cité les noms des victimes ? Elle n'avait pas affirmé que *tous* les enfants avaient été tués. Il fallait conserver espoir.

Ils étaient restés quelques minutes silencieux, puis Villars avait indiqué que, le lendemain matin, les groupes francs commandés par Morlot allaient essayer d'enlever Philippe Henriot dont on venait d'apprendre qu'il dormait cette nuit-là au ministère de l'Information, rue de Solférino.

— S'il résiste, on l'abattra, avait-il ajouté.

— Je veux faire partie du groupe, avait décrété Thorenc.

Villars et Lévy-Marbot s'y étaient opposés, mais Thorenc

avait menacé de sortir seul dans la rue et d'abattre le premier Allemand ou le premier milicien qu'il rencontrerait, après quoi il se suiciderait.

Ils avaient cédé, puis imposé leur décision à Morlot lorsque celui-ci était passé chez Alexandre de Norois prendre les dernières consignes, fixer les lieux de rendez-vous.

La voiture s'était arrêtée rue Las Cases. Deux autres étaient arrivées dans les secondes suivantes. Les hommes étaient répartis en trois équipes.

Sur les pas de Morlot, Thorenc avait traversé en courant la rue Saint-Dominique.

Il avait aperçu les hommes de la deuxième équipe qui ceinturaient une ronde de quatre ou cinq agents de police, lesquels avaient semblé ne pas opposer grande résistance.

Au ministère de l'Information, la première équipe avait désarmé les hommes du poste de garde, ouvert les portes, et Thorenc s'était engagé dans l'escalier derrière Morlot.

Philippe Henriot dormait dans une chambre du premier étage.

Thorenc s'était plaqué en compagnie des autres hommes du groupe contre les cloisons du couloir, cependant que Morlot criait :

— Milice, brigade spéciale ! Des terroristes veulent enlever monsieur le ministre, nous venons le protéger !

Morlot avait martelé la porte, répété :

— C'est la Milice !

Thorenc avait entendu une voix de femme qui criait :

— N'ouvre pas !

Mais la porte s'était entrebâillée.

Avec les autres, Thorenc avait repoussé le battant.

La femme s'était mise à hurler alors que Morlot tentait de la rassurer, ordonnant à Henriot de lever les mains.

— Suivez-nous, avait-il dit, et il ne vous sera fait aucun mal. On vous emmène pour vous juger.

Henriot s'était précipité en avant, essayant de soulever les canons des mitraillettes qui l'encerclaient.

La femme avait continué de hurler et la rafale qui avait fait plier son mari, le forçant à s'agenouiller, mains crispées sur le ventre, n'avait pu étouffer sa voix.

Ils avaient dévalé l'escalier, couru jusqu'à la rue Las Cases.

Il était cinq heures cinquante-trois lorsque les voitures avaient redémarré.

Morlot avait murmuré :

— Il a voulu résister, nous avons dû l'exécuter.

Depuis, chaque nuit, Thorenc avait entendu cette femme hurler, et c'était dans son crâne comme une déflagration rougeâtre.

SIXIÈME PARTIE

— 35 —

Thorenc observe les visages autour de lui et ne voit que des yeux et des bouches grands ouverts.

Il se hisse sur la pointe des pieds.

Il découvre la foule qui a envahi les petites rues en pente qui conduisent à la place de la Contrescarpe.

On le bouscule, on le pousse, on se serre contre lui. On le contraint à avancer dans la lumière encore chaude mais déjà ombrée de cette fin d'après-midi du vendredi 14 juillet 1944. Il se laisse porter par ce courant, par ces voix qui chantent « *Aux armes, citoyens ! Formez vos bataillons* ! », qui crient « Insurrection nationale ! Aux armes, aux armes ! », « Vive de Gaulle ! »

Il se glisse vers le bord de ce fleuve que surmontent poings levés et drapeaux tricolores. Sur la place, il se colle à une façade, monte sur une marche, domine le moutonnement, puis rentre à nouveau dans le flot.

Il a besoin de croiser ces regards résolus où l'allégresse se mêle à l'anxiété.

Il veut que sa voix se perde dans ce grondement : « Aux armes, aux armes, citoyens ! »

C'est la première fois depuis qu'il a participé à l'action contre Philippe Henriot qu'il n'entend plus ce cri de femme, celui de l'épouse hurlante, et il n'a plus l'obsession de devoir se débattre pour échapper à l'explosion écarlate, à la noyade sous un flot rouge sang.

Cette hantise, ces images d'un homme qui tombe et de sa femme révulsée, l'ont laissé hagard, épuisé, et durant plusieurs jours il n'a plus pu quitter l'appartement d'Alexandre de Norois.

De ce fait, Villars, Lévy-Marbot, Delpierre l'ont trouvé enfin raisonnable.

Laval avait offert une prime de vingt millions de francs à tous ceux qui fourniraient des renseignements sur les terroristes qui avaient abattu le ministre de l'Information.

La Milice s'était répandue dans les rues de plusieurs villes, arrêtant des personnalités soupçonnées de gaullisme. Autant de suspects ou d'otages torturés, fusillés.

Des miliciens avaient abattu l'ancien ministre Georges Mandel dont on avait retrouvé le corps en forêt de Fontainebleau. Naturellement, comme pour Jean Zay, les miliciens avaient prétendu que la voiture qui le transportait avait été attaquée sur la route, et que c'était au cours de l'échauffourée que Mandel avait été tué.

Avec une grimace de dégoût, Delpierre avait jeté sur la table le journal de Doriot, *Le Cri du peuple*, dans lequel Thorenc avait lu ce commentaire :

« On sait le rôle particulièrement néfaste joué de 1938 à 1940, en France, par ce politicien juif, inféodé à la haute finance anglaise. Cette mort, que nous ne pleurerons pas, met fin à une vie de gangster politique hostile à toute entente européenne... »

— J'espère que cela efface vos troubles de conscience, si vous en avez, avait lancé Delpierre en tournant la tête vers

Thorenc. Avec vous, on ne sait jamais exactement à quoi s'en tenir. Vous vouliez faire partie du commando alors que personne ne vous le demandait, et maintenant vous êtes jaune, atterré, silencieux. On vous croirait bourrelé de remords !

Il s'était approché de Bertrand en martelant le parquet avec ses cannes.

Il avait surpris, racontait-il, une conversation dans le métro — un chuchotement plutôt, car chacun continuait à se méfier. Un homme avait soufflé à sa voisine : « Henriot est mort la langue dans la gueule, comme les chiens. Tout va très bien ! »

— Voilà ce que vous devriez penser, Thorenc...

Bertrand avait approuvé.

Il ne regrettait pas d'avoir été complice de cette exécution. Et il était même prêt à dire — il avait murmuré le mot — « de cet assassinat ».

Les miliciens, dont Henriot avait vanté jour après jour les exploits, avaient sans doute jeté le petit Max dans le brasier d'une maison incendiée.

On disait qu'à Clermont-Ferrand, la Milice, au lendemain de la mort de Henriot, avait arrêté des cheminots soupçonnés d'être résistants. On avait retrouvé le corps de certains d'entre eux sur des chemins forestiers. Les bourreaux avaient découpé la peau de leurs prisonniers en lanières, méthodiquement, puis crevé leurs yeux, arraché leurs oreilles. Et ils les avaient abandonnés ainsi, sûrs qu'ils agoniseraient longtemps.

Cependant, Thorenc n'avait pu, comme ce chroniqueur de la BBC, dire après l'exécution de Henriot : « Non, nous ne cacherons pas notre joie pour cette expiation. »

Est-ce que l'on pouvait prononcer le mot « joie », est-ce

que ce mot avait un sens quand, parmi les corps abandonnés là-bas par les miliciens sous les arbres, se trouvait peut-être celui de Gabriel Morand ?

Thorenc avait conservé dans la bouche un goût d'amertume, sans trop savoir pour quelle part y entrait l'acte lui-même, le cri de cette femme, la vue du visage soudain exsangue de cet homme blessé qui se tenait le ventre, tentant de juguler les jets de sang, ou bien les représailles, ou encore cette cérémonie à Notre-Dame, le cardinal Suhard donnant l'absoute à Henriot en présence des autorités françaises et allemandes réunies.

Il avait alors pensé aux mains mutilées de l'abbé François Vivien, puis au dominicain Mathieu Villars, arrêté et déporté.

Il s'était interrogé tout au long de ces nuits d'insomnie durant lesquelles il avait parfois prié à mi-voix, espérant étouffer sous ce murmure la voix de la femme qui hurlait pour tenter de sauver son mari.

« Notre Père qui êtes aux Cieux,
Que Votre Nom soit sanctifié,
Que Votre règne arrive... »

Mais il s'était à chaque fois interrompu.

La voix était toujours là.

Et quel était le sens de cette foi qui donnait à certains croyants la force du sacrifice et ne laissait à d'autres que la lâcheté des compromissions avec les bourreaux ?

Chacun devait-il donc user comme il l'entendait, comme il le pouvait, de sa liberté ?

Au fil de toutes ces journées, alors même qu'il participait aux réunions qui se tenaient dans le salon de l'appartement d'Alexandre de Norois, Thorenc avait ressenti son extrême solitude.

On l'avait chargé du secrétariat et de la rédaction des comptes rendus, des appels et des communiqués. Il avait ainsi été le témoin des affrontements quotidiens entre les différentes tendances, entre Villars et Lévy-Marbot ou Delpierre, chacun soupçonnant l'autre de vouloir l'exclure du pouvoir, de le tenir à l'écart des décisions ou des parachutages d'armes. Les communistes proposaient le déclenchement de la grève insurrectionnelle à Paris ; plus prudents, les autres craignaient que la ville fût détruite, sa population massacrée, et que les communistes profitent des combats pour se rendre maîtres de la capitale. Ceux-ci tenaient déjà les postes clés de l'organisation militaire.

Puis, tout à coup, au moment où ces divisions exaspéraient et désespéraient Thorenc, l'unité se reconstituait dans l'indignation et la révolte.

— Ils continuent à déporter ! disait Pierre Villars.

Il feuilletait le rapport qu'il venait de recevoir des cheminots résistants. Le 30 juin, un convoi de mille cent cinquante Juifs avait quitté Drancy pour les camps de Pologne. Quatre cents de ces déportés avaient été raflés dans la capitale par la police française.

Delpierre avait rompu par un juron le silence qui s'était établi.

— Jusqu'au dernier jour, ces lâches exécuteront donc les ordres ! s'était-il exclamé.

Villars avait secoué la tête. Les réseaux résistants au sein de la préfecture de police tentaient de lancer une grève générale. De Gaulle avait nommé un préfet de police, Charles Luizet, mais ce haut fonctionnaire n'avait pas encore atteint Paris.

Villars avait soupiré, puis repris :

— Les hommes sont ce qu'ils sont, ils ne basculeront qu'au moment où la Libération sera pratiquement acquise. Alors ils se précipiteront pour être du bon côté. Et nous les féliciterons, parce que d'autres n'auront même pas cet ultime courage et se contenteront d'applaudir les défilés de la victoire.

Villars avait agité les feuillets et poursuivi :

— Et pendant ce temps, un train dans lequel étaient entassés deux mille cent soixante-six déportés, à raison de cent par wagon, a été formé à Compiègne. Destination : les camps de concentration !

Il avait replié ses feuillets et murmuré :

— Combien y arriveront vivants ?

Il était allé jusqu'à la fenêtre.

— Si Paris n'est pas libéré rapidement, avait remarqué Lévy-Marbot, ils tueront encore beaucoup de monde. Dans la rue, au hasard, dans les prisons, et naturellement dans les camps en Allemagne. Je ne comprends pas que les Américains ne réussissent pas à percer en Normandie.

— C'est sur nous que nous devons d'abord compter, avait répliqué Villars en revenant vers le centre du salon.

Il venait d'échapper, avait-il indiqué, à une rafle qui avait commencé boulevard Saint-Michel et s'était prolongée boulevard Saint-Germain. Les francs-gardes cantonnés au lycée Saint-Louis avaient arrêté aux terrasses des cafés les jeunes gens dont ils trouvaient les cheveux trop longs, l'élégance trop voyante avec leur col de chemise ouvert, leurs vestes cintrées. Les miliciens les avaient roués de coups, puis les avaient livrés aux Allemands après un contrôle d'identité.

— Les suspects, les réfractaires, les Juifs ne s'en sortiront pas vivants, avait-il ajouté.

— Établissons en notre faveur un rapport de forces ! avait rugi Delpierre. Il faut que miliciens et collaborateurs sachent que non seulement on ne leur pardonnera rien *après*, mais qu'ils risquent d'ores et déjà leur peau à chaque instant !

Il avait frappé le parquet du bout de ses deux cannes, insistant :

— Il faut qu'ils soient terrorisés ! Qu'ils craignent de s'aventurer dans les rues, aux terrasses des cafés, qu'ils aient peur d'être lynchés, oui, abattus ou lynchés !

Il s'était tourné vers Thorenc.

— Il faut faire passer ça dans ce que vous écrivez pour le 14 Juillet. C'est ton métier d'écrire, non ?

Il avait soupiré.

— C'était aussi le mien, mais je n'ai plus guère l'esprit à ça...

Thorenc avait eu envie de répondre qu'il s'en sentait lui aussi incapable. Puis il s'était enfermé dans sa chambre, et, peu à peu, les mots avaient empli sa bouche. Il n'avait plus entendu qu'eux.

Il avait rédigé de plus en plus vite cet appel à manifester le 14 Juillet :

« Quel Français pourrait se contenter d'attendre passivement la Libération du seul effort des nations alliées ?...

« L'heure est venue de hâter cette victoire en harcelant l'ennemi. L'heure est venue d'exterminer les tueurs de la Milice sur qui l'ennemi compte pour empêcher la France d'agir et de s'insurger. L'heure est venue de jeter le trouble dans les rangs de ses soldats et des collaborateurs, de ses agents, en multipliant les grèves et les manifestations.

« 14 Juillet de combat ! Journée de préparation à l'Insurrection nationale ! »

Il avait relu ce texte à voix haute, marchant de long en large dans la chambre, passant de l'ombre à la lumière, déclamant, fenêtre fermée, éprouvant à s'entendre une tension presque joyeuse.

Il s'était rassis, avait continué d'écrire :

« Que l'audace de nos aïeux aux grands jours de notre histoire nous inspire à nouveau !

« Que l'élan qui jeta le peuple de Paris sur la Bastille au 14 juillet 1789,

« Que l'esprit de Valmy et le souffle de *La Marseillaise* soulèvent à nouveau la nation ! »

Il s'était tout à coup souvenu de ces vers de Hugo qu'il avait autrefois, lycéen, refusé de réciter parce qu'il lui avait alors semblé que ces soldats de l'an II, qu'exaltait le poète, avaient été les ennemis de ses ancêtres.

Et voilà qu'il scandait à présent cette strophe :

« *La tristesse et la peur leur étaient inconnues*
Ils eussent sans nul doute escaladé les nues
Si ces audacieux
En retournant les yeux dans leur course olympique
Avaient vu derrière eux la grande République
Montrant du doigt les cieux... »

Cette langue, cette histoire lui appartenaient.

Elles étaient son corps. C'est elles qu'il voulait défendre.

Place de la Contrescarpe, il chante, il crie.

Il ne se lasse pas de voir ces yeux et ces bouches, ces hommes et ces femmes qui ont répondu à l'appel qu'il a rédigé. Il en est fier.

Brusquement, des roulades de sifflets retentissent, stridentes, et les cris se changent en hurlements de frayeur.

La foule reflue. On scande :

« La police avec nous ! La police avec nous ! »

Thorenc est poussé par le flux vers la rue de l'Estrapade. Il aperçoit des policiers en civil, armés de mitraillettes, qui entraînent deux manifestants. Ceux-ci se débattent, réussissent à s'échapper.

L'un des policiers, sans doute un inspecteur des Brigades spéciales qui, depuis quatre ans, traquent les communistes, les résistants, les Juifs, et collaborent avec la Gestapo, vise les deux hommes. Au moment précis où Thorenc entend les détonations, il voit l'un d'eux s'effondrer tandis que l'autre continue de courir tout en boitant. Sans doute est-il blessé.

La foule s'écarte devant lui, se referme dès qu'il est passé.

Le fuyard regarde Thorenc.

C'est un garçon d'à peine une vingtaine d'années.

Tout à coup, il tombe.

Thorenc s'agenouille. Le blessé a cessé de respirer.

Bertrand se retrouve seul au centre d'un cercle de gens qui reculent, comme désireux d'échapper à la contagion de la mort.

Il lève alors le poing et hurle :

— Aux armes ! Vengeons-le !

Il veut s'élancer, on l'agrippe, le retient.

Quelqu'un dit que les miliciens du lycée Saint-Louis arrivent, qu'il vaut mieux se disperser. Mais que ces salauds, ces vendus ne perdent rien pour attendre. On va les crever !

Thorenc demeure au milieu de la chaussée, les bras ballants, ce corps à ses pieds, cependant que les hommes armés de mitraillettes s'avancent vers lui.

Il se jette dans une petite rue.

Il connaît bien le quartier.

Tout en courant, il se souvient de ces années passées rue d'Ulm, dans cette École normale où furent élèves comme lui Delpierre, Brossolette, mais aussi Brasillach et Pucheu.

Les hommes font de leur glaise ce qu'ils veulent ou ce qu'ils peuvent.

Mais il n'y aura pas d'excuses, pas de pitié.

Il traverse le boulevard Saint-Michel, marche lentement dans la rue Auguste-Comte, puis dans l'avenue de l'Observatoire.

En lui la voix, rouge comme un remords, s'est tue.

— 36 —

Thorenc lève la tête et découvre cette femme qui s'avance vers lui.

Elle semble poussée par la lumière qui inonde la berge alors que la Seine est un fossé que l'ombre a déjà recouvert.

Il essaie de distinguer les traits de cette femme qui marche lentement, s'arrêtant souvent, regardant autour d'elle les corps couchés sur la berge, suivant les évolutions des nageurs qui, en plongeant, passent de la clarté à la pénombre et semblent ainsi engloutis tout à la fois par le fleuve et l'obscurité.

Il se redresse. Adossé au parapet, il devine l'étonnement de la passante.

Lui aussi, en découvrant les berges de la Seine, à la hauteur de Notre-Dame, puis sur l'île Saint-Louis, a été abasourdi et a éprouvé un sentiment de malaise et d'euphorie mêlés.

Il s'est souvenu du Paris désert de l'été 40, du vide des avenues, des défilés martiaux des troupes allemandes, des réfugiés qu'il avait croisés, poussant leurs charretons, leurs landaus remplis des décombres de leur vie au milieu de la chaussée.

Aujourd'hui, alors que l'on se bat à Caen, à Saint-Lô, à Carentan, à Falaise, que l'on tue, que l'on fusille, que l'on déporte, les berges de la Seine sont couvertes des corps nus et nonchalants de baigneurs entre lesquels passent parfois des soldats allemands qui semblent presque gênés et que nul ne paraît voir.

Lorsque, traversant le pont Saint-Louis, il a vu ces quais, puis les terrasses des cafés de part et d'autre du débouché du pont, sur l'île, où toutes les tables étaient occupées par des hommes en chemises et costumes et clairs, des femmes aux corsages échancrés, les jambes nues, il s'est demandé si lui et Lévy-Marbot, Delpierre, Villars, ces milliers d'hommes qui préparaient l'insurrection, la Libération, qui rédigeaient des appels, qui manifestaient le 14 Juillet, n'avaient pas perdu la raison.

Puis il avait repensé aux deux jeunes gens tombés rue de l'Estrapade.

Et, en regardant ces corps paisibles, en imaginant les propos qu'échangeaient les couples assis à ces terrasses de café, mêlés aux soldats allemands qui, tête nue, l'air las, buvaient de la bière, leur fusil calé contre leur cuisse, il avait d'abord éprouvé un sentiment de honte.

Mais, peu à peu, l'impatience et la gaieté l'avaient à son tour gagné.

C'était bien la fin. Les jeux étaient faits, chacun le savait. Il fallait seulement ne pas mourir dans les dernières semaines.

Il avait descendu d'un pas rapide la pente conduisant à la berge, au-dessous du quai d'Orléans. C'est là qu'il devait rencontrer ce courrier.

— Il vous reconnaîtra, lui avait indiqué Delpierre.

Thorenc s'était étonné du sourire ironique et du geste bienveillant de Delpierre qui, se tenant difficilement en équilibre sur une canne, lui avait tapoté l'épaule avec l'autre main en murmurant :

— Après quatre ans, la boucle se referme, Thorenc. Vous vous rendez compte : bientôt, nous en aurons fini avec tout ça !

Delpierre avait décrit avec sa canne un grand cercle autour de lui, puis avait ajouté :

— Quel été flamboyant, aussi beau que celui de 1940 !

Thorenc était sorti peu après Delpierre.

Il avait longé les jardins de l'Observatoire et du Luxembourg.

Il avait vu, garés devant le lycée Saint-Louis, plusieurs camions dans lesquels les francs-gardes chargeaient des caisses, des valises et même des meubles. Les passants détournaient la tête, traversaient la chaussée pour éviter d'avoir à passer près des miliciens qui s'apprêtaient à décamper.

Thorenc s'était engagé dans l'étroite rue Champollion et avait vu s'avancer vers lui, se dirigeant vers la place de la Sorbonne, un jeune soldat allemand qui paraissait tituber, ivre d'alcool et de fatigue, et qui, arrivé à sa hauteur, lui avait lancé, haletant, le visage contracté :

— Normandie... Allemagne... deux mois... *Kaputt* !

Si jeune, ce soldat, si poupin, son visage sous le calot, mais peut-être était-ce le même homme qui avait lancé une grenade dans une ferme où d'autres, pareils à lui, avaient entassé les femmes et les enfants d'un village...

Et Max parmi eux.

Thorenc s'était éloigné rapidement alors qu'apparaissaient sur la place des soldats dont les cris gutturaux avaient empli la petite rue.

Il aurait été si stupide de se faire tuer ainsi, pour rien, au hasard, alors que la fin était si proche.

Mais, comme dans toutes les grandes dramaturgies, c'était en ces derniers jours que tous les destins allaient se sceller.

Et Thorenc avait repensé avec mépris à ces gens qui essayaient avidement de changer de camp, de se ménager une sortie.

Laval, qui manœuvrait, avait invité Édouard Herriot, le radical, à déjeuner en compagnie d'Otto Abetz, à l'hôtel de Matignon, pour organiser une transition politique et, naturellement, empêcher ainsi de Gaulle, chef du Gouvernement provisoire de la République française, et le Conseil national de la Résistance de s'installer à la tête du pays où seraient revenus les notables de l'an 40, comme si rien ne s'était passé entre les deux étés ! En sorte qu'une habile manœuvre politicienne suffirait à faire renaître la

IIIe République qu'on avait assassinée en juillet 1940, à Vichy !

Par le dédale des petites rues, fraîches et sombres, qui s'entrecroisent entre le boulevard Saint-Germain et la Seine, Thorenc était enfin parvenu sur les quais.

Et là, tout à coup, ç'avaient été ces corps allongés en plein soleil, ces cris des plongeurs, ces rires de femmes et d'enfants, ces soldats débonnaires et désœuvrés !

Il les avait suivis des yeux, ces Allemands anachroniques qui traînaient leurs armes, épaules voûtées, et cherchaient modestement une place libre aux terrasses des cafés.

Tueurs, ces hommes-là ?

Il fallait déjà faire effort pour l'imaginer.

Et ils l'avaient été pourtant, et le seraient encore.

Sur le plateau du Vercors, ils étaient entrés dans la grotte de Luire où les maquisards avaient installé leur infirmerie. Un drapeau de la Croix-Rouge était accroché à la paroi rocheuse.

Mais les chasseurs alpins allemands, des hommes qui peut-être, lorsqu'on les avait croisés dans les rues de Chambéry et de Grenoble, avaient paru ressembler à n'importe quels montagnards, avaient massacré tous les blessés. Et dans les jours qui avaient suivi leur victoire sur les maquisards du Vercors, ils avaient brûlé les fermes et les villages, assassiné des familles entières, pendu les hommes après leur avoir arraché la langue et crevé les yeux.

Et les soldats de cette armée-là étaient assis aux terrasses à regarder en souriant les jeunes femmes qui se déshabillaient sur la berge avant de plonger dans la Seine.

Thorenc avait pensé : voilà ce qu'on appelle un moment d'Histoire.

Il l'avait vécu depuis... en fait, depuis près d'une dizaine d'années, dès ces premiers reportages outre-Pyrénées, en commençant par la vision de ces morts de Badajoz aux visages couverts de mouches. Suivis par tous ceux qu'il avait vus depuis lors et par ceux qu'il avait lui-même tués.

Mais peut-être le plus difficile était-il, au fond, de passer, d'un simple mouvement de tête, d'un jour au suivant, d'une rue à l'autre, de la guerre à la paix, de ces deux morts de la rue de l'Estrapade et de ce chant : « *Aux armes citoyens !* », à ces couples en maillot qui s'embrassaient sur les berges comme si la guerre n'avait déjà plus cours.

Il y avait moins de deux heures, Pierre Villars avait tendu à Thorenc un message que les combattants du Vercors avaient adressé à Londres et à Alger, et qui était parvenu à sa connaissance.

Peut-être étaient-ce les communistes qui le lui avaient transmis. Car cette bataille du Vercors était aussi un enjeu : le moyen, pour ceux-ci, d'apparaître comme les avocats les plus déterminés de la Résistance.

Et de Gaulle, méprisant, leur avait lancé : « Vous avez exploité les cadavres ! »

Mais ce message était là, dans la tête de Thorenc, alors qu'il s'adossait au mur du quai, ébloui par le soleil. Il lui eût suffi de fermer les yeux pour imaginer, en entendant les cris, les plongeons, qu'il était sur une plage, loin, loin de la guerre. Pourtant, il s'était souvenu de chaque mot de ce message lancé par les combattants de la République libérée du Vercors :

« La Chapelle, Vassieux, Saint-Martin bombardés par l'aviation allemande. Troupes ennemies parachutées sur Vassieux. Demandons bombardement immédiat. Avions promis de tenir trois semaines. Temps écoulé depuis la mise en place de notre organisation : six semaines. Demandons ravitaillement en hommes, vivres et matériel. Moral de la population excellent, mais se retournera rapidement contre vous si vous ne prenez pas des dispositions immédiates, et nous serons d'accord avec eux pour dire que ceux qui sont à Londres et à Alger n'ont rien compris à la situation dans laquelle nous nous trouvons et sont considérés comme des criminels et des lâches. Nous disons bien : criminels et lâches. »

L'étaient-ils, ces Parisiens qui, pendant qu'on massacrait dans le Vercors, qu'on torturait encore rue Lauriston, qu'on se battait dans les ruines de Saint-Lô et les maquis du Morbihan, pendant que Salgado et Minaudi étaient peut-être traqués, voire déjà morts, que des déportés succombaient, piétinés dans les wagons qui les conduisaient à l'enfer — étaient-ils des criminels et des lâches, ces Parisiens qui nageaient dans la Seine ou somnolaient au soleil, étendus sur la berge, à quelques pas de soldats allemands qui commandaient un verre de bière à la terrasse des bistrots ?

Mais peut-être simplement l'Histoire était-elle toujours ainsi composée de facettes tour à tour lumineuses, grises et noires, à moins qu'elle ne fût, comme l'avait écrit Shakespeare, une « fable racontée par un idiot, pleine de bruit et de fureur, et ne signifiant rien » ?

Cette femme est toute proche à présent, mais son visage reste encore dans l'ombre.

Thorenc reconnaît pourtant sa silhouette grande et mince, ses cheveux noirs.

Il ne bouge pas. C'est comme si son corps était chevillé à ce mur du quai que le soleil de juillet a imprégné de sa brûlante lumière.

Geneviève Villars est devant lui.

Elle murmure :

— Me voilà.

Thorenc ne réussit pas à lever les bras, comme s'il craignait de découvrir qu'il ne s'agit là que d'un mirage, qu'il ne va pas serrer contre lui le corps de Geneviève, mais faire un geste qui n'embrassera que le vide.

Mais elle est pourtant là devant lui, les cheveux plus courts, les rides plus marquées autour de la bouche, des cernes gris sous les yeux, le visage vieilli, plus émacié et plus dur.

Il n'ose l'enlacer.

Tant d'événements, depuis ces nuits de 1940, tant de morts entre eux deux ! Et cependant — c'est ce qui paralyse Thorenc — le sentiment aussi qu'il la retrouve comme si rien n'avait eu lieu, comme si l'été 40 n'avait jamais été interrompu.

Tout à coup, elle appuie son corps contre le sien. Il a l'impression qu'il est délivré du sort qui lui avait été jeté et qui le paralysait.

Son propre corps devient léger.

Il entoure de ses bras les épaules de Geneviève Villars.

Elle murmure :

— Nous sommes là !

Il pense qu'ils ne sont qu'un couple par une fin de journée de juillet, enlacé comme tant d'autres sur les berges de la Seine.

— 37 —

Allongé, mains croisées sous la nuque, la tête quelque peu soulevée par l'oreiller, Thorenc aurait souhaité laisser vagabonder sa mémoire.

Les yeux mi-clos, il n'avait pas cherché à voir distinctement Geneviève Villars qui, debout, s'appuyait au montant du lit.

Il avait préféré la confondre avec cette jeune femme d'autrefois dont les seins étaient ronds et fermes, le corps moins efflanqué, les cheveux non pas ternes et presque grisonnants, mais plus longs et brillants. Et dont les yeux le regardaient alors avec passion.

Dès qu'ils étaient remontés sur le quai, faisant le tour de l'île Saint-Louis — parmi les promeneurs, nombreux étaient encore les soldats allemands —, il avait voulu lui dire qu'il se souvenait, qu'il avait toujours espéré la retrouver ainsi, à son bras. Il avait évoqué leur séjour au Château de l'Anglais, au-dessus du port de Nice, avant guerre ; et se rappelait-elle aussi la nuit — celle du 11 au 12 novembre 1940 — dans cet hôtel de passe de la rue Delambre, quand ils avaient fui, après la manifestation sur les Champs-Élysées, qu'il l'avait entraînée dans ce cabaret, la Boîte-Rose, pensant qu'on ne viendrait jamais les chercher là, au milieu des officiers de l'état-major allemand ?

Mais elle s'était écartée, dégageant son bras, le laissant seul avec tout ce passé, lui disant qu'ils avaient à parler et qu'elle avait voulu le rencontrer pour cela. Peut-être, avait-elle ajouté en lui lançant un rapide coup d'œil, seraient-ils mieux, en effet, dans une chambre d'hôtel ?

Elle avait dit « en effet » comme si elle avait entendu ce qu'il avait en tête.

Bertrand n'avait pas répondu, mais avait marché plus vite dans le crépuscule qui drapait d'un rouge doré la coupole du Panthéon.

Il s'était arrêté devant un hôtel vétuste de la rue Maître-Albert, qui paraissait écrasé entre deux immeubles mitoyens aux façades décrépies.

Il avait regardé Geneviève qui n'avait pas baissé les yeux, et elle était entrée la première, faisant face au gardien qui avait expliqué que les chambres se louaient à l'heure, non à la journée ou à la nuit, et qu'il fallait payer d'avance.

Elle avait dit en se tournant vers Thorenc :

— Deux heures.

Il avait payé.

Dans l'escalier, ils avaient croisé une femme aux traits marqués, lourdement fardée, et un jeune soldat aux yeux vagues qui la suivait.

— Il a du courage ! avait murmuré Geneviève.

Thorenc n'avait pas su si Geneviève s'était étonnée de la témérité de cet Allemand qui s'aventurait seul dans un hôtel de passe, en ce mois de juillet 1944, ou bien si elle avait fait allusion à la laideur de la femme avec qui le jeune homme venait de coucher.

Et eux, s'était demandé Thorenc, une fois la porte refermée, pourquoi se trouvaient-ils dans cette chambre, aussi sordide que celle de l'hôtel de la rue Delambre qu'ils avaient occupée dans la nuit du 11 au 12 novembre 1940 ? Pour échanger des informations, participer ainsi à la guerre, ou bien n'était-ce là qu'un prétexte pour se retrouver seuls, comme autrefois, se donner l'illusion qu'ils se désiraient encore, que ces quatre années n'avaient pas tranché les liens qui les avaient unis ?

Mais Geneviève avait lâché sur un ton qui avait glacé Thorenc :

— On parle avant, ou après ?

Il avait su à cet instant-là qu'elle n'avait pas oublié Marc Nels, le radio du réseau Prométhée qu'elle avait aimé et qui l'avait peut-être trahie. Il avait compris à quel point ces quatre années avaient changé Geneviève.

Elle avait maigri, ses seins s'étaient affaissés, certaines de ses mèches étaient grises, mais elle était aussi devenue plus sèche, plus dure. Peut-être ne retrouverait-elle la douceur que longtemps après que les périls qui la menaçaient encore auraient disparu ?

Il s'était senti blessé, désespéré. Il n'avait pas imaginé entre eux un tel éloignement.

Il avait voulu croire que cette rencontre avec Geneviève annonçait elle aussi la Libération. À la déception qu'il éprouvait, il mesurait qu'il avait rêvé à des retrouvailles où chacun d'eux aurait été seulement enrichi de ce qu'il avait vécu, sans en être pour autant transformé.

Il aurait voulu lui parler de Lydia Trajani, de Claire Rethel, d'Isabelle Roclore, de Catherine Peyrolles, et d'abord de Max.

Il aurait écouté ses propres confidences.
Mais peut-être était-il encore trop tôt ?

Ils s'étaient allongés côte à côte, sans se déshabiller. Il lui avait caressé la poitrine, et il s'en était voulu de penser à la jeune femme d'autrefois.

Puis il avait glissé la main sous le dos de Geneviève, la forçant à se coller à lui ; peu à peu, il l'avait sentie se laisser aller, et, dans un élan, elle lui avait soudain entouré les épaules, se pressant contre lui.

Il avait deviné qu'elle pleurait silencieusement.

Puis elle avait geint, le corps secoué de sanglots.

Thorenc avait été désemparé, et de la tendresse, de l'émotion était né le désir.

Sitôt après, elle s'était levée tandis qu'il restait allongé sans oser la regarder se rhabiller.

Il éprouvait des sentiments mêlés, entre gêne et accablement. Car il avait pensé que cette rencontre n'était pas un recommencement, mais une fin, un adieu.

Ils ne pourraient plus aller au-delà de ce qu'ils venaient de vivre.

— 38 —

Dans la nuit claire du plein été, Thorenc écoute le silence qui étouffe la ville. Il fait chaud. Parfois, un bruit de moteur grossit jusqu'à devenir assourdissant, comme s'il occupait tout l'espace laissé vacant.

Assis sur le balcon, Bertrand se recroqueville.

Des phares éclairent la rue Auguste-Comte, puis l'avenue de l'Observatoire.

Peut-être les voitures — il y en a trois qui roulent à vive allure, pare-chocs contre pare-chocs — vont-elles s'arrêter devant l'immeuble d'Alexandre de Norois ?

Avec la rage des vaincus, des hommes, miliciens ou SS, vont en bondir pour tuer. Et pourquoi ne pas mourir par cette nuit où la lumière blanche brille de tant de reflets noirs ?

Il ferme les yeux.

Il lui semble que, depuis qu'il a quitté Geneviève Villars, place Maubert, la mort le cherche.

Elle est obstinée, maladroite. Elle le frôle sans le voir.

Mais elle est là, toute proche.

Pourtant, elle détourne la tête comme pour lui laisser le temps de s'enfoncer dans la pénombre d'une porte cochère, puis de s'enfuir.

Ce qu'il a fait place des Vosges.

Geneviève Villars lui avait indiqué que les SS avaient commencé à arrêter tous ceux, Allemands aussi bien que Français, qu'ils soupçonnaient d'avoir partie liée avec les auteurs d'un attentat qui venait d'être perpétré contre Hitler. Après quelques heures d'incertitude sur son sort, on avait appris que le Führer n'avait été que légèrement blessé par l'explosion de la bombe placée dans la salle de conférences de sa *Wolfchanze* — tanière de loup —, son quartier général de Rastenburg, en Prusse-Orientale.

Les SS allaient étrangler avec des cordes de piano les coupables et tous leurs complices.

— Votre mère a des amitiés qui, en ce moment, risquent de lui valoir quelques ennuis, avait murmuré Geneviève Villars.

Elle avait ajouté qu'il ne s'agissait évidemment pas d'intervenir pour sauver des antinazis de la dernière heure, mais de mettre à profit le désarroi créé dans l'armée allemande, de favoriser la désagrégation des unités, les désertions, et peut-être de s'emparer de stocks d'armes.

— Les Alliés ne parachuteront rien sur Paris et sa région, avait-elle continué. Mon frère Pierre a raison quand il dit que les Anglais et les Américains ont peur du peuple. Ils ne veulent pas d'une insurrection. Ils préfèrent nous libérer eux-mêmes, quand ils le jugeront nécessaire, et, d'ici là, qu'on nous tue !

Elle l'avait embrassé presque distraitement, mais, au moment où elle s'apprêtait à le quitter, la tête déjà tournée, il lui avait saisi le bras — elle avait sursauté — et il avait tangiblement senti son angoisse, cette peur d'être arrêtée avec laquelle elle vivait comme eux tous. Il l'avait serrée contre lui.

Cette fois elle s'était raidie, le repoussant et le regardant fixement :

— Maintenant, chaque heure compte, avait-elle dit.

Puis, tout à coup, elle avait souri avec tendresse, lui caressant les lèvres du bout des doigts.

— Nous nous sommes accordé beaucoup de temps, avait-elle ajouté. Plus de deux heures ! S'il y a un après, nous disposerons comme nous le voudrons de ce qu'ils nous auront laissé de vie.

Elle était redevenue grave, sévère même.

— Mais je crois qu'ils me prendront tout, avait-elle conclu.

Il l'avait regardée s'éloigner, immobile, jusqu'à ce qu'elle eût disparu dans l'une des petites rues conduisant aux quais.

Il avait traversé lentement la place Maubert et avait aperçu, allongé sur le banc, le soldat qu'ils avaient croisé dans l'escalier de l'hôtel. Sa vareuse était ouverte, son bras droit pendait le long du banc ; du sang avait coulé, rougissant sa paume, s'égouttant sur le trottoir.

La place était déserte. Il fallait fuir au plus vite avant que ces camions et ces voitures qu'il voyait rappliquer au bout du boulevard Saint-Germain n'arrivent sur place.

Il avait couru jusqu'à l'avenue de l'Observatoire et était rentré, essoufflé, dans le salon où se trouvaient réunis Pierre Villars, Delpierre et Lévy-Marbot.

— Les SS et la Gestapo ont repris partout le contrôle de la situation. Il y a eu quelques suicides d'officiers, des arrestations et des exécutions, avait exposé Villars. Hitler aurait décidé de nommer un nouveau commandant du *Gross-Paris*, von Choltitz, qui a fait ses preuves en Russie en faisant fusiller des centaines de Soviétiques devant Sébastopol et en réduisant la ville en cendres. L'intention de Hitler est évidente : détruire la capitale.

Lévy-Marbot avait haussé les épaules. Encore fallait-il que ce von Choltitz le puisse et le veuille.

— Les suicidaires sont en définitive peu nombreux, surtout parmi les officiers ! avait-il poursuivi. Même un nazi sait qu'il sera jugé par les Alliés. Il s'agit donc de jouer notre partie habilement : insurrection, soit, mais d'abord préserver Paris de la destruction !

Il aurait fallu connaître avec plus de précision quelle était la situation chez eux, avait observé Delpierre.

Il avait parcouru lentement la pièce, s'arrêtant souvent, tassé sur ses cannes.

— Les plus intelligents des collabos foutent le camp, avait-il repris, puis, tourné vers Thorenc : Vous les connaissez bien ! C'était votre monde, celui de votre mère. Vous fréquentiez la Boîte-Rose... Eh bien, votre ami Fred Stacki a organisé ce que j'appellerais un convoi à destination de la Suisse. Michel Carlier, sans avertir ni sa rédaction ni ses maîtres, a quitté son bureau de *Paris-Soir* et est parti avec sa femme, Viviane Ballin. Nous savons cela par Isabelle Roclore.

Il avait ri silencieusement, le haut du corps saisi d'une sorte de tremblement, si bien qu'il s'était encore courbé davantage, étreignant ses deux cannes avec tant de force que les veines de ses mains avaient gonflé sous la peau.

Il avait suggéré — un peu plus, même : il avait ordonné à Isabelle Roclore d'être du voyage... pour la plus grande satisfaction de Carlier !

— Il valait mieux, n'est-ce pas, pour Isabelle. Aux yeux de tous, elle n'est que la complice de Carlier. En Suisse, elle va continuer de nous renseigner. Elle rentrera quand les passions se seront calmées et que nous pourrons faire état du fait qu'elle agissait en service commandé... Mais qui nous croira ? avait-il marmonné après un silence. Les communistes l'ont déjà condamnée à mort avec Carlier et Françoise Mitry. Celle-ci aussi est partie. Tout ce beau monde court se mettre à l'abri en Suisse. Ils passeront une ou deux saisons à Gstaad et ils nous reviendront en pleine forme. Et vous verrez : ils trouveront encore moyen de nous faire la leçon !

— Et vous acceptez ça ? avait lancé Villars.

— Pourquoi ne l'avez-vous pas empêché ? Cher camarade, vos amis, les chefs des unités FTPF de la région parisienne, se sont réunis comme s'il n'y avait pas un Comité militaire d'action, un Comité parisien de Libération. Cela aussi, vous l'avez laissé faire, mon cher Villars. Et nos camarades communistes qui sont partout auraient dû agir, non ? Ils surveillent tout, mais, curieusement, ils ont fermé les yeux sur ces départs. Or, Fred Stacki n'a jamais dissimulé ses intentions.

Pierre Villars s'était avancé vers lui.

— Qu'est-ce que vous insinuez ? avait-il demandé, l'index tendu.

Delpierre avait haussé les épaules et lui avait tourné le dos, se dirigeant vers le canapé où il s'était laissé tomber en brandissant l'une de ses cannes comme une arme.

— Je ne savais pas que vous étiez le défenseur attitré des communistes, avait-il dit. Je le soupçonnais, mais je suis sûr maintenant de votre affiliation au Parti. Mais si, mais si !... Je ne voulais que vous montrer qu'on peut toujours, sans aucune preuve, accuser n'importe qui de n'importe quoi... Deux informations sont importantes dans ce que j'ai rapporté : certains collabos se réfugient en Suisse, premier point. Et deuxième point : les formations militaires du Parti communiste tiennent des réunions séparées, comme si elles étaient une armée dans l'armée, une résistance dans la Résistance. Or cela me paraît extrêmement grave pour la suite.

— Si nous en revenions aux Allemands, avait dit Lévy-Marbot. Où en sont-ils ?

La tête un peu penchée, avec une expression dubitative, il avait regardé Thorenc et commencé à suggérer :

— Vous pensez que Cécile de Thorenc pourrait... ?

— Inutile et risqué, avait décrété Villars.

Mais Bertrand s'était levé. Il avait pris l'un des vélos qui se trouvaient entreposés dans une petite pièce à gauche de l'entrée, et avait quitté l'appartement par l'escalier de service.

Dehors, c'était le silence. La clarté lunaire nimbait d'une lumière blanche aux reflets noirs les massifs et les arbres du jardin.

Il s'était élancé, courbé sur le guidon. Dans la chaleur un peu moite de cette nuit estivale, il avait commencé à rouler sur les trottoirs, le long des façades, vers la Seine et, au-delà, la place des Vosges.

— 39 —

Thorenc s'arrête au bord de cette ombre dense et plus noire, comme celle qui stagne au fond d'un puits.

Il hésite, écoute.

Parfois, le silence est rayé par des crissements qui cessent presque aussitôt, puis, entre les maisons de la place des Vosges, c'est à nouveau l'épaisseur immobile et muette de la nuit.

Il descend de vélo comme au ralenti.

Il ne comprend pas ce qui le fait ainsi agir.

Il pourrait, en quelques tours de roue, rejoindre la maison de sa mère située à l'angle opposé de la place. Il l'interrogerait. Pipelette, prétentieuse et joueuse comme elle est, elle dirait tout ce qu'elle sait, incapable, comme à son habitude, de retenir un mot, préférant toujours le bavardage, la confession et la pose à la pudeur et à la discrétion.

Elle dirait ce qu'il en est réellement du sort du général von Brankhensen et du lieutenant Konrad von Ewers, les deux amants de Lydia Trajani dont on rapporte qu'ils auraient été tués par les SS et les agents de la Gestapo dans un appartement de l'avenue Foch, sans doute chez leur commune maîtresse.

Et elle, Lydia, qu'est-elle devenue ?

Cécile de Thorenc pourrait encore mieux parler de Werner von Ganz, d'Alexander von Krentz, du capitaine Weber, d'Alfred Greten, de Karl Epting qu'elle avait l'habitude, assurait-on, de réunir chez elle, si fière d'avoir son nom dans la rubrique des échos mondains ou de paraître, entourée de ces officiers, aux réceptions de l'ambassade d'Allemagne, rue de Lille, où elle retrouvait son cher et vieil ami Otto Abetz.

Lequel de ces officiers-là a été assez habile pour donner des gages aux organisateurs du complot contre Hitler sans pour autant devenir suspect aux yeux des SS et de la Gestapo ? Peut-être, pour survivre, a-t-il tout simplement, comme cela se produit dans toutes les conspirations, tous les réseaux, livré aux vainqueurs les noms de quelques affidés ?

Que les SS ont déjà étranglés avec une fine corde de piano, puisque c'est ainsi qu'ils ont pendu, à Berlin, les généraux coupables...

Thorenc appuie son vélo contre une colonne à l'entrée de la place.

Il s'avance sous les arcades.

Tout à coup, à plusieurs dizaines de mètres devant lui, il aperçoit ces silhouettes d'hommes casqués qui marchent en ligne, occupant presque toute la largeur de la place.

Il est encore trop loin pour discerner leur physionomie.

Leurs bottes crissent sur les dalles. C'est ce bruit qu'il a entendu, qui l'a sans doute dissuadé de traverser la place.

Il se colle contre une porte cochère.

Il faudrait qu'elle cède sans bruit, qu'il puisse s'enfoncer dans une cour.

Il tâtonne, appuie. Il la sent qui cède.

Il la retient, puis se glisse à l'intérieur, sous le porche. Aux chuchotements, aux crissements, il devine que d'autres soldats arrivent, suivant la première ligne, et qu'il s'est trouvé passer entre les deux vagues.

La voilà bien, cette moquerie, cette inattention de la mort !

Il guette.

Ils ont dû avancer, encercler maintenant la maison de Cécile de Thorenc.

Il entrebâille la porte.

Tout à coup, une lumière dure éclaire les façades des maisons. Des voitures et des camions sont alignés au milieu de la place et viennent d'allumer leurs phares. Et le bruit déferle : des commandements, le claquement d'une détonation que les façades se renvoient.

Au bout de quelques minutes, Thorenc voit s'avancer, dans la lumière dont elles tentent de se protéger avec le coude, des silhouettes. À leur démarche raide, il pense qu'il s'agit d'officiers. Peut-être Alexander von Krentz, le capitaine Weber se trouvent-ils parmi eux ?

Puis cette femme si menue qu'encadrent deux immenses soldats.

Thorenc la suit des yeux dans le cône de lumière où elle

est prise et où elle se débat, tournant la tête, essayant de comprendre sur quelle scène elle se trouve, quelle pièce elle est conviée à jouer.

Puis elle tombe dans le trou noir auquel la lumière fait place.

Des portières claquent, des ordres retentissent. Les grondements des moteurs rompent le silence et semblent percuter les façades, les parois de ce puits noir.

Thorenc recule, va s'asseoir dans le coin le plus reculé de la petite cour pavée.

Il cale son front sur ses genoux repliés qu'il tient serrés entre ses avant-bras.

Pourquoi demeure-t-il vivant alors que tant d'autres continuent de tomber autour de lui ?

Il pense à sa mère avec laquelle ils vont jouer comme avec une pauvre vieille folle.

Il faudrait que la mort la prenne au plus vite.

Mais elle est aussi espiègle que perverse et sotte, la mort !

Recroquevillé, il ne bouge plus, attendant que le jour se lève.

— 40 —

Thorenc regarde ces jeunes femmes qui rient dans la lumière épanouie de l'été. Il roule à bicyclette au milieu d'elles depuis la place de la Concorde que barrent çà et là des chevaux de frise qu'il lui faut contourner.

Mais elles semblent ne pas les voir, ne pas se rendre compte qu'elles longent le blindage d'acier d'un panzer dont le canon prend la rue de Rivoli en enfilade.

Thorenc écoute leurs éclats de voix, les chansons qu'elles fredonnent en remontant les Champs-Élysées. Leurs jupes volettent, et, lorsqu'elles passent devant les terrasses des cafés réservées, les soldats s'esclaffent, les désignant du doigt, se penchant pour voir leurs cuisses.

Où est la mort ? Où se tapit-elle ?

Elles descendent maintenant l'avenue Foch, elles vont au Bois comme les cavalières jadis.

Il se raidit, les mains crispées sur le guidon. Devant l'entrée de l'immeuble de Lydia Trajani, au numéro 77, deux SS montent la garde, casqués, jambes écartées et tendues.

Il ne se retourne pas.

Sur l'autre côté de la chaussée, il voit des soldats qui poussent un troupeau de vaches normandes à l'air épuisé, dont ils piquent les flancs de la pointe de leur baïonnette.

Tout à coup, des grincements de freins le font sursauter, l'incitent à regarder devant lui les jeunes femmes qui se sont arrêtées devant un garçon qui, au milieu de l'avenue, gesticule, répète que les Allemands interpellent plus bas tous les cyclistes :

— Ils prennent les vélos ! crie-t-il. Au Racing, ils les piquent tous, qu'ils soient de femme ou pas !

Il y a des cris aigus, des gloussements, une joyeuse panique.

Les jeunes femmes rebroussent chemin, remontent vers la place de l'Étoile et il les suit pour voir à nouveau ces deux soldats immobiles de part et d'autre de l'entrée du numéro 77, et découvrir, de l'autre côté de l'avenue, la façade du 84, du haut de laquelle Brossolette s'est jeté, et ces petites fenêtres qui ont étouffé tant de cris. Tant de souffrances, dont celles de Max.

Le savent-elles, ces jeunes femmes aux cheveux dénoués qui montrent leurs cuisses en pédalant ?

L'apprendront-elles un jour ?

Il les abandonne, descend l'avenue Kléber, puis l'avenue Paul-Doumer, jusqu'à la rue Pétrarque.

Il s'arrête à quelques dizaines de mètres de l'hôtel particulier où il a rencontré Simon Belovitch.

Il observe autour de lui.

L'avenue est vide. Il s'avance.

Le hall de l'hôtel est désert. Il entend des éclats de voix qui résonnent dans un bâtiment qui a plutôt l'air abandonné. Il lève la tête et aperçoit Belovitch qui gesticule, pousse vers le grand escalier de marbre un homme en uniforme de milicien tout en répétant :

— Je ne peux rien pour vous.

L'autre brandit sa mitraillette et crie :

— Mais je vous tue, je vous crève ! Vous n'êtes qu'un sale youpin ! J'appelle la Gestapo.

Mais Simon Belovitch continue de le faire reculer :

— C'est vous qu'ils tueront, mon cher, répond-il.

Thorenc monte lentement. Il arrive derrière l'homme, le saisit par le cou, le force à laisser tomber son arme. Le milicien s'agenouille.

— Il faut l'enfermer, dit Simon Belovitch.

Il montre une porte, l'ouvre.

Thorenc attache l'homme hébété, puis lui assène un violent coup du canon de la mitraillette sur la nuque.

Le milicien s'affaisse.

Belovitch entraîne Thorenc dans son grand bureau blanc.

Il emplit deux verres de whisky.

— Heureusement, c'est la fin, dit-il en buvant. Même les tueurs de Lafont lèvent le camp.

Il se laisse tomber dans un fauteuil.

— Seulement, c'est comme quand on vide un étang. Ceux qui n'ont pas pu s'enfuir se débattent, piquent, pendent, tuent. Tu as vu cet idiot ? J'espère qu'on le fusillera !

Il s'éponge le front.

— Qu'est-ce que tu veux ? demande-t-il.

Il hoche la tête, et, sans attendre de réponse de Bertrand :

— Il ne faut pas rester ici. Les SS, la Gestapo sont toujours là. Von Choltitz dispose de plusieurs dizaines de chars, de milliers d'hommes. Il y a les troupes qui se replient de Normandie. On va encore mourir, ici. Qu'est-ce que tu veux ?

— Savoir. Et puis des armes ! marmonne Bertrand.

Thorenc guette chaque expression de Belovitch.

Son visage lourd s'est encore affaissé. La barbe le noircit. Il secoue la tête.

— Lydia Trajani... vous la connaissez...

Il se corrige, se met à tutoyer Thorenc, puis revient au vouvoiement.

— Je lui avais préparé un passeport, une voiture. Elle pouvait filer en Suisse sous la protection de Fred Stacki qui a obtenu des visas pour tous ceux qui le lui demandaient : Pinchemel, Viviane Ballin, Michel Carlier, Alfred Greten, Isabelle Roclore, Françoise Mitry...

Il rit de son énumération.

— Les actrices, les producteurs, les maquerelles, tous ceux-là sont maintenant à Genève, à Saint-Moritz, à Gstaad. Elle, Lydia — il écarte les mains — a refusé de suivre le mouvement. Pourquoi ? Je ne sais pas : par défi ? pour jouer les héroïnes ? ou bien parce qu'elle a eu peur de perdre ce qu'elle possédait, ce qu'elle croyait posséder ? ou simplement parce qu'elle les méprisait tous, qu'elle ne voulait pas être mêlée à eux, qu'elle estimait aussi, ce faisant, se montrer la plus habile ?

Il se lève.

— Elle est comme moi. C'est vrai qu'elle et moi, nous sommes des malins, qu'à côté de nous les autres sont des brutes bornées ! Seulement, la Gestapo l'a arrêtée. On s'est battu chez elle. Brankhensen et von Ewers se sont défendus. On l'a fourrée dans un wagon comme une pauvre petite Juive qu'elle n'est pas, comme la résistante qu'elle n'est pas non plus. Un peu agent des Anglais, oui, je sais... Je n'ai rien pu faire. C'est Klaus Wenticht qui, depuis l'attentat contre Hitler, est devenu le patron de la Gestapo à Paris. C'est un cinglé. Je lui ai fait proposer par des intermédiaires dix millions de francs en échange de Lydia. Il a fait fusiller les intermédiaires.

Simon Belovitch va jusqu'au balcon.

— Il aime tuer. C'est comme les hommes de Henry Lafont, Ahmed et Douran, Bardet ou Marabini. Mais ceux-là sont en train de partir, ils ont veillé à préparer leur cachette...

Il rit.

— Mais je connais les villages où ils vont se terrer, et je les ai déjà livrés à la Résistance ! Ce sont des assassins.

Il s'approche de Thorenc.

— Wenticht est un fanatique, pas un truand. Mais, de surcroît, c'est un sadique. Il tue lui-même. Il a abattu six moines d'un couvent de Seine-et-Marne où les résistants avaient planqué les armes qu'on venait de leur parachuter. C'est moi qui ai fourni les camions qui devaient les transporter à Paris. Je ne sais qui a parlé. Mais Wenticht a appris où elles avaient été cachées : dans ce couvent des oblats de Marie-Immaculée, à La Brosse-Montceaux.

Belovitch se cache le visage derrière ses paumes.

— Wenticht s'est rendu au couvent, il a fait rassembler les moines. Il voulait savoir qui avait emporté les armes, et où.

Il se recueille quelques secondes, puis reprend :

— J'y étais allé moi-même. J'avais donné mon nom au supérieur du couvent pour lui montrer que j'avais confiance en lui tout comme il avait confiance en moi. Sais-tu, Bertrand, ce qu'a fait Wenticht ? Il a tué lui-même, devant tous les autres, six moines d'une balle dans la tempe. Après chaque assassinat, il s'est adressé au supérieur et aux autres. Il voulait le nom de l'homme qui avait pris les armes, à tout le moins son signalement et la description des camions. Aucun n'a parlé. Il a posé la question sept fois : avant d'abattre le premier moine, puis après avoir abattu chacun jusqu'au sixième. Les moines n'ont ouvert la bouche que pour prier. Voilà pourquoi je suis encore en vie, mon cher ami.

On dirait qu'il a tout à coup oublié qui est Thorenc, cet homme qu'il a connu enfant.

— Cette nuit, ils ont arrêté Cécile de Thorenc, ma mère, murmure Bertrand. Je l'ai vue.

— Je l'avais prévenue, soupire Belovitch. Je lui avais dit qu'Alexander von Krentz resterait l'homme des SS et de la Gestapo, et la dénoncerait. Elle ne m'a pas cru ! Tu sais comment elle est avec moi !

Il ricane.

— Pour elle, je n'ai jamais été qu'un youpin qui paye, qui doit payer beaucoup pour qu'elle accepte non pas seulement de coucher avec moi, mais de se montrer avec moi. Et dire qu'on accuse les Juifs d'aimer l'argent !

Il s'approche de Thorenc, se dresse sur la pointe des pieds, le prend par la nuque, le force à se baisser.

— Je ne sais même pas si tu es mon fils. Là-dessus, elle est toujours restée mystérieuse. Elle avait beaucoup d'autres amants : des acteurs, un écrivain, des diplomates, des ministres, ce Paul de Peyrière. En somme, tu es un peu leur fils à tous, et à moi aussi. Ça te manque, de savoir ?

— Les armes ? interroge Thorenc.

— À moi oui, reprend Belovitch. Mais ça m'a paru trop beau, que tu sois mon fils. Je suis modeste, et, au fond, j'ai préféré ne pas vraiment chercher à savoir ; j'ai pensé qu'il valait mieux pour toi que tu sois un enfant sans père, mais qui s'appelle Bertrand Renaud de Thorenc plutôt que Bertrand Belovitch. Voilà !

Il soupire.

— Les armes, oui, les armes..., marmonne-t-il.

Il les a remises au réseau Comité de Libération de la police parisienne.

Il sourit.

— J'ai exigé qu'on les distribue équitablement entre les réseaux. Je ne choisis pas, je ne cherche pas à connaître ceux qui ont participé aux rafles, le 16 juillet 1942 et après. Ils sont d'ailleurs tous résistants, maintenant.

Il prend le bras de Thorenc.

— Toi et quelques autres, vous l'étiez depuis...

Il hausse les épaules.

— Depuis toujours, comme de Gaulle !

Il le serre contre lui.

Il est bedonnant, il a le visage en nage. Sa peau, sous les traces noirâtres de la barbe, est grise.

— Attention à la mort, Bertrand, lui dit-il. Elle guette, vous savez. Elle est à l'affût, toujours. Même si on l'oublie. Après, après la Libération, on oubliera peut-être ce que tu as fait, mais tu seras vivant.

Il tapote son estomac.

— Comme moi !

Thorenc sort du bureau.

Il entend le milicien qui appelle à l'aide.

Il ouvre la porte de la chambre. L'homme tente de ramper, mains et pieds liés. Il regarde Thorenc avec effroi.

Pour cet homme-là, il incarne la mort capricieuse.

Thorenc prend la mitraillette. L'homme supplie.

Il enveloppe l'arme dans le couvre-lit, puis s'approche du milicien. Il devrait le tuer.

— Si j'entends ta voix..., le menace-t-il.

Il sort, dévale l'escalier, puis, enfourchant son vélo, le paquet sous le bras, il commence à pédaler.

Il a été la mort qui hésite, puis qui renonce.

Peut-être espère-t-il ainsi qu'elle sera, dans cet été flamboyant, clémente avec lui ?

— 41 —

Thorenc s'arrête à quelques mètres de ce soldat casqué qui, debout au milieu de la chaussée, dans le soleil, vient de lever la main.

C'est peut-être la mort.

Il ne distingue pas le visage de cet homme. Il est ébloui par la lumière qui fait briller la plaque de métal que l'autre arbore sur la poitrine, et le disque de circulation qu'il tient à la main droite et qu'il abaisse à présent.

Thorenc repart, pédalant lentement, reprenant son souffle que le geste du soldat a comme interrompu.

Une fois de plus, la mort l'a ignoré.

Il remonte l'avenue du Maine, puis le boulevard du Montparnasse. Il longe des convois de camions couverts de branchages, des ambulances aux portes arrière entrouvertes. Il aperçoit, couchés sur les brancards, les blessés, des pansements rougis enveloppant leur poitrine, leur tête, leurs épaules, cachant leurs yeux.

Aux carrefours, les *Feldgendarmen* dirigent le flot vers l'est.

Aux terrasses des cafés, nonchalants, comme s'ils étaient eux aussi des badauds n'appartenant pas à cette armée en déroute, d'autres soldats boivent, tête nue, tout en reluquant les femmes.

Les putains sont toujours là, au coin de la rue Delambre et du boulevard Raspail, à aguicher les militaires attablés à la terrasse de la brasserie du Dôme.

Thorenc descend de bicyclette.

Il voit l'enseigne de la Boîte-Rose. La porte d'entrée est protégée par un large panneau de bois. Il s'approche.

Sur une large affiche blanche, on a écrit à l'encre rouge : « Fermeture pour changement de propriétaire », et rageusement, en noir, d'autres mains ont tracé : « Kollabos ! », « À mort la putain boche ! » Une grande croix noire barre toute l'affiche.

Plus loin, sur un mur, il découvre, lacéré, le portrait de Philippe Henriot avec cette légende : « Il disait la vérité... Ils l'ont tué ! »

Quelques pas encore, et, à l'angle du boulevard Raspail, il s'approche d'un groupe de badauds qui lit une affiche froissée, encore humide de colle, dont les lettres apparaissent au fur et à mesure que le papier sèche :

« La bataille de Paris

« Parisiens et Parisiennes, jeunes et vieux, tous au combat, par tous les moyens, en vue de faire surgir de notre grande capitale, cœur de la France, l'Insurrection populaire, la grève générale insurrectionnelle qui contribueront puissamment à nous faire gagner dans le minimum de temps la bataille de Paris et hâter l'heure de la délivrance totale de la Patrie ! »

Thorenc dévisage les badauds qui, dès qu'ils se sentent observés, s'éloignent rapidement. Mais d'autres s'agglutinent devant ce texte communiste qui porte en titre : *L'Humanité clandestine*, 15 août 1944.

Tout à coup, dans un bruit de freins, un camion s'arrête à hauteur des affiches, des SS casqués sautent à terre, menacent les badauds de leurs mitraillettes, les bousculent, tirent en l'air.

Thorenc gagne le boulevard. À quelques pas, tout est

calme. Des voitures décapotables, chargées d'officiers chamarrés et de femmes blondes, cheveux volant au vent, passent rapidement, cependant que le *Feldgendarme* se fige dans un bref garde-à-vous.

Mais, brusquement, des détonations à nouveau, un adolescent qui s'enfuit. Sa chemise blanche est tachée de rouge au milieu du dos. Il s'affale sur la chaussée et reste là cependant que la rue Delambre se vide. Mais, aux terrasses du Dôme, les consommateurs ont à peine reflué, reprenant vite leur place, tandis que des SS balancent dans le camion le corps de l'adolescent.

Thorenc marche le long du boulevard.

Il faut en finir, vite !

Les Américains sont à Orléans. La 2e division blindée de Leclerc a débarqué. Qu'attendent-ils pour s'élancer ? Que la mort continue à faucher ainsi au gré de sa fantaisie ?

Que les Allemands s'organisent pour pouvoir faire de Paris un champ de ruines, comme ils l'ont fait de Varsovie qui s'est insurgée le 1er août ?

Et les Russes sont restés l'arme au pied, au bord de la Vistule, laissant massacrer les Polonais.

Les Américains veulent-ils agir de même avec ces Parisiens trop rouges à leur gré ? Et n'entrer dans Paris qu'après que les Allemands auront châtié le peuple insurgé ?

Drôle de moment. Drôle de jeu.

Brinon, l'un des ministres collaborateurs les plus déterminés, qui juge même que Laval devrait être pendu pour avoir tenté de mettre sur pied avec Herriot un gouvernement de transition, a déclaré hier 14 août :

« Les gaullistes et les communistes essaient de déclencher un soulèvement dans la population du Grand Paris. Si un mouvement d'une certaine ampleur se produisait, le calme serait rétabli, en cas de besoin, par des bombardements aériens... »

Thorenc s'arrête brusquement.

Il regarde la façade. Il est devant chez lui.

Les rideaux sont tirés, masquant la haute baie de son atelier. Pinchemel a dû rendre les clés à madame Maurin.

Il se penche par-dessus les pots de géraniums. Madame Maurin est là, assise, lissant de la main un pantalon de son mari.

Elle lève les yeux, porte les mains à sa bouche. Elle se lève.

— Mon Dieu, monsieur de Thorenc !

Elle ouvre la porte.

— Entrez, entrez ! souffle-t-elle.

Il est dans le hall.

Plane toujours, au bout de quatre années, la même odeur de chiffon humide.

Madame Maurin se pend à son cou.

— Il faut que je vous embrasse ! répète-t-elle.

Elle recule d'un pas, le regarde.

— Le souci qu'on s'est fait pour vous, avec Maurin, vous ne pouvez pas savoir ! Maurin, il me disait qu'il avait toujours peur de voir votre nom sur les listes d'otages. Maintenant, c'est la fin. Ils sont en grève, tous les policiers. Depuis ce matin, il n'y en a plus un seul dans les rues. Maurin m'a dit : « Marinette, on va leur faire payer tout ce qu'ils nous ont forcés à faire ! C'est fini, on se bat. »

Elle prend le bras de Thorenc, chuchote qu'elle vient

justement d'écouter Londres. Les Français du général de Lattre et les Américains ont débarqué en Provence.

— C'est la fin. J'espère qu'on ne va pas se faire tuer, maintenant ; ce serait trop bête, après ce qu'on a passé ! Mon Dieu, si vous saviez ! Ils sont venus cent fois, ceux de la Gestapo, pour vous et pour tout voler chez monsieur Waldstein, le pauvre. Et il fallait que je sois polie, quand les Pinchemel recevaient tout le gratin chez vous.

Elle fouille dans le tiroir du buffet, lui tend un tract qu'il lit :

« ORDRE DE GRÈVE GÉNÉRALE
POUR TOUTE LA POLICE PARISIENNE.

« La Gestapo vient de donner l'ordre de désarmer les policiers parisiens et de les interner.

« Face à cette mesure de provocation, tout le personnel de la Préfecture de police, actif et sédentaire, devra cesser le travail dès mardi matin, 15 août, à 7 heures.

« Les policiers qui n'obéiraient pas au présent ordre de grève seront considérés comme des traîtres et des collaborateurs.

« Sous aucun prétexte nos camarades ne devront se laisser désarmer.

« Pour l'ultime combat, tous en avant avec le peuple parisien !

« Front national de la Police, Police et Patrie,
« Honneur de la Police. »

— C'est beau, hein, monsieur de Thorenc ? Il faut du courage, vous savez. Il en a fallu beaucoup...

Bertrand sourit. Il refuse de monter chez lui. Il sait qu'il n'habitera plus ici. Il ne peut plus.

Peut-être s'installera-t-il, comme le lui a déjà proposé Alexandre de Norois, avenue de l'Observatoire, puisque le vieux diplomate veut quitter Paris, aller vivre en Normandie.

— Vous semblez tout bizarre, murmure madame Maurin. On dirait que vous n'êtes pas content de ce qui arrive. C'est la fin du cauchemar, monsieur de Thorenc, la fin ! Si vous, avec ce que vous avez fait, vous n'êtes pas plus enthousiaste que ça, alors qui, monsieur de Thorenc, qui ?

Il traverse à nouveau la rue Delambre. Une femme, sans doute une concierge, lave à grande eau le trottoir, non loin de la Boîte-Rose. Mais la tache de sang résiste.

Il se retourne.

Combien de temps durera le souvenir de ces journées ? Et de tout ce sang ?

— 42 —

Dans la chaleur nocturne devenue de plus en plus moite, Thorenc écoute le grondement sourd qui a succédé peu à peu au silence.

Il regarde vers l'ouest, au-delà du palais du Luxembourg, ce ciel qui tout à coup tremble, secoué par de grands éclairs blancs qui, dès qu'ils cessent, font paraître la nuit plus opaque.

Il quitte le balcon, traverse la chambre, puis gagne le salon dont les rideaux sont tirés, afin qu'on ne puisse apercevoir, de l'avenue et des jardins de l'Observatoire, la lumière des lampes à acétylène posées sur la table.

Il s'assoit dans un fauteuil à l'écart.

Il n'exerce plus de fonction militaire précise, comme il l'aurait souhaité.

Villars l'a chargé de coordonner les reportages que des équipes de journalistes de radio vont effectuer. Radio Paris à cessé d'émettre et les résistants ont déjà occupé ses locaux, sur les Champs-Élysées.

Les journaux collaborationnistes ne paraissent plus. Michel Carlier doit se promener au bon air sur les sentiers de montagne, au-dessus de Saint-Moritz, entre Viviane Ballin et Isabelle Roclore. Le soir, on doit se réunir dans l'un des bars du Palace Hôtel en compagnie d'Alfred Greten, de Françoise Mitry, et on doit accueillir par des exclamations joyeuses l'arrivée de Pinchemel.

Thorenc pense à Lydia Trajani qui a refusé de fuir.

Il songe aussi à Max, à tous les autres.

Villars demande le silence à la dizaine de personnes rassemblées.

D'une voix tremblante et solennelle, il donne lecture du texte de la proclamation qui doit être affichée dès cette nuit dans Paris :

GOUVERNEMENT PROVISOIRE
DE LA RÉPUBLIQUE FRANÇAISE :

« Les Alliés sont aux portes de Paris.

« Formez-vous par groupes de cinq.

« Préparez-vous à l'ultime combat contre l'envahisseur.
« Les combats ont déjà commencé dans Paris.
« Attendez les ordres, soit par affiche, soit par radio, pour agir.
« Les combats auront lieu par arrondissement. »

Lévy-Marbot se lève, agite un feuillet qu'on vient de lui apporter.

Laval et les ministres ont quitté Paris pour Belfort sous escorte allemande. Darnand est déjà parti avec son état-major.

— En banlieue, les mairies sont occupées, ajoute-t-il.

Delpierre s'est avancé, appuyé sur ses cannes.

— Paris s'impatiente, dit-il. Qu'est-ce que ça signifie, « des combats qui auront lieu par arrondissement » ? Vous voulez que les foyers insurrectionnels éclatent au coup par coup pour que les Allemands puissent mieux les maîtriser, les éteindre les uns après les autres ?

Il lève une canne, en balaie l'air devant lui.

— Il faut que Chaban obtienne rapidement de Londres et d'Alger, du général Kœnig, des consignes claires. La disparition de la police ne peut que hâter le déclenchement de l'insurrection. La population va se trouver acculée. Il n'y a plus de gaz, plus de métro, plus qu'une heure et demie d'électricité par jour, on ne trouve plus de ravitaillement. Et qu'est-ce qu'on fait ? Une affiche ! C'est insuffisant ! La grève de la police n'est qu'un début. Il faut que le colonel Rol lance un ordre d'insurrection générale. Il ne s'agit pas de se préparer au combat, mais de combattre !

À nouveau il zèbre l'air avec sa canne.

— Que le Comité parisien de Libération se réunisse et décrète l'insurrection nationale, et que le Conseil national de la Résistance fasse de même au plus tôt. Sinon, quoi ? Des massacres...

Les murmures qui ont accompagné ses propos s'effritent. Le tonnerre roule au loin vers l'ouest.

Delpierre s'est voûté.

— Ils ont fusillé vingt-six patriotes dans les fossés de Vincennes, cette nuit, annonce-t-il d'une voix sourde. Et il y a encore pire : quarante-deux jeunes, vingt-deux ans, dix-neuf ans, vingt-quatre ans — quarante-deux, vous entendez ! — sont tombés dans un piège tendu par un traître au service de la Gestapo. Ils ont été torturés, abattus à la mitraillette, à la grenade : vingt-cinq à la cascade du bois de Boulogne, sept devant le siège de la Gestapo, et dix encore rue Leroux...

Delpierre se tourne vers Thorenc, le regarde longuement.

Bertrand s'appuie aux accoudoirs du fauteuil et se redresse. Tout son corps est couvert de sueur. Il ne quitte pas Delpierre des yeux.

Celui-ci baisse la tête.

— Ils ont arrêté Geneviève Villars par hasard, non loin d'ici, au bas du boulevard Saint-Michel. Elle était armée. Il y a eu combat. Ils l'ont blessée et conduite au palais du Luxembourg.

L'infirme relève la tête.

— Nous ne pouvons rien tenter pour elle, murmure-t-il. Il faudrait prendre le palais d'assaut. Ils l'auront fusillée avant que nous y parvenions.

Thorenc sort du salon.

Il s'installe à nouveau sur le petit balcon de sa chambre.

L'orage paraît s'être éloigné, laissant la mort aux aguets dans la nuit.

ÉPILOGUE

D'un pas lent, s'appuyant sur sa canne à pommeau d'argent, Bertrand Renaud de Thorenc longe chaque matin, peu après onze heures, ce qu'il appelle le cimetière de sa mémoire.

À ce moment de la journée, l'avenue de l'Observatoire et les jardins qu'elle borde sont presque déserts. Et la silhouette haute et maigre de Thorenc évoque bien celle d'un survivant qui va, dans les allées, de stèle en stèle, se recueillir sur les tombes de ses compagnons morts.

Il s'arrête d'abord au coin de la rue Auguste-Comte.

Cette plaque, fixée à hauteur d'homme dans la façade de l'immeuble d'angle, est le premier souvenir.

Il la regarde durant plusieurs minutes. On pourrait croire qu'il lit le nom de ce combattant tombé pour la Libération de Paris le 25 août 1944, il y a plus d'un demi-siècle déjà.

Parfois il lève la main.

Il semble vouloir toucher ces fleurs fanées, accrochées sous la plaque.

Mais son geste s'arrête comme s'il craignait, tant ce petit bouquet est sec, racorni, qu'il ne se réduise en poussière.

On ne dépose des fleurs ici qu'une fois l'an.

Puis le vent, le soleil et la pluie font leur office.

Thorenc s'éloigne, la tête un peu penchée.

Il traverse la chaussée, entre dans le jardin du Luxembourg et s'immobilise à nouveau, tourné vers les grilles.

Sur le muret, presque au ras du sol, se trouve le deuxième tombeau, cette deuxième plaque, souvent souillée par la boue, et où le petit vase à fleurs est toujours vide, les bouquets étant sans doute dispersés par les chiens.

Dans le jardin, les promeneurs sont nombreux, les enfants courent autour des blanches statues placées entre les troncs des arbres ou dressées au milieu des pelouses.

Thorenc marche encore plus lentement, comme si les années, les souvenirs qu'il traîne se faisaient plus lourds.

Il s'arrête au milieu d'une allée.

Est-ce cela, la vieillesse : pas seulement cette fatigue, mais cet oubli qui vient ?

À quoi bon lire et relire les noms gravés sur ces plaques, savoir que l'un était un gardien de la paix de vingt-quatre ans, l'autre un FFI de dix-huit ans, et celui-ci un sergent de la 2e division blindée de Leclerc, puisqu'il suffira de quelques pas pour qu'ils s'effacent et disparaissent ?

Il s'avance entre les arbres, vers le dernier tombeau, ce tumulus qu'à chaque automne les feuilles mortes dissimulent, et, du bout de sa canne, il dégage alors les pans de cette pyramide écrasée.

Il baisse la tête.

C'est le terme de son pèlerinage matinal, le moment où, chaque jour, il se souvient de ces huit corps allongés côte à côte, cisaillés par les rafales des mitraillettes, fusillés à bout portant le 19 août 1944 — apprendra-t-on par des prisonniers allemands — sur ordre d'un colonel SS, et retrouvés seulement le 25 août, après la bataille, quand défilaient dans les allées, bras levés, les Allemands vaincus.

Chaque fois, du revers de sa main, il doit essuyer ses larmes.

Est-ce cela, la vieillesse : quand il ne reste du passé que l'émotion, qu'on ne peut lui résister, qu'elle monte, irrépressible, comme une manière d'incontinence ?

Il secoue la tête avec lassitude, puis rentre chez lui.

Il ne sait déjà plus les noms des combattants tombés aux côtés de Geneviève Villars. Mais il se souvient qu'il avait trouvé, le 25 août, près des corps des fusillés, un brancard maculé de sang sur lequel on avait transporté Geneviève, déjà blessée, afin de l'exécuter avec les autres.

Elle avait dû rassembler ses dernières forces pour se tenir debout.

Quand il l'avait découverte, Thorenc avait eu envie de s'agenouiller, de prier et de maudire, de défier cette mort qui choisissait à sa guise et le laissait, lui, seul.

Mais il avait alors à peine quarante ans.

Et il n'était resté immobile que quelques minutes, avant de se rendre à l'Hôtel de Ville pour assurer le reportage de la rencontre entre le général de Gaulle et les membres du Conseil national de la Résistance.

On tirait encore de-ci, de-là. Des barricades étaient dressées, rue Saint-Jacques et rue de la Montagne-Sainte-Geneviève. Les façades étaient criblées de balles et, sur les quais, des camions allemands incendiés encombraient la chaussée que parcouraient des voitures arborant des drapeaux tricolores.

La foule avait envahi la place de l'Hôtel-de-Ville.

Thorenc avait réussi à pénétrer dans la salle où se tenait de Gaulle.

Il avait vu Delpierre, Lévy-Marbot, Pierre Villars, Bidault, Marrane, le colonel Rol, tous ces hommes courageux qui s'étaient entre-déchirés cinq jours auparavant, les uns partisans d'une trêve des combats dans Paris, les autres, tel Pierre Villars, opposés à cette idée, persuadés qu'il s'agissait là d'une manœuvre pour empêcher le peuple de se battre.

Effacé, tout cela, par les combats et la victoire !

Oubliée, l'accusation de lâcheté que Pierre Villars avait lancée à Lévy-Marbot et à Delpierre.

Oublié, le mot « trahison » que Villars avait proféré contre Thorenc, lui reprochant d'avoir rencontré Fred Stacki et Alexander von Krentz, lequel souhaitait, prétendait-il, empêcher la destruction de Paris.

Thorenc avait reçu von Krentz dans l'appartement du docteur Pierre Morlaix. Il ne lui avait pas serré la main, se bornant à l'écouter suggérer que la Résistance prît contact avec l'ambassadeur de Suède, Nordling, et avec celui de Suisse.

Qui eût cru, à voir ce civil élégant qui fumait, jambes croisées, dans le salon du docteur Morlaix, qu'il s'agissait d'un officier allemand qui avait sans doute dénoncé ses proches à la Gestapo au lendemain du complot manqué contre Hitler, et qui, habile et cynique, changeait une fois de plus de camp ?

Ce jour-là, samedi 19 août, alors qu'il savait déjà que

Geneviève Villars était détenue au palais du Luxembourg, Thorenc avait pensé qu'il se devait d'abattre von Krentz afin que l'un de ceux qui, dans l'ombre, avaient tant profité de l'exercice de la barbarie, payât enfin.

Il avait glissé la main dans sa poche, palpé la crosse de son arme.

Il s'était souvenu de ces soldats allemands et de ces FFI dont les corps gisaient côte à côte, place Saint-Michel, de cette cervelle humaine qui, place de la Sorbonne, dessinait une tache ensanglantée sur le trottoir.

Ceux-là étaient morts, cependant qu'Alexander von Krentz allumait à présent une nouvelle cigarette.

Sans doute l'Allemand avait-il lu dans les pensées de Thorenc.

Il s'était tourné vers Fred Stacki :

— Mon but, avait-il dit, et Stacki, notre ami commun, peut en témoigner, est de sauver Paris de la destruction. Quoi que j'aie pu penser par le passé, et quoi que j'aie pu faire, c'est aujourd'hui ma seule préoccupation. Ma vie ne compte pas. Je veux réussir à épargner à Paris les horreurs qu'a connues Varsovie. C'est pour cela que je suis ici...

Il avait souri, s'était penché vers Thorenc :

— ... à votre merci.

Bertrand avait sorti la main de sa poche.

La trêve avait été signée, mais les combats n'avaient jamais réellement cessé et ils s'étaient intensifiés dès le lundi 21. Le 22, des centaines de barricades avaient été dressées dans les rues des quartiers sud, est et nord de la capitale, que Thorenc avait parcourus à bicyclette.

Rafales d'armes automatiques, là. Ici, panzer en embuscade tentant d'attaquer la préfecture de police « libérée ».

Rues paisibles, aussi, et même, au coin de l'avenue de l'Observatoire, alors que les blockhaus allemands balayaient de leur feu le carrefour Médicis, un peintre assis derrière son chevalet.

Puis ces cloches, le jeudi 24, toutes les cloches de tout Paris sonnant en même temps.

Souvent, dans ces longues insomnies qui accompagnaient sa vieillesse, il les entendait battre douloureusement à ses tempes, le son grave du bourdon de Notre-Dame se confondant avec le rythme trop bruyant, trop rapide de son sang.

Il revivait alors cette nuit d'août, et la fièvre qui parfois l'oppressait sans qu'aucun médecin sût en déceler la cause — peut-être l'émotion, ou la peur qui, la nuit, saisit les vieux ? — lui rappelait la chaleur étouffante de cet été-là.

Il était autour de vingt-deux heures. Il était allongé derrière un sac de sable, place Saint-Michel. Soudain il s'était dressé, et les badauds avaient eux aussi couru vers Notre-Dame, oubliant les risques d'une fusillade allemande.

Les gens aux fenêtres applaudissaient.

Les premiers soldats de la 2e DB étaient arrivés à l'Hôtel de Ville. Ils avaient été reçus à la préfecture de police et étaient installés pour la nuit sur le parvis de Notre-Dame.

Thorenc avait cherché parmi eux Henri Villars, persuadé qu'il allait le rencontrer là. Il avait interrogé ces hommes au visage hâlé, dont certains avaient commencé à se battre dès 1940, au Tchad. D'autres parlaient avec un fort accent espagnol. En devinant qu'il s'agissait d'anciens combattants républicains de la guerre civile, il avait eu le sentiment que les fusillés de Badajoz, ses premiers morts, étaient enfin vengés.

Il n'avait pas rencontré le lieutenant Henri Villars, qu'on connaissait mais qui avait été blessé quelques jours auparavant. Du moins était-il vivant.

Vivant !

Thorenc avait passé cette nuit d'été, allongé sur les quais, à regarder le ciel étoilé que traversaient parfois des fusées éclairantes. Il avait égrené les noms des morts : de Juransson à Joseph Villars, de Pascal à Stephen Luber — puis ceux de Lydia Trajani, Victor Garel et sa femme Louise, Claire Rethel, Catherine Peyrolles, Gabriel et Martine Morand, Salgado, Minaudi, Cécile, sa mère, Max, Max, Max dont il ignorait le sort !

Il n'avait osé prier. Comment savoir quels étaient les intentions et les calculs de la mort ?

Le lendemain, vendredi 25 août, une fois achevée l'attaque du palais du Luxembourg, après qu'il eut découvert le corps de Geneviève Villars, il avait cru qu'il avait encore assez de forces pour contrôler son émotion et ne pas s'agenouiller, ne pas maudire.

Dans la grande salle de l'Hôtel de Ville, il avait gagné les premiers rangs, donné l'accolade à Villars, à Delpierre, à Lévy-Marbot, au docteur Morlaix, et écouté le général de Gaulle.

Il avait entendu cette voix grave et avait eu la sensation que chaque mot prononcé lui serrait la poitrine, à l'étouffer :

« Paris, Paris outragé, Paris brisé, Paris martyrisé, mais Paris libéré par son peuple, avec le concours des armées de la France, avec l'appui et le concours de la France tout entière, c'est-à-dire de la France qui se bat, c'est-à-dire de la vraie France, de la France éternelle ! »

Et toutes les larmes qu'il avait retenues devant le corps de Geneviève, toutes celles qu'il n'avait pas versées, la nuit précédente, en énumérant ces noms — Claire, Catherine, Victor, Lydia, Max, Max, Max, dont il espérait qu'ils soient encore ceux de vivants — s'étaient répandues.

Il avait sangloté, essayant, tête baissée, en se mordant les lèvres, de ne pas attirer l'attention.

Le lendemain, samedi 26 août, lorsque, mêlé à la foule de ceux qui descendaient les Champs-Élysées derrière de Gaulle, il avait vu cet océan, ces vagues de visages, lorsqu'il avait entendu déferler les clameurs « Vive de Gaulle ! Vive de Gaulle ! » et jaillir *La Marseillaise*, il avait à nouveau pleuré, se souvenant de cette nuit du 11 novembre 1940, lorsque, avec Geneviève, il avait fui, ici même, les patrouilles allemandes.

Elle était morte et, chaque matin, maintenant qu'il était un vieil homme, il se rendait par les allées de ces jardins, souvent encore désertes à cette heure, devant cette stèle si discrète, si oubliée.

L'émotion revenait à chaque fois. C'était comme si ce qu'il avait vécu avec elle, ces jours de novembre et d'août avec et sans elle, tout au long de ces quatre années, l'avaient si profondément atteint que ce qui s'était passé depuis lors n'avait plus eu aucune importance.

Il n'avait pas revu Claire Rethel, qui s'était installée aux États-Unis.

Au printemps de 1945, il avait chaque jour attendu le retour des déportés dans le hall de l'hôtel Lutétia.

Mais Catherine, Victor Garel et sa femme, Lydia Trajani, les Morand, sa mère figuraient parmi les disparus.

Max était vivant, mais avait été adopté par Laetizia Bucchi qui n'avait pas accepté — étranges sont les sentiments humains ! — qu'il reconnaisse l'enfant.

De son vivant, Catherine Peyrolles avait refusé, avait déclaré sa sœur ; elle se devait de lui rester fidèle.

Il n'avait pas été assez sûr de lui pour contester sa décision.

Il avait donc renoncé.

Max avait survécu, c'était ce qui comptait. Lui était déjà du côté de l'ombre.

Il avait effectué de longs reportages hors de France, là où on se battait, espérant peut-être que la mort serait enfin lasse de le rencontrer toujours vivant parmi tant de cadavres.

Mais elle avait à chaque fois tourné la tête.

Il avait ainsi entassé les mots les uns sur les autres, devenant un témoin connu et solitaire. Il avait raconté toutes les guerres, sauf celle qu'il avait faite.

Des femmes étaient passées dans sa vie, fugitives. Que pouvaient-elles savoir des temps anciens d'où il venait ?

Puis la mort avait commencé son travail de sape et tous les châteaux de sable s'étaient effondrés.

Et il n'était resté que cette stèle, ce tumulus à peine surélevé, ces quelques plaques de marbre ternies, et l'émotion et les larmes d'un vieil homme, le cimetière de sa mémoire peu à peu envahi par les herbes de l'oubli.

Achevé d'imprimer par Rodesa en Août 2001
pour le compte de France Loisirs
Paris

N° d'édition : 35544
Dépôt légal : Août 2001

Imprimé en Espagne